DESNUDA EN LA TIERRA PROMETIDA

LILLIAN FADERMAN

DESNUDA EN LA TIERRA PROMETIDA

mr · ediciones

Diseño de la cubierta: adaptación de Germán Carrillo a partir de diseño
original de Robin Locke Monda
Fotografía de la cubierta: imagen de la mujer (Corbis) y retrato de la niña
(cortesía de la autora)

Título original: Naked in the Promised Land

Primera edición: Junio de 2004

Publicado por vez primera en inglés por Houghton Mifflin
Agencia literaria B&B Serveis Literaris, S. L.

© 2003, Lillian Faderman
© 2004 de la traducción: Gerardo di Masso
© 2004, Ediciones Martínez Roca, S. A.
Paseo de Recoletos, 4. 28001 Madrid
ISBN: 84-270-3037-1
Depósito legal: M. 20.433-2004
Fotocomposición: J. A. Diseño Editorial, S. L.
Impresión: Brosmac, S. L.

Impreso en España-Printed in Spain

ÍNDICE

Para Avrom

AGRADECIMIENTOS

Mi más profunda gratitud a los muchos amigos que leyeron este libro en sus numerosas versiones, hicieron sugerencias muy útiles y me alentaron en mi trabajo: Rosie Pegueros, Ruth Shwartz, Linda Garber, Barbara Blinik, Ruth Blinik, Joyce Aiken, Rosalind Ravasio, Charlie Bolduc, Joyce Brotsky, Virginia Hales, Sharon Young y Olivia Sawyers. Un agradecimiento especial a Frankie Hucklenbroicj, Steve Yarbrough y Beatrice Valenzuela.

Me hubiese resultado completamente imposible acabar el manuscrito sin el tiempo que me brindaron mis colegas y el apoyo de la Universidad del Estado de California, Fresno. Me siento especialmente agradecida a Luis Costa y Michael Ortiz.

Mi editora, Elaine Pfefferblit, creyó en este proyecto desde el principio y en todo momento me ha hecho sentir su apoyo. Gracias. Sandy Dijkstra sigue siendo una gran amiga y una agente estupenda.

Me siento bendecida por mi familia, Avrom Irwin Faderman y Phyllis Irwin. Gracias por vuestra dulce educación.

PRIMERA PARTE

LILLY

I

CÓMO ME CONVERTÍ EN UNA BUSCAVIDAS

¿Qué tendría que haber hecho para no haber pasado tantos años de mi vida anhelando la manzana de oro, su peso, la redondez, su suave tacto, su contorno curvo en mi pequeña mano? Cuando tenía sólo tres meses y una guerra terrible se libraba al otro lado del océano, mi madre me mecía entre los brazos en la penumbra de una sala de cine. En la pantalla, aquí en Estados Unidos, en el Bronx, estaba Charles Boyer, un duque con una mansión en París, otra en el valle del Loira, otra en Córcega. Sus lujosas residencias parecían diseñadas por un repostero lunático: muebles, cortinas, techos, paredes, todo de color crema batida ondulante. Si la película hubiese sido en technicolor, todo habría sido, sin duda, marfil, azul cielo, dorado sol... Mi madre —una dependienta, una inmigrante, sin esposo— contemplaba las imágenes boquiabierta, extasiada, casi babeando por Boyer y el Paraíso. Cuando se acordaba, me mecía ligeramente en los brazos, rogando que permaneciera callada el tiempo suficiente para que ella pudiese seguir viendo la película, apenas otra mirada fugaz al duque, a su mansión, a la historia. Esto me contaba.

Yo no cooperaba. Me despertaba tras un sueño inquieto y chillaba con toda la fuerza de mis flamantes pulmones.

—Mira —me canturreaba suavemente—. Mira.

De pie en la última fila de la sala, me alzaba para que yo pudiese ver mejor la pantalla. Quería que admirásemos al guapo duque y sus numerosas mansiones. Por un instante, mi boca también permanecía abierta en arrobada atención.

Regresábamos juntas a casa, yo en brazos, bajo el frío crepúsculo de finales de octubre, a nuestras pequeñas habitaciones en el Bronx. Ella me envolvía cálidamente con la manta y me apretaba contra su pecho para que el frío no pudiese alcanzarme. Pero su cabeza estaba llena del duque Boyer con los ojos de alcoba, la boca llena de besos y sus mansiones.

Durante mis primeros tres meses de vida habíamos estado viviendo del «socorro estatal», como se llamaba a la asistencia social en Nueva York en 1940, y mi madre no tenía necesidad de trabajar. Podíamos ir juntas al cine todo lo que nos apeteciera. Pero eso no podía durar siempre.

—Tiene que demandar al padre de la niña —le dijo la asistente social a mi madre con la voz alta que empleaba con la gente que no hablaba bien inglés—. El Bronx no puede mantenerlas a usted y a la niña eternamente.

Escribió la dirección del abogado de oficio con una letra grande y meticulosa y le dijo a mi madre qué metro debía tomar para ir a verlo.

—Ésa no es mi hija —juró mi padre en el estrado y el juez creyó su palabra. No tenía que pagarle a mi madre ni un céntimo.

El Bronx tampoco tenía que seguir pagando ni un céntimo más, dijo la asistenta social. Fue entonces cuando mi tía —*la mona divertida* la llamaba mi madre— vino a vivir con nosotras y a cuidar de mí, y mi madre regresó a la fábrica de prendas de vestir donde había trabajado como pañera antes de que yo naciera. No más películas, ni salidas en medio del frío para mí.

Mi tía me mantenía bien abrigada en el apartamento estrecho y excesivamente caluroso, y me cantaba nanas en yídish todo el santo día. «*Unter Lililehs viegeleh...* Debajo de la cuna de la pequeña Lilly hay una cabra blanca. La pequeña cabra fue al mercado a comprarte pasas y almendras.» De su cuerpo menudo surgía una voz ronca y fuerte. Yo la miraba con los ojos llenos de amor. Ella me apretaba contra el corazón y yo me quedaba allí para siempre, me decía. «*A kush on dyneh shayneh bekelech, a kusk on dyneh shayneh pupikel*», un beso en tus pequeñas y hermosas mejillas, en tu pequeño y hermoso ombligo. «*Smack, smack*», hacían sus labios con grandes besos pegajosos sobre mi piel brevemente expuesta, y me volvía loca de alegría.

Mi madre la llamaba Rae y yo jamás escuché la palabra «tía», de modo que cuando empecé a hablar la llamaba My Rae. Me volví regordeta porque My Rae siempre me estaba metiendo en la boca grandes cucharadas de lo que estuviese preparando en nuestra pequeña cocina: compota de ciruelas, *tzimmes* de patata y zanahoria, gallina hervida con fideos, budín de chocolate...

—Abre la *moileleh*, la boquita —decía, y sonreía extasiada cuando yo lo hacía. Y allí iba la compota y también los *tzimmes*—. Un *michayeh*, un placer —decía.

Aprendí a caminar meses más tarde que la mayoría de los niños porque cuando My Rae no estaba cocinando o haciendo *whirr, whirr* con la pieza que estuviese confeccionando en su máquina de coser para ganar algún dinero, jamás me soltaba.

Ellas eran los dos únicos miembros de su familia que, en 1932, habían llegado a las seguras costas de Norteamérica, mucho antes de que Hitler entrase en Prael, su pueblo en Letonia, y acabara con todos los demás: un hermano tullido, dos hermanas, los esposos de sus hermanas, los cinco hijos de las hermanas. Se suponía que eso no era lo planeado.

—Esto es lo que debéis hacer —les dijo la abuela que nunca conocí a sus hijas mayores, mi madre (una sílfide, una belleza de dieciocho años) y mi tía (un bulldog, la dama de compañía). Las más pobres entre las pobres se marchaban a Norteamérica y enviaban a casa dólares y fotografías en las que se las veía vestidas como la nobleza. ¿Por qué sus dos hijas iban a ser menos afortunadas? Se casarían en Norteamérica con hombres ricos y se llevarían con ellas al resto de la familia.

Llevaban en Estados Unidos casi veinte años, sus padres habían muerto y ni mi madre ni mi tía se habían casado, ni siquiera en 1940, cuando nací tras la relación entre mi madre y su amante. Había estado con él ocho años. Él le había dicho desde el principio que no era la clase de hombre que se casa, pero ella le amaba, de modo que no pudo evitarlo.

Entonces, poco después de que mi madre perdiese la demanda por paternidad contra mi padre, Hitler invadió Letonia. Cuando el silencio de Prael continuó, mes tras mes y año tras año, 1941, 1942, 1943, 1944, mi madre culpó de ello a My Rae.

—¡Tú! Todo es por tu culpa. Yo podría haberlos traído, pero dijiste que no. «Primero nos casaremos», dijiste con tu bocaza. Puta asquerosa, te haré pedazos como a un arenque. Me importa un rábano —y apretaba el pulgar entre el índice y el mayor y los agitaba ante las narices de My Rae en una versión letona de irse a tomar por culo. Yo me sentaba en el suelo y chillaba—. Y Moishe se hubiera casado conmigo, pero tú tuviste que meter las narices.

—Que el cólera me lleve. Yo debería morir en su lugar.

Mi tía lloraba por sus múltiples pecados.

Durante la guerra, la Sociedad de Ayuda al Inmigrante Hebreo conseguía toda la información que podía acerca de la suerte que habían corrido los que se encontraban del otro lado del océano. Mi tía les visitaba una y otra vez. Y nada. Finalmente, en 1945, llegó la noticia atrasada de que, en el verano de 1941, los judíos de Prael habían sido obligados a cavar sus propias tumbas y luego les asesinaron allí mismo. No sobrevivió ninguno de ellos.

Mi madre chilló, se tiró de los pelos, cayó de rodillas. Yo me arrojé sobre ella, la sacudí para recordarle: «Me tienes a mí, mamá. Mamá, no llores».

Yo no sabía llorar por unos parientes a los que jamás había visto, pero algo terrible le estaba sucediendo a mi madre. Empecé a llorar a gritos. Ahora las dos chillábamos juntas, agudos sonidos fúnebres, y sentía que las lágrimas me quemaban las mejillas.

Mi tía, que también chillaba desconsolada, seguía recordando que yo estaba allí. Me alzó y me apretó contra su pecho agitado.

Mi madre se sentó muy erguida en el suelo y la miró fijamente.

—Me lo has quitado todo. Ahora quieres quitarme a mi bebé —gritó—. *A nameh ohn a boicht vaytik*, quieres ser una madre sin dolores de vientre. ¡Puta asquerosa, no puedes!

Y lanzó un zapato a la cabeza de mi tía.

Quizá mi tía pensó que ya que tantos miembros de la familia habían sido asesinados, ella tenía la responsabilidad moral de seguir con vida. Nos dejó a mi madre y a mí lamentándonos en el suelo y regresó al apartamento un par de horas más tarde con un billete de tren para California en la mano.

—No puedo más. Me moriré —le gritó a su hermana mientras metía cosas en una maleta de cartón. Me mojó la cara con besos y lágrimas y me dejó sola con mi madre. Yo tenía cinco años.

Lloré incluso más alto y más fuerte que mi madre durante mucho tiempo. Y entonces la imagen de My Rae se desvaneció de mi mente. Aunque lo intentaba con todas mis fuerzas, sólo conseguía recordar de ella la voz ronca y fuerte y los grandes ojos azules.

Mi madre maldijo las paredes, nombrando a mi tía y a su amante, mi pérfido padre, a quien no había dejado de amar. Entonces, a pesar de la demanda por paternidad, mi padre y ella volvieron a empezar. Tal vez jamás lo habían dejado y yo no lo sabía porque mi tía me había mantenido distraída con nanas y *tzimmes*. Ahora nos mudamos a una habitación con muebles en Fox Street, «junto a una Missus», como la llamaba mi madre, quien me cuidaría mientras mi madre trabajaba y los sábados por la noche y todo el domingo, cuando ella estaba con su amante. La señorita Kalt, así se llamaba. Me hablaba en *yinglish*[*] y me palmeaba la espalda con golpes rudos y distraídos cuando lloraba porque mi madre se había ido, y a veces me daba tres céntimos para que pudiese correr a la pastelería de la esquina, un lugar oscuro y con un olor dulce flotando en el aire, y comprarme un postre de chocolate relleno de gelatina y cubierto de crema batida, en el que podía hundir la lengua.

---

[*] Una mezcla de yídish e inglés. (*N. del T.*)

Mi madre y yo dormíamos en la misma cama, y algunas noches me despertaba sobresaltada por unos suaves sollozos, como los de una niña desamparada. Era mi madre. ¿Estaba llorando por Moishe? ¿Por su familia muerta? No lo sabía, pero yo también lloraba, los mismos sollozos pequeños y desdichados. Nos abrazábamos y llorábamos juntas.

Pero no siempre éramos infelices. Algunos sábados por la mañana, para mi enorme placer, me llevaba a Crotona Park. Entonces me afanaba por cogerla del brazo mientras caminábamos por los senderos del parque.

—Madre e hija —decía.

Nuestras faldas se movían bajo la suave brisa y me aferraba a mi madre.

A veces nos sentábamos a descansar en un banco y ella comenzaba a cantar —su voz subía y bajaba— canciones de «Tu lista de éxitos» que seguramente había oído a otras mujeres en la tienda. *It had to be you, wonderful you. It had to be you, wonderful you* —no se sabía bien las letras.

—En este banco nos sentamos Moishe y yo la primera vez que salí con él —me confesó a mí o al viento una mañana.

Nuestras visitas al cine, naturalmente, se reanudaron: *All This and Heaven Too, Together Again, Back Street*, esta última era su favorita; la vi al menos cuatro veces.

—¿Qué es una *backstreet*,* mamá? —le pregunté. Si lo sabía, nunca me lo dijo.

Aunque no entendía la mayoría de lo que veía en la pantalla, aprendí a hablar inglés sin acento yídish gracias a las películas. Y fue allí, en las salas de cine, donde comprendí lo que era el esplendor femenino: mujeres con brillantes peinados ondulados, pestañas como patas de araña y atrevido color de labios, vestidos y volantes sobre figuras esculturales y bien encorsetadas, piernas torneadas (pero nunca tanto como las de mi madre) enfundadas en medias de nailon sin costura y tacones altos, muje-

---

* Calle secundaria, poco transitada. *(N. del T.)*

res sofisticadas y sugerentes. Mi madre trataba de imitarlas los sábados por la noche cuando salía con mi padre.

* * *

La observo cuando se mira el rostro en el espejo moteado. Quema una cerilla de madera y la punta fría se convierte en un cepillo con el que traza una línea a través de los párpados una, dos, tres veces. Contengo el aliento igual que lo hace ella en su concentración. Las manchas negras son irregulares y frota los dedos sobre ellas, suavizándolas. Ahora los párpados tienen un aspecto pesado sobre los ojos, que son grandes y luminosos.

A continuación, coge el lápiz de labios y pasa la yema de su dedo rosado sobre la punta de la gastada barra, luego aplica el color delicadamente sobre las mejillas. Ella frota, frota, frota, frota con su dedo y las mejillas se vuelven rosadas. Conozco bien esas mejillas porque las he besado con besos ruidosos y con suaves besos de mariposa. No sé si me gusta el nuevo color, pero sé por los pósters de las películas que las mujeres fascinantes deben tener las mejillas muy rosadas.

Luego les toca el turno a los labios. Mi madre aplica la barra rojo sangre directamente sobre ellos. Veo que no ha seguido su encantador contorno. El rojo sangre los cubre y hace que los labios sean más grandes, como los de Joan Crawford. Por un momento deseo que vuelva el rosa delicado, la forma delicada que a veces he estudiado mientras ella dormía. Pero ahora parecen los de una estrella de cine y ella asiente con satisfacción.

—Hubba, hubba —digo con mi mejor voz de Bud Abbot. Ella sonríe, pero no estoy segura de si me está sonriendo a mí o a algo que ve en el espejo.

Luego se peina los rizos oscuros y a continuación extiende crema Pond's sobre sus ya cremosos cuello y hombros.

Mis ojos no la abandonan ni un instante; pero después de besarme en las mejillas y marcharse se llenan de lágrimas.

A él jamás lo veo.

* * *

La observaba muchas veces mientras se maquillaba el rostro con sus cosméticos provisionales para tener el aspecto que deseaba. ¿Veía ella en el espejo el bello rostro que yo veía? ¿Le decía él lo hermosa que era?

Su encantadora figura debería llevar la ropa que usan las estrellas de cine, pensaba. Pero sabía, porque me lo había dicho, que éramos demasiado pobres para que pudiese comprarse ropa elegante.

—Algún día, llevaré esos hermosos vestidos —me prometí a mí misma, tratando de imaginarme mayor dentro de ella y sin poder recordar el sonido de la puerta que se cerraba al salir.

Fue a través de las películas como aprendí a pensar a lo grande: sería actriz de cine, ya que mi madre sentía tanta admiración por ellas. Aunque ella a duras penas leía o escribía en inglés, y jamás perdió su acento yídish, conocía los nombres y vidas de todas las actrices como si fuesen sus hermanas: Bette Davis, Marlene Dietrich, Greer Garson, Greta Garbo, Joan Crawford, Barbara Stanwyck, que eran sus favoritas. Seguía enamorada de Charles Boyer.

—Se parece a Moishe —se refería a su amante, mi padre. Yo odiaba a Boyer y sus grandes labios.

Sus ojos y su boca siempre parecían tristes cuando no se maquillaba, pero los sábados durante el día y por las tardes durante la semana la tenía para mí, y yo era feliz estando cerca. ¿Qué más podía necesitar? Teníamos «privilegios de cocina» con nuestra habitación amueblada, pero a ella no le gustaba cocinar, y «a las dos nos encanta comer fuera de casa», como decía. A veces íbamos al Automat, donde podías meter monedas de cinco céntimos en una ranura y, como por arte de magia, la pequeña ventana se abría para que pudieras coger los maravillosos platos *goyishe* que se exhibían. Pasteles de merengue de limón, bocadillos de mantequilla de cacahuete y mermelada con un pan blanco y crujiente. Puré de patatas y salsa de carne con bistec de cerdo... prohibidos y, por esa misma razón, deliciosos.

O íbamos a un pequeño restaurante en Southern Boulevard, con una carta en yídish y manteles blancos. Hígado de ternera con cebollas fritas. *Gedempfte flaysh* con albaricoques. Col rellena en salsa agridulce.

—¿Qué tomará la señora? —le preguntaba a mi madre el camarero, que llevaba una pequeña corbata de lazo, y después a mí. Escribía el pedido en una libreta con un gastado lápiz amarillo que llevaba encajado en la oreja.

O cogíamos el metro para atravesar la ciudad, conmigo colgada de su falda para no perderla, e íbamos al Katz Deli en Delancey Street, con serrín en el suelo y grandes recipientes con pepinillos avinagrados en la mesa. Enormes bocadillos de cecina, tan grandes que podíamos compartir uno entre las dos. Salmón ahumado y queso cremoso sobre pan de centeno ruso. *Latkes** de patatas deliciosamente grasientas.

Yo era casi siempre el único niño en esos restaurantes y a veces olvidaba que era una niña. Me tomaba muy seriamente el hecho de pedir. Veía cómo lo hacían los hombres y sus esposas que estaban sentados a las otras mesas y hacía lo mismo.

—Creo que tomaré... —decía con una voz que intentaba hacer más grave para que no me confundiesen con una cría.

¿Cuántos vestidos tuvo que doblar para que pudiésemos disfrutar de esas salidas? Creo que todo el dinero que le quedaba después de haber pagado el alquiler de la habitación amueblada y los servicios de canguro de la Missus lo gastaba en nuestros entretenimientos. Aunque no podíamos permitirnos nada mejor que una habitación amueblada, vivíamos derrochando en sesiones de cine y restaurantes.

—Madre e hija —decía yo mientras regresábamos a casa por las calles del Bronx en 1946. Ahora tenía seis años y no me resultaba tan difícil cogerme de su brazo.

No sé por qué nos mudamos a una habitación aún más pequeña en Longwood Avenue, pero fue entonces cuando mi madre me apuntó en P.S.62. Asistía a la escuela hasta las tres de la tar-

---

* Tortas delgadas hechas con patatas que se comen principalmente durante la celebración judía del Hanukkah. *(N. del T.)*

de y luego a un centro de atención de día que quedaba a una manzana de casa —un *parvulario*, así lo llamaban— hasta que mi madre iba a recogerme después de las cinco.

Aquel primer invierno en el parvulario me llevaron con los otros niños a un espectáculo teatral donde se representaba una obra acerca de un niño y un establo y unos reyes magos.

—Jesús es Dios —gritaban los pequeños actores al acabar la obra.

Me había aburrido, pero ahora estaba preocupada. Mi madre o mi tía me habían hablado de palabras como «Jesús», «Cristo» y «gentil», y sabía que significaban algún horror antiguo, cosacos galopando sobre fieras cabalgaduras, matando con sus espadas a las mujeres y los niños y prendiendo fuego a la aldea en Pascua después de que el sacerdote del pueblo los incitase contra los judíos. Siempre que pasaban dos monjas por la calle, mi tía decía que significaba mala suerte y se suponía que debías decir «tsu, tsu, tsu», como si estuvieras escupiendo algo que tenías en la boca. Una sola monja podía significar buena suerte, pero era más seguro no pasar junto a ninguna de ellas.

Yo estaba tan asustada al oír esas palabras peligrosas en un teatro que no debí de darme cuenta de que nos llamaron para que formásemos una fila y nos dirigiésemos al autobús amarillo en el que habíamos llegado. Pronto me encontré rodeada de niños desconocidos y vestidos con uniformes marrones.

Me quedé allí, aturdida, en un extremo de la fila donde había estado sentada con todos mis compañeros. Una mujer enfadada, con gafas que se deslizaban por su nariz, apareció de alguna parte y me gritó:

—¿Menesterosa o católica? —Yo jamás había oído ninguna de esas dos palabras y la miré con la boca abierta—. ¿Menesterosa o católica? —repitió la mujer.

Una de las maestras que estaba conduciendo a un grupo de niños fuera del teatro oyó la pregunta y me miró.

—Parece un poco italiana o puertorriqueña.

Mi inquisidora me cogió de la mano y me llevó velozmente a un autobús lleno de más chicos vestidos con uniformes marrones.

—Sube —me dijo.

Le obedecí y me busqué un asiento cerca de la parte delantera, junto a un chico gordo de cara roja que me sacó la lengua al tiempo que gritaba:

—Ooooh, piojos.

Miré a mi alrededor, pensando que debía trasladarme a un lugar más hospitalario, y allí, en medio del autobús, acomodando a los niños en los asientos, había dos monjas de negro, sus gigantescos crucifijos brillando sobre sus pechos. Me eché a llorar verdaderamente aterrorizada y mi llanto llamó la atención de una de ellas.

—Ella no es de la Primaria Católica —dijo y, cogiéndome bruscamente de la mano, me llevó fuera del autobús y me instaló finalmente en el que me correspondía, con mis compañeros menesterosos.

Había aprendido dos nuevas palabras.

Aunque había esperado con interés ir a la escuela, allí no era feliz. Un día me hice un corte en un dedo con el borde serrado de algún objeto en el patio de recreo y los otros chicos me rodearon para ver cómo brotaba la sangre.

—Oooh, mirad qué brillante es —observó una de las niñas—. Su sangre parece limpia y ella es tan sucia...

Debo de haber estado sucia de pequeña. En los meses calurosos, mi madre regresaba de su trabajo sudada y pegajosa. Preparaba un baño con agua fría en el pequeño baño que nos permitían usar, se quitaba la ropa, la dejaba en una pila en el suelo. Luego se metía en la bañera mientras yo me sentaba en el borde.

A veces me refrescaba apoyando los labios en la deliciosa humedad de su espalda.

—Un beso, dos besos, tres besos, cuatro besos.

Podía contar hasta cien y pensaba darle cien besos, aunque ella siempre decía:

—Basta, Lilly, basta —antes de que llegase a veinte.

Pero no recuerdo haber estado nunca dentro de la bañera. Los baños eran para refrescarse. Probablemente, su madre tampoco la había lavado jamás cuando era pequeña. Probablemente, no habían tenido baños en la aldea.

En la escuela, los niños, seguramente, se habían fijado también en mi pelo. Pasó mucho tiempo antes de que descubriese que un peine debía deslizarse con facilidad a través del pelo, que los nudos no eran inevitables si te peinabas cada día y que la mayoría de la gente en Estados Unidos se lavaba el pelo. Mi cabeza negra era una masa desgreñada de rizos indóciles. El pelo parecía crecer hacia los lados formando un gran matorral en lugar de hacerlo hacia abajo. Por la mañana, cuando me preparaba para ir a la escuela, mi madre a veces pasaba un peine por mi cabeza, pero si lo introducía profundamente hasta chocar con los nudos, el dolor era terrible.

—Basta, basta —le gritaba, y ella paraba de peinarme, dejando que mi cabeza anunciara al mundo su fracaso como madre.

Un día, mi clase de primer grado fue de excursión al zoológico del Bronx, y Víctor, un inmaculado niño rubio que llevaba cada día una camisa blanca, limpia y almidonada y usaba un pequeño anillo de oro en el dedo meñique, acabó junto a mí en el autobús.

—No pienso sentarme allí —exclamó después de echarme un vistazo y levantarse de un brinco, luego se echó a llorar cuando el conductor le gritó que se sentara y cerrara la boca.

Me apreté contra la ventanilla, tratando de concederle el máximo espacio posible para que no hubiese más protestas, y cerré los labios con fuerza para no echarme a llorar también.

No importa, traté de decirme. Porque lo que sí me importaba, apasionadamente, era la señorita Huntington, mi maestra, una rubia goya, como la hubiera llamado mi madre. Era una mujer que rondaba los cuarenta años, no era hermosa del modo en que eran hermosas las actrices de cine, lo sabía, pero a mí me resultaba absolutamente fascinante. Sus ojos eran azules, como recordaba que lo habían sido los de My Rae, y era alta como mi madre. Pero ése era el único parecido que guardaba con ambas. Era norteamericana. Su voz era baja y suave. Sonreía mucho y se reía con ganas cuando algo le divertía. Alguien así no llevaba pesadas cargas en el corazón, penas oscuras que hacían que sollozara por la noche. Aunque me sentía un poco culpable hacia mi madre y quizá hacia el recuerdo de My Rae, estaba locamente enamorada de la señorita Huntington.

¿Habría estado tan atenta para aprender todo lo que ella nos enseñaba si no hubiese sido así? Me aferraba a cada palabra que pronunciaba. Observaba cómo formaban sus labios las letras que había escrito en la pizarra y copiaba su acento; modulaba mi voz para imitar sus tonos. A, be, ce, para mí era fácil. Muchas de las letras se leían tal como sonaban, S como una serpiente, K como una caída, L como un lazo, O como un oooh. Yo las aprendía de memoria, escuchando la voz de la señorita Huntington en mis oídos.

—¿Quién puede recitar todo el alfabeto? —preguntaba, y mi brazo se levantaba como un muelle.

—Yo, señorita Huntington. Yo puedo.

Y repetía las letras muy deprisa mientras algunos de los niños reían entre dientes ante mi precipitación.

Un día nos explicó las letras mudas y aquellos casos en los que las letras producían sonidos inusuales.

—A veces la g-h tiene un sonido de *fff* —dijo. Luego escribió varias letras en la pizarra—. ¿Quién sabe qué palabra es ésta?

La clase estaba en silencio.

—Suf... —luché con la clave. ¡La sabía!—. ¡*Suficiente!*[*] —exclamé, flotando en el aire de la clase con una alas diáfanas. El secreto de la lectura me pertenecía. Los niños murmuraban entre ellos, asombrados ante semejante milagro.

—Maravilloso, Lillian —dijo ella, con una amplia sonrisa, pronunciando mi nombre con acento norteamericano, haciendo que yo pareciera tan maravillosa como ella.

Un día formamos una fila en el patio de la escuela esperando a que llegase la señorita Huntington para que nos acompañase a la clase como siempre hacía. Pero la que llegó en su lugar fue la

---

[*] La palabra en inglés es *enough*, que significa suficiente, bastante, harto, y cuya pronunciación fonética convierte el sonido *gh* en f. (*N. del T.*)

vicedirectora, la señorita O'Reilly, una mujer seria, robusta y con el pelo de color acero.

—La señorita Huntington está enferma —anunció—, yo estaré hoy con vosotros.

Pero la señorita O'Reilly tenía que encargarse de unos papeles administrativos muy importantes, de modo que no tenía tiempo para pararse delante de la clase y darnos las lecciones.

—Niños y niñas, debéis portaros bien y no hacer ruido —nos dijo, repartiendo los libros con láminas que estaban reservados para los días en que se entregaban los premios escolares.

Luego se sentó detrás del escritorio de la señorita Huntington, concentrada en escribir y hacer cálculos, ignorando el alboroto de la clase hasta que ya no pudo ignorarlo más, entonces dio un fuerte golpe sobre el escritorio con una regla.

—Silencio. ¿Acaso debo poneros una mala nota?

La clase se quedó brevemente en silencio, pero luego se reanudaron los ruidos y los gritos.

—Muy bien —anunció la señorita O'Reilly—. Haremos un concurso. Quien sea capaz de permanecer callado durante más tiempo recibirá un hermoso regalo, un juguete que os encantará. —La clase comenzó a lanzar risitas nerviosas, pero ella había dado en el clavo. La clase se quedó en silencio durante unos minutos, sólo interrumpido por el ocasional murmullo. La señorita O'Reilly levantaba la vista de vez en cuando—. Es algo que a todos os gustaría tener —nos recordó.

El chico en la fila contigua a la mía estaba sentado con las manos enlazadas, la mirada al frente, los labios sellados.

—Mirad a Shlomo —dijo la señorita O'Reilly—. ¿Acaso pensáis permitir que Shlomo se lleve ese hermoso regalo?

Algunos niños imitaron la posición de Shlomo durante algunos minutos, pero luego se cansaron del juego.

Los zapatos de Shlomo tenían copetes bajos y estaban hechos de ese cuero suave, magnífico, marrón oscuro, como el que he disfrutado más tarde, no como mis zapatos baratos y arañados de copete alto. Shlomo siempre llevaba su almuerzo y sus deberes a la escuela dentro de un cartapacio de cuero con un dibujo de Pinocho. Un día le había visto caminando con su padre, sus hermanas y una madre de aspecto feliz. Él lo tenía todo. Era yo quien necesitaba ese valioso regalo.

Enlacé las manos y las extendí delante de mí, mucho más que las de Shlomo. Fijé la mirada en el frente con los ojos vidriosos. Apreté los labios con fuerza, como si no me preocupara no volver a abrirlos. Me quedé inmóvil como un soldado, un cadáver. Una mosca comenzó a dar vueltas a mi alrededor y no le presté atención. Sólo ocasionalmente me atrevía a desviar la mirada hacia Shlomo para ver si seguía en carrera. No debía permitir que me derrotase, no podía derrotarme.

Pareció que habían pasado horas antes de que la señorita O'Reilly anunciara que era la hora de nuestra pausa para comer.

—He acabado mi trabajo —dijo—. Y ahora cumpliré mi promesa. —Abandonó la clase mientras la monitora repartía vasos de leche y galletas de harina de trigo, y regresó con una gran bolsa de papel—. Clase, ¿qué alumno creéis que debería recibir este regalo?

Mi corazón dio un vuelco. Dejaba la decisión en manos de la clase. Ellos jamás me elegirían a mí. No tenía ningún amigo que hablase por mí.

—Barbara Ann —dijo una niña, nombrando a la chica más bonita de la clase.

—Barbara Ann es una charlatana —dijo bruscamente la señorita O'Reilly—. Lillian, ven aquí.

Ella se había dado cuenta. ¡En Norteamérica había justicia! Mi sangre se agitó de alegría.

—Shlomo, tú también. —La señorita O'Reilly sacó de la bolsa una gran caja para él—. Shlomo, ¿sabes quién es Albert Einstein? Éste es un juego de química. Trabaja a conciencia con este juego de química y algún día tú, Shlomo Schwartz, serás otro Albert Einstein.

Los niños aplaudieron aburridos cuando Shlomo regresó a su pupitre.

—Muy bien, Lillian, puedes elegir —me dijo—. ¿Te gustaría un juguete o un regalo útil?

La señorita O'Reilly me miró expectante. Yo sabía cuál era la respuesta que se suponía que debía darle. Pero quizá en esa bolsa ella tuviese una muñeca con el pelo rubio y ojos azules que se abrían y cerraban. Yo jamás había tenido una muñeca. Tal vez fuese un par de patines o un arco y flechas o algo más maravilloso que no era siquiera capaz de imaginar. Mis compañeros de clase contenían el aliento colectivo junto conmigo. Ellos hubiesen elegido el juguete, lo sabía. Y el juguete, el encantador y frívolo lujo del juguete era lo que yo deseaba.

—Venga, Lillian —me apremió.

Mi nombre nunca había sonado tan pesado, tan adulto antes. Odiaba la forma en que ella lo pronunciaba, empobreciéndome aún más recortándole una sílaba completa: *Lyl-yun*. Yo no podía abrir la boca para decir lo que sabía que ella quería que dijese, lo que debería decir una niña pequeña que era tan seria que podía quedarse sentada durante horas inmóvil como un cadáver para poder ganar un regalo muy valioso.

—Me gustaría el juguete, por favor —dije.

—Deberías sentir vergüenza —dijo la señorita O'Reilly—. Sé cuánto debe trabajar tu madre para poder mantener a una niña que no tiene padre. ¿Acaso no quieres ayudarla? ¿No quieres algo importante que pueda ayudarla?

Yo esperaba que mis compañeros se echaran a reír al enterarse de que no tenía padre, pero la clase estaba en silencio, tan solemne como yo en esa batalla.

—Me gustaría el juguete, por favor —repetí.

Media docena de niños aplaudieron; uno me animó: «*Síí*».

—Silencio —les reprendió la señorita O'Reilly—. Muy bien, Lillian. Me sorprendes. No ha sido una buena elección, pero puedes tener tu regalo. —Sacó de la bolsa un libro con una portada gris y gastada—. *El último mohicano* —me informó. Yo mostré mi decepción inspirando con fuerza y me pareció oír que toda la clase imitaba mi sonido.

—Y porque tu madre necesita toda la ayuda que pueda conseguir, te daré también el regalo importante. —Me entregó una pequeña bolsa. La abrí sólo lo suficiente como para ver que contenía calcetines de algodón beis—. Pero en el futuro quiero que recuerdes hacer una elección más inteligente —dijo, indicándome que regresara a mi asiento.

Algunos niños volvieron a aplaudir y, esta vez, toda la clase se unió a ellos. No sabía si era porque se apiadaban por la forma en que me habían engañado o si realmente me había ganado su admiración por haberme mantenido firme en mi deseo.

Al mediodía, cuando salimos al patio de recreo, estaba sola otra vez, como si su alabanza jamás hubiera existido. Pero, de alguna manera, sentía que había saboreado una victoria ante fuerzas que me eran hostiles. Había aprendido que podía ganar, podía conseguir el aplauso, pero, aún mejor, podía ser lo bastante fuerte para exigir aquello que deseaba. Tal vez no lo consiguiera, pero obtendría la satisfacción de saber que no podían acobardarme.

Aquellas tardes de los sábados cuando mi madre se vestía con sus mejores ropas y se maquillaba y me dejaba en casa, yo sabía adónde iba, aunque jamás me lo dijo. Yo sabía que nunca terminaría su relación con él, con ese hombre del que ella pensaba que se parecía a Charles Boyer. Cuanto más consciente era de qué manera arrolladora amaba a mi madre, más le despreciaba a él.

—Me tienes a mí, mamá —le dije un sábado por la tarde cuando ella no se maquilló para salir y la encontré llorando en nuestra habitación.

—No es lo mismo. —Esbozó una sonrisa triste. Y estaba segura de que ahora no estaba llorando por sus familiares perdidos sino por Moishe y de cuánto lo echaba de menos cuando no estaba con él—. ¿A quién puedo abrir mi amargo corazón? —suspiró al aire.

Moishe, ese nombre odiado. Yo quería que ella no necesitara a nadie más. Quería serlo todo para ella.

Pero su vida era tan difícil, tan llena de pérdidas, su trabajo tan agotador. Tenía que permanecer de pie todo el día, me dijo, porque su trabajo consistía en colocar los vestidos en los altos maniquíes rellenos.

—Sin sentarse —gritaba la encargada a cualquier mujer que se sintiese momentáneamente débil porque tenía el período o por sus problemas e intentara acercar un taburete de la sección de acabadoras.

En los tórridos veranos de Nueva York la situación era especialmente mala. El maniquí de mi madre estaba junto a las tablas de planchado y los vapores de las máquinas calientes la abrasaban y bañaban cada día. Y no tenía escapatoria: debía mantenernos a ambas.

—Todo el cuerpo se me cae a pedazos por el cansancio —suspiraba mientras recorríamos juntas la manzana y media desde mi parvulario, y podía sentir el temblor de su cansancio en los dedos que aferraba.

Una vez en nuestra habitación, se quitaba la ropa y se acostaba desnuda e inmóvil en nuestra cama, y yo, sentada en una esquina, la observaba mientras ella miraba fijamente el techo hasta que conseguía reunir fuerzas suficientes para arrastrarse hasta la bañera para refrescarse.

—*Rateveh mich*, sálvame. Sálvame de esa tienda, Lilly —dijo una vez, mirando el techo con una pequeña sonrisa en los labios que me confundió. Mi madre no bromeaba nunca. ¿Estaba bromeando ahora?—. Sálvame de ese trabajo —volvió a decir y suspiró.

—¿Cómo, mamá? ¿Qué debería hacer? —pregunté, dispuesta a hacer lo que fuera por ella.

—No puedes —reconoció—. ¿Cómo podrías? —Y luego añadió—: Conviértete en una estrella de cine.

¿Hablaba en serio? ¿Podía yo llegar a ser una estrella de cine? Lo haría, me lo prometí a mí misma. ¡Me convertiría en una estrella de cine! ¡Ella necesitaba mi ayuda y no le fallaría!

Una tarde, cuando mi madre y yo regresábamos a casa después de nuestro largo día, en la habitación nos esperaba una persona menuda y regordeta, con un pequeño sombrero marrón y un velo, balanceando sobre su regazo un enorme bolso negro de charol, sentada muy erguida en el borde de la única silla que había en la habitación.

—Ella ha vuelto. Mi *Malech Hamovas* ha vuelto —dijo mi madre hablando al aire—. ¡Ángel de la muerte, ahora vuelves, después de habernos dejado solas durante tanto tiempo! —exclamó inclinándose hacia el rostro cubierto por el velo.

My Rae se levantó el velo, me abrazó y humedeció mis mejillas con sus lágrimas.

—*Shepseleh meineh*, mi pequeño cordero.

—¡My Rae! —Me lancé hacia ella y luego me alejé. A mi madre no le gustaría.

—*La mameh ohn a boich vaytik* ha vuelto, la mamá sin dolor de vientre —tradujo mi madre para mí, aunque yo no necesitaba la traducción de sus palabras.

—¿Por qué no contestaste a mis cartas? —Mi tía sollozaba a mi madre en inglés—. ¿Por qué desapareces y las cartas vuelven a mí? Gracias a Dios que el viejo casero oyó adónde te habías mudado y se apiadó de mí. ¿Quieres matarme? Casi me matas —chilló mi tía.

—¡Tú eres la asesina, tú! —Mi madre la superó, reanudando la letanía que hacía tiempo que no oía—. Tú, cucaracha. Tú, bocazas.

Pero después de que mi madre se desahogase y mi tía derramara todas sus lágrimas renovadas, después de que las dos mujeres se chillaran hasta quedarse afónicas, My Rae dijo de pronto, como si ambas no hubieran estado gritando acerca de la muerte y la destrucción durante la última hora:

—La niña necesita comer.

Las tres fuimos al Automat. Ninguna de las dos habló, pero ambas llenaron mi plato con comida. No tenían familia, sólo se tenían la una a la otra, ningún niño de la siguiente generación excepto yo, y ambas estaban firmando una especie de tregua, una tregua con la que viviríamos durante algún tiempo.

—Mira qué pálida y delgada está.

Mi tía me palpó las costillas.

—¿Necesito yo que tú me digas cómo cuidar de los *míos*? ¿Dónde estabas cuando te necesitaba? Ahora no te necesitamos. Vuelve a California.

Mi madre agitó la mano en el aire y lanzó un gruñido, aunque me pareció que con menos vehemencia que antes.

Mi tía regresó a California, pero no lo hizo sola.

No sé qué le ocurrió a mi madre unas semanas más tarde.

Yo había estado observándola en el espejo, como lo había hecho durante tantos sábados, mientras se maquillaba. En esta ocasión, sin embargo, no estaba triste porque My Rae había dicho que me llevaría al Automat. Ahora estaba con nosotras y dormía en el sofá de la Missus, en la sala de estar. A mí no me había costado nada recordar cuánto la había amado.

—Cuando eras una pequeña *puttzeh-ruttzeh* —me recordaba para mi alborozo—, te cogí en mis brazos y te sostuve muy cerca de mi corazón. ¿Y sabes lo que hiciste, pequeña *gonif*, pequeña ladrona? Te metiste dentro y nunca volviste a salir.

Aunque yo había perdido la imagen que tenía de ella en los últimos años, me di cuenta de que ella también se había metido muy dentro de mi corazón. Nunca había dejado de quererla. ¡Cómo la quería ahora! Pero de forma distinta a cómo quería a mi madre. Yo tendría que cuidar de mi madre. Mi tía cuidaría de mí. Las necesitaba a las dos, desesperadamente.

—¿Puedo tomar pastel de merengue de limón? ¿Y después podemos ir a ver a las Rockettes en el Radio City Music Hall?

Le pedía los placeres más grandes que podía imaginar y estaba tan segura como que el sol saldría al día siguiente de que ella me los daría.

Ahora mi madre parecía distraída mientras se ponía un vestido azul escotado, pero, de pronto, como si hubiese resuelto algo que le preocupaba, su rostro en el espejo se iluminó y se volvió hacia mí.

—Te llevo conmigo —dijo.

—¿Adónde voy? —pregunté. ¿Qué hay del pastel de merengue de limón y las Rockettes?

Mi madre no me contestó. En cambio, me atrajo hacia ella y comenzó a peinarme la melena llena de nudos.

—Vamos a ponerte bonita.

De alguna parte sacó un gran lazo arrugado que recordaba haber visto sólo en una fotografía que My Rae le había hecho sacar a un fotógrafo mucho antes de que nos abandonase. Mi madre fijó el lazo a mi cabeza con una horquilla, que se me clavó en el cuero cabelludo.

—¡Ouch! —exclamé, pero no pareció oírme.

—¿Adónde llevas a la niña? —preguntó My Rae.

—Tengo que intentarlo una vez más.

—Mary, estás loca, deja a la niña aquí conmigo —gritó My Rae, extendiendo los brazos hacia mí.

Pero mi madre me cogió de una muñeca y me llevó a través del pasillo.

—¡Se nos hace tarde!

Parecía una persona diferente, excitada, preocupada, pero también feliz, todo al mismo tiempo.

Pasó un gran coche amarillo.

—¡Taxi! —gritó mi madre, y le hizo señas con el brazo hasta que frenó junto al bordillo.

Nunca había estado antes en un taxi. «Son para gente rica», me había dicho ella una vez, aunque ahora viajábamos en uno. Me apreté contra su cuerpo, pero parecía haber olvidado que estaba allí. El taxista frenó delante de un restaurante en el que nunca había estado en todas mis excursiones con ella y mi madre volvió a cogerme de la muñeca para que bajara del coche. Todo me parecía extraño. Mi madre miró hacia ambos lados de la calle y yo miré con ella, pero ninguna de las personas que caminaba por la acera era la que ella quería ver.

¿A quién estábamos esperando? Era a él, estaba segura, el hombre por quien se vestía cada sábado y por quien me dejaba en casa. Allí estaba yo con mi madre delante del restaurante, apretando su mano con fuerza, apoyando el peso de mi cuerpo contra su brazo, balanceándome sobre un pie, luego sobre el otro.

El tren pasó rugiendo por encima de nuestras cabezas. Mi madre se libró de mi mano y comenzó a caminar arriba y abajo.

Me acerqué dando pequeños brincos a una farola que había junto al bordillo y comencé a dar vueltas a su alrededor hasta que me sentí mareada. No quería pensar. Una niña, de aproximadamente mi misma edad, con un vestido blanco y rosa almidonado, pasó caminando por la acera, abrigada entre su padre y su madre. Me miró con la boca abierta, como si le resultase divertida, y me llevé el pulgar a la nariz y moví rápidamente los cuatro dedos hacia ella mientras hacía un ruido desagradable con la lengua y los labios.

Ella hizo lo mismo.

—Marsha, déjalo ya.

Su padre la obligó a bajar la mano y continuaron caminando.

Cuando volví a mirar a mi madre, estaba hablando con un hombre vestido con un traje gris y un sombrero flexible gris perla. Charles Boyer. Me aferré a la farola sin dejar de mirarlos.

Vi que desviaba la mirada hacia mí y sus labios se curvaron antes de volverse nuevamente hacia mi madre.

—¿Por qué la has traído contigo? —escuché que decía en yídish, su boca deformándose alrededor de las palabras.

El tren volvió a rugir encima de nosotros y no alcancé a oír la respuesta de mi madre, pero tenía la espalda encorvada, las manos abiertas, implorando.

Él sacudió la cabeza, luego volvió a mirarme. ¿Ese desconocido era mi padre?

Mi madre vino hacia mí y me aferré con fuerza a la farola.

—Ven, Lilly, ven —me dijo, y tiró de mi mano—. Saluda a tu padre. Me empujó ligeramente por la espalda.

Padre. Sabía lo que significaba esa palabra, ¿pero qué sentido tenía para mí? Me quedé mirando la tela gris del abrigo del hombre que estaba delante de mis ojos.

—Hola, padre —dije, levantando la vista, súbitamente tímida.

—Yo no soy tu padre. Esto es una locura —le dijo a mi madre con evidente irritación.

—No, Moishe, por favor —suplicó ella.

—¿Qué es lo que intentas hacer?

Su voz destilaba fastidio. Luego se volvió y vi cómo se alejaba de nosotras. Debía de llevar medias suelas en los tacones. *Tap, tap, tap, tap*, resonaban sus zapatos negros y brillantes, y mi madre lloraba.

Me alegré al ver que su figura se iba haciendo cada vez más pequeña. Nos odiaba. Apreté mi cara contra el pecho de mi madre, rodeé su cintura con mis brazos y sollozó más fuerte.

Aquella noche My Rae me arropó, pero yo no estaba dormida cuando habló con mi madre en el pasillo y le dijo:

—Márchate y verás. Él irá detrás de ti. ¿Qué es lo que tienes aquí? Allí estaremos juntas. —Mi madre le contestó con gemidos—. Quédate aquí —continuó diciendo mi tía— y seguirá pensando que eres su *kurveh*, su puta.

Entonces, unas semanas más tarde, me llevaron a los grandes almacenes Gimbel's y My Rae me compró dos vestidos, oscuros y plisados, «para que no se note la suciedad», y un abrigo verde oscuro, «para viajar», le dijo a la vendedora. Y luego mi madre y yo estábamos sentadas en un tren con My Rae, traqueteando a través del continente.

—A California —contestó mi madre cuando le pregunté adónde íbamos—. Donde viven las estrellas de cine.

¡De modo que hablaba en serio! Realmente pensaba que podía conseguirlo. ¡Quería que me convirtiese en una estrella de cine y la rescatara de aquella tienda!

Mi madre me había llevado al cine a ver las películas de Al Jolson. Era una gran estrella y era judío. Para entonces yo ya sabía bastante acerca del antisemitismo como para comprender que ser judío podía ser un escollo. Pero él lo había conseguido. Con mis ojos y pelo semíticos y mi nariz, que era ligeramente convexa donde debería ser ligeramente cóncava, ya sabía que nunca sería hermosa como las *shiksas*, Marlene Dietrich, Joan Crawford, Barbara Stanwyck. Pero podía ser como él. Le había oído cantar *Mammy* y *California, Here I Come*. Podía hacer lo mismo que él, caer sobre una rodilla con los brazos abiertos. Mi madre me dijo que, a veces, los directores de cine encontraban a sus estrellas en los lugares más inesperados. Lana Turner fue descubierta en una tienda donde vendían helados y refrescos, me explicó.

Recorrí de un lado a otro el pasillo de nuestro vagón mientras el tren viajaba hacia el oeste durante cuatro días.

«California, allá voy, de regreso al lugar donde comencé.» Agitaba los brazos y cantaba con voz chillona. «Donde miles de flores se alzan bajo el sol, donde los pájaros cantan y todo brilla.» Nadie me había dicho nunca que las canciones tenían melodías que se suponía que la voz debía seguir. Cuando mi madre cantaba, en sus días felices cuando caminábamos juntas por Crotona Park, eran sus palabras las que oía, no la melodía, no tenía ninguna melodía. Ella, simplemente, dejaba que su voz subiera y bajara.

—Oh, es mi hombre y le amo tanto, nunca sabrá cuánto —medio cantaba y medio decía—. Cuando me toma entre los brazos parece que el mundo se hace más grande.

Yo ponía un gran empeño en la expresión de la voz, como lo hacía Al Jolson. Algunas de las personas que viajaban en el tren sonreían ante esa intensa y zarrapastrosa cría de siete años. Otros parecían irritados o enterraban sus narices en sus revistas o en sus bordados. Yo continuaba imperturbable. ¿Cómo podías saber el aspecto que tenía un director de cine?

Yo supe que había fracasado cuando, a la mañana siguiente, mi tía dijo que estábamos llegando a Los Ángeles. Ningún director de cine me había descubierto; mi madre tendría que encontrar otro trabajo en una tienda.

¿Pero cómo podía sentir alguien que había fracasado bajo el sol del sur de California? Cuando abandonamos Nueva York hacía frío, pero al bajar del tren en Union Station era primavera. Él, su amante, estaba a miles de kilómetros de distancia. Y no vendría a buscarla, lo sabía. ¿Y no había perdonado ella a su hermana? Había accedido a que viajásemos juntas a California. El futuro parecía tan prometedor como lo que recordaba del final de *All This and Heaven Too*.

Fuera de la estación los prados eran verdes, como los de Crotona Park. En Los Ángeles las calles eran como parques. Incluso mejores. Había árboles altos y delgados con enormes hojas zigzagueantes que sólo brotaban en las copas, como si fuesen las alas desordenadas de unos gigantes. Eran tan fascinantes como las ilustraciones en el libro del Dr. Seuss que la señorita Huntington leía a la clase en las ocasiones especiales. Me habían transportado a otro mundo, donde el sol brillaba incluso antes de que acabase el invierno, donde todo parecía mágico y entretenido. Allí viviría feliz para siempre con mi madre y My Rae. Era algo más maravilloso que si me hubieran regalado la muñeca rubia con los ojos azules en el concurso del colegio. ¡Qué alegría! ¡Qué alegría!

Y me descubrirían. Aprendería a cantar y a bailar y a actuar, y quizá a montar a caballo o tocar el violín, y me convertiría en una estrella infantil. Trabajaría duramente. Nunca me dejaría ganar por la pereza. Me levantaría muy temprano por la mañana y comenzaría a practicar, y continuaría practicando hasta muy entrada la noche.

Todo mi ánimo estaba preparado para la carrera. No sólo para ese momento, allí en Union Station, sino para siempre. Podría llevarme algo de tiempo, pero un director de cine acabaría por descubrirme.

Y entonces rescataría a mi madre de la tienda.

2

ENLOQUECIENDO EN EL ESTE DE LOS ÁNGELES

El nombre de nuestra nueva Missus era Fanny Diamond. Aquella primera noche, sin dientes y con la nariz y la barbilla casi tocándose, me pareció que era como una horripilante hermana gemela de la malvada bruja en *El mago de Oz*. (Sus dientes, según pude descubrir más tarde, siempre descansaban en un vaso de agua junto a su cama cuando no era la hora de comer.) Mientras nos enseñaba la sala de estar con un catre donde dormiría My Rae y el dormitorio donde dormiríamos mi madre y yo, me rezagué porque quería examinar unos frascos de cristal que había visto en una estantería de la sala de estar. Dentro había unos objetos flotantes que, desde lejos, parecían canicas: ahora podía ver claramente que en el centro eran azules, marrones o verdes y que tenían bordes gruesos que eran ondulados y de color amarillento o celeste suave. Las más suaves parecía que las habían extraído de la cabeza de un hombre. Sí. No había ninguna duda en cuanto a lo que eran aquellas cosas. ¡Globos oculares! Se me contrajo el estómago. Me alejé corriendo en busca de mi madre, quien ahora seguía a Fanny a la cocina.

—No pasa nada. Mi Marty es oculista —cacareó Fanny.

—¿Podemos irnos ahora? —imploré, cogiendo el brazo de mi madre, pero no me oyó porque estaba escuchando a Fanny, que le decía cómo debía encender la vieja cocina de gas.

Tiré de la manga de la blusa de My Rae para que se inclinase hacia mí.

—No me gusta este lugar —le susurré al oído.

Me contestó que a ella tampoco con un susurro.

—Cuando consigamos dinero para comprar muebles, alquilaremos un apartamento. Por ahora tenemos que vivir con la Missus.

En nuestra habitación había camas gemelas, pero aquella primera noche me acosté en la cama de mi madre, cogida a su brazo hasta que ella me dijo:

—Ahora tengo que darme la vuelta, Lilly.

Entonces me pegué a su espalda, y no quería separarme de ella porque aquellos ojos flotantes seguían dando vueltas en mi cabeza.

Cuando desperté, poco después de que amaneciera, percibí un olor desagradable que me trajo recuerdos de hacía mucho tiempo, en Nueva York, cuando me había quemado el dedo meñique con la plancha que mi tía mantenía caliente para poder seguir con su trabajo a destajo como planchadora. La casa de Fanny estaba en una esquina, junto a un mercado de pollos *kosher*, y cuando cambiaba el viento el olor de las plumas y la piel chamuscadas se hacía insoportable. Aquel primer día en Dunda Street, fui al mercado con mi madre y My Rae a elegir un pollo. Iba respirando por la boca, tratando en vano de evitar el hedor. Pollos vivos, centenares de ellos, estaban encerrados en jaulas y sólo los liberaban cuando un ama de casa señalaba y le decía al hombre que atendía el puesto: «Quiero ése». Entonces el hombre cogía el pollo elegido por las patas mientras los otros pollos chillaban como locos, y se lo pasaba a un *shochet*, un carnicero *kosher*, quien las ataba con un lazo corredizo que colgaba del techo.

Yo observaba toda la escena, incapaz de apartar los ojos después de que My Rae hubiese elegido nuestro pollo. Su pequeña cabeza apenada y su pico apuntaban hacia abajo; entonces, con un hábil golpe de navaja, el *shochet* le cortó el cuello. La sangre cayó formando un charco en el suelo cubierto de serrín hasta que el pollo fue liberado del lazo que le sujetaba las patas y corrió en pequeños círculos, la cabeza prácticamente cercenada agitándose de un modo casi grotesco, dejando caer chorros de sangre, sus alas aún con vida se agitaban frenéticamente. Cuando por fin se derrumbó sobre el suelo cubierto de serrín, otro hombre, cubierto con un gran delantal de cuero, le quemó las puntas de las plumas, envolvió el pollo en papel de periódico, lo ató con un cordel y me entregó el paquete.

Llevé a casa el envoltorio aún caliente, un bebé muerto colocado horriblemente en mis brazos por el gran y divertido verdugo. Luego mi tía lo desenvolvió, colocó el pollo en el escurridero, lo cortó en pequeños trozos con una cuchilla y espolvoreó las piezas con sal gruesa que volcó en su mano de una caja amarilla que llevaba escrita la palabra *KOSHER* en inglés y yídish. Salí pitando de la cocina. Pero cuando tuve que volver para beber un poco de agua, no pude evitar echar otro vistazo a esa cosa desnuda, cortada en pedazos que, hasta hacía sólo unos minutos, había sido una criatura de plumas blancas que chillaba. Un par de horas más tarde, las piezas de color amarillo pálido se sacudían y esquivaban los trozos de zanahorias y cebollas en una gran olla llena de agua colocada sobre el fuego de la cocina.

Durante la comida, el primer bocado me produjo náuseas. Podía seguir oliendo las plumas y la piel chamuscadas, y salí corriendo al destartalado porche delantero; mi tía salió detrás de mí con un muslo en la mano. Apreté los labios con fuerza y sacudí la cabeza violentamente hasta que My Rae volvió a la mesa.

—No tiene hambre —oí que decía mientras la puerta mosquitera se cerraba tras ella—. Las muñecas flacas como un hueso de pollo.

—Oooh, mirad, la hija de la bruja —me gritaron dos chicos de mi edad que pasaban por delante del porche—. Bruja, bruja, sal en tu escoba —siguieron gritando haciendo bocina con las manos.

Pero las tres estábamos nuevamente juntas. Los sábados, mi madre, My Rae y yo cogíamos un autobús a Hollenbeck Park y paseábamos bajo el sol en medio del lujurioso verdor de California, o nos apretábamos las tres, yo en el medio, en un columpio de madera blanqueada del tamaño de un pequeño sofá que miraba a un estanque umbrío lleno de patos.

—Levantad las piernas y os columpiaré —les ordenaba, poniéndome de puntillas para poder empujar el columpio con los pies. Mi madre tenía una mirada soñadora y una leve sonrisa le dibujaba los labios.

—¿Quién es Sansón? —decía My Rae.

—¡Yo! —exclamaba, haciendo que nuestros colectivos ciento cuarenta kilos se moviesen adelante y atrás.

Las dos se marchaban juntas de casa todas las mañanas y debían coger tres autobuses para llegar a sus tiendas, situadas en un barrio de edificios muy altos en el centro de la ciudad, donde estaban los fabricantes de ropa. Regresaban juntas a casa a última hora de la tarde, y cuando oía sus voces en el porche corría para abalanzarme sobre ellas, primero sobre mi madre y luego sobre My Rae. Entonces seguía a mi madre por la casa, feliz de que el largo día en una extraña escuela (donde la forma divertida en que decía algunas palabras ya había sido advertida por el resto de la clase) ya hubiese terminado y estuviéramos las tres juntas otra vez.

Pero incluso antes de que dejase el bolso, mi madre iba en busca de Fanny.

—¿Ha llegado alguna carta para mí? —preguntaba.

—Ni una.

La respuesta de Fanny era siempre la misma.

Al principio, mi madre asentía con una sonrisa. A medida que pasaban las semanas y los meses dejó de sonreír.

—¿Nada? —volvía a preguntar.

—Escuche, lo único que siempre trae el cartero son grandes facturas para mí.

—Mira cómo imito a Eddie Cantor —le rogaba a mi madre, tirando de su falda, atajándola en medio del oscuro y polvoriento pasillo de la casa de Fanny. Yo abría mucho los ojos y los hacía girar—. Oh, hermosa muñeca, grande y hermosa muñeca

—cantaba entonces haciendo ampulosos ademanes, primero hacia mi corazón y luego hacia ella, con los dedos abiertos.

—Estoy tan orgullosa de mi pequeña —decía mi madre. Pero yo sabía que sus pensamientos estaban muy lejos de allí.

—Ahora mira cómo imito a Jack Benny —exigía, mientras la seguía bailando por el pasillo, simulando que tocaba el violín y cantando con voz chillona una melodía que improvisaba en el momento—. Mamá, espera, mira.

Mi madre se dejaba caer en la cama y se quedaba con la mirada fija en el techo.

—¿Quieres que te lea algo? —le preguntaba, colocándome a un lado de la cama con uno de los libros que había sacado de la biblioteca pública Malabar. Ella se movía para dejarme espacio, pero no apartaba la mirada del techo—. ¿Me estás escuchando? —¿Cómo podía apartarla de aquello que había en su cabeza? Ponía en las palabras toda la expresión que era capaz de juntar—. El panorama no era brillante para el equipo de béisbol de Mudville aquel día —recité—. El marcador era de cuatro a dos cuando aún faltaba por disputar una entrada...

Pero mi madre no parecía interesada en lo que Casey podía hacer en el puesto de bateador. Cambié de libro.

—*Tell me not, in mournful numbers, Life is but an empty dream!**

No entendía todas las palabras y sabía que ella entendía aún menos que yo, pero ponía un montón de música en mi voz mientras leía, fabricando sonidos graves y solemnes y a continuación, a modo de contraste, sonidos agudos y alegres. Sostenía el libro con una mano y agitaba la otra en el aire. Continué declamando hasta el final del poema y luego leí otro y otro más.

—¿Te ha gustado? —pregunté ansiosamente.

—Estoy tan orgullosa de mi pequeña —repitió, y me cogió

---

* «Ah, no me digas, en números tristes, la vida no es sino un sueño vacío», versos pertenecientes al poema *Un salmo de vida*, del poeta norteamericano Henry Wadsworth Longfellow. *(N. del T.)*

en brazos cuando me tendí junto a ella, pero su rostro era como de piedra descolorida, y yo sabía que no había conseguido aventar su tristeza.

Cada vez más, a medida que transcurrían los meses, cuando My Rae llegaba para decir que la comida estaba lista, mi madre le decía: «No puedo comer» o «¿quién quiere comer ahora?».

—Bueno, el bebé tiene que comer —dijo My Rae la primera vez que mi madre le dijo que la dejase en paz. Mi tía me cogió de la mano y me llevó hasta la mesa de la cocina cubierta con un hule raído.

—Ya no soy un bebé. ¿No te has dado cuenta? —le dije de forma insolente, me solté de su mano y volví corriendo junto a mi madre, para rodearla con mis brazos, acariciarle los rizos suaves y oscuros y hacer que se sintiera mejor. ¿Cuándo dejaría de echarlo de menos?

Mi madre dejó de pintarse los hermosos labios. Nunca más volví a verla quemando una cerilla de madera para ponerse sombra en los párpados. La blusa que usaba para trabajar tenía medias lunas de manchas amarillentas debajo de los brazos y el dobladillo estaba descosido y las hebras colgaban del borde de la falda, pero se ponía ambas prendas semana tras semana.

—Arréglate un poco —le decía mi tía con aspereza—, hazlo por el bebé. Olvídate de *vus iz gevehn*, de lo pasado. Se acabó. Moishe, Europa, borrón y cuenta nueva.

Mi madre le enseñaba los dientes a My Rae como si fuese un perro rabioso, como acostumbraba a hacerlo en Nueva York.

—No necesito que me digas lo que tengo que hacer —refunfuñaba.

Algo malo le ocurría, ¿pero cómo podía detenerlo? ¿Y si volvía a echar a My Rae? Nos quedaríamos solas otra vez, en una casa extraña y una habitación extraña, en una ciudad extraña. Yo quería que volviesen los viejos tiempos, cuando las tres nos apretujábamos en el columpio de madera y mi tía me llamaba Sansón. Pero no podía estar con las dos al mismo tiempo, y mi madre era quien más me necesitaba, de modo que era en nuestro dormitorio, leyendo en la cama mientras ella miraba el techo, donde pasaba la mayoría de las tardes. A veces, sin embargo, cuando mi madre estaba dormida o en su trance, me deslizaba fuera de la cama para encontrar a My Rae en la sala de estar. La rodeaba furtivamente con mis brazos y hundía la cara en su pecho grande y acogedor, de un modo que sabía que no debía hacerlo en presencia de mi madre.

—Lo sé, lo sé, Lilly —decía My Rae, y apretaba los labios contra mi frente antes de que me separase de ella para regresar corriendo al lado de mi madre.

A finales del verano, mi tía compró un corte de tela de lana peinada de color verde oscuro y le pagó un dólar al cortador de Bartlesman's, la tienda donde trabajaba, para que confeccionara los patrones para dos vestidos. Durante varias semanas se quedó en el trabajo hasta después de la hora de salida.

—Quién la necesita para que regrese a casa conmigo en el autobús —rezongaba mi madre.

La primera mañana de las vacaciones, antes de que llegase el momento de acudir a la sinagoga, My Rae me llamó para que fuese al comedor. Llevaba puesto un hermoso vestido nuevo, con botones dorados en la parte delantera, y sostenía en las manos una miniatura, una copia exacta, que me abotonó con sus dedos ágiles.

—Para Rosh Hashanah.* —Dio varias vueltas a mi alrededor para examinar su obra—. *Oy vee shayn*, ¡qué hermosa! —exclamó—. ¿Quién es el amor de la vida de Rae? —cantaba mientras hinchaba las mangas y jugaba con el cuello del vestido.

Me miré. Adoraba ese color de Robin Hood, los grandes botones dorados, que eran apenas un poco más pequeños que los de su vestido, la forma en que hacíamos juego.

—¿Quién es el amor de la vida de Lilly? —canté a mi vez, asegurándome de mantener mi voz muy baja para que no me oyese mi madre.

La semana siguiente volví a sentarme con mi madre y mi tía en la estrecha galería superior de la sinagoga de Breed Street.

---

* Año Nuevo judío. (*N. del T.*)

Mientras, abajo, los hombres repetían monótonamente sus oraciones del Yom Kippur a Yavé y, arriba, las mujeres que sabían leer hebreo se inclinaban sobre sus libros de oraciones y cantaban junto con ellos. Cuando llegaba el momento de decir *yizkor*, la oración en memoria de los muertos, a los niños nos hacían salir por motivos supersticiosos.

—Deprisa, fuera —decían las madres, echándonos, porque sólo aquellos cuyos seres queridos habían muerto podían decir *yizkor* o permanecer incluso en una habitación donde se pronunciara esa palabra. Me marchaba rápidamente, tan supersticiosa como los mayores. Me quedaba sentada en los escalones de hormigón, observando a un grupo de niñas que jugaban a la pata coja delante de la sinagoga, hasta que, aproximadamente veinte minutos más tarde, salía un chico mayor y llamaba a sus hermanos pequeños que estaban en la calle.

—Eh, volved aquí, creo que ya han acabado.

—¿Por qué dices *yizkor* por ellos? —escuché que decía mi madre mientras yo cruzaba la puerta de la planta superior. Sus ojos parpadeaban fuera de control—. Canalla —siseó ante la cara de mi tía—. ¡Hirschel no está muerto! ¿Quieres matarle haciendo creer que está muerto?

La saliva salpicó la mejilla de mi tía. Se secó el rostro con la manga del vestido.

—Mary, contrólate en la *shul* —susurró roncamente.

Las personas que estaban en las filas a nuestro alrededor y que habían estado abanicándose por el intenso calor con los libros de oraciones o los sobres de promesas dejaron de hablar para mirarnos. El sonoro *davening* de los hombres en la planta inferior no era suficiente para ahogar los murmullos de mi madre y My Rae.

—¡No están muertos! ¡Ninguno de ellos! ¿Cómo sabes que están muertos?

Mi madre, en ese momento, olvidó susurrar.

—Cállate al menos por el bebé —gimió My Rae—. ¡Puta asquerosa!

My Rae se levantó rápidamente de su asiento y se marchó, chocando contra las piernas de las mujeres que estaban en nuestra fila.

—¿Qué está pasando aquí? —preguntó enfadada una mujer corpulenta que llevaba un sombrero negro con forma de campana.

—*Mishugenehs*, gente chiflada —gritó una mujer con una blusa a topos. Tenía los ojos enrojecidos de tanto llorar por el *yizkor*.

Mi madre también se levantó de un brinco, siguiendo a My Rae y llevándose por delante las mismas piernas.

—¡*Shh*! ¡*Shh*! ¡*Shh*! ¡*Shh*! —oí a mi alrededor, y una niña con los dientes muy grandes y salidos se inclinó para mirarme como si yo fuese un bicho raro.

—Perdonadme —imploré, pasando delante de las piernas—. Perdonadme. Perdonadnos. —Y bajé corriendo las escaleras de la sinagoga detrás de mi madre y mi tía.

La semana anterior a Acción de Gracias, la maestra nos entregó cajas nuevas y grandes de Crayolas y hojas blancas de papel de estarcir, y me perdí en medio de la lujuriosa variedad de ceras de colores. Con la lengua entre los dientes, cogí las Crayolas y pinté de rojo carmín las caras de los indios (porque nos habían dicho que eran pieles rojas) y las vestimentas de los peregrinos de negro medianoche y tierra de siena. Resolví el problema de su piel inglesa «blanca» dejando las caras y las manos sin colorear. Verde pálido, magenta y amarillo eran los colores de los montones de comida que compartían con los pieles rojas. Anhelaba tener en mi casa la misma paz que había entre los peregrinos y los indios. Aquellas tardes idílicas en Hollenbeck Park ya formaban parte de un lejano recuerdo. Ahora las dos se peleaban continuamente.

—¡Olvida el pasado! —le gritaba siempre My Rae a mi madre—. ¡Olvida a Moishe, tendría que sufrir un cáncer en el corazón! Olvídate de Europa.

Pero mi madre no podía hacerlo.

—Moishe se habría casado conmigo, pero tú tenías que llevarnos lejos.

—Él quería que tuvieses otro aborto —gritó una vez My Rae para defenderse—. Te dijo que dieses a la niña en adopción —gritó en otra ocasión.

En ambas ocasiones, mi madre me atrajo con fuerza hacia ella, como si quisiera protegerme del exterminio (y haciéndole saber a mi tía a quién le pertenecía).

—Antes me moriría —contestaba ferozmente cada vez que mi tía decía algo así, como si las amenazas contra mí aún fuesen inminentes.

Aquella mañana de Acción de Gracias salté de la cama y salí volando del dormitorio. Había oído la voz de mi madre, que gritaba en el comedor.

—¡Tú, *choleryeh*, tú, infectada de cólera! ¿Nos trajiste a mí y al bebé a esta pocilga y ahora quieres dejarnos solas?

Estaba de pie en el comedor con el fino camisón de nailon, los tirantes caídos sobre los brazos, amenazando a mi encogida tía. My Rae estaba tan pálida como los peregrinos de mis dibujos a la cera. Llevaba un abrigo marrón abotonado hasta la barbilla y un pequeño sombrero azul. En la mano aferraba una gran maleta de cartón.

—¿Qué se supone que vamos a hacer ahora? ¡Contéstame!

Los pechos de mi madre se agitaban cuando hablaba y me quedé sin aliento al ver en sus ojos el mismo brillo que tenían las mujeres locas que había visto en la película *El foso de las serpientes*. Y estábamos solas, las tres, porque Fanny se había marchado la noche anterior para pasar Acción de Gracias en la casa del oculista.

—¡Lilly! —gritó mi tía al verme—. Si me marcho puedo ayudarte. —Se levantó y trató de cogerme, pero me aparté. ¡Sabía que no debía hacer eso en presencia de mi madre! Pero mi tía consiguió atraerme hacia ella y mi nariz se hundió en su pecho, dejándome sin aire—. *Shepseleh meineh.* —Me acariciaba el pelo con los dedos—. No puedo hacer nada por ti si me quedo aquí.

Me liberé de su abrazo y corrí junto a mi madre. ¿Qué estaba pasando aquí? ¿Qué quería decir mi madre con «dejarnos solas»?

—Con el señor Bergman puedo formar un hogar y ayudaros. ¿De qué estaba hablando?

—¿Sabes lo que esa sanguijuela está haciendo? —gritó mi madre.

Mi tía fue hacia la puerta con mi madre pisándole los talones. Me aferré a la mesa, los gritos retumbando en mi cabeza, el suelo inclinándose. Luego me obligué a desanudar las rodillas y corrí tras ellas.

—¿Sabes lo que está haciendo? —volvió a gritar mi madre.

Ahora, a través de los cristales de la puerta vi que un hombre pequeño con un sombrero marrón subía la escalera del porche. Abrió la puerta mosquitera y tocó el timbre formalmente, aunque debió de haber visto que las tres le estábamos mirando desde el otro lado. Nos quedamos inmóviles por un instante, los cuatro, como personajes de una tira cómica. Entonces mi tía se movió, abrió la puerta y la cerró tras ella.

—¡My Rae! ¡No! —grité.

—¡No vayas tras esa sinvergüenza!

El brazo de mi madre me lo impidió. Pero conseguí librarme y me lancé hacia la puerta, entonces mi mano se quedó paralizada en el pomo, como si estuviese bajo un hechizo. Mi tía y aquel hombre estaban en el porche. Yo podía ver que los hombros de My Rae se agitaban ligeramente. El señor Bergman, que se había quitado el sombrero ante su presencia, lo sostenía en una mano y con la otra le daba suaves palmadas en la espalda. Movía los labios, pronunciando palabras que no alcanzaba a oír. My Rae se volvió para mirarnos y abrí la boca para gritar «vuelve», pero no salió ningún sonido. Él era mayor, mucho mayor que mi tía, tenía la cabeza calva y la cara redonda y bondadosa, y llevaba un inmaculado traje beis que hacía juego con los zapatos perfectamente lustrados. La rodeó con un brazo, la condujo hasta un coche negro que estaba aparcado delante de la casa, la ayudó a instalarse en el asiento del acompañante, y se alejó con ella.

—¿Sabes lo que esa *choleryeh* está haciendo? —gritó mi madre—. ¡Se va a casar!

* * *

Mi madre y yo vivimos en la habitación del frente de la casa de Fanny Diamond. Aunque mi madre dice a menudo que regresaremos al lugar de donde vinimos, el baúl de metal negro que trajimos con nosotras desde Nueva York permanece vacío. Forma parte del mobiliario de nuestra habitación. A lo largo de los años, mis vestidos y blusas y faldas que no caben en el colgador que hay detrás de la puerta quedan apilados sobre el baúl, mi único armario. En el pequeño armario de mi madre se amontonan todos los vestidos que solía ponerse cuando iba a ver a su amante.

Si las persianas estuviesen subidas, el sol podría entrar en la habitación, pero están siempre bajadas, ocultándonos porque sólo nos separan del pavimento de la calle cincuenta centímetros de hierba. Pero las persianas están rotas en los lados, y si un mirón o un grupo de chicos decide hacerlo, pueden atisbar el interior de la habitación y ver a mi madre corriendo desnuda arriba y abajo, chocando contra las camas gemelas, la cómoda, el baúl de metal, tirando del cabello hasta que queda firme en la cabeza. «¡Hirschel!», le grita a su hermano tullido. «¡Yo no te maté! ¿Acaso no sabes que te amo?» Entonces cierro la puerta para que Fanny no pueda oírla, pero no puedo hacer nada con la gente que pasa por Dundas Street y puede verlo y oírlo todo.

También corro de un lado a otro de la habitación, manteniéndome a su lado, dos pollos liberados del lazo corredizo. «Él está bien, mamá. No está muerto.»

«*Zay hargenen ideen*. ¡Están matando a los judíos!» Sus ojos están cerrados y grita como si pudiese verlo a través de los párpados. «¡Gevalt! ¡Socorro! ¡Hice algo terrible!», chilla con la boca completamente abierta. Cuando se deja caer sobre su cama, le acuno la cabeza, le acarició la frente húmeda, deposito en su rostro ceniciento los besos más tiernos del mundo. Sé que soy lo único que tiene en el mundo.

Cuando estoy sola en casa, me observo en el espejo moteado de la cómoda mientras practico mis rutinas. Recito *To Think That I Saw It on Mulberry Street* con mi voz de seis años, pero con inflexiones dramáticas y enorme urgencia. ¿Cómo conseguiré trabajar de actriz? ¿Qué puedo hacer para que me descubran? Si mi madre no tuviese que ir a la tienda cada día, podría descansar y ponerse bien. «Cuando mi chica me sonríe», canto a voz en grito. Echo la cabeza hacia atrás, una mano apoyada en la cadera, los hombros adelantados. Levanto la falda hasta la mitad del muslo y muestro la pierna. ¿Me parecería más a Betty Grable si pudiese teñirme el pelo de rubio?

* * *

Un sábado, mi madre hizo que me despertase de golpe. Con los pelos como escarpias, completamente fuera de sí, se golpeaba la cabeza con los puños.

—¡Yo le maté! ¡Oh, Dios mío, ayúdame!

Me levanté rápidamente y ocupé mi lugar junto a ella en esa danza de los pollos.

—Está bien, mamá. Él está bien. Todo está bien.

¿Dónde estaba My Rae? ¿Quién más podía ayudarme con mi pobre madre enferma? «¡Vuelve, te necesito, no puedo hacer esto sola!» Pero no tenía ni siquiera un número de teléfono donde llamarla.

Cuando a mi madre se le pasó el ataque, como si fuese un reloj al que se le ha acabado la cuerda, ya era por la tarde. Se desplomó sobre su cama, permaneció con la mirada fija en el cielo como si estuviera hipnotizada y luego se quedó dormida. Me quedé sentada en el borde de la cama, vigilándola, una madre con una hija enferma. Todo estaba en silencio y sólo se escuchaban sus suaves ronquidos. ¿Qué sería de nosotras? A través de la persiana rota de la ventana miré un trozo de calle desierta.

Cuando un coche negro se detuvo delante de la casa, me acerqué a la ventana y subí la persiana. Ella estaba aquí. ¿Pero por cuánto tiempo? ¿Había cambiado de idea? Miré mientras los dos bajaban del coche. Mi tía llevaba un vestido brillante que llegaba hasta los tobillos y tenía un ramillete de gardenias a la altura del corazón. El señor Bergman, que también iba muy elegante con un traje verde azulado, sonreía amablemente. Mi tía tenía los ojos rojos e hinchados y llevaba en las manos una gran olla.

Me zumbaba la cabeza. Ella estaba aquí. Por fin. Pero no para quedarse. Corrí a la puerta, pero Fanny ya la había abierto y me quedé detrás, súbitamente cohibida ante esa extraña con un recipiente lleno de comida en las manos.

—Mira lo que te he traído para la cena —exclamó mi tía al verme.

Yo no había comido en todo el día y podía oler el *gedempfte flaysch* incluso a través de la puerta mosquitera. Mi estómago reaccionó ante ese aroma, pero lo ignoré. Habían pasado semanas desde la última vez que había visto a My Rae. La amaba más que a nada en el mundo, excepto a mi madre. ¿Cómo había podido abandonarme?

—¡Vete! —grité desde detrás de Fanny y vi que la expresión del señor Bergman pasaba de la amabilidad a la sorpresa y luego a la severidad. Quería gritarle a mi tía: «¡Dijiste que cuando yo era un bebé me apretaste contra tu corazón y yo me metí allí para siempre, y ahora nos dejas solas para casarte!». Pero antes de regresar junto a mi madre dormida, grité—: No quiero tu *gedempfte flaysch*.

Fanny Diamond no era una bruja, era una *schnorrer*. Así es como mi madre y My Rae llamaban a una persona avarienta que actúa como si fuese un pordiosero. Tenía el mercado de pollos *kosher* de la esquina y también era la propietaria de la oscura y pequeña tienda de comestibles que estaba al lado de los pollos, donde podías comprar pepinillos que venían en barriles salobres. Pero todas las tardes Fanny se ponía el abrigo de lana de su difunto esposo y chanclas a fin de preservar los vestidos rasgados y los zapatos baratos que eran su vestimenta diaria, y, casi desapareciendo dentro de las prendas de alguien que había sido una cabeza más alto y treinta kilos más pesado, regaba la estrecha franja de césped que crecía delante de las mosquiteras andrajosas de las puertas y el estucado descascarado de nuestra casa.

—¿Tú vives aquí? —decían mis compañeros de escuela, sintiendo fascinación y a la vez aversión cuando descubrían que compartía la ruinosa y fantasmal casa de Dundas Street con la bruja.

Fanny, seguramente, oía los aullidos de mi madre, pero si sabía lo que pasaba detrás de la puerta cerrada de nuestra habitación, nunca lo dijo. Tal vez pensaba que como mi madre iba a trabajar cada mañana, como si estuviese perfectamente bien, y pagaba sin demora los cuarenta dólares del alquiler el primero de cada mes, nada demasiado malo podía estar ocurriendo detrás de esa puerta.

O tal vez pensaba que ayudaría cuando pudiese y no interferiría donde no pudiera. De la casa de su hija Ruthie en Beverly Hills me traía vestidos apenas usados, almidonados y planchados por una criada: uno de organdí color ciruela con mangas abollonadas, otro de muselina rubia moteada con un cuello Peter Pan, un vestido de fiesta con lazos y botones de terciopelo verde. A Sally y Becky, sus nietas, les habían quedado pequeños, y la hija de Fanny quería dárselos a alguien que los necesitara. Los vestidos, naturalmente, no conservaban su estado original durante mucho tiempo, pero al menos ahora tenía un montón de ropa diferente para usar.

—Pequeña *momzer* —me decía Fanny cariñosamente cuando estábamos solas. Hasta que no fui adulta y Fanny llevaba muchos años muerta no supe que *momzer* significaba 'bastarda'.

Fanny no sólo me daba los vestidos de sus nietas sino también su sabiduría.

—Y bien, ¿qué quieres ser de mayor? —me preguntó una tarde mientras yo estaba sentada a la mesa de la cocina leyendo un cómic y ella estaba junto al fregadero comiendo sardinas que sacaba de una lata.

—No lo sé —contesté, un tanto avergonzada—. Tal vez actriz.

Siempre había querido alcanzar el éxito por el bien de mi madre, pero esa ambición se había convertido en una parte de mí, y ahora también lo deseaba por mí. Sin embargo, ya tenía casi diez años y no había hecho ningún progreso hacia la consecución de mi glorioso sueño. Aún no sabía cómo empezar.

—No seas una niña estúpida —dijo Fanny, confirmando mis temores—. Todo el mundo quiere ser actriz, ¿pero cuántas actrices ves en el mundo?

De hecho, recientemente había estado pensando en un plan alternativo. A diferencia del estrellato infantil, que me permitiría rescatar a mi madre de inmediato, con este nuevo plan ella tendría que esperar durante años, pero aún así, era mejor que nada. Recordaba haber visto a Myrna Loy en el papel de una jueza en *El soltero y la menor*, y acababa de ver a Katharine Hepburn haciendo de abogada en *La costilla de Adán*. Ambas usaban vestidos muy elegantes y hermosos peinados y vivían en casas grandes y lujosas.

—Entonces, quizá sea abogada —le dije a Fanny encogiéndome de hombros.

Ella se echó a reír.

—*Narreleh*, pequeña tonta, las niñas pobres no se convierten en abogadas. Mejor será que prestes atención en la escuela y podrás ser una secretaria. Así podrás ayudar a tu pobre madre.

Sentí que me ardían los ojos. No podía tener razón. La señora Patrick, mi maestra, nos había hablado de Abraham Lincoln, que era pobre y llegó a ser presidente.

—En Norteamérica cualquiera puede llegar a ser cualquier cosa —había dicho. ¿Por qué no iba a creerle? La señora Patrick sabía más que Fanny.

* * *

Todas las noches, mientras intento dormir, me consuelo con fantasías felices. ¡Luz! ¡Cámara! ¡Acción! Y yo, vestida con leotardos tachonados de estrellas y una chistera también tachonada de estrellas, comienzo mi zapateado girando, saltando y haciendo piruetas en el aire. Fred Astaire y Danny Kaye bailan a mi lado, rebosantes de alegría ante el esplendor de la pequeña estrella que les acompaña.

Pero esas imágenes de estrella infantil dejan paso un momento después a las de mis libros de cómic. A veces llevo mallas rojas, como Mary Marvel, a veces llevo mallas azules, como Superchica. Lilly *la Niña,* ésa soy yo. Siempre vuelo en compañía de un hombre musculoso a un lado y un chico musculoso al otro. Indico las misiones y ellos me siguen. Llevamos por el aire a los hombres malvados con grandes labios y sombreros flexibles y los depositamos detrás de los barrotes de la cárcel antes de que puedan hacer más daño a las mujeres y los niños. Rescatamos a víctimas demacradas y aterrorizadas, como las que he visto en los noticiarios en el cine, que están a punto de morir en los hornos crematorios de los campos de concentración.

Mi madre ignora durante mucho tiempo que soy Lilly *la Niña,* el auténtico cerebro que está detrás de esas grandes hazañas que llenan los noticiarios en el cine y los periódicos yídish. Y entonces se lo digo. Hombre Poderoso y Chico Poderoso están conmigo y confirman todo lo que digo.

«Estoy tan orgullosa de mi chica grande», me dice todas las noches en mi fantasía antes de quedarme dormida.

* * *

Media docena de chicos de mi clase de cuarto grado forman un grupo compacto en el patio de recreo, fascinados por la historia que están explicando Melvin Kaplan y su hermana pequeña.

—Ella caminaba por la calle completamente desnuda. Y mostraba las tetas y todo lo demás. —Un par de ellos rieron entre dientes, el resto tenía los ojos abiertos como platos—. Nuestro padre la vio. Eran cerca de las seis de la mañana —Melvin y su hermana competían para contar la historia—. Y entonces alguien llamó una ambulancia y dijo: «Hay una mujer desnuda caminando por la calle», y vinieron y se la llevaron. Mi padre dice que la metieron en un lugar para gente que está loca.

Ahora todos se echaron a reír y yo podía sentir que mi corazón latía con violencia como si algún animal estuviese tratando de salir de él.

—¿Y sabéis qué? —chilló su hermana—. Cuando llegó la ambulancia se estaba chupando las tetas. ¡Sus propias tetas! —gritó, superando a su hermano, saboreando el detalle.

Las niñas de mi clase lanzaron algunas exclamaciones de disgusto; uno de los niños mostró su entusiasmo con un grito de júbilo.

Era de la madre de Arthur Grossman de quien estaban hablando. Arthur era un niño con el pelo negro y rizado y grandes ojos negros que se parecía tanto a mí que podría haber sido mi hermano. Estuvo ausente de la escuela el resto de la semana, y cuando regresó el lunes siguiente tenía una expresión avergonzada, como si hubiese hecho algo malo. En el patio de recreo los niños caminaban a su alrededor, fingiendo que buscaban hormigas o pequeñas piedras para sus juegos. Yo le observaba. Quería decirle algo, pero no sabía qué palabras utilizar.

Los otros niños no le dejaron en paz mucho tiempo.

—Eh, Arthur, ¿cómo está tu madre? —preguntó Sandra Shulman con una sonrisa de alto voltaje cuando formamos fila para ir a almorzar. Arthur bajó la cabeza y echó a andar.

En clase no podía dejar de mirarle. Sabía que si él hubiese estado con su madre aquella mañana, la habría cubierto con un abrigo y cogido de la mano para llevarla de regreso a su casa, cerrando la puerta para ocultarla de la mirada de los vecinos que les hablaban a sus hijos de la vergüenza de esa mujer. Pero debía de estar durmiendo la mañana en que eso sucedió. Probablemente, ni siquiera se enteró de que su madre había salido de casa. Seguramente, le despertó la sirena de la ambulancia.

Pocas semanas más tarde, Arthur volvió a faltar a clase y jamás regresó a la escuela. Melvin Kaplan y su hermana pequeña dijeron que el padre de Arthur no podía hacerse cargo de él, de modo que había tenido que ir a vivir a la Residencia Vista del Mar, que era para chicos que no tenían padres. ¿Me enviarían a mí también a Vista del Mar algún día?

Pero, a veces, mi madre parecía encontrarse bien. Estaba conmigo y me hablaba como si nunca hubiese sucedido nada terrible, y yo casi llegaba a olvidar lo enferma que había estado. En ocasiones incluso hablaba de su familia en Europa. Tal vez nos encontrábamos en un restaurante cuando me lo contaba, y mientras jugueteaba con la pajita de mi batido de leche o trataba de tener algún otro tipo de comportamiento natural, contenía el aliento para escuchar. Sentía una terrible necesidad de saber algo

—lo que fuera— del lugar de donde venía, aunque jamás me atrevía a preguntar por temor a que mi curiosidad disparase otro episodio penoso.

—Cuando tenía diez años —recordó el día en que yo cumplía diez años, en 1950, cuando me llevó al Famous Restaurant en Brooklyn Avenue—, ya había trabajado en siete empleos diferentes.

Los enumeró con los dedos. Primero, había ayudado en la pequeña tienda de comestibles de su *mameh*; luego vendió cebollas y coles en el mercado del pueblo; después trabajó como criada de una familia rica en Prael; luego cuidó a los hijos de una familia en Dvisnk, la ciudad que se encontraba a ochenta kilómetros de distancia del pueblo; más tarde desenredó ovillos de lana en una tienda de Dvisnk donde tejían; luego fue aprendiz de sombrerera, después de modista...

—Todos esos trabajos había tenido cuando cumplí los diez años. Luego, cuando supe lo que necesitaba saber, fui a trabajar con un sastre como costurera regular. —Sostuvo la taza de té con delicadeza, levantando el dedo meñique como lo hacían las mujeres finas en las películas, bebió un pequeño sorbo—. Y eso fue lo que hice en mi vida hasta que tuve dieciocho años y vine a Norteamérica —añadió con un suspiro.

—¿Pero por qué tus padres dejaban que fueses a trabajar cuando aún no tenías diez años?

Yo sabía que ella nunca *jamás* dejaría que me fuese de su lado.

—No teníamos comida. Si yo vivía en otra parte, la gente de allí tenía que alimentarme. Si vivía en mi casa, mi *tateh* y mi *mameh* tenían que alimentarme, y tenían un montón de otras bocas que alimentar —dijo mi madre sin asomo de rencor—. En mi casa, la mayor parte del tiempo sólo teníamos pan moreno y patatas para comer, y quizá algunas zanahorias y coliflor. Tal vez, si había suerte, el viernes por la noche todos teníamos un pequeño trozo de pescado o un poco de carne en una cuchara de sopa.

Jamás se me había ocurrido que alguien pudiese ser tan pobre. Aunque vivíamos en una horrible habitación amueblada, yo siempre tenía comida en el plato, y aquí estábamos, en el Famous Restaurant, y acababa de llenarme el estómago casi hasta reventar con costillas de cordero, *latkes* de patata y pastel de chocolate.

Una tarde, en un restaurante de Brooklyn Avenue, mi madre pidió para ella un plato de arenque picado. Fue entonces cuando habló de Hirschel, cuyo nombre yo sólo había oído antes a través de sus chillidos.

—Yo tenía quizá nueve años —dijo mi madre—, o sea, que eso significa que Hirschel tenía un año, y mi *mameh* me dio unos *copecs** y me dijo que fuese al mercado a comprar un arenque. —Encantada por el relato, veía a mi madre como una niña pequeña, una cría de nueve años con grandes ojos negros y el pelo negro y rizado—. Yo siempre llevaba a Hirschel en brazos cuando estaba en casa porque él era el bebé, y mi *mameh* estaba ocupada con todo lo que tenía que hacer y no podía estar vigilándole todo el tiempo. Hirschel era muy gracioso, con su pequeña cabeza redonda y sus manos pequeñas con hoyuelos. —Nos echamos a reír ante esa visión tan dulce, como si él, un bebé todavía, estuviese parloteando feliz delante de nuestros ojos, y les adoré a ambos, a mi madre, que era una niña, y a mi tío, el bebé, a quien nunca vería con ninguna edad—. Nos amábamos como si yo fuese la *mameh* —dijo mi madre.

»De modo que voy al mercado y llevo a Hirschel conmigo, y compro un arenque, como me ha dicho mi madre, y la mujer lo envuelve en un pequeño trozo de papel. Llevo a Hirschel en brazos, pero tengo tanta hambre que no puedo aguantar un minuto más. Abro con los dientes el paquete y paso la lengua por el arenque. Es tan bueno disfrutar al menos un poco de su sabor salado. Lamo una y otra vez y Hirschel se me cae de las manos. Me preocupé mucho porque él lloró hasta que su pequeña cara se puso roja como el fuego. Cuando llego a casa con él y el arenque, Hirschel sigue llorando, y yo también lloro. Los dos lloramos desconsoladamente y lo veo todo negro. Tengo que

---

* Moneda rusa. (*N. del T.*)

contarle a mi *mameh* lo que pasó, pero ella no dice mucho porque no parece que Hirschel se haya hecho mucho daño, sólo unos pequeños rasguños. Excepto que cuando comenzó a caminar tenía una gran cojera. Y mi *mameh* dijo que la culpa era mía, que le había dejado caer porque estaba muy ocupada lamiendo el arenque y era la responsable de que Hirschel fuese un tullido.

Apoyé mi cabeza en su brazo desnudo y acaricié los dedos que descansaban sobre la mesa. De modo que era por eso por lo que siempre gritaba su nombre. Si yo hubiese sido su *mameh*, jamás le habría dicho cosas para herirla.

Cuando mi madre no estaba enferma, a veces resultaba difícil creer que volverían los tiempos de la locura. Compró una radio pequeña, una caja de plástico marrón y, los viernes por la noche, nos instalábamos en su cama, mi pierna apoyada sobre las suyas, y escuchábamos juntas a Dorothy Collins, Snooky Lanson o Gisele Mackenzie cantando las canciones románticas que a ella tanto le gustaban en «La lista de éxitos de Lucky Strike». Luego, yo me arrodillaba en la cama y volvía a cantarlas, o bajaba de la cama y bailaba un zapateado descalza, o improvisaba un salvaje ballet acrobático para acompañar las canciones. Su favorita era *Again*. Yo estaba segura de que pensaba en mi padre cuando la escuchaba, pero en realidad no tenía importancia porque estaba mirándome y escuchándome a mí y él se encontraba a miles de kilómetros de allí. Yo cantaba y hacía piruetas y mi madre movía los labios conmigo, asintiendo con la cabeza ante las frases importantes. «Otra vez, esto no podría pasar otra vez —cantábamos—. Esto sucede una vez en la vida. Es esa sensación divina.»

—No soy una buena madre para ti —oí que decía una noche después de haber apagado las luces y yo estaba en mi cama, esperando el sueño, con las palabras de las canciones resonando aún dentro de la cabeza.

—¡No digas eso! —protesté en la oscuridad—. Eres la mejor madre del mundo.

—No sé por qué me vuelvo loca a veces —suspiró—. No puedo evitarlo.

Durante un tiempo, Rae y el señor Bergman pasaban a recogernos para ir a dar un paseo por Ocean Park Beach, pero a él no le gustaba nada cuando mi madre decía que mi tía era una *choleryeh*, y finalmente agitaba un dedo delante de ella y le decía que en el futuro tendría que coger el tranvía si quería ir a la playa. Pero el señor Bergman era realmente un buen hombre y, cuando llegaba la ocasión, hacía cualquier cosa que deseara mi tía. La llevaba en coche a través de toda la ciudad hasta el este de Los Ángeles para que pudiese traernos algún plato que había cocinado para nosotras, y no importa lo furioso que estuviese con mi madre, siempre le dejaba cinco dólares y le decía:

—Compra algo bonito para *Lilileh* —la pequeña Lilly, como me llamaba—. Es una buena niña. Buena como el oro —añadía.

—Buena como el oro.

Mi tía meneaba la cabeza, defendiéndome ahora y contra todos los futuros incidentes y deslizando un billete de un dólar en mi bolsillo antes de marcharse.

—¿Para qué si no sigo trabajando? —dijo una vez cuando intenté devolverle el dinero porque temía que a mi madre no le gustase.

Pero la mayoría de las semanas, Rae era un recuerdo fantasmal. Vivía muy lejos, en el otro lado de la ciudad, y yo estaba sola con una madre enferma. Sólo con mirar el rostro de mi madre podía adivinar cuándo las cosas se pondrían difíciles: un intenso rubor le cubría las mejillas, el cuello y el pecho, y su boca adquiría una forma extraña. No dejaba de morderse los labios, o escupía una partícula inexistente que se negaba a abandonar su lengua. Sus ojos también cambiaban. Era otra persona la que miraba a través de ellos, una persona que casi no reparaba en mí, ni siquiera cuando ocupaba su línea de visión para distraer su atención de los terrores que anidaban en su cabeza.

—¡He hecho algo muy malo! —gritaba, y yo ya había deducido para entonces que no era solamente porque había dejado caer al suelo a su hermano pequeño. También era porque había estado ocupada con Moishe cuando tendría que haber estado tratando de encontrar una forma de rescatar a su familia—. Dios me castiga —sollozaba. Se golpeaba la cabeza, el pecho.

—¡Mamá, basta, déjalo ya, vas a hacerte daño! —Yo le cogía las manos—. Tienes que ponerte bien, ¿qué será de mí si te llevan? —lloraba, buscando las palabras que consiguieran poner fin a su ataque.

Siempre había algo que provocaba sus ataques; a menudo era una bolsa de May Company. Las mujeres de Schneiderman's, la tienda donde ella trabajaba, llevaban su ropa de trabajo con ellas y se cambiaban en la tienda. Una mujer, una húngara cuyos tres hermanos habían sido asesinados por los nazis, llevaba su ropa de trabajo en una bolsa de May Company, y eso creaba un dilema muy doloroso a mi madre. Si ella llevaba su ropa de trabajo en una bolsa de May Company quería decir que, al igual que la mujer húngara, ya no tenía un hermano. Pero quizá a su hermano no lo habían matado. Nadie sabía a ciencia cierta que eso hubiera ocurrido. Nadie sabía nada, excepto que todos los judíos que estaban en Prael en el verano de 1941 habían sido asesinados. Pero tal vez Hirschel no estaba en Prael aquel verano, o quizá consiguió escapar y se escondió en alguna parte. Quizá era una persona desplazada y en cualquier momento aparecería en Estados Unidos.

Pero si llevaba su ropa de trabajo en una bolsa de May Company, estaba «haciendo» que Hirschel estuviera muerto. ¡No quería decir eso! ¡No quería decir eso! Se obligaba a comprar en May Company, luchando contra sus supersticiones. Las bolsas se apilaban en un montón verde pastel en la cómoda de la habitación y ella las miraba, atormentada. Metía su ropa de trabajo en una bolsa de May Company con manos temblorosas, la sacaba, volvía a meterla, la sacaba nuevamente.

Durante toda esa penosa experiencia, no importa cuánto durase el encantamiento o cuán malo fuese, ella se levantaba a las seis y media y salía de casa a las siete. Prácticamente, nunca faltó a su trabajo. Qué hacía para tranquilizarse o cómo conseguía controlar el temblor de las manos para colocar los vestidos en los maniquíes y poder así seguir manteniéndonos a las dos es algo que no puedo imaginar.

De la biblioteca pública Malabar sacaba libros de la «sección para adultos».

—Son para mi madre —le juraba a la bibliotecaria de pelo azulado que quería colarme *El jardín secreto* y los libros de Nancy Drew cuando me acercaba a su escritorio para que me sellara la ficha de salida de *Desorden de la personalidad e higiene mental, Usted y su psiquiatra* o *Mantener una mente sana.*

No entendía la mayor parte de lo que leía, pero, sentada en mi cama o en el cajón de leche que Fanny tenía a modo de asiento en el porche, continuaba leyendo como si se tratara de una cuestión de vida o muerte. En la página siguiente podía estar la respuesta, y entonces sabría qué decir o hacer para ayudar a mi madre. Alguien tenía que hacer algo. ¿Y quién más había aparte de mí?

Crecí a la sombra de la tragedia de mi madre. Y, durante algún tiempo, me contagié de su enfermedad. No asumió las mismas características; no estaba desarrollada, pero los gérmenes estaban allí.

—Buenas noches, mamá —le decía todos los días desde mi cama.

—Buenas noches, Lilly.

—Que duermas bien, mamá —decía.

—Tú también. Que duermas bien.

—Hasta mañana, mamá.

—Sí. Hasta mañana.

«Buenas noches, mamá.» Esperaba nuevamente su respuesta a la tríada. «Que duermas bien, mamá.» «Hasta mañana, mamá.» Y luego una tercera vez: «Buenas noches, mamá...». Ella tenía que repetir cada frase. Si no lo hacía, estaría muerta antes de que acabase la noche. Estaba segura. Mi madre debió de comprender esas reglas no escritas porque siempre me contestaba.

Yo tenía otro ritual para las mañanas, antes de que ella se marchara a trabajar.

—Ten cuidado antes de cruzar la calle, mamá —le decía—. Mira a ambos lados, mamá. No vuelvas tarde a casa, mamá.

Ella tenía que confirmar cada advertencia y yo tenía que repetir esta tríada tres veces también. Si no lo hacíamos bien, sabía que aquel día a ella le sucedería algo terrible y jamás volvería a verla.

Aun cuando lo hiciéramos bien, la mayoría de los días temía no volver a verla más. Cada tarde, a las cuatro y media, yo esperaba en la parada del autobús que estaba frente al cementerio Evergreen hasta que llegara. Nunca permitía que las puntas de mis pies apuntasen hacia el cementerio, porque eso supondría su muerte. En el momento en que el autobús reducía la velocidad, atisbaba a través de las ventanillas, tratando de descifrar su figura entre la multitud de la hora punta, sintiendo que mi cara se ponía cada vez más caliente. Me instalaba delante de la puerta en el instante en que el autobús se detenía en la parada, y la gente que bajaba antes de que lo hiciera mi madre tenía que esquivarme o tropezar conmigo. Cuando la veía me recorría una sensación de alivio refrescante y me lanzaba hacia ella como si hubiese estado ausente todo un mes.

Si mi madre no estaba en el autobús de las cuatro y media, me obligaba a fingir tranquilidad y esperaba a que llegase el autobús de las cuatro y cuarenta y cinco. Si ella no estaba entre los pasajeros, esperar el autobús de las cinco era como estar condenado a muerte y esperar sin que hubiese ninguna esperanza de que se suspendiese la ejecución. Caminaba arriba y abajo por la acera, corriendo hacia la esquina cada dos minutos para mirar el gran reloj de la calle cuyas manecillas se arrastraban con exasperante lentitud. Estaba casi segura de que mi madre no estaría en el autobús de las cinco y eso sólo podía significar una cosa.

En aquella parada de autobús aprendí el significado de la expresión «estar fuera de sí»: cuando no llegaba en el autobús de las cinco de la tarde, mi mente abandonaba mi cuerpo, que corría arriba y abajo por la calle, enloquecido, poseído, como el pollo decapitado que habían cogido del lazo que colgaba del techo, derramando lágrimas calientes, de las que sólo era consciente porque me resultaba imposible respirar por la nariz y me quemaba la cara como si me hubiesen arrojado brasas. La habían matado, estaba segura. Ahora me enviarían a la Residencia Vista del Mar. Ya no tenía a nadie más en el mundo, porque Rae me había abandonado para casarse y mi madre estaba muerta.

3

ENAMORADA

En aquellos días, cuando Rae venía a verme, ya no me decía que estaba flaca como un hueso de pollo. Por la noche, sola en la cama, con el camisón levantado, me pasaba las manos por todo el cuerpo y tenía la sensación de que le pertenecía a otra persona. Donde había sido chato y huesudo en la parte superior, ahora había una extraña, sorprendente y suave redondez. En la parte inferior, donde la piel antes era lampiña, ahora podía sentir unos vellos diminutos y fuertes.

Una mañana, después de que mi madre se hubiese marchado a la tienda, me quité el camisón y contemplé mi cuerpo desnudo en el espejo de la cómoda. El reflejo confirmó lo que sentía aún más que mirándome directamente. Mi cintura era la misma, pero era evidente que mis caderas habían abandonado su forma de niño pequeño. Y, allí, un poco más abajo, pequeños zarcillos surgían desde el centro como nuevas y delicadas ramas en un árbol. Pero era la carne que tenía en el pecho lo que más me asombraba, no eran como los hermosos senos de mi madre, pero eran bellos a su manera, suaves y tiernos, casi como algo que se percibe a través de la niebla.

No había ninguna duda, estaba en camino de convertirme en una mujer. En la habitación, de pie ante el espejo de la cómoda, me veía cubierta con los elegantes atavíos de la feminidad que adoraba en las actrices: vestidos plisados y con volantes y pieles lujosas, medias de seda sin costura y tacones altos, labios brillantes y ojos seductores. Pero, en realidad, el placer en mi nuevo yo era agridulce. Estaba dejando atrás la infancia. Jamás sería una estrella infantil. Había fracasado en la primera misión de mi vida.

*   *   *

En un viejo y ruinoso edificio que se levantaba en la esquina de Wabash con Evergreen había una tienda de reparaciones de radios y fonógrafos, y en el escaparate se exhibían un tocadiscos y una divertida estatua de un perro cuya cabeza oscilaba continuamente ante la voz de su amo, que salía de una bocina gigante.* Casi todos los días, al regresar a casa de la escuela, me detenía ante el escaparate de la tienda para contemplar el perro y el tocadiscos y, colocada un poco más atrás, la polvorienta colección de aparatos de radio de madera y grabadoras con grandes bobinas. Pero, súbitamente, todos desaparecieron. A través del escaparate podía ver que la tienda estaba vacía de todo salvo del polvo. Y permaneció vacía durante varias semanas.

Entonces, unos meses antes de mi duodécimo cumpleaños, dos máscaras de yeso —comedia y tragedia— aparecieron en el mismo escaparate (que ahora estaba inmaculadamente limpio), rodeadas de zapatillas de punta de satén rosa y zapatos de baile de charol brillante, y arriba, con grandes letras doradas, un cartel anunciaba: ¡THEATRE ARTS STUDIO! ¡PRÓXIMA APERTURA! ¡INSCRÍBASE AHORA! Al lado colgaba la fotografía de una mujer, con el pelo rubio cayendo sobre los hombros en ondas brillantes, labios carnosos que ofrecían una encantadora sonrisa y una blusa escotada que mostraba una piel cremosa. IRENE SANDMAN, DIRECTORA EJECUTIVA, decía debajo de la fotografía (sólo el título me deslumbró, aunque no tenía la más remota idea de lo que

---

* Se refiere a la famosa publicidad de la marca RCA Victor, cuyo lema era «LA VOZ DE SU AMO». (N. del T.)

era una directora ejecutiva). Podía oír cómo respiraba a través de la boca. ¿Podía ser cierto? ¿Podía haber, de pronto, un lugar así en el este de Los Ángeles, con una mujer que parecía una estrella de cine, una DIRECTORA EJECUTIVA que pudiese enseñarme el camino a Hollywood?

Yo regresaba todas las tardes para tratar de averiguar qué significaba ¡INSCRÍBASE AHORA! y para contemplar, boquiabierta, la hermosa fotografía, pero la puerta siempre estaba cerrada.

Un día, por fin, aunque el interior del local aún estaba oscuro, la puerta del Theatre Arts Studio estaba abierta y allí estaba la mujer de la fotografía, colgando de la pared una acuarela en la que aparecían unas pequeñas bailarinas ataviadas con tutús. Mi corazón se estremeció. Jamás había visto a nadie tan espléndido en carne y hueso, tan escultural con altos tacones, largas piernas y una fina cintura ceñida con un grueso cinturón dorado. Me quedé inmóvil en la puerta y su intenso perfume llegó hasta mí. La cabeza comenzó a darme vueltas.

Sus brazos se extendieron con gracia para enderezar el cuadro y luego se volvió. Mi presencia la sobresaltó y parpadeó. Ojos azul violeta con largas pestañas oscuras. Yo no sabía que esos ojos pudieran existir fuera de la pantalla de cine.

—¿Puedo ayudarte?

Su voz era melodiosa como la de una actriz de cine. Más tarde, cuando resonaba en mi cabeza una y otra vez, la llamé oro líquido, aunque jamás había visto algo semejante. Imaginaba que debía de ser tan brillante como una moneda recién acuñada, pero más tierno y suave.

Mis mejillas estaban rígidas. Mi lengua —un apéndice seco e inútil— debió de haber murmurado algo.

—Comenzaremos las clases el primero de abril —contestó ella—. ¿En qué aspecto del arte dramático estás interesada?

Debo de haber respondido «interpretación». Luego recordé que había dicho que podía recibir lecciones particulares por un dólar y medio la hora. Imagino que sentí la mágica penumbra que rodeaba a Irene Sandman y regresé a la calle iluminada por la luz del sol. Debo de haber regresado a casa. Pero sé que no vi absolutamente nada de lo que había delante de mis ojos y mis oídos estaban sordos a cualquier cosa que no fuese su voz dorada.

Mi madre me dio el dinero. Sabía que lo haría, ¿no era éste acaso el comienzo de lo que ambas habíamos soñado durante tanto tiempo? Mi profesor era Sid Sandman, el director de interpretación del Theatre Arts Studio, como le llamaba Irene. Me estaba esperando la tarde que acudí a mi primera lección. Me acompañó a un gran salón, que estaba separado sólo por un delgado tabique encalado de la pequeña oficina donde yo había visto por primera vez el esplendor de Irene Sandman. Recité para él *To Think That I Saw It on Mulberry Street* y Sid me observaba con ojos sensatos, las piernas cruzadas, la barbilla apoyada en la palma de la mano. Con su pelo negro cubierto de laca, el bigote muy fino, una chaqueta marrón con cinturón y un pañuelo alrededor del cuello, que metía debajo de la camisa como si fuese una corbata inglesa, se parecía a lo que siempre había imaginado que debía de ser un director. Asentía con gestos de aprobación ante mis intentos de sonar como Milo, asombrada ante las maravillas de Mulberry Street.

—Escribiré un monólogo dramático para ti —dijo.

En nuestra segunda clase recité las líneas del libreto que me entregó con todo el histrionismo que había estado ensayando durante años: «Mi... mi nombre es Rachel Hoffman. ¿Mi madre? No sé dónde está. Ellos se la llevaron. No la he visto desde hace mucho tiempo».

Cuando tenía ocho años, alcancé a oír en una tienda a una mujer que decía refiriéndose a mí:

—¿No creéis que esa niña parece una pequeña refugiada?

Sid debió de pensar lo mismo. A mitad del monólogo tuve que levantarme la manga y mostrar a mis amables e invisibles interlocutores el número del campo de concentración grabado en el brazo.

«¿Qué? ¿Está en la otra habitación? ¿Esperándome?», debía exclamar al final de mi actuación de cuatro minutos antes de echar a correr, gritando con alegría: «¡Mamá! ¡Mamá! ¡Mamá!». No tenía ningún problema para imaginar la devastadora separación de mi madre. No me resultaba complicado imaginar las heridas emocionales que los nazis me habían infligido.

Estuvimos ensayando la obra durante varias semanas, solos él y yo en aquel lugar, la oficina a oscuras. «¡Muy bien!», decía Sid solemnemente, o «comienza desde el número en mi brazo».

Yo siempre esperaba oír algún ruido en la otra habitación o que la puerta se abriese. Pero sólo veía a la radiante Irene en mis sueños.

Un día, sin embargo, la luz de la oficina estaba encendida cuando llegué y allí, por fin, sentada al escritorio y sosteniendo un libro de recibos, estaba Irene Sandman. Sentí que me ponía más pálida que la hierba marchita.

—Le pagaré ahora el mes completo —dijo una mujer.

—Un mes para Sissy Simpson... y eso es para la clase de danza infantil —dijo la encantadora voz.

Observé cómo la mano blanca y elegante con las perfectas uñas pintadas de rojo extendía el recibo. La mujer lo cogió y se marchó, rozándome al pasar.

—Lillian, hola —dijo Irene Sandman.

¡Ella recordaba mi nombre!

—Sid dice que estás haciendo un excelente progreso.

Apenas pude articular un «oh, gracias», aunque podría haber llorado de alegría.

—Hoy asistiré a tu sesión —dijo con una sonrisa luminosa. Un montón de luces de neón giraban ante mis ojos. ¿Cómo podría hablar si esos radiantes ojos violeta me iban a estar mirando?

Pero lo hice. Toda yo era Rachel Hoffman, con sólo una pequeña fracción de mi mente consciente de que Irene estaba sentada con elegancia en el banco junto a su esposo. Cuando salí corriendo de la habitación, gritando «¡mamá! ¡Mamá! ¡Mamá!», en mis ojos había lágrimas auténticas que brotaban milagrosamente de ninguna parte.

—¡Guau! —exclamó Irene cuando regresé al escenario.

¿Podía creer lo que veían mis ojos? Sus ojos también estaban llenos de lágrimas. ¡Había conmovido a Irene Sandman hasta el llanto! Yo flotaba justo debajo del techo en mi capa de Mary Marvel.

—Lillian. —Los tonos suaves hicieron que me detuviese media hora más tarde mientras seguía flotando, ahora cuando atravesaba la puerta—. Me gustaría que tu madre te acompañara la próxima semana.

Aterricé de golpe. ¡Por Dios, mi madre! ¿Para qué? Mi madre ya no se pintaba los labios. Las sombras debajo de sus ojos se habían vuelto aún más oscuras y su pelo estaba lleno de canas. ¡Y su acento! La amaba más que a mi propia vida, ¿pero cómo podía traerla ante la presencia de este glorioso personaje?

—He hecho que nuestros abogados redacten un contrato de administración personal, que Theatre Arts Studio firmará con sus estudiantes mejor dotados. —Los labios exquisitamente pintados de Irene sonrieron—. Y tú eres uno de ellos.

No tengo ni idea de cómo conseguí recorrer las calles aquel día, pero sé que debí de haber corrido como una posesa, porque estaba jadeando cuando subí los escalones del porche en Dundas Street. Sólo conservaba el aliento suficiente para gritar hacia el dormitorio, donde mi madre estaba acostada.

—¡Me han descubierto! ¡Lo he conseguido!

—Somos de Chicago —le dijo Irene a mi madre, pero mi madre estaba mirando fijamente a las bailarinas de la pared con la boca ligeramente abierta. Yo me sentía humillada. ¿Por qué no sabía cómo comportarse en una situación tan trascendental? ¿Qué pensaría Irene? La habitación amueblada de Fanny se veía en nosotras, estaba segura. Yo había elegido el vestido de mi madre de su ahora no utilizada colección de Nueva York. Había conseguido que se pintase los labios y que fuese a la peluquería para que la peinasen, pero aún así seguía pareciendo harapienta y opaca al lado de Irene Sandman. ¿Quién no lo parecería?

—Los dos estábamos muy comprometidos con el arte dramático en Chicago, pero decidimos venir a Los Ángeles porque es aquí donde se ha trasladado el mundo del teatro.

Ahora mi madre la miraba y hacía pequeños sonidos de «eso está bien». «A Irene Sandman debemos de parecerle unas paletas», pensé. Aunque ella no se dirigía a mí cuando hablaba, yo asentía vigorosamente a cualquier cosa que decía para compensar el silencio virtual de mi madre. Compuse mi rostro esperando que mostrase una expresión inteligente y la mantuve fija todo el tiempo.

—El teatro solía estar muy vivo en Chicago. Mel Tormé era mi mejor amigo en el instituto —dijo Irene, echándose a reír. Tan seductoramente. Los dedos de los pies se me encogieron. Mi madre estaba mirando otra vez el cuadro de las bailarinas. ¿Estaba siquiera escuchando lo que Irene decía?—. Steve Allen también era amigo nuestro. Era muy divertido, pero no sabía tocar el piano. Yo le enseñé. Aunque entendía todo muy rápido —añadió Irene modestamente—. No necesitó muchas lecciones.

Mi madre reconoció el nombre de Steve Allen.

—¿Eso es todo? —dijo, y yo me encogí al oír cómo pronunciaba mal el idioma inglés. Era mejor cuando no decía nada. Estábamos perdidas aquí, en presencia de este ser angelical que tenía una línea directa con Hollywood.

—¿Alguna pregunta? —añadió Irene. Mi madre sacudió la cabeza.

—¿Qué pasa si una de nosotras tiene que poner fin al contrato? —pregunté con voz vacilante. Yo no podía imaginar semejante eventualidad de mi parte, pero esperaba que, si formulaba una pregunta que sonase adulta, Irene pensaría que yo era una persona precavida y mundana y no advertiría la incompetencia de mi madre.

Irene me miró inexpresivamente. Yo quería evaporarme.

—No te casas pensando en el divorcio —dijo finalmente—. Necesitaremos un nombre artístico para ella —añadió, dirigiéndose a mi madre—. Lillian Faderman no suena a nombre de actriz.

—¿Qué le parece Lilly *la Niña*?

Había sido mi nombre imaginario durante tanto tiempo que las palabras salieron de mi boca casi sin pensar.

Para mi vergüenza mortal, esos labios hermosos se abrieron y parecieron iniciar una carcajada, pero se contuvo.

—Estaba pensando en algo parecido a Lillian Foster —dijo.

Mi contrato establecía que nuestro acuerdo duraría siete años, renovable a perpetuidad. Sabía lo que significaba perpetuidad y rogaba que así fuese con relación a Irene Sandman. También establecía que Irene sería mi representante exclusiva y recibiría el diez por ciento de mis ingresos. Eso sonaba maravilloso: ¡habría ingresos!

El sábado, para celebrarlo, mi madre y yo fuimos al centro y —dos dólares y medio para ella y uno y medio para mí— cogimos el autobús de Tanner Grey Line que hacía el recorrido por las casas de las estrellas de cine, Robert Mitchum, Greer Garson, Spencer Tracy, Anne Baxter, cada una más fantástica que la anterior. De modo que realmente había palacios aquí en Beverly Hills, California, igual que en las películas, con grandes extensiones de hierba verde azulada, enormes portones de hierro e incontables gabletes y torrecillas. Mi madre y yo lo devorábamos todo.

—Cuando seas actriz —me dijo con expresión soñadora mientras el autobús subía y bajaba por las relucientes calles de Beverly Hills y escupía humo por el tubo de escape al aire enrarecido— ¿qué casa quieres comprar para nosotras? Tenemos que encontrar un tutor para ti, ¿sabes?, porque si estás haciendo películas no puedes ir a la escuela. Y las dos tendremos una criada, un chófer —dijo, recordando aquellas películas que había visto sobre los ricos, que siempre tenían un montón de sirvientes— y un mayordomo para que abra la puerta y conteste al teléfono, ¿y qué más?

—Y te compraré el mejor abrigo del mundo —le prometí, recordando la chaqueta fina y raída que había llevado todos los inviernos desde que llegamos a California.

—¿Por qué sólo uno? Necesitaré un largo abrigo de armiño blanco y una estola de visón marrón, y quizá una chaqueta de cordero persa —enumeró con una dulce sonrisa.

«¿Tendría Irene un abrigo de armiño?», me pregunté. Qué hermoso luciría el armiño debajo de su cabellera dorada.

—Me gustaría que cantases para mí antes de tu clase de interpretación —anunció Irene cuando llegué a mi siguiente clase con Sid.

Elegí *Again,* y no estaba nerviosa porque la había cantado toda la vida. Tocó una breve introducción al piano y luego me hizo una seña con la cabeza para que empezara. Durante unos segundos, Irene jugó con el teclado tratando de encontrar mi tono. Luego se dio cuenta de que no había ninguno. Irene sacudió la cabeza y yo, confundida, interrumpí mis chillidos.

—Lillian, debes escuchar cómo suena la música y adaptar tu voz a ella.

Para mí era toda una revelación. Sentí una picazón en todo el cuerpo y que se formaba una película de sudor sobre mi labio.

—Será mejor que empieces lecciones de canto.

¿Lecciones de canto? ¡Mis sueños se desmoronaban como una tortita de barro seca! Mi madre me daba gustosamente un dólar y medio cada semana para mis clases de interpretación, pero no podía permitirse lecciones de canto.

—¿Qué me dices de trabajar en la oficina los sábados por la mañana? —preguntó Irene, como si hubiese leído mi desesperación—, y, de ese modo, podrás pagar todas tus lecciones.

Yo hubiese trabajado por la mañana y por la tarde y el domingo —y el resto de la semana también— sólo para estar cerca de ella.

—Oh, sí, eso sería maravilloso —me las ingenié para balbucir en un torrente de gratitud—. Oh, sí.

Me encantaban los sábados. Llegaba antes de las ocho de la mañana para abrir el estudio para la clase de ballet de los más pequeños (impartida por una mujer búlgara con pelo hirsuto y olor desagradable). Hacia las nueve llegaba Irene para ocupar mi lugar detrás del escritorio.

—¿Podrías ir a la lavandería y recoger unas prendas para mí? —me preguntaba, y yo corría a buscar los pantalones de Sid o un vestido o una blusa de ella (que yo besaba furtivamente a través del envoltorio transparente)—. ¿Podrías ir al Elite y traerme una taza de café? —me preguntaba luego. Cualquier cosa que necesitase se la llevaba, como si se tratara de un cáliz sagrado, a través de calles sucias mientras mis labios se movían en una ferviente plegaria. «Irene, oh, Irene, Irene» eran las únicas palabras.

Ella comenzaba sus clases a las diez de la mañana, después de que la búlgara hubiese terminado su danza moderna para chicos de doce a quince años. Yo volvía a sentarme en la silla metálica gris, ahora caliente por el trasero perfecto de Irene, y abría las ventanas de la nariz para inhalar Emir, el intenso perfume que persistía en su chaqueta de orlón morada, que dejaba a menudo sobre el respaldo de la silla. Sola en la oficina, pasaba mis manos por la suave tela. «Irene, oh, Irene.» Repetía su nombre en mi cabeza.

Escuchaba con enorme atención, fascinada por cada sílaba, mientras ella daba instrucciones a una chica con gafas y la cara llena de granos, luego a un joven guapo y moreno que era cantante, después a seis adolescentes en la clase de zapateado. Con el cantante guapo —Tony Martínez, así se llamaba— se reía mucho, aunque nunca me dio la impresión de que sus comentarios fuesen muy ingeniosos. («¿Puedo coger ésa otra vez»?, decía Tony. «Ja, ja, ji, ji, ji», y continuaban.) ¿Qué hacía él para hacerla tan feliz?

Nunca permitía que mi ilusionada pasión interfiriese con mi eficacia.

—Hola, Theatre Arts Studio. ¿En qué puedo ayudarle? —contestaba al teléfono con un tono bajo que sonaba profesional, como había oído muchas veces a Irene. Recogía el dinero con aplomo. Rellenaba los recibos con un toque decorativo que Fanny habría aprobado. Saludaba a todos los que llegaban con gracia y entusiasmo.

Durante tres años, no hubo ningún otro lugar de la creación donde hubiese deseado estar más que detrás del escritorio en la oficina del Theatre Arts Studio, aspirando Emir y sintiendo el suave orlón entre mis dedos mientras trabajaba para pagarme las clases.

Eddy St. John (más tarde descubrí que su verdadero nombre era Edward Fromberg) entró en el local un sábado por la mañana.

—Tengo clase de canto con la señora Sandman a las doce —dijo, su voz aleteando arriba y abajo. Ocupó la silla que había junto a mí y comenzó a hojear las partituras de las canciones que había traído consigo. Vi que la primera incluía en la portada una fotografía de una Marlene Dietrich cubierta de lentejuelas. Se llamaba *See What the Boys in the Back Room Will Have*. Lo observé mientras estudiaba la música. Tenía las pestañas más largas que había visto en mi vida y su pelo era de un color cobrizo que también era la primera vez que veía. Movía la cabeza siguiendo la melodía mentalmente, y agitaba una mano larga y delgada, totalmente abstraído. Sus hombros flexibles se balanceaban al ritmo de la música.

Alzó la vista y vio que lo estaba observando.

—Me encantan las canciones de Marlene Dietrich, ¿y a ti? —me preguntó con una sonrisa cautivadora.

—Intentemos algo distinto para variar. ¿Qué me dices de *On Top of Old Smokey*? —le sugería Irene de vez en cuando a Eddy en los meses siguientes.

—No es mi estilo —decía él—. Hagamos *The Man That Got Away*.

—¿Qué te parece *The Tennessee Waltz*? —sugería ella.

—¿Qué me dice de *Stormy Weather*? —insistía Eddy.

Tan sólo tenía tres años más que yo, ¡pero qué aplomo! Tal vez Eddy no supiese que Irene Sandman era una diosa.

Con el tiempo, Irene formó un grupo con varios de nosotros para que actuase en residencias de la tercera edad, almuerzos de Hadassah, hospitales para enfermos mentales y otros lugares por el estilo. Eddy era la estrella, completamente vestido de negro, con un sombrero de ala ancha inclinado justo encima de los ojos, interpretando canciones dramáticas que hablaban de amores no correspondidos. Tenía una expresiva voz de tenor alto, que podía convertir en un susurro íntimo a la manera de la Dietrich o en un lamento desgarrador como Judy Garland. También estaban las *starlets*, dos niñas de doce años con rizos cobrizos como Shirley Temple, que cantaban mientras agitaban sendas maracas plateadas. Y también había un chico de catorce años con su hermana de siete, ambos vestidos con leotardos verde azulados y colas rellenas de color azul oscuro unidas a sus traseros. La pareja realizaba un ejercicio acrobático balanceándose uno encima del otro.

Y luego estaba yo, Lillian Foster, la maestra de ceremonias, presentando cada actuación con el discurso sonriente y enérgico que había ensayado con Irene.

—Y ahora el Theatre Arts Estudio se complace en presentar al fabuloso (o magnífico o maravilloso)...

Irene decía que una maestra de ceremonias necesitaba un vestido apropiado, de modo que mi madre me dio diez dólares y fui a Brooklyn Avenue a comprarme uno, de satén rosa, sin tirantes y sin espalda, con una redecilla rosa sobre la falda. Cuando llegaba el momento de interpretar mis monólogos, me deslizaba rápidamente en las cocinas del Hadassah o en los baños de las residencias de ancianos y me ponía mi ropa de adolescente. Representaba el papel de Rachel Hoffman y también otra pieza que Sid había escrito para mí sobre una huérfana francesa que es adoptada por una pareja bondadosa («zz-zz-zz», me señalaba cuando lo olvidaba y pronunciaba una *th*), y recitaba un monólogo que él había armado con trozos de la obra de Lillian Hellman, *La hora de los niños*. Yo era una niña de doce años, llamada Mary, que inventaba una acusación contra dos mujeres, sus maestras.[*] «¡Monstruoso!», debía gritar con voz asqueada.

—¡El próximo domingo tenemos una función! —exclamaba al llegar a casa con el regalo de la noticia, y para mi madre era como una pócima milagrosa. Ocho de nosotros nos apiñábamos en el

---

[*] En la obra, Mary acusa a sus dos maestras de ser amantes, una mentira que acabará provocando una tragedia. La propia Hellman escribió el guión de la película que, con el título de *Esos tres*, dirigió William Wyler en 1935. En 1962, Wyler dirigió un *remake* de esta historia con el título de *La calumnia*, con Audrey Hepburn y Shirley McLaine en los papeles de las maestras. (*N. del T.*)

Ford verde de los Sandman e Irene nos llevaba allí donde debíamos ofrecer nuestro espectáculo. Aunque se tratase solamente de un breve intervalo, la angustia de mi madre quedaba momentáneamente suspendida. Cuando yo salía al escenario la veía sentada en la primera fila, la cabeza ligeramente inclinada con una expresión de absoluta concentración. A mí me preocupaba mucho que a Irene pudiese molestarle que mi madre viniese con nosotros, pero jamás dijo nada. Yo me aseguraba de que mi madre siempre llevase los labios pintados y uno de sus vestidos de Nueva York.

* * *

Irene va conmigo a todas partes. A la casa de Fanny. A mis clases en el instituto Hollenbeck. En la calle busco su coche e imagino que lo veo en todas partes. Está conmigo cuando camino del brazo de mi madre por la Wabash Avenue. En la escuela les digo a las niñas que son mis amigas que actuaré en la inauguración de una tienda de la cadena Thrifty en Bellflower. «Irene Sandman es nuestra directora», les digo. Sólo quiero oírme cuando pronuncio su nombre.

El señor Bergman y Rae nos llevan otra vez a Ocean Park Beach. Dejo a mi madre sentada con ellos en unos de los bancos del paseo y me acerco al agua verde, donde puedo escribir su nombre en la arena, IRENE SANDMAN... IRENE SANDMAN... IRENE SANDMAN... El océano llega para borrar las letras y vuelvo a escribir su nombre y lo dejo allí. Tal vez pase por casualidad antes de que el océano vuelva. Lo verá y se preguntará quién es la persona que está tan enamorada de ella.

¿Cómo puedo conseguir que vuelva a exclamar «¡guau!», del modo en que lo hizo la primera vez que me vio representar el papel de Rachel Hoffman? «¡Guau!», oigo su voz en la oscuridad, en mi cama, por la noche, y beso las almohadas como si fuesen su piel.

¿Alguna vez alguien ha sentido algo así? ¿Qué es esto? Todo ha desaparecido de mi cabeza, salvo Irene. Me siento extraña, como si algo estuviese mal. Voy a la biblioteca pública Malabar a buscar más libros de psicología porque nunca he oído a nadie hablar de algo semejante. «Enamoramiento», se llama. Tengo un «enamoramiento adolescente» con una mujer. «Muy común», dice el libro.

Pero uno de los libros, con una cubierta flamante, *Attaining Womanhood: A Doctor Talks to Girls About Sex,* del doctor George W. Corner, dice algo diferente. No entiendo todas las palabras, pero sí lo suficiente como para quedarme petrificada. «Algunas mujeres desarrollan una necesidad profundamente arraigada e incluso permanente de sentirse sexualmente atraídas sólo por miembros de su propio sexo. Esta condición puede ser aparentemente un rasgo congénito; en otros casos se cree que es consecuencia de circunstancias desgraciadas en la juventud.» ¿Qué circunstancias podían ser más desgraciadas que las mías? Y luego sus afirmaciones se vuelven incluso más alarmantes. «Ese pensamiento resulta desagradable a aquellos que no sienten esa clase de impulsos, pero la persona afectada no debe ser vista como pecaminosa sino como la víctima de un temperamento perturbado.» Soy víctima de un temperamento perturbado.

«Una chica debería evitar a una mujer que mostrase hacia ella un afecto excesivo —concluye el Dr. Corner— o que insistiera en una compañía constante o se entregara a caricias íntimas». Qué felicidad sentiría si Irene fuese esa clase de mujer, pienso; la ironía de la situación no se me escapa, aunque las lágrimas bañan mis mejillas.

* * *

¿Con quién podría hablar de esto? ¿Quién podría ayudarme a entender? Mi madre, no. Cogí los autobuses que me llevaban hasta el apartamento de Rae.

—¿Qué ha pasado?

Rae palideció al verme.

Me lancé sobre su cama y hundí la cara en la almohada.

—Estoy enamorada de Irene Sandman —exclamé entre sollozos.

—¡Oh! Me habías asustado. Pensé que estabas enferma —dijo ella—. ¿Qué quieres decir con que «estás enamorada»? Ella es una mujer. ¿Cómo puedes estar enamorada?

—Ése es precisamente el problema —proferí entre gemidos.

—No digas tonterías —dijo Rae—. Eso no pasa. Una chica no puede estar enamorada de una mujer. Espera y pronto conocerás a un chico agradable y guapo, y entonces sabrás lo que significa «estar enamorada».

Una tarde llegué temprano a mi clase de interpretación. El Theatre Arts Studio estaba a oscuras, pero la puerta estaba ligeramente entreabierta, como si alguien hubiera olvidado cerrarla.

—¿Acaso me tomas por un jodido imbécil? ¿Crees que no sé lo que está pasando?

Era la voz de Sid, alta y furiosa, que llegaba desde el salón.

—Oh, por el amor de Dios, sólo tiene veinte años —replicó Irene—. No me interesan los niños.

Podía oler su perfume incluso desde la puerta.

—Me importa un cuerno lo que puedas decir. Tenías la pintura de labios por toda la cara, tu blusa estaba abierta… ¿qué se supone que debo pensar? —gritó Sid—. ¡Ve con cuidado, maldita sea, o perderemos este lugar!

—¿Y qué me dices de Silvia, cabrón? —gritó ella—. ¿Crees que he olvidado lo que pasó en Chicago?

Retrocedí de puntillas. ¿Por quién estaban peleando? ¡Ese guapo chico mexicano a quien ella le daba lecciones de canto! Caminé alrededor de la manzana, aturdida, las imágenes de Irene y ese muchacho flotando ante mis ojos. ¿Qué había hecho con él? La blusa abierta, la cara manchada de lápiz de labios. Tyrone Power besando a Maureen O'Hara en *El cisne negro*. ¿Acaso él la había forzado? ¿Qué era lo que habían hecho juntos?

Cuando regresé al estudio, las luces estaban encendidas e Irene se había marchado. Sid estaba sentado en el banco del salón, con la mirada perdida. Se levantó rápidamente al verme y cambió la expresión.

—Oigamos primero el monólogo de Linda Loman —dijo.

El sábado siguiente estuve atenta a Tony Martínez; estaba segura de que se trataba de él. ¿Cómo debía ser una persona para que Irene permitiese que le manchase la cara con la pintura de labios y le abriese la blusa? Rellené recibos y atendí al teléfono, pero sentía en mis labios su piel cremosa allí donde yo había abierto su blusa, aunque mis labios, de un modo confuso, eran los de Tony Martínez.

Pero él no acudió a su lección de canto. Revisé la agenda. No, no le habían cambiado a otro turno. El sábado siguiente, cuando comprobé la agenda, una línea roja tachaba el nombre de Tony Martínez.

Eddy me invitó a su casa a escuchar discos después de haber trabajado juntos en la compañía durante algunos meses. Eddy me gustaba de verdad, pero no de la forma en que mi tía suponía. Y estaba segura de que yo tampoco le gustaba en ese sentido.

Me llevó a su habitación en la parte de atrás de la casa grande e irregular donde vivía con su familia.

—¿Alguna vez has oído hablar de «sincronización de los labios»? —me preguntó, empujándome sobre un mullido sillón—. ¡Mira! —En un fonógrafo colocado encima de un gastado armario de madera, Eddy puso un disco de $33^{1/3}$ revoluciones de las Andrews Sisters cantando *Bei Mir Bist Schön* y luego cambió la velocidad a 45 rpm. Entonces interpretó un frenético charlestón alrededor de mi sillón, moviendo las caderas y los labios a una velocidad de vértigo, las Andrews Sisters como ardillas espásticas.

—Ahora cierra los ojos —me ordenó.

Billie Holiday entonaba *Gloomy Sunday*.

—¡Ábrelos! —gritó Eddy, y así lo hice.

Estaba delante de mí ataviado con una boa blanca de plumas y una pamela negra y sostenía entre los dedos una larga boquilla de mujer. Por un momento me sentí extraña al verle disfrazado de aquella manera, pero luego me gustó. Parecía una actriz realmente sugestiva, como las que yo más admiraba. Los tonos anhelantes e indolentes de Billie Holiday brotaban de su boca.

Evelyn, su hermana mayor, abrió la puerta de golpe.

—Eddie, no creo que a mamá le guste que entretengas a las chicas con la puerta cerrada. Sin ánimo de ofender —me dijo con una sonrisa al tiempo que me guiñaba un ojo.

Evelyn era grande y sonriente. Cosía lentejuelas y adornos brillantes sobre vestidos de tela barata para confeccionar los disfraces de Eddy. También era una chica de buen corazón. En la casa de los Fromberg siempre había un montón de gatos, con o sin rayas, con o sin colas, con o sin sus orejas completas, escurriéndose entre sus piernas y haciendo que tropezara. Los pequeños felinos eran atraídos al porche delantero de los Fromberg por los platillos llenos de leche que ponían para ellos, y luego no podía resistirse a que entrasen en la casa. Fue a través de Evelyn como conocí a Chuck.

En aquellos días, siempre llevaba conmigo delgados volúmenes de obras teatrales. Era Laura, hablándole tímidamente de sus animales de cristal a su atento visitante, era la chica vestida de blanco, respirando agitadamente, los labios torcidos en una mueca de disgusto, en presencia del Mono Velludo.* Estaba preparada para el día en que Sid e Irene dijesen que había llegado el momento de mi audición en Hollywood.

—¡No lo puedo creer, una chica que lee! Es algo que no se ve mucho en estos días —dijo Chuck, en lugar de lanzar un silbido de lobo. Eddy me había invitado a su casa para mostrarme sus nuevas zapatillas de ante y los guantes negros largos hasta el codo. Podía sentir la mirada de Chuck, que me seguía a través del pasillo. Ningún hombre lo había hecho antes. Era divertido. ¿Me gustaba?

A última hora de la tarde, Chuck casi siempre estaba bebiendo café con Evelyn en la mesa de la cocina de los Fromberg. Llevaba un uniforme gris con el logo de Mason's Market sobre el bolsillo de la camisa y su nombre, Charles Augelli, en un monograma sobre el otro.

—¿Y qué es lo que estás leyendo hoy? —me preguntaba cada vez que me veía—. Yo soy poeta —dijo—. ¿Te gusta la poesía? ¿Has oído hablar alguna vez de Robert Service? ¿William Rose Benét? Esos tíos son realmente grandes.

---

* Obra de 1922 del dramaturgo norteamericano Eugene O'Neill. (N. del T.)

Negué con la cabeza, memorizando los nombres. Luego los buscaría en la biblioteca.

—¿Qué me dices de William Ernest Henley? Es mi favorito. Más allá de la noche que me cubre de negro como el abismo de polo a polo —recitó, agitando la taza de café siguiendo un ritmo irregular—. Soy el amo de mi destino, soy el capitán de mi alma.

Chuck era un hombre bajo, apenas unos centímetros más alto que yo. Tenía el rostro alargado, las cejas negras como orugas y los ojos redondos como canicas, lo que le confería un efecto casi cómico. Pero su cuerpo era musculoso, fuerte, y en sus movimientos había cierta gracia felina. Su uniforme siempre estaba almidonado y brillante, aunque yo siempre lo veía al acabar el día. Antes de conocerlo a él nunca había conocido a nadie que pudiera recitar poemas de memoria. Me sorprendí a mí misma sintiendo que me faltaba algo cuando iba a visitar a Eddy y Chuck no estaba sentado a la mesa de la cocina.

—Lillian, tengo que hablar contigo después de tu lección de hoy —dijo Irene. Parecía malhumorada. ¿Había hecho algo mal en la oficina?

—No te estás concentrando —dijo Sid bruscamente después de que repitiese por tercera vez el mismo gesto que me había criticado—. Dejémoslo por hoy —añadió, dejando que acudiese a mi destino.

—Lillian —comenzó a decir Irene mientras permanecía de pie delante de ella en la pequeña oficina. Yo contemplaba sus labios rojos y carnosos con la garganta seca—. Lamento tener que pedirte esto, pero me temo que es necesario. —Estallaré por dentro bajo su mirada, pensé. ¿Dónde poner mis ojos? ¿Cómo contener mi boca?—. El coche está realmente lleno hasta los topes con ocho personas y este domingo iremos a Norwalk. Tu madre no tiene nada que hacer en estos espectáculos. Tendrás que pedirle que se quede en casa, ¿de acuerdo?

Me quedé contemplando a Irene, muda. Ni siquiera era capaz de pronunciar las habituales palabras insustanciales que conseguía musitar en su presencia. ¿Qué le diría a mi madre? Yo había querido hacer todo esto por ella en primer lugar. No podía herirla de este modo. Me arrastré fuera de la oficina, por la Wabash Avenue hasta Dundas Street, viendo solamente los años vacíos que me esperaban porque tendría que abandonar Theatre Arts Studio.

—No iré. Lo dejaré —dije, con los ojos fijos en mis manos en lugar de mirar la cara de mi madre. ¿Y si ella me decía: «Sí. Déjalo»? Esas palabras me matarían.

—Yo disfrutaba tanto —dijo mi madre—. Siempre lo esperaba con interés.

No estaba tratando de disimular su decepción. Me puse tensa, esperando el golpe del mazo.

—Pero quiero que sigas adelante. —Su palma áspera me acarició la mejilla—. No te preocupes por mí —dijo.

Llené los pulmones de aire para protestar, luego cerré la boca y la abracé, preparada para llorar de alivio. Pero el alivio fue seguido por la culpa: había traicionado a mi madre, no había otra forma de verlo. Ahora, mientras permanecía abrazada a ella, reconocía que aunque me hubiera dicho: «Sin mí no puedes ir», habría seguido yendo a escondidas si tenía que hacerlo. ¿Cómo podía renunciar a Irene Sandman?

—Probablemente, no sea más que por un tiempo —dije, mirando el suelo, desesperada por el hecho de que Irene, la mujer por la que hubiese muerto gustosamente, no tenía ninguna compasión, de que yo no tenía honor—. Norwalk está muy lejos y el coche no es tan grande. Pero habrá otros espectáculos —dije con voz queda, odiándome por ser una charlatana embustera.

Los chicos eran el único tema de conversación de las chicas de octavo grado. «Juan me regaló este corazón que hizo en el taller», «Joe me llamó anoche», «Steve volvió a pedirme una cita para el sábado». Decían mucho la palabra «amor». ¿A quién tenía que amar y que mi amor fuese correspondido?

—¿Puedo invitarte a un refresco? —Chuck se levantó de un salto de la mesa de la cocina cuando yo me marchaba de la casa de Eddy. Dijo las palabras tan deprisa que casi no le entendí.

—¡Chuck! —La buena de Evelyn estaba enfadada—. Tiene catorce años —resopló, mientras yo permanecía junto a la puerta sin saber qué hacer.

—¿Y? ¿Acaso las chicas de catorce años no beben refrescos? —preguntó.

Después de aquella primera vez, Chuck me esperaba todas las tardes en su camión de Mason's Market a una manzana del instituto Hollenbeck e íbamos a un puesto de batidos de leche cercano. Recitaba largos poemas que sabía de memoria. Edgar Guest, Eugene Field, Rudyard Kipling.

—Estoy profundamente enamorado de ti. ¿Lo sabes? —me dijo después de que hubiésemos estado saliendo durante tres semanas. Estábamos sentados en su camión, aparcado debajo de un frondoso jacarandá a una calle de la casa de Fanny. Del bolsillo de la camisa sacó una pequeña caja de cartón que contenía un corazón pintado de dorado y una larga cadena—. ¿Qué te parece si nos besamos ahora? —me preguntó mientras deslizaba la cadena por encima de mi cabeza.

Cuando sentí su barba punzante sobre mis labios se produjo una conmoción, pero luego me gustó. Era extraño, pero a la vez agradable, sentir sus brazos fuertes alrededor de mi cuerpo. ¿Era eso lo que Irene sentía cuando Tony la besaba? Recordé las manos grandes de Tony y los vellos negros de su pecho que asomaban por la camisa abierta.

—Nunca antes había conocido a una chica como tú —dijo Chuck.

—¿Sabe lo que está haciendo la señorita Lillian Dumdum? —le dijo Eddy a Irene. Él no lo aprobaba, igual que su hermana, y en ese momento le odié. ¿Por qué tenía que contárselo a Irene?

—¿Cuántos años más tiene? —preguntó, mirándome, y sus ojos violeta se oscurecieron. Yo clavé las uñas debajo del escritorio.

—Bueno, sólo somos buenos amigos —me defendí, preocupada, pero también complacida de que Irene estuviese lo bastante interesada en mí como para sentirse molesta.

—¿Acaso tu madre no te dice que no debes salir con alguien tan mayor?

Irene parecía realmente escandalizada y tuve que hacer un esfuerzo para reprimir la sonrisa que pugnaba por asomar a mis labios.

—Esto es para ti —me dijo Chuck con una sonrisa el lunes siguiente cuando subí al camión y dejó en mi regazo una hoja de papel rayado que había doblado en pequeños cuadrados. En la parte superior se leía: «¡Es una locura, pero es maravilloso!», y a ambos lados se extendían los versos escritos con su caligrafía de escolar. El poema comenzaba diciendo: «Tengo 24 años y he recorrido los caminos de la vida».

Y aunque tú sólo tengas 14, querida,
deja que coja tu mano.
Sé que todos dicen que es una locura.
Puede ser una locura pero ¡¡¡es maravilloso!!!!

—Es realmente bonito —dije, apiadándome de él en silencio. No era la primera vez que confirmaba que Chuck no era muy inteligente.

—Hoy no vayamos a tomar refrescos —dije—. Hablemos.

Y Chuck condujo el camión hasta City Terrace. Aparcó en un solar vacío donde había hierbas altas y amarillas y me atrajo suavemente hacia él. Esta vez, cuando me besó, deslizó su lengua dentro de mi boca, di un brinco como si me hubiese picado una abeja y me eché hacia atrás, apartando la cabeza.

—No pasa nada, no pasa nada —susurró, con sus dedos apoyados ligeramente en mi barbilla y una mirada arrobada en sus ojos marrones. No me resistí cuando volvió a inclinar la cabeza hacia mí, y esta vez me gustó. Pude perderme en ese nuevo y dulce placer. Su boca sabía a Sen-Sen. Yo había oído a las chicas hablar de besos así, *beso francés*, lo llamaban.

La mano de Chuck bajó desde mi hombro y cubrió completamente mi pecho.

—¡No! —exclamé con un respingo, y mi mano cogió la suya y la apartó de mi cuerpo, aunque no sin una pizca de arrepentimiento. A eso se le llamaba llegar a *segunda base*. Chuck volvió a apoyar los dedos en mi pecho y permití que permanecieran allí, sólo por un momento. Había hecho que una cálida sensación recorriese todo mi cuerpo, pero no podía permitir que me arrullara, porque «segunda base lleva a tercera base», habían dicho las chicas, «y la tercera base lleva a pañales y biberones». Me aparté de él.

—Lo siento, querida mía —dijo Chuck con voz suave—, no lo haré. Puedes confiar en mí. —Me apretó contra su cuerpo y permití que su lengua encontrase nuevamente la mía.

—¿Sabes qué es lo que haremos cuando tengas dieciséis años? —me preguntó cuando regresábamos a la casa de Fanny—. Tú y yo nos casaremos.

Me quedé sin aliento. ¿Hablaba en serio? No quería contradecirle porque era muy bueno conmigo y parecía sincero, pero ¿cómo podía ser actriz si estaba casada con él?

Mientras permanecía despierta en mi cama por la noche, ignorando los apagados ronquidos de mi madre, pensaba cómo sería besar a Irene del modo en que Chuck me besaba. Me convertí nuevamente en Tony Martínez. Me vi a mí misma, con las manos de Tony Martínez, tocando a Irene allí donde Chuck quería tocarme. Vi la forma perfecta de sus pechos respingones en el suéter lavanda que solía llevar. ¿Qué querría decir llegar a la *tercera base* con ella? Mi madre se dio la vuelta en su cama y aparté a Irene de mi cabeza hasta que volví a oír los suaves *puff-puff*. Luego mis muslos se unieron con fuerza. Y me toqué donde nunca lo había hecho antes.

Pero aquellas visiones nocturnas no impidieron que siguiera disfrutando de los besos de Chuck y deseando que la siguiente tarde llegase cuanto antes para poder conseguir más.

Ahora Irene fruncía el entrecejo cuando me miraba. Estaba emocionada. Si ella estaba preocupada, eso debía significar que yo le importaba, al menos para el Theatre Arts Studio. O tal vez sólo fuese un adulto preocupado porque pensaba que mi madre estaba loca y no había nadie más que se interesara por mí. Pero no importaba. Lo único importante era que ella reparaba en mí. Quería que Irene se preocupase, aunque estaba segura de que no había nada inquietante en lo que Chuck y yo hacíamos dentro de su camión en City Terrace.

—¿Aún sigues saliendo con ese hombre? —me preguntó antes de que comenzara mi clase de canto. Estaba pasando rápidamente las partituras, pero su ceño fruncido indicaba que había estado pensando mucho en esa cuestión.

—Sí —contesté con inocencia—. Lo veo todos los días después de clase. Acaba de dejarme aquí.

—Estoy preocupada, Lillian. Necesitamos hablar. Te llevaré a tomar una hamburguesa y un batido de leche —me dijo el sábado siguiente después de que el último alumno se hubo marchado.

¡El delirio! Estar en el coche de Irene sin nadie más que compartiese con nosotras ese espacio pequeño y cerrado… Nunca había pasado antes. Estaba lo bastante cerca de ella como para oír el crujido de sus medias de nailon cuando movía las piernas para pisar el embrague, el freno. Su Emir impregnaba el aire. Estaba lo bastante cerca como para estirar la mano y tocar el suave rayón de su vestido. ¿Qué pasaría si me atrevía a hacerlo? Mis dedos acariciaron mentalmente su muslo.

Bebí el batido de leche, pero el olor a comida era nauseabundo. La hamburguesa que pidió para mí sabía a avena cruda y yo mastiqué y mastiqué antes de poder tragar cada bocado. Ella no probó su ensalada. Contemplé las uñas con la manicura hecha y pintadas de rojo intenso mientras tamborileaban sobre el volante.

—Eres muy joven, Lillian, y sé que no tienes junto a tu madre la vida más dichosa del mundo.

La miré. Ella volvió hacia mí sus ojos maravillosos y ahora me sumergí en ellos. Pero me hubiera gustado que dejase a mi madre fuera de esto; yo aún seguía mortificada por mi traición. No obstante, si Irene pensara que mi madre era una persona normal, no estaría sentada aquí con ella. «Dejemos que piense lo que ella quiera sobre mi madre», decidí. Disfrutaría de cada segundo que pudiera estar junto a Irene.

—Los jóvenes desdichados a veces hacen cosas desafortunadas —dijo, y los músculos de mi cara se convirtieron en una máscara de la tragedia. ¿Qué podía hacer para prolongar estos momentos? Me sentía como una patosa ante la elegancia de gacela de su presencia. ¿Podía Irene advertir el tic nervioso que acababa de comenzar debajo de mi ojo?—. No quiero que cometas un error como yo —continuó—. Me casé muy joven.

¡Oh, qué momento tan maravilloso! Irene Sandman me estaba hablando de su vida. En una ocasión, cuando ofrecimos un espectáculo de jóvenes talentos en el Wabash Playground y Sid, vestido con un traje blanco y pajarita negra, era el maestro de ceremonias, la presentó al público como «mi maravillosa esposa» («'maravillosa' —pensé—, ¡puedes volver a decirlo!»). Ella se deslizó hacia el escenario llevando un ligero vestido de verano, un pañuelo floreado que flotaba alrededor de su cuello, y pareció que los dos entrelazaban sus miradas en mutua admiración. ¿Pudo ser sólo una actuación? A veces, cuando Sid llegaba al estudio los sábados por la mañana, Irene lo miraba como si estuviese molesta. Excepto aquella discusión por Tony, jamás les había oído cruzar más de cinco palabras. Oh, ¿qué iba a contarme ahora sobre su vida en común?

—Conocí a Sid cuando yo tenía dieciocho años y él, treinta. Sé lo que es dejarse llevar y quería que hablásemos porque Eddy ha conseguido que me preocupase por ti. No debes escaparte con ese hombre.

—¿Escaparme con él?

Estaba estupefacta.

—Fugarte.

—Ni siquiera me gusta tanto —conseguí decir.

Irene parecía desconcertada.

—Bueno... —Había dicho algo que no debía—. Quiero decir... —¿Qué podía decirle ahora que pudiese impresionarla? ¿Interesarle?—. Ni siquiera quiero casarme. Pienso dedicar mi vida al teatro.

—¿A qué?

—Ya sabe… a la actuación.

Una sonrisa se dibujó en sus labios y yo quise hundirme debajo del asiento.

—Lillian, aún tienes que crecer mucho —dijo. Meneó su majestuosa cabeza y la desesperación me atrapó entre sus crueles garras: para ella no era más que una chiquilla tonta—. Bueno, en cualquier caso, Eddy me despistó.

Hizo un gesto con la mano como para dejar zanjada la cuestión. Estaba interesada por mí sólo si tenía problemas; quizá sólo quería asegurarse de que no abandonaría el estudio. Sentía deseos de aporrear el salpicadero con el puño, hacer que Irene diese un respingo en el asiento. «Míreme, escúcheme», quería gritar. «¿Por qué no puede sentir por mí lo que sentía por Tony Martínez?»

—Si no piensas escaparte con él, no hay ningún problema. ¿Por qué estamos aquí entonces? —Irene se echó a reír—. Será mejor que te acabes la hamburguesa; deberíamos volver —dijo con expresión ausente, y llamó a la camarera para que trajese la cuenta.

Me hundí, me desmoroné, estaba hecha polvo. Había echado a perder mi oportunidad de oro. ¿Qué esperaba? No lo sabía. Sólo necesitaba conservar su atención. No esperaba de ella lo mismo que le había dado a Tony Martínez. No había nada en mí que pudiese hacer que Irene me deseara. Pero yo sólo necesitaba estar cerca de ella.

En este momento me lanzaría hacia ella con absoluta imprudencia. No volvería a tener una oportunidad igual. «Te amo», le imploraría. Mi corazón se desbocó ante esa visión. Ella me dejaría… ¿qué? Me quedé paralizada en el asiento. La miraba con el rabillo del ojo mientras conducía. Era una estrella distante, centelleando sin cesar. Estaba a millones de kilómetros de distancia. Ni siquiera sabía que yo seguía en el coche.

Miré a través de la ventanilla, incapaz de discernir nada de lo que pasaba delante de mis ojos. Todo había terminado.

—¡Eres una imbécil… una estúpida… una simple! —me grité a mí misma por dentro—. ¡Te odio! ¡Ojalá te caigas muerta con un cáncer en el corazón! ¡Muérete!

4

HOMBRES I

Soy tan alta como la cintura de mi madre y camino por espacios abiertos entre ella y My Rae: Hollenbeck Park, el desierto de Marruecos (pero no hay ningún Gary Cooper a la vista). El lugar donde estemos no tiene importancia porque estamos juntas.

«¡Columpiadme!», exijo. Ellas conocen el juego y obedecen. Mamá a la derecha, My Rae a la izquierda, cada pocos pasos sus manos cálidas y vueltas hacia arriba sostienen mis veinte kilos y yo balanceo las piernas en el aire. Esto es más delicioso que una botella de leche caliente.

De pronto, una gran charca de agua verde aparece como por arte de magia en medio del camino y nos detenemos para contemplar su misterio. No podemos seguir recto, de modo que la rodeamos. «Pero tenemos que bajarte», dicen mamá y My Rae al unísono.

Mis pies golpean el suelo y una serpiente surge del agua. Está bellamente moteada y sonríe como en los cómics. No sé si asustarme o echarme a reír. Parpadeo y mis ojos se abren justo para ver cómo My Rae desaparece debajo del agua opaca.

La serpiente vuelve a aparecer, rodeada de poder. Preparo la boca para gritar, pero antes de que el aire llegue a mis cuerdas vocales, la serpiente se arquea, se agita como un látigo y mi madre desaparece.

A la luz del día, sé que no ha sido más que un sueño, pero durante semanas las imágenes vuelven con tanta nitidez que mi estómago se contrae hasta tocar la columna vertebral. Me siento privada de algo que no tenía poder para conservar, aunque era vital para mí.

* * *

No he hecho nada con respecto a Chuck, pero a veces me gustaría que fuese él quien dijese que todo acabó. Sin embargo, si lo hiciera, ¿no sería horrible ser rechazada? Cada vez que pienso que voy a decirle que no le veré más, en mi cabeza aparece otra razón por la que no debo decirlo: ¿y si rompo con él y luego no encuentro nunca más a otra persona que me ame, igual que mi madre no encontró a nadie después de Moishe? ¿Y si realmente le amaba —como dijo My Rae que alguna vez amaría a un chico— pero no lo sabía porque el único amor que yo había visto era la forma enloquecida de «pierde la cabeza y arruina tu vida» de mi madre? Simplemente, no podía deducir qué era verdad o qué tenía que hacer. De modo que iba a la deriva.

Pocas semanas antes de fin de año, además de los batidos, Chuck me dijo que había hecho reservas para Nochevieja en el Sinaloa Club. Yo sabía exactamente dónde estaba ese club, a pocas puertas del restaurante de Brooklyn Avenue adonde íbamos a comer con mi madre. A veces veía a hombres con chaquetas negras y mujeres con hermosos vestidos largos que bajaban de coches lujosos delante del Sinaloa Club. Cuando los hombres sostenían las puertas rosas y acolchadas para que entrasen sus acompañantes, la calle se llenaba con la voz sensual de una mujer que cantaba canciones que siempre rimaban *amor con dolor.** Aunque nunca pude ver su interior, estaba segura de que el Sinaloa Club era lo que más se parecía en el este de Los Ángeles a lo que yo había visto en las revistas de cine sobre los luga-

---

* En español en el original. (*N. del T.*)

res nocturnos de Hollywood como el Cairo's o el Mogambo, donde se reunían las estrellas para beber martinis y exhibir su sofisticación.

—Alquilaré un esmoquin para salir con mi chica —canturreaba ahora Chuck en el puesto de refrescos vacío, y se levantaba para dar unos pasos de baile y hacer una reverencia al estilo de Charlie Chaplin. Podía ponerme mi vestido de satén rosa de maestra de ceremonias y los zapatos plateados de tacón alto que Eddy me había regalado.

¿Pero qué iba a hacer mi madre en Nochevieja si yo salía con Chuck? Siempre, desde que habíamos llegado a Los Ángeles, habíamos pasado las últimas horas del año bebiendo chocolate caliente y escuchando la radio, «Tu lista de éxitos», y luego la cuenta regresiva de medianoche en Times Square.

Nunca decidí realmente qué debía hacer, pero cuando el sol se ocultó en el horizonte aquel último día de 1954, me encontré tomando un baño y después parada delante del espejo coloreándome las mejillas y poniéndome en los ojos sombra de unas pequeñas cajas de plástico; recordando cómo observaba a mi madre en el espejo aquellas noches de sábado en Nueva York mientras ella se maquillaba. ¡Qué hermosa había sido!

Cogí mi vestido rosa del colgador que había detrás de la puerta de nuestra habitación.

—No me dijiste que actuabas esta noche —me dijo mi madre. Estaba detrás de mí mientras yo examinaba una pequeña rasgadura en la redecilla del vestido.

—Tengo una cita.

Me volví para mirarla. No le había dicho nada antes porque ni yo misma sabía qué era lo que iba a hacer. Nunca le había dicho siquiera que tenía un novio. ¡Estúpida! Tendría que haberle dicho que me habían invitado a la fiesta de los Fromberg. Tendría que haber quedado con Chuck para que me recogiese en la esquina. Ahora ya era demasiado tarde para decir otra cosa que no fuese la verdad. Todo salió a la luz —dónde le había conocido, que era italiano, la edad, su camión— y con cada palabra que yo pronunciaba mi madre parecía más preocupada.

—¡Tienes catorce años! —gritó.

Jamás me había gritado antes de ese modo.

—¿Y qué?

¿Y qué si tenía catorce años? Ella jamás me había tratado como a una niña. Yo siempre había sido una adulta.

Salió de la habitación y segundos más tarde la oí gritar en el teléfono.

—¿Sabes lo que está haciendo?

No tardó más de veinte minutos. Por la rasgadura que había en la persiana vi el coche negro que se detenía junto al bordillo delante de nuestra casa y a Rae, con un pequeño sombrero marrón, bajando rápidamente y luego inclinándose para hacerle una seña a un preocupado señor Bergman, indicándole que se quedase en el coche, como si no quisiera que fuese testigo de esto.

Volví a concentrarme en lo que estaba haciendo, pero ahora estaba furiosa. Me puse polvos de talco en las axilas, saqué calcetines viejos y revistas de cine de debajo de la cama y los lancé por encima del hombro mientras buscaba los zapatos de tacón alto que me había regalado Eddy.

Mi madre irrumpió en la habitación con mi tía detrás, ambas finalmente en el mismo bando.

—¿Estás *mishuga*? ¿Piensas salir con un *Talyener goy* que es diez años mayor que tú? ¿En Nochevieja? —Mi tía hacía cada pregunta más alta que la anterior—. ¿Nochevieja, cuando todos los *goyim* cogen una *schicker*, borrachera? ¿En un camión?

—¡No soy un bebé! —grité—. Iré.

Cogí los zapatos plateados que acababa de encontrar y el vestido sin tirantes que había encima de la cama y luego me encerré en el baño para vestirme y peinarme sin que nadie me molestase. ¿Qué era todo esto? ¿De pronto ellas iban a decirme lo que tenía que hacer? ¿Desde cuándo?

—¿Qué pasa aquí? ¿Qué es todo este escándalo? —Ahora era Fanny, quien había llegado para unirse al tumulto porque había oído a Rae y a mi madre, que aporreaban la puerta del baño—. ¿Os habéis vuelto locas? —dijo Fanny cuando le explicaron lo que sucedía—. ¿Dejaréis que se vaya en un camión con un hombre?

Yo continuaba vistiéndome.

Mi madre y mi tía sollozaban más palabras del otro lado de la puerta; «goy» era la que se oía con mayor claridad. Me puse un poco de Emir en el pelo.

Entonces sonó el timbre de la puerta, y volvió a sonar, y luego Chuck golpeó la puerta mosquitera y llamó: «¿Hola? ¿Hola?». Yo abrí de golpe la puerta del baño y pasé junto a mi madre y mi tía y Fanny, lanzando una descarga de fusilería contra el suelo con mis zancos plateados, alzando el bajo del vestido para no tropezar.

—¡Vamos! —grité, dando un portazo a mis espaldas y cogiéndome de la manga del esmoquin de Chuck. Corrí. Chuck corrió. Mi madre, My Rae y Fanny también corrieron.

—¿Qué ocurre? —gritó Chuck, jadeando a mi lado. Lo miré mientras corríamos y vi sus cejas de oruga, una caja de plástico transparente con un gran lazo morado que aferraba con las manos, su esmoquin que brillaba con un color rojizo bajo la luz de las farolas y los pantalones que no alcanzaban a cubrirle los tobillos. No sabía si echarme a reír o a llorar. Entonces hice ambas cosas, al mismo tiempo, mientras corríamos por Dundas Street—. ¿Qué ocurre? —volvió a gritar, y sacudí la cabeza y seguí corriendo y sollozando y riendo. El clavel blanco que llevaba en el ojal cayó al suelo y lo pisé con mi tacón plateado.

Su camión estaba aparcado en la esquina. Por encima del hombro alcancé a ver que mi madre y Fanny habían abandonado la persecución, pero Rae estaba justo detrás de nosotros, luego justo detrás de mí cuando abrí la puerta del lado del acompañante. Me hizo a un lado, se elevó como una gimnasta y se instaló firmemente en el asiento, con los brazos cruzados sobre el pecho y una expresión inflexible en el rostro.

—¡Tú no vas a ninguna parte! —me gritó.

—¡Señora, por favor, salga de mi camión! —gritó Chuck.

Ella no se movió.

¿Cómo se atrevía a comportarse de este modo cuando me había dejado sola todos esos años con mi madre en la habitación amueblada de Fanny? ¿Cómo se atrevía a entremeterse ahora, cuando mi niñez había acabado?

—¡Rae, sal del camión! ¡Maldita sea! Todo el vecindario nos está mirando —grité, aunque las calles estaban desiertas.

—No, hasta que vuelvas a casa.

Me miró con los ojos brillantes, descruzó los brazos y luego volvió a cruzarlos enfáticamente al revés.

—Yo... yo... llamaré a la policía para que la obliguen a salir de mi camión —dijo Chuck. Tenía la cara y las orejas rojas. Vi que la caja de plástico con una orquídea en su interior descansaba en la acera.

—¡Debería avergonzarse! ¡Un hombre con una cría de catorce años! —Ahora mi tía le gritaba a Chuck, y su sólida barbilla se proyectaba como si fuese un bulldog—. ¿Piensa que no sé lo que quiere?

—No me importa lo que puedas decir. ¡Esta noche saldré con Chuck! —le grité.

—¿Sabes lo que hacen los hombres como él? —me gritó ella.

—¡Señora, salga de mi camión! —Chuck aporreó el capó con su enorme puño y con cada golpe el pequeño sombrero marrón de Rae saltaba sobre su cabeza.

Una hora más tarde, mi tía bajó del camión con los ojos hinchados por el llanto. Yo subí para ocupar su lugar en el asiento, como si hubiera ganado. Pero estaba actuando. Para entonces me sentía agotada y miserable, y lo que realmente quería era irme a casa, con ella, olvidar toda aquella horrible escena y a Chuck y la Nochevieja... todo. Vi cómo se alejaba por la calle desierta.

Chuck saltó detrás del volante, jadeando como si hubiera estado realizando un intenso trabajo físico, y vi que le latían las sienes. Cuando arrancó el motor y comenzamos a alejarnos del bordillo, eché un vistazo a la orquídea, aún en la acera dentro de su caja de plástico con el gran lazo morado.

—Chuck... lo siento.

Me sentía profundamente avergonzada por todos nosotros y por la forma en que Rae le había acusado. Toqué la mano, con los nudillos blancos, que aferraba el volante, pero la apartó como si estuviese enfadado conmigo. Me quedé en silencio, sin saber qué hacer o decir a continuación.

Chuck condujo hasta nuestro lugar en City Terrace.

—Ahora no me siento con ánimos para ir a un club nocturno —musitó—. No he hecho nada para merecer eso.

Su voz se elevó como la de un niño pequeño y golpeó el salpicadero con el puño con tanta violencia que el camión tembló.

Me asusté un poco, aunque no podía culparle por estar tan disgustado.

—Chuck... —abrí la boca para decirle lo furiosa que estaba con mi tía, pero él se volvió hacia mí y me abrazó, sus dedos clavados en mi piel desnuda, luego su lengua entrando hasta la garganta, la barba raspándome la piel y haciéndome daño. Luché para apartarme de él pero me tenía inmovilizada. Con una mano cogió la falda del vestido y la levantó. Cuanto más luchaba, con más fuerza me cogía. Sus dedos forcejearon con mi portaligas, con el elástico de las bragas; sus rodillas trataron de abrir mis muslos.

—¡Chuck, para ya! —grité.

Y lo hizo. Aflojó la presión sobre mí, luego volvió al asiento del conductor, la respiración saliendo de su boca con un suave silbido. Cogió el volante con fuerza y comenzó a golpearse la cabeza contra él, una y otra vez.

—Soy un idiota —gimió—. Esa mujer me puso tan furioso.

Se derrumbó sobre el volante y permaneció en esa posición durante tanto tiempo que pensé que se había desmayado. Mis dientes castañeteaban como si estuviese sentada dentro de una nevera. ¿Qué debía hacer?

Cuando levantó la cabeza de golpe, di un brinco en mi asiento.

—Iremos a la fiesta de Evelyn —anunció, saliendo de la maleza a tanta velocidad que los neumáticos resbalaron sobre la hierba. Me apreté contra la puerta, alejándome todo lo posible de su lado, y Chuck no volvió a abrir la boca. Ahora no estaba asustada sino furiosa con él. ¿De dónde había salido ese monstruo que me había desgarrado la ropa y me había hecho daño con sus manos y su boca? ¿Qué había sido eso?

Seguí a Chuck cuando subía los escalones de la casa de los Fromberg, y Evelyn abrió la puerta de par en par. Por encima del hombro de Chuck alcancé a ver que la gente había formado una cola bailando la conga. Evelyn sopló con fuerza un espanta suegras anaranjado que serpenteó desde sus labios y luego gritó: «¡Feliz Año Nuevo!». Llevaba una pequeña tiara dorada de cartón en la cabeza, y un vestido rojo y púrpura ceñía su voluminoso cuerpo. Chuck entró primero. Luego, Evelyn me miró y se quedó boquiabierta.

—Cabrón, sal de mi casa —le espetó a Chuck—. ¡Hijo de puta! ¿Cómo se había dado cuenta?

—Está bien, está bien. —Chuck alzó las manos como si estuviese parando un golpe—. Tienes razón. Soy un cabrón hijo de puta.

Luego se marchó como un gato apaleado... más patético aún por el ridículo esmoquin. Podía oír a Evelyn respirar a través de los dientes. Yo mantuve la vista fija en Chuck hasta que dobló la esquina, y entonces ella me estrechó contra sus grandes pechos en un abrazo maternal.

—Cariño, ve a cambiarte y luego regresa a la fiesta —me dijo dulcemente. Me marché, reprimiendo el torrente de lágrimas que su bondad había provocado. En realidad, no había sido culpa de Chuck. Rae le había sacado de quicio. ¿Pero por qué tenía que aterrorizarme de aquel modo? Estaba furiosa con él, pero también lamentaba que pudiese perder la amistad con Evelyn y, por mi causa, no volver a sentarse nunca más en su cocina a tomar café con ella.

Mi madre estaba en la cama con la luz apagada, y en la casa reinaba el silencio de un mausoleo. Cuando era pequeña sentía pánico cuando no podía ver que respiraba o escuchar sus débiles ronquidos: ¿y si estaba muerta? Ahora, parada en el vano de la puerta, con los ojos muy abiertos en esa oscuridad espectral, traté de escuchar como lo hacía de pequeña. No debería haberla dejado sola. Cuando se volvió en la cama oí el crujido de los muelles.

Entonces fui al baño de puntillas, cerré la puerta y encendí la luz. Por un momento, no reconocí a la chica que estaba en el espejo. Ahora vi lo que Evelyn había visto. Tenía las mejillas y la barbilla con manchas rojas por el roce con la barba de Chuck, los labios embadurnados de pintura, el pelo desordenado. Tenía aspecto de que me hubieran violado.

Habían pasado tres años desde el día en que firmara con Irene un contrato de representación exclusiva, y aunque Lillian Foster había actuado en innumerables espectáculos con su vestido rosa, Irene las llamaba «actuaciones de beneficencia».

—Es una buena experiencia y una posibilidad de que os conozcan —le dijo al grupo con su voz suave.

A pesar de mi pasión por ella, me preguntaba para qué servían la experiencia y la posibilidad de que me conocieran si ella no me había enviado a ninguna audición en Hollywood. ¿Cómo iba a ganar dinero alguna vez para ayudar a mi madre? Habían pasado los años y no había conseguido absolutamente nada para rescatarla de su trabajo. Las estaciones calurosas seguían siendo las peores, cuando regresaba a casa agotada y cubierta de sudor por el vapor de las máquinas de planchado y el piso sin ventilación de Schneiderman.

—¡Sálvame de ese lugar! —gritaba, derrumbándose en la cama con el vestido empapado de sudor, como en Nueva York; pero ahora le gritaba al techo, como si hubiese perdido la fe en nuestro sueño. Yo también había perdido la fe.

Un sábado, fijado en la pared encima de los recipientes con pepinillos en la tienda de comestibles, vi un mensaje escrito a lápiz en inglés y yídish: «*Shadchen*, casamentero —decía—. Encontraré su *besherteh*, su pareja. ¡Precios razonables!», y firmaba: «Sr. Yehuda Cohen».

Mi madre me había enviado a comprar leche, pero casi lo olvido. Me quedé mirando largo rato el trozo de papel arrugado y la letra temblorosa. Mi madre necesitaba que la rescatasen y, aunque yo lo había intentado con todas mis fuerzas, no había sido capaz de conseguirlo. ¿Y si ahora la entregaba en las manos amorosas de otra persona, como una pobre mujer que no puede hacerse cargo de su bebé y lo entrega a una mujer rica que sería muy feliz de tenerlo? Unos días más tarde, volví a la tienda de comestibles después de clase y apunté el número de teléfono del señor Cohen en mi cuaderno de geografía. Durante una semana o más estuve mirando ese número mientras asistía a las clases en el instituto. Para entonces, aunque me costaba admitirlo, sabía que existía otra razón para que yo quisiera llamar al señor Cohen: comenzaba a entender que si yo era todo lo que mi madre tenía en el mundo, nunca podría vivir mi propia vida. Algún día querría hacer cosas, visitar otros lugares... como Chicago, tal vez... o Francia. Con mi madre a la espalda, ¿hasta dónde podría llegar? Si tenía que ocuparme siempre de ella ni siquiera podría ir a la universidad. Detestaba esos pensamientos egoístas, pero no podía evitarlos: necesitaba entregar a mi madre a otra persona, un esposo.

Mi madre estaba sentada en el cajón de leche mirando a ninguna parte, el rostro inexpresivo, como si se encontrase a millones de kilómetros de distancia. Llevaba puesta una bata de tartán raída... su uniforme de fin de semana en estos días.

—¿Mamá? Hace mucho tiempo que estoy pensando en algo. —Me arrodillé ante ella, haciendo una pausa dramática, para imprimir en ella la seriedad de lo que estaba diciendo—. No puedes seguir trabajando en ese lugar. Necesitamos encontrar un esposo.

—¿Un esposo? —Dio un brinco como si yo estuviese agitando algo nauseabundo delante de su nariz—. ¿Para qué necesito un esposo?

—Mamá, escúchame —continué—. No creo que pueda conseguir una oportunidad en Hollywood; no puedo ayudarte. —Volvía sobre lo mismo continuamente; la acosaba—. No queremos vivir para siempre en una habitación amueblada en la casa de Fanny. Tus ataques son peores cuando estás agotada por tu trabajo. ¡Te está matando! —Todo eso era verdad.

—¿Quién iba a quererme ahora? —dijo aquella tarde delante del espejo de la cómoda, moviendo la cabeza en diferentes ángulos para examinar atentamente la extensión de las arrugas de su rostro, la extensión de la piel floja debajo de la barbilla. Yo sabía que había empezado a pensar seriamente en lo que le había dicho, aunque aún estaba lejos de haberla convencido.

Aquella noche vertió *borscht* de una botella de Manischewitz en dos platos para nuestra cena.

—Moishe... —comenzó a decir.

Yo no quería oírlo.

—Mamá, él jamás nos quiso. ¡Y odio a ese cabrón! ¡Le odio! —grité. *Slam,* resonó mi mano sobre la mesa y mi madre se encogió sobresaltada, y el líquido rojo saltó de los platos y formó pequeños charcos en el hule. No me importó. ¡Tenía que convencerla!

Busqué un paño en la encimera para limpiar el *borscht* que se había derramado sobre la mesa. Al no encontrar ninguno, cogí unos periódicos de la pila que Fanny guardaba para cubrir el suelo después de lavarlo los sábados por la tarde. ¿Cómo podía hacer que mi madre lo entendiese? Traté de absorber el líquido y froté el hule, pero mis esfuerzos dejaron unas rayas rojas en la mesa. Arrojé al suelo el fajo de papel de periódico, derrotada, y me dejé caer en la silla, cubriéndome la cabeza con las manos.

—¡Quiero un padre en mi vida!

Las palabras brotaron de mi boca como si fuese Charlie McCarthy, y me detuve, conmocionada. ¿Después de catorce años y medio sin padre, realmente sentía que necesitaba uno ahora? Siempre me había sentido feliz de que no hubiera ningún hombre entre nosotras. ¿Por qué entonces había dicho eso?

—¿Quieres un padre? —gritó ella.

Miré a mi madre a los ojos. Ahora no podía volverme atrás.

—Sí. Necesito un padre.

Ella bebió su sopa, tomando sorbos pequeños y nerviosos. Yo miré el líquido rojo que aún quedaba en mi plato. Después de aquel día siempre odié el *borscht.*

El señor Yehuda Cohen tenía una larga barba blanca como las que había visto en las películas de patriarcas bíblicos y usaba el mismo abrigo largo y negro todo el año. Vino a Dundas Street a examinarnos y establecer los términos: tres dólares por presentación. Olía a pescado viejo, pero envió toda una procesión de potenciales *beshertehs.*

En consideración a la novedad que significaba que un caballero visitase la casa, Fanny permitió que quitásemos las sábanas amarillentas y llenas de polvo que cubrían los muebles de la sala de estar, donde nunca había permitido que estuviésemos. («El sofá es muy viejo. No tengo dinero para comprar uno nuevo cuando se rompa», había dicho siempre.) Yo apilé un montón de libros de la biblioteca delante de los frascos donde flotaban todos aquellos globos oculares para que no se vieran.

La mañana de la primera cita de mi madre, la acompañé al salón de belleza de Wabash Avenue para que se tiñera el pelo con alheña. Aquella tarde, mientras me dejaba que le pusiese colorete en las mejillas de mi propia caja de maquillaje y le oscureciera las pestañas con mi Maybelline, estudié el rostro que tanto amaba. ¿Qué pensaría un pretendiente? Los años pasados en el este de Los Ángeles realmente la habían envejecido. Unas líneas muy finas rodeaban sus ojos y entre las cejas tenía unas profundas arrugas que le conferían una expresión de permanente dolor. Las mejillas, que alguna vez habían sido firmes y opalescentes, estaban pálidas y hundidas. Me sentía estimulada por el amor que sentía hacia ella, que era incluso más grande ahora que ya no parecía joven y bella.

—Por favor, que sea bueno con ella. Por favor, que sea un hombre cariñoso —le rezaba a no sabía quién.

El pelo de Jake Mann estaba lleno de ondas brillantes y apretadas y siempre usaba trajes azul eléctrico o siena rojizo.

—¡Qué muñeca tan pequeña! —dijo con voz ronca cuando yo fui a la cocina a prepararle una taza de té el primer día que vino a casa. Sus dedos me cogieron la mano en lugar de la taza cuando se la alcancé, haciendo que el líquido se derramase ligeramente sobre el borde—. Oh, se ha quemado sus bonitos dedos —dijo a nadie en particular, cogiendo la taza y luego llevándose mis dedos a los labios para darme un beso húmedo, «para que no te duelan».

Invitó a mi madre a salir a tomar «cócteles».

—Tú también estás invitada —me dijo, guiñando un ojo.

—Es un hombre muy divertido —dijo mi madre, resplandeciente, cuando regresó pasada la medianoche. Yo la había esperado despierta, echándola terriblemente de menos—. Me llevó a un lugar muy agradable a tomar Tom Collins. Luego me llevó a Chinatown, donde disfrutamos de una gran cena. —Hacía girar entre los dedos una sombrilla amarilla hecha con papel y un mondadientes, que me ofreció como si fuese una cría de seis años—. Estaba en mi Tom Collins —dijo, rebosante de alegría.

Cogí la sombrilla de papel, sosteniéndola torpemente en la mano. ¿Qué se suponía que debía hacer con ella?

El señor Mann vino a recoger a mi madre otra vez a la semana siguiente.

—¿Y dónde está esa pequeña princesa? —pude oírle desde el dormitorio.

¿Por qué no vas a saludarle? —preguntó mi madre cuando vino a buscar su bolso.

Si se casaba con el señor Mann, tendríamos que vivir juntos hasta que yo acabase el instituto. Más de tres años. De modo que tenía que ser amable con él. La seguí hasta la puerta.

—Venga, dame un abrazo —dijo Jake Mann como si fuese mi tío.

Me atrajo hacia él y me apretó contra su cuerpo en lo que a mí me pareció una eternidad. Me aparté, confundida. Mi madre estaba en la puerta principal, con el bolso en la mano, sonriendo como una desconocida, esperando a Jake. Nunca me habían dado un abrazo paternal. ¿Acaso estaba imaginando cosas?

—Jake sabe realmente cómo tratar a una mujer —dijo mi madre al acabar la velada, y su rostro estaba brillante y ligeramente excitado. Me sentía maravillada de la rapidez con la que había aceptado la situación. Se sentó en la cama y la observé mientras se quitaba las medias de nailon sin costura de sus todavía hermosas piernas—. Y también es un buen ayuda de cámara. No como Moishe —suspiró—, pero bueno de todos modos. Y me llevó a un restaurante italiano y luego fuimos a un lugar maravilloso junto al mar y contemplamos las estrellas—. Enumeró las virtudes del señor Mann y me dijo que estaba contenta—. El domingo quiere llevarnos a las dos a Ocean Park Beach —dijo, poniéndose el camisón rosa pálido por la cabeza.

Recordé el estrecho abrazo del señor Mann.

—No, ve tú sola con él —dije gentilmente, buscando en mi mente una excusa que me permitiese quedarme en casa.

—Él quiere llevarnos a las dos. Tú también vendrás —insistió mi madre, cubriéndose con el edredón. Me levanté para apagar la luz, luego me tendí en la oscuridad en una confusión de sentimientos mientras mi madre respiraba suavemente en su sueño.

—¡Ohh! ¿Dónde está el bañador? —exclamó Jake Mann el domingo por la mañana al ver que estaba vestida con una falda y una blusa blancas—. Iremos todos a nadar en este día tan maravilloso.

Mi madre llevaba su bañador entero color verde debajo de un vestido floreado.

—Ponte el bañador debajo —me alentó—. Es un hermoso día para estar en el agua.

Jake Mann abrió la puerta trasera de su gran coche para que subiese y, cuando lo hice, sentí que su mano rozaba ligeramente mis nalgas. Me volví para mirarle, atónita. ¿Pero qué podía decir allí, en su coche, con mi madre en el asiento delantero? Quizá lo había imaginado, o tal vez sólo había sido un accidente.

En el aparcamiento de la playa, Jake Mann se desnudó hasta quedarse en bañador y mi madre hizo lo mismo.

—Dejaremos la ropa en el maletero —dijo—. De ese modo no tendremos que preocuparnos por ella cuando nos metamos en el agua.

Me desvestí, tímidamente, sin saber qué más podía hacer. Él le dio a mi madre una manta para que la llevase a la playa y él cogió una pequeña radio portátil del maletero.

Sentí que sus ojos inspeccionaban detenidamente mi bañador negro de dos piezas, mis muslos, mis pechos, mientras caminaba entre ambas en dirección a la playa. Yo era consciente de la opresiva e inmensa extensión de su carne desnuda junto a mí, de los vellos rubios grisáceos que cubrían su pecho, sus brazos y sus piernas.

Mi madre extendió la manta, se sentó y puso la radio. *Hey there, you with the stars in your eyes*, canturreó junto con Frank Sinatra.

—¡Vamos a nadar!

El señor Mann me cogió de la mano y me ayudó a levantarme justo cuando yo estaba a punto de tenderme al lado de mi madre, en la vistosa manta a rayas rojas y verdes.

—No sé nadar —le dije, soltándome de su mano y haciendo un esfuerzo por no mostrar mi malhumor—. ¿Por qué no vais vosotros? —Me volví hacia mi madre.

—¿Nunca le enseñaste a nadar? —la increpó—. ¿Se puede saber por qué? Yo le enseñaré.

—Ve, Lilly, deja que Jake te enseñe a nadar.

Mi madre sonreía bajo el sol con expresión feliz.

El señor Mann tiró de mi brazo.

—¡Arriba! —Sonrió y me obligó a que me levantase de la manta, ignorando mis protestas de que el agua estaba demasiado fría para mí—. No te comportes como un gato asustado —dijo.

Caminé hasta el agua con él. ¿Cómo se suponía que debía actuar? ¿Acaso mi madre no se daba cuenta de que había algo raro en la forma en que el señor Mann se comportaba conmigo? Y todavía me preocupaba algo más. Yo había visto antes a muchos hombres en bañador, por supuesto, pero la visión allí abajo resultaba perturbadora. Su miembro parecía enorme debajo de la delgada tela de su bañador rojo. ¿No resultaba evidente para todo el mundo la forma curiosa en que sobresalía? ¿No le resultaba embarazoso al señor Mann? Para cuando llegamos al agua, la tela roja parecía una pequeña tienda debajo de su vientre. La alarma luchaba con la sensación de náusea dentro de mí. ¿Adónde podía mirar?

El agua estaba helada bajo mis pies.

—Venga, no te comportes como una niña pequeña —se burló, obligándome a entrar en el mar fuertemente cogida de su mano. ¿Dejaría a mi madre si le insultaba? ¿Cómo podría hacer para conservarle para ella, pero manteniéndole alejado de mí? Medio caminé y medio fui arrastrada mar adentro. No podía proteger mis muslos, mi vientre, mi pecho, del frío del agua. Me castañeteaban los dientes.

—Te enseñaré a nadar —dijo, con voz jovial y ronca por encima de las olas—. Ya eres bastante mayor como para saber cómo se hace, por el amor de Dios. Ahora quiero que te apoyes en mi mano y te enseñaré cómo debes mover las piernas. —Hizo que bajase la cabeza y que levantase las piernas, luego me mantuvo a flote con la mano sobre mi vientre. Al menos la parte inferior de su cuerpo estaba cubierta por el agua y no tenía que verla—. Muy bien, mantén las piernas rectas y patea. Yo te sostengo. No tienes nada de qué preocuparte —añadió con tono práctico.

Yo no podía dejar de temblar. Me resultaba difícil respirar. Movía las piernas como me ordenaba, y se alejó unos cuantos pasos más de la costa. ¿Y si no podía tocar el fondo del océano con los pies? Estaría completamente a su merced. El océano se extendía inmenso a nuestro alrededor y no sabía qué profundidad tenía ahora bajo mis pies. Volví la cabeza rápidamente para mirarle y el agua me entró por la nariz. Comencé a toser y a escupir y me aferré a su brazo.

—No tengas miedo. Lo estás haciendo muy bien —me dijo. Me relajé ligeramente y continué pateando—. ¡Bravo! —dijo él.

Luego me enderezó y quitó la mano de mi vientre. Apoyé los pies en el fondo arenoso y suspiré aliviada. Estaba de puntillas para poder mantener la cabeza fuera del agua.

—Bien, ¿qué me dices de un beso de agradecimiento por tu primera lección de natación?

Sonrió con una expresión horrible, un enorme tiburón en medio del mar. Me alzó la barbilla con una mano y estampó la boca sobre la mía. Con la otra mano apretó mis nalgas contra su miembro.

Me debatí con fuerza y las pequeñas olas hicieron que perdiese el equilibrio. Su boca estaba fuertemente apretada contra la mía, la mano firme en mis nalgas, manteniéndome erguida. Sentía que se frotaba contra mí.

—¡Basta! —Conseguí apartar la boca y grité. En el agua había otras personas, pero ninguna estaba lo bastante cerca. Si me alejaba de él, ¿me ahogaría?

—Venga, sé una buena chica —dijo, moviendo las caderas contra mí y sin aflojar la presión de su mano en mis nalgas—. ¿No te gusta?

—¡Maldita sea, déjeme en paz! —exclamé en el tono más amenazador que pude exhibir. Pero él intensificó la presión, y entonces clavé las uñas en su espalda mojada con todas mis fuerzas y las moví de arriba abajo. Quitó la mano de mis nalgas y pareció sorprendido. Aproveché el momento para alejarme, caminando de puntillas, con la barbilla sobresaliendo apenas del agua. Avancé con dificultad hacia la playa, sin mirar atrás, moviendo los brazos y las manos para apartar el océano hasta llegar a aguas menos profundas.

—Pequeña zorra —oí que decía despectivamente a una buena distancia detrás de mí. Pero no me siguió. Continué avanzando dificultosamente a través del agua y luego corrí por la arena hasta regresar a la manta y a mi madre.

Ella seguía sentada allí, tranquila, absolutamente inocente de todo. *That's what a woman is for*, cantaba Peggy Lee en la radio.

—¿Dónde está Jake? —preguntó mi madre, sonriendo—. ¿Te enseñó a nadar?

¿Qué podía contestarle? Miré hacia el mar pero no le vi. Quizá se había ahogado.

Era el mismo trozo de playa donde yo había escrito IRENE SANDMAN una y otra vez sobre la arena húmeda. Me aferré al recuerdo de sus ojos violeta como si fuese una reliquia sagrada.

El señor Mann llegó más tarde, caminando pesadamente por la arena, silencioso y con expresión ceñuda.

—¿Cómo te has hecho esos rasguños? Tienes sangre en la espalda —exclamó mi madre, tocando su piel solícitamente.

—Me raspé con esas jodidas piedras —dijo, señalando con la mano la zona donde se había librado nuestro combate.

Durante las semanas siguientes, cada vez que sonaba el teléfono sentía los latidos del corazón en los oídos, pero era siempre para Fanny.

—No lo entiendo —dijo mi madre—. Pensé que nos llevábamos tan bien...

Algo después, quizá un mes más tarde, la vi sentada delante del espejo de la cómoda, estirándose las mejillas con los dedos.

—He oído que Marlene Dietrich se hizo cuatro estiramientos de piel en la cara —dijo.

—Tú no necesitas estirarte la piel de la cara. Eres hermosa —le dije, sinceramente, pero ella no pareció escucharme.

—«Mary, tienes unos ojos tan brillantes, *lichtege eigen*», solía decirme Moishe —suspiró mi madre—. Ahora todo se ha ido. No queda nada.

Mantuve el secreto de la desaparición de Jake Mann porque pensé que era mejor que mi madre se sintiese un poco herida y desconcertada y no que supiera la verdad. Pero la ansiedad me atenazaba el pecho siempre que pensaba en él.

—Olvidémonos de todo ese asunto del esposo —quería decirle a mi madre. Pero ¿cómo podíamos hacerlo? Nada había cambiado. No había desaparecido ni uno solo de los problemas que teníamos.

—Uno no funcionó, ¿cuál es el problema? —dijo el señor Cohen con buen humor. Tenía muchos más nombres en su lista y por tres dólares siempre había otro.

El siguiente fue Shmuel Glatt, un judío alemán pelirrojo. Shmuel tenía numerosos tatuajes en el antebrazo del campo de concentración donde había perdido a toda su familia. Era un hombre bajo y robusto, apenas un poco más alto que mi madre. Sus pequeños ojos marrones exhibían unas intensas ojeras que le conferían una mirada permanentemente lúgubre, pero se reía mucho y explicaba chistes en una larga sucesión a la manera de Eddie Cantor o Jack Bennie. Su acento yídish era muy fuerte y contribuía a que sus chistes, casi siempre sobre antisemitas (*antizsemeeten*, les llamaba él) fuesen más divertidos... o más inquietantes. «Entonces Rasputín le dice al zar Nicolás: "Majestad, los judíos se quejan de que sois antisemita. Sólo por eso deberíais matarlos a todos". "Son unos jodidos embusteros —dice el zar—, no soy antisemita y lo demostraré. Sólo mataré a la mitad de ellos." Un judío camina por la calle y se topa con un nazi. "Cerdo", dice el nazi. "Encantado de conocerle. Yo soy Garfinkel", dice el judío. El señor Horowitz entra en un elegante restaurante y se sienta. Y el camarero *goy* se acerca a la mesa y le dice: "Aquí no servimos [a] judíos". "No hay problema —dice Horowitz—, yo no como judíos. Tomaré una sopa de verduras."»

Al principio, mi madre no sabía cómo reaccionar ante Shmuel Glatt, pero luego se reía con sus chistes y yo también. Se ponía los vestidos de Nueva York cuando él venía a buscarla y también unas gotas de Emir que yo le había regalado para Chanukah. En los meses que salió con él, casi no sufrió ningún ataque. Yo me sentía un tanto triste por no ser quien tenía el poder de hacer que desaparecieran, «pero lo único importante es que él es bueno para ella», me decía a mí misma.

—Es todo un caballero —dijo mi madre después de la tercera o cuarta cita.

Yo les oía hablar en el porche. Él le pedía un «beso de buenas noches» y entonces se producía un breve silencio.

—Lo he pasado muy bien, Shmuel —decía ella menos de un minuto después, y luego yo oía la llave en la cerradura.

«Él lo conseguirá», pensaba. Shmuel incluso me traía caramelos Babe Ruth y chocolates Hershey con almendras, como si yo fuese una niña pequeña, extrayéndolos del bolsillo interior de la chaqueta y presentándomelos como si fuese un mago. Si mi madre tenía que casarse con alguien —y lo hizo— el señor Glatt no sería una mala elección. Estaba bien.

Fue su *lantsman* Falix Lieber, con quien le habían liberado, medio muerto, del campo de exterminio de Bergen Belsen, quien se convirtió en el coco que se instaló en mi psique y me perturbó durante largo tiempo.

—Tengo tres entradas gratis para la feria del Círculo Obrero —anunció Shmuel Glatt un sábado por la tarde—. Allí podremos disfrutar de *pickelehs*, y también tendremos *gribbines mit schmaltz* y dolor de estómago —canturreó. Fue allí donde mi madre y yo conocimos a Falix—. Me ayudó mucho en el campo —dijo Shmuel, ahora con el semblante muy serio, palmeando a Falix en la espalda cuando le presentó.

Falix tenía alrededor de treinta años, la piel morena, una barba suave y negra y los ojos demasiado hundidos en el rostro. Llevaba una camisa blanca con las mangas enrolladas hasta los codos y los números tatuados visibles, como los de Shmuel. Falix tenía uno de sus brazos sobre los hombros de su hija de siete años, Shayna, a quien le hablaba en yídish. «*Maydeleh*, pequeña», la llamaba. Al anochecer vi cómo le daba de comer de su mano el *knish* de patatas que había comprado, llevando el bocado hasta sus bonitos labios y luego cogiendo para él un trozo muy pequeño, haciendo que la niña se echara a reír a carcajadas.

—¿Y tú, *maydeleh*? —Se volvió hacia mí después de que ambos hubiesen acabado el *knish*—. ¿También quieres que te alimente?

Sacudí la cabeza, sintiéndome ridícula.

—¿Y por qué no?

Me guiñó un ojo. Nos siguió por la feria, sin dejar que Shayna se apartase de su lado, salvo para comprar una tarrina de helado, que luego compartió con la niña, comiendo ambos de la misma cuchara.

—¿Y cómo te ganas tú la vida? —me preguntó.

¿Estaba de broma? ¿Acaso no veía que era una niña?

—Estoy en el instituto —contesté, turbada por mi propia timidez—. En noveno grado.

—Si no hubiese sido por Falix, hoy aquí no habría ningún Shmuel Glatt —alcancé a oír que Shmuel volvía a decirle a mi madre, con sus pequeños ojos llenos de lágrimas. Nos sentamos todos juntos y esperamos a que diese comienzo el concierto de balalaika—. Estaba dispuesto a morir. ¿Para qué necesitaba seguir viviendo? Pero Falix dijo: «No, tienes que demostrárselo a esos cabrones». Me obligó a comer cuando no quería probar bocado. Hizo que conservase las fuerzas.

Al domingo siguiente, cuando Shmuel aporreó nuestra puerta mosquitera, Falix estaba detrás de él.

—En un día tan hermoso he venido a llevar a todo el mundo al parque —anunció Falix. Llevaba un sombrero echado hacia atrás y las mangas arrolladas como el día de la feria, exhibiendo el terrible número tatuado—. Señora. —Extendió el brazo para que lo cogiese imitando a Shmuel, quien bajó los escalones del porche con mi madre de su brazo—. Venga, Lilly. Tú también vienes —dijo mi madre alegremente, cogida del brazo de Shmuel junto al viejo DeSoto de Falix.

—¿Señora? —repitió Falix con mayor énfasis esta vez, el brazo extendido en un ángulo exagerado, y lo cogí, sin saber qué más podía hacer, y permití que me condujese hasta el asiento delantero del coche. Mi madre y Shmuel subieron en la parte de atrás.

—Será mejor que nos demos prisa —le dije a Falix en el parque. Él insistía en que caminásemos del brazo, como mi madre y Shmuel, y yo me sentía incómoda y avergonzada—. Se han adelantado mucho.

—Sí, ¿pero quién tiene las llaves del coche? —me contestó con un guiño—. Cuando quieran ir a casa, volverán y nos encontrarán. Siéntate aquí.

Me llevó a un banco debajo de un árbol.

—Ellos se preocuparán —dije, luchando torpemente para librarme de su brazo cuando nos sentamos en el banco. Falix quizá hubiera salvado la vida de Shmuel, pero se estaba comportando como un pequeño Jake Mann, pensaba. Yo estaba enfadada con mi madre por haber hecho que les acompañase para luego abandonarme.

—Tranquila —dijo él, rodeándome con su brazo—. ¿Quién va a hacerte daño? ¿Te estoy haciendo daño? —Alzó mi barbilla y me miró a los ojos. Traté de levantarme, pero él me lo impidió, aplastando sus labios contra los míos, ignorando la fuerza de mis manos empujando su pecho.

Yo no era lo bastante fuerte como para quitármelo de encima. ¿Dónde estaba mi madre? ¿Cuándo aparecería alguien? Finalmente apartó su boca de la mía.

—¿No sabes besar? —susurró—. Una chica mayor como tú. ¿Qué daño puede hacerte si te enseño cómo se hace? —Luché nuevamente contra él, haciendo presión contra sus hombros, tratando de apartar la boca. Pero era inútil. Ya no me quedaban fuerzas. Relajé mis manos, mis labios. Me dejé hundir, como una chica ahogada. Mi madre había desaparecido—. ¿No es agradable? —Levantó la cabeza para hablarme y luego volvió a concentrarse en mis labios.

Pero entonces su mano cubrió uno de mis pechos y un temblor recorrió todo mi cuerpo cuando sus dedos se movieron sobre el pezón.

—No lo haga —dije con los dientes apretados, y mi mano saltó como un muelle para detenerle.

—*Maydeleh*, ¿cuál es el problema? —Se echó a reír mientras me preguntaba con voz ronca—: ¿Qué hay de malo en esto? Se inclinó nuevamente sobre mis labios, su aliento cálido envolviéndome, su mano nuevamente sobre mi pecho. Mi mano cubrió la suya, pero no intenté apartarla.

Falix oyó las voces al mismo tiempo que yo, se puso de pie de un salto y se apartó medio metro de mí en el banco. Mi madre y Shmuel se acercaban caminando por el sendero. Quería correr hacia ella, ¿pero qué pasaba con Shmuel? Permanecí pegada al banco. ¿Acaso ella no se daba cuenta de lo que Falix había estado haciendo? ¿Por qué no le gritaba como My Rae le había gritado a Chuck?

—Habéis encontrado un bonito árbol donde sentaros —dijo Shmuel amablemente.

—Sí —dijo mi madre—. Hay sombra y es muy agradable.

Si existía una señora Lieber nunca la vi, y nunca volví a ver a la pequeña Shayna después de aquel día en la feria. Ahora cuando Shmuel venía a cortejar a mi madre, Falix casi siempre estaba con él. ¿Comprendía mi madre lo que él estaba tramando?

Falix me hablaba como si fuese una mujer adulta. No me ahorraba ningún detalle.

—Tengo un buen amigo —me explicó alegremente un domingo— que acaba de casarse con una hermosa mujer que tiene una hermosa hija de quince años. —Estiraba las vocales como si estuviese saboreando un exquisito bocado de *knish*: «Her-mooooo-saaaa», dijo con sentimiento, y le brillaban los ojos—. Por la noche tiene a la madre y durante el día tiene a la hija. —Su mano se apoyaba en mi rodilla y subía por el muslo—. Cuando mi Shayna cumpla doce años —dijo vagamente, con una pizca de melancolía en la voz—, le buscaré un *geliebte*, un amante. Una chica no debería pasar de los doce años sin tener un hombre que la ame.

Siempre me hablaba con voz melodiosa, ya fuese que estuviese luchando para apartarle de mí o cansada de luchar para apartarle de mí. Me buscaba en la cocina, en el destartalado porche trasero de la casa de Fanny, en el dormitorio cuando estaba sentada en el suelo haciendo mis deberes... A veces le dejaba que me tocase donde él quería, fingiendo una mayor resistencia de la que realmente quería ofrecer. Luego me odiaba por ello.

Pero cuando estaba acostada en la cama, mi madre dormida en la cama de al lado, y recordaba dónde y cómo me tocaba, me sentía abrumada por sensaciones físicas en lugares muy profundos donde nunca las había experimentado. No eran como los dulces latidos que sentía por la noche cuando pensaba en Irene. Llegaban en grandes e inquietantes oleadas y estaban totalmente fuera de mi control. Cuando pensaba en Falix Lieber durante el día mi rostro enrojecía intensamente. ¿La gente podía adivinar ese lado oscuro con sólo mirarme?

La situación se prolongó durante un par de meses y luego Falix desapareció, junto con Shmuel, igual que lo había hecho Jake Mann. Me sentí aliviada de no tener que volver a ver a Falix nunca más y tampoco a Shmuel, quien le había traído consigo y que seguramente debió de adivinar lo que estaba pasando. Pero incluso años más tarde, a veces Falix Lieber aparecía subrepticiamente para asustarme, para arrullarme, en fantasías que surgían de ninguna parte, canturreando: *Maydeleh*, ¿cuál es el problema?

Creo que mi madre estaba realmente disgustada cuando Shmuel desapareció. Sé que tenía un vínculo especial con él: ambos habían sufrido a causa de los nazis, ambos habían padecido pérdidas terribles, y ahora podían ayudarse mutuamente a olvidar un poco el pasado y arañarle algo de felicidad a la vida. Pero ni siquiera eso había dado resultado.

—No puedo más —decía mi madre entre sollozos—. No les gusto. Soy vieja. ¿Quién iba a quererme ahora de todos modos?

Se dejaba caer en la cama y alzaba los brazos al cielo, y yo me quedaba en el vano de la puerta sintiéndome más impotente que nunca. No tenía idea de lo que podíamos hacer a continuación.

Pero Yehuda Cohen tenía otro candidato en su lista: Albert

Gordin, «un hombre agradable y honesto», dijo el casamentero, recogiendo nuestros tres dólares y metiéndolos dentro de su billetera carcomida por las polillas—. Tiene un trabajo estable. Es soltero. —El señor Cohen enumeró las virtudes del nuevo pretendiente.

Albert llegó a la casa de Fanny un domingo por la tarde con un pequeño ramillete de claveles envueltos en papel de periódico. Era siete u ocho años menor que mi madre. (Ella le había mentido al señor Cohen en cuanto a su edad, y Albert nunca —en veinticinco años— se enteró de la verdad.) Llevaba una chaqueta de tartán nueva que le quedaba demasiado grande de hombros y demasiado larga de mangas y una corbata a rayas azules y amarillas que también parecía nueva. De vez en cuando se quitaba el sombrero, sólo para enjugarse el sudor de la frente en el calor de Los Ángeles. Cuando se lo quitó alcancé a ver dos profundas muescas en la coronilla, que era calva como la de un bebé.

No invitó a mi madre a ir a ninguna parte. Fue directamente al grano, sentado en el sofá de Fanny.

—Quiero casarme. El señor Cohen dice que usted también.

—Sí, no me importaría casarme —dijo mi madre. Su voz me sonaba tan trémula como la de una anciana.

—El señor Cohen me dijo que es usted una persona buena y honesta —dijo.

—Sí —dijo mi madre con sencillez.

—Me gano bien la vida. No demasiado, pero suficiente para una esposa.

—¿No tendría que trabajar? —preguntó mi madre, yendo ella también al grano. Había sufrido demasiados meses para mostrarse tímida ahora.

—Ni usted ni su hija.

—¿De modo que podría dejar mi trabajo ahora mismo si nos casamos?

Contuve la respiración.

—Le diré algo —dijo—. Mi madre me dijo hace un par de meses: «Albert, me muero, y es hora de que sientes la cabeza con una buena mujer». Y luego se murió. Tenía casi ochenta y cuatro años. —Se enjugó una lágrima que había asomado por el borde del ojo, pero no creo que mi madre la viera porque estaba estudiando el suelo como si las flores desteñidas que adornaban la alfombra de Fanny fuesen hojas de té que podían predecir el futuro—. De modo que si nos gustamos mutuamente, nos casaremos inmediatamente y no tendrá que trabajar más, ¿de acuerdo? —preguntó Albert.

Al día siguiente vino al anochecer, justo después de que mi madre llegase de su trabajo. Estaba claro que no pensaba perder el tiempo. En esta visita se mostró más relajado y mucho más charlatán. Siempre que estaba a punto de iniciar uno de sus monólogos, se ponía de pie.

—Esos médicos con los que trabajo en el hospital Cedars of Lebanon son tan inteligentes —proclamaba—, lo saben todo, ab-so-lu-ta-men-te todo. Puedes preguntarles lo que se te ocurra y ellos te darán la respuesta. Así es como llegaron al lugar donde están ahora. —Y volvía a sentarse en el viejo sofá de Fanny.

Mi madre asentía después de cada frase, pero sus ojos estaban vidriosos.

—El doctor Friedman, mi gran jefe —dijo Albert, poniéndose nuevamente de pie—, es taaaan rico que no es millonario... es un mul-ti-mi-llo-na-rio. —Puntuaba cada sílaba con el dedo.

—¿Quiere un poco de café? —pregunté en medio de sus monólogos.

Albert dijo que no con la cabeza.

—Escribe un libro y cada estudiante de medicina del país tiene que comprarlo. Y un libro del doctor Friedman les cuesta cien dólares.

Una vez que se hubo marchado, seguí a mi madre a nuestra habitación y, por un momento, pensé que volveríamos a interpretar el baile del pollo, pero dejó de pasearse por la habitación y se dejó caer en su cama. Me acosté a su lado. Podía percibir el desagradable olor a flores muertas y sudor que exudaba su piel siempre que estaba realmente enfadada. Ahora ambas nos quedamos mirando el techo, con los ojos abiertos como si fuésemos dos cadáveres.

—Lilly, ¿qué debo hacer?

Esto después de un largo rato.

—¡No lo sé!

Traté de encontrar una respuesta, pero no pude. Aquí estaba la persona que podía rescatarla finalmente de ese horrible trabajo en la tienda. Pero era un tío raro. Aunque era un hombre agradable y honesto con un trabajo estable, como había dicho el señor Cohen... ¿Pero cómo podría mi madre vivir con él?

La próxima vez que oímos los pasos de Albert en el porche y sus golpes en la puerta, mi madre me tiró con violencia del brazo, aunque yo estaba haciendo mis deberes de matemáticas.

—Tú también vienes y te sientas con nosotros —me imploró.

—¿Por qué? Estás bien —susurré y me libré de su mano.

Albert no necesitaba mucha conversación de mi madre, en ese aspecto ella no necesitaba de mi ayuda. Pero pude ver en sus ojos que no estaba bien. Yo tampoco lo estaba. Fue a abrir la puerta con la cabeza gacha, como si fuese al matadero. Me senté en la cama, mordiéndome las uñas. En ese momento era incapaz de sumar cinco más cinco. Salté de la cama para reunirme con ella.

—Sin mí —estaba diciendo Albert, de pie—, los médicos no pueden hacer nada. Soy el único que sabe dónde está todo. —Y volvió a sentarse.

—Soy el que se encarga de mantener los bisturíes afilados para ellos —divagó la siguiente vez que vino a casa—. «Albert», me dicen, «sin un bisturí bien afilado estoy perdido». Me paso la mayor parte del tiempo en el laboratorio de patología.

Yo no sabía qué era un laboratorio de patología. Albert limpiaba, ordenaba los utensilios, supuse. Mantenía los instrumentos de los médicos en orden. Me llevó un tiempo entender que se encargaba de limpiar después de que hubieran acabado las autopsias, y que una de sus principales tareas consistía en asegurarse de que los bisturíes y las sierras estuviesen bien afiladas. Se me revolvieron las tripas al pensar en ello, pero jamás se lo dije a mi madre. ¿Por qué trastornarla sin necesidad?

Unas semanas más tarde, Albert llegó a casa trayendo más claveles envueltos en papel de periódico, un ramillete idéntico al primero. En la otra mano sostenía una pequeña caja. Tan pronto como abrí la puerta comprendí que había algo diferente.

—Li-li —pronunció mi nombre—. Hola. —Su nerviosismo era palpable—. Tengo noticias para tu madre. ¿Dónde está?

En ese momento apareció mi madre, tan asustada como él. Me fui a la habitación.

—Mira lo que he comprado para ti —oí a través de las paredes menos de un minuto más tarde.

—¡Oh, Dios mío! —exclamó mi madre.

—Y bien, ¿quieres casarte ahora? —preguntó Albert segundos después.

Yo me cubrí los ojos con las manos. Me cubrí la boca, los oídos. «¡Oh, Dios! ¡Oh, mi Dios!» Bailé sola el baile del pollo de un lado a otro de la habitación. Luego me obligué a detenerme. «Él no intenta poner sus sucias garras sobre mí.» Me senté en mi cama, repitiendo sus puntos buenos como si fuese un mantra: «Tiene un trabajo, hará que mi madre deje la tienda».

Tan pronto como la puerta mosquitera se cerró detrás de él, mi madre corrió a nuestra habitación. En su rostro se advertía un pánico animal. En su mano izquierda llevaba un anillo de oro con un diamante engarzado.

—Lilly, ¿qué debo hacer? ¡Dímelo!

Me lancé hacia ella y la abracé con fuerza, como en un abrazo mortal.

—No lo sé —grité. Luego, con el rostro apoyado en su hombro—: Cásate con él, mamá. —Mi voz sonaba como si surgiese de debajo del agua.

Sentí que movía la cabeza, una y otra vez, como si estuviese asintiendo, convenciéndose a sí misma.

A la tarde siguiente, Albert se presentó con dos hombres perfectamente trajeados, cincuentones, ambos calvos, uno alto y con el vientre prominente, la frente surcada de venas azuladas, y el otro unos centímetros más bajo, con el rostro gordo y redondo. Un flamante Cadillac color azul pastel, que yo sólo había visto antes en los anuncios de las vallas, estaba aparcado delante de la casa.

—Éste... éste es mi hermano mayor Jerry, y éste es mi... otro hermano mayor, Marvin.

La expresión de Albert era de vergüenza, como la de un niño cuyos padres han acudido a la escuela a causa de su mala conducta. Se sentaron en el sofá de Fanny, Albert, emparedado entre sus dos hermanos mayores.

—Albert dice que quiere casarse con usted —le dijo Jerry, el más bajo, a mi madre.

—¿Le dijo que estuvo ingresado tres años en una institución para enfermos mentales? —preguntó Marvin, un hombre de negocios que no malgastaba las palabras.

Su familia había emigrado de Rusia a México a principios de los años treinta porque no podía entrar en Estados Unidos. Jerry contaba la historia mientras Albert se miraba las punteras de los zapatos. Marvin y Jerry se convirtieron en joyeros... con gran éxito, deduje. Albert, aún un adolescente, se marchó para trabajar con un mercachifle ambulante, y en el infierno de Veracruz «a cuarenta y cinco grados», recalcó Jerry, tuvo que ser hospitalizado—. Sufrió una crisis nerviosa.

—¿Lo entiende? —le preguntó Marvin a mi madre, mirándola fijamente con ojos crueles e irónicos—. Se volvió loco. Incluso tuvieron que operarle y abrirle la cabeza.

—Para salvarle la vida —añadió Jerry rápidamente.

Marvin lo ignoró.

—¿Todavía quiere casarse con él?

Su boca malvada se torció en una mueca.

Ahora Albert alzó la vista y se levantó del viejo sofá.

—Ya no estoy loco —dijo con una sosegada dignidad que no había visto nunca en él.

—Sí, ahora ya está bien. No es un estúpido, ¿sabe? —dijo Jerry, como si Albert, que ahora estaba junto a mi madre, no estuviese en la habitación—. Tiene un trabajo y habla cinco idiomas: ruso, polaco, yídish, español, inglés —enumeró—. Y lee el hebreo mejor que muchos rabinos. —Jerry parecía casi orgulloso de su pobre hermano pequeño.

—Albert ahora está bien —convino Marvin—, pero pensamos que era necesario que usted lo supiera. Ahora nosotros nos lavamos las manos y lo que usted haga es cosa suya.

Se levantó de golpe y mantuvo la puerta abierta con gesto autoritario para que pasaran sus dos hermanos. Albert se volvió para lanzar a mi madre una mirada avergonzada y suplicante.

Desde la ventana observé cómo sus dos hermanos escoltaban a Albert hasta el asiento trasero del Cadillac. Sentí pena por él, la forma en que había permanecido sentado entre sus dos hermanos potentados, desgraciado como si fuese un delincuente. Pero aun así, ¿cómo podía mi madre casarse con él? Corrí hacia ella.

—Mamá, ¿qué es lo que debemos hacer? —exclamé entre lágrimas.

Mi madre estaba inclinada sobre el sofá alisando la sábana amarillenta donde se habían sentado los hermanos. Luego se irguió, se encogió de hombros ostensiblemente, y luego los dejó caer.

—Ellos dijeron que no es estúpido, conserva un trabajo. —suspiró—. Me casaré con él. ¿Qué puedo hacer?

5

LA MUDANZA

La perdí. Me convertí a mí misma en una huérfana al entregar a mi madre a un tío chiflado con agujeros en la cabeza. Se casaron y él se mudó a nuestra habitación y ocupó mi cama; supongo que también dormía en la cama de ella, donde solíamos acostarnos muy juntas para escuchar «Tu lista de éxitos». Fui arrojada de mi ruinoso paraíso y tuve que dormir en el viejo catre del ejército en el comedor, donde dormía Rae antes de marcharse para casarse con el señor Bergman. Las primeras noches me metía los nudillos en la boca para que mi madre no me oyese llorar, sollozando porque había sido Albert y no yo quien la había rescatado de su trabajo.

Sin embargo, todo había salido de la manera en que lo había planeado. Ella abandonó su trabajo el mismo día en que fueron al Ayuntamiento y se convirtieron en marido y mujer, y ahora mi madre estaba a salvo y yo sería libre. ¿Por qué entonces me sentía como si me hubiera traicionado? ¿Tenía que romper con ella, como ella había roto conmigo?

* * *

Me observo en el gran espejo que hay en el vestuario del gimnasio femenino. Una chica dura y con una mirada de furia me devuelve la mirada. Me he afeitado el fino extremo de cada ceja y los he reemplazado con una línea oscura trazada con lápiz que apunta hacia arriba, dos estoques suspendidos encima de mis ojos amenazadores. El lápiz rojo sangre cubre mi labio superior de modo que parece que me han golpeado en plena boca. Mi cabeza está coronada por un enorme copete. Podría ocultar un cuchillo allí dentro, de modo que será mejor que vayáis con pies de plomo. Mi blusa es de nailon transparente y la falda es muy corta y ceñida.

«¿Así te vistes?», dice mi tía con una voz que se desliza desde su profunda ronquera la primera vez que es testigo de mi transformación.

«Sí, así me visto», le contesto. ¿Qué sabe ella acerca de sobrevivir en el instituto Hollenbeck? Ella ni siquiera ha ido a la escuela. No sabe nada excepto cómo cuidar del señor Bergman.

«*Oy vey iz mir*, ¡oh, pobre de mí!», dice, propinándose un cachete en la mejilla.

He comprado un cinturón plateado en una tienda de todo a 100 y me lo ciño exageradamente en la cintura. ¿Por qué habría de esconder lo que tengo? Me he tomado las medidas con una vieja cinta métrica de tela que Rae se dejó en casa. Mis medidas son 90-55-90. Al mundo puede gustarle o aguantarse.

La mayoría de los chicos judíos se han mudado al oeste, a una zona más bonita de la ciudad, el área de Beverly-Fairfax, lejos de los chicos mexicanos y los chicos negros y los chicos japoneses que pasaron los primeros años de su vida en campos de internamiento. Sólo ha quedado atrás un puñado de chicos judíos para graduarse en el instituto Hollenbeck. ¿A quién le importa? De todos modos, ¿qué bien me han hecho los chicos judíos? Siempre fui una marginada, una chica rara, con mi madre loca, sin padre, en la habitación amueblada en la casa de Fanny... Con ellos o sin ellos, estoy sola.

Los chicos judíos que han quedado en el instituto ríen con disimulo por mi forma de vestir y a mí me da igual. De todos modos, siempre me han gustado más los chicos mexicanos porque ellos también son pobres, así que, ¿por qué iban a despreciarme? Aunque no tengo ninguna pandilla, me visto como las chicas de las pandillas *pachucas*,[*] que parecen muy duras, exactamente como quiero ser yo.

* * *

Carlos utilizó la expresión de admiración corriente para presentarse.

—Tienes un cuerpo de miedo, piba.

Sus hoyuelos en las mejillas y su dentadura fuerte y blanca tenían un aspecto hermoso en contraste con la piel oscura, y a mí me gustaba su forma de caminar, sus maneras de chico duro.

—Eh, ese, ¿qué pasa, tío? —le oía decir a otros *pachucos*. Me encantaba su deje. Solía practicarlo cuando estaba sola. «Eh, *ese...*», sonaba genial.

—Tengo que pelearme con esos *pinche cabrones*[**] todo el tiempo porque me llaman mexicano negro —decía con una expresión despectiva de los chicos mexicanos de piel clara que nos miraban con los ojos entrecerrados cuando pasábamos junto a ellos cogidos de las manos—. «Tu madre» —musitaba dirigiéndose a ellos, pero en voz muy baja, y levantaba el dedo corazón hacia ellos, aunque ya estaban detrás de nosotros y sólo yo podía verlo. Parecía un chico solitario, igual que yo, y eso hacía que me gustase aún más. Me encantaba que se arriesgara a que le viesen conmigo aunque yo no era una auténtica *pachuca*, ni siquiera una mexicana. Me encantaba su ropa, los pantalones caqui arrugados, la camisa oscura de mangas largas con el cuello levantado en la nuca. Amaba su pelo negro y brillante, como el culo de un pato, aplastado en los lados con vaselina y con rizos sexuales (así lo llamaban las chicas) colgando sobre la frente.

—Eh, nena, hice esto para ti en la tienda. —No me miró mientras caminábamos, pero me dio un corazón de plástico rojo

---

[*] Expresión despectiva para referirse a los mexicanos norteamericanos. (*N. del T.*)

[**] En español en el original. (*N. del T.*)

y verde, igual al que envidiaba en otras chicas. Cuando llevabas un corazón así, todo el mundo sabía que tenías novio—. No tengo cadena, pero consigue una y llévalo alrededor del cuello —dijo Carlos con su deje *pachuco*. Enlazó mi cintura y continuamos calle abajo—. No vayas a tu casa ahora. Vamos a hablar al parque —dijo.

—Podemos sentarnos y hablar en mi porche —propuse.

No importaba si lo llevaba a la horrible casa de Fanny porque él, probablemente, también vivía en un lugar parecido; y, además, yo no quería volver a Hollenbeck Park. Tenía una larga historia en ese parque, columpiándome con mi madre y Rae, resistiendo los avances de Falix. «¿Mi madre vio lo que Falix estaba haciendo? ¿Lo había visto?»

—No, es mejor en el parque —dijo Carlos, y me condujo en esa dirección asiéndome con firmeza de la cintura.

Me dejé llevar porque quería seguir siendo su chica. Cerca del estanque familiar nos tendimos uno junto al otro en la hierba debajo de un sauce, una sombrilla inclinada que nos ocultaba del mundo. Me obligué a arrojar fuera de mi memoria a mi madre y a mi tía y a sentir sólo el cálido aliento de Carlos sobre mí y lo suave que eran sus labios. Su boca descendió sobre mi cuello y sus dientes me mordisquearon suavemente y chuparon mi piel desnuda. Luego, su lengua encontró el camino dentro y fuera de mi oído, y cambió de posición para colocarse encima de mí. Un pájaro cantaba alegremente en las ramas del sauce y yo estaba paralizada por la languidez bajo la experiencia de sus quince años. Cuando cerré los ojos seguía viendo el verde brillante y las hojas estaban teñidas por el canto del pájaro.

—Eh, nena, vamos a la caseta de los botes. Entre semana no entra nadie.

Carlos me miró, me sorprendió su expresión de muchacho que alberga una secreta esperanza. Pude notar su dureza a través de todas las capas de ropa.

—No, quedémonos aquí.

Sabía que no debía ir allí con él porque fuera podía controlar un poco las cosas, pero en la caseta de los botes nada podría detenernos y yo no sería capaz de decir que no. Yo también quería hacerlo, ¿pero y si me quedaba embarazada? ¿Me esperaba el mismo destino que a mi madre?

—Aquí no podemos hacer nada más, y si vienen los polis o esos *pinche cabrones*... Mierda... Vamos allí dentro —dijo el chico duro otra vez, apretándose contra mi pelvis.

—No, quedémonos aquí —imploré—. Por favor. —Deposité en su hombro un beso conciliador. Estaba más asustada de lo que me atrevía a demostrar.

Carlos lanzó un sonido de fastidio a través de los dientes apretados y sentí que se movía encima de mí, lentamente primero, luego cada vez más rápido, su respiración agitada y estridente. Yo estaba inmóvil, sin saber qué hacer, y en pocos minutos, antes de que pudiese imaginarme nada, lanzó un suave gemido y dejó de moverse. Se quedó completamente inmóvil encima de mí, como un peso muerto. Mis dedos se clavaron en la hierba y sentí la tierra debajo de las uñas. Un búho confundido ululaba desde una rama invisible.

—Venga, te acompañaré a casa. —Se separó de mí y se puso de pie, luego me levantó bruscamente—. ¡Oh, mierda, ahora no puedo ir! —exclamó, mirándose la mancha que tenía en la bragueta—. Mira, aquí tienes un pase de autobús, nena. Nos veremos mañana.

Me dio un beso en la frente y miré su figura que se alejaba hasta que se desvaneció entre los árboles y sólo oía sus pasos haciendo crujir las hojas caídas y secas. Seguía excitada, pero también me sentía aliviada, como si me hubiese librado fácilmente.

El calor y el frío me asaltaron durante el resto de la tarde mientras me inclinaba sobre mi ensayo de inglés en la mesa de la cocina.

—No quiero nada —le dije a mi madre cuando vino a preparar la cena, y me marché.

Me escondí en el patio trasero, cubierto de maleza, henchida de un vago anhelo, aunque no podía abstraerme de los sonidos apagados de platos y cacerolas y cubiertos que llegaban a través de la ventana de la cocina mientras mi madre y Albert comían.

Más tarde, mientras terminaba mis deberes en el catre del comedor, sólo podía pensar en la forma en que Carlos me había besado; y cuando cerré los ojos para dormir podía sentir su cuerpo sobre el mío.

Al día siguiente, en clase, esperé a Carlos en la puerta hasta que sonó el timbre de entrada; luego la señorita Miller me miró con expresión ceñuda y me dijo que me fuese a mi asiento. Carlos llegó mucho más tarde. Lo saludé con la mano, sonriendo ampliamente, y él hizo un gesto con la cabeza, pero su guapo rostro no tenía ninguna expresión, y cuando me volví para mirarle en la última fila parecía estar muy concentrado tallando algo en su pupitre con un gran clavo. En cuanto sonó el timbre de salida desapareció entre la multitud antes de que alcanzara a recoger mis libros. Algo malo debía haber pasado. Tenía que encontrarle y preguntarle cuál era el problema.

—Eh, ¿cómo estás? —Era Ramón, que estaba detrás de mí, uno de los chicos con los que Carlos estaba peleándose siempre—. ¿Quieres salir conmigo después de clase? —Me miró de soslayo con una sonrisa insinuante que decía que lo sabía todo sobre mí.

—No, estoy ocupada —dije, alejándome rápidamente entre la multitud.

—*Puta** —oí que Ramón decía con una risa estúpida.

Volví a ver a Carlos otra vez ese día, hablando con Joe, otro de los chicos con los que decía que siempre se peleaba. Cuando me vio, cambió de posición para darme la espalda, como si quisiera ocultarse.

Ése fue prácticamente el final, excepto que dos días más tarde, cuando los chicos de la clase de arte de la sexta hora formaron fila delante del escritorio de la maestra para recoger los trabajos que ella había clasificado para la última unidad, sentí que alguien me empujaba por detrás al tiempo que se apretaba contra mis nalgas. Di un brinco, chocando contra la chica que estaba delante de mí,

---

* En español en el original. (*N. del T.*)

y luego me volví para toparme con la sonrisa grosera de Martin, otro de los chicos que se peleaban con Carlos.

—¿No te gusta? —dijo, y luego lanzó una risa suave y cruel—. He oído que te gustó.

Ahora lo sabía. Los chicos hablaban. Si permites que uno de ellos te paralice en un dulce estado de languidez, todos se acercarán como aves carroñeras. Era un juego repugnante.

De pronto, todos los chicos comenzaron a comportarse de ese modo, como si Carlos hubiera telegrafiado a todo el mundo masculino hablándoles de mí o como si yo desprendiese alguna clase de fragancia que sólo ellos eran capaces de percibir. En el instituto, en las calles, en el autobús, en las tiendas, era imposible escapar a sus andanadas. «Eh, nena, ¿quieres subir? ¡Te llevaré al cielo!», «¡lo agitas como si fueras a romperlo!», «¡eh, chica sexy, me dará un ataque al corazón!» *Smack, smack, silbido, silbido.* ¿Era la forma en que me vestía? Pero me gustaba mi aspecto: la máscara adulta y mundana de mi rostro, la vestimenta que daba a mi cuerpo la forma de un reloj de arena para dejarte tieso. ¿Por qué debía cambiar mi estilo por esos *pinche cabrones?* «Besadme el culo», pensé («pero seré lo bastante astuta como para impedir que os acerquéis tanto»).

Aún estaba oscuro, quizá las cinco de la mañana, apenas habían pasado unas semanas desde la boda de mi madre. El olor a humo de cigarrillo que llegaba desde el porche a través de la ventana de la sala de estar me arrancó del sueño.

—*Ohchicoohchicoohchico* —alcancé a oír, y el andar pesado de Albert que arrastraba los zapatos arriba y abajo a través de las tablas flojas del porche. Y luego una vez más—. *Ohchicoohchicoohchico.*

Volví a dormirme, pero algo me despertó un par de horas más tarde. Fanny estaba aporreando la puerta del dormitorio.

—¡Abrid! —gritó.

Me levanté del catre y salí al pasillo.

Mi madre, vestida con su camisón ligero, los ojos legañosos, abrió la puerta.

—¿Sí?

Por encima del hombro de Fanny pude ver la cama vacía y deshecha de Albert.

—Su esposo loco ha vuelto a despertarme —dijo Fanny, sacudiendo su larga nariz, moviendo las mandíbulas desdentadas, furiosa—. Las cinco de la mañana y oigo su «*ohchicoohchico-ohchico*». Dígale que ya estoy harta de eso.

Mi madre se mordió el labio.

—Se lo diré —dijo con un hilo de voz—, tan pronto como vuelva del trabajo.

Aquella tarde se sentó en el porche, esperando a Albert. Me instalé en mi catre para hacer los deberes y a través de la ventana del comedor podía ver la expresión de preocupación en el rostro de mi madre. ¿Qué podía hacer? ¿Comprendía ahora que se había casado con un hombre que estaba loco? Yo había decidido mostrarme amable con Albert, pero no me acercaba a él a menos que fuese absolutamente necesario.

Vi que se levantaba cuando su coche apareció al cabo de la calle y comenzó a pasearse por el porche hasta que Albert aparcó delante de la casa.

—Fanny dice que la despertaste —musitó exasperada cuando Albert comenzó a subir los destartalados peldaños que llevaban al porche.

En ese momento, Fanny apareció de ninguna parte y abrió la puerta mosquitera de par en par, dejando que se cerrara violentamente a su espalda.

—Señor, me despertó a las cinco de la mañana con su loco «*ohchicoohchicoohchico*». Es la tercera vez que ocurre. ¿Qué clase de hombre habla solo a las cinco de la mañana?

Durante un instante se hizo un silencio total mientras Albert permanecía paralizado en lo alto de la escalera.

—Váyase al infierno —rugió Albert finalmente, abalanzándose sobre ella con las manos abiertas—. Usted es la loca. ¡Usted!

Fanny se metió rápidamente en la casa como si huyera de un gato rabioso y la puerta mosquitera volvió a golpear con violencia contra el marco. Ella se apoyó en la puerta con una mano, sacudiendo el puño de la otra ante Albert.

—¡*Mishugeneh*! Haré que se marche de aquí —gritó.

—¡*Choleryeh*! —gritó Albert a su vez—, ¡bruja! —Y su salivazo quedó colgando de la mosquitera.

—Hay un demonio dentro de usted —gritó Fanny—, ¡es un *paskudnyak*, un chiflado!

—Habría que arrancarle la piel a tiras —le gritó Albert desde el porche.

Oí los pasos de Fanny, que corría a refugiarse en su habitación.

—Mary, nos mudamos de esta casa —le gritó Albert a mi madre, que estaba acurrucada en un rincón del porche.

¿Mudarnos? ¡Oh, sí! ¿Pero adónde podíamos ir si nos marchábamos del este de Los Ángeles?

Aquella misma noche, aproximadamente a medianoche, el humo del cigarrillo y los pasos y los murmullos de Albert volvieron a despertarme, y a la mañana siguiente también, y muchas otras noches y mañanas, pero Fanny no volvió a abrir la boca; simplemente, le evitaba. Ahora, siempre que Albert se refería a ella, la llamaba «*choleryeh*, bruja», pero no parecía interesado en pelear con Fanny otra vez, y mi madre y él nunca comenzaron siquiera a buscar un nuevo lugar donde vivir.

Cada átomo de mí quería largarse de allí. Ahora no había ninguna razón para que nos quedásemos en la casa de Fanny. Afuera había todo un mundo y quería conocerlo. La única pregunta era: ¿cómo iba a irme si aún no tenía quince años y me quedaba otro mes de instituto?

—¿Cree que puedo empezar a presentarme en las audiciones? —seguía preguntándole a Irene, aunque aún me sentía como una rata en su soberbia presencia.

—Primero tienes que estar preparada —seguía contestando ella con un gesto distraído—. ¿Alguna llamada telefónica que deba responder antes de comenzar mis clases esta mañana?

Ya estaba preparada. ¿A qué esperaba ella?

Un sábado, de pronto, mientras Irene volvía a alzarse de hombros ante mi pregunta y leía la lista de mensajes que había apuntado para ella, pude ver a través de mi ídolo con tanta claridad como si su piel perfecta fuese celofán. Ella sabía tanto como yo cómo se hacían las cosas en Hollywood. ¿Por qué, si no, iba a estar viviendo en el este de Los Ángeles y llevando a un puñado de críos a las inauguraciones de las tiendas Thrifty y a los almuerzos de Hadassah? Acabé reconociendo lo que probablemente sabía desde hacía mucho tiempo: Sid y ella no tenían más conexiones en Hollywood que mi madre. Si quería progresar, tendría que encontrar mi camino sin ayuda de nadie, los Sandman no tenían nada que ofrecer, salvo sueños. Sin embargo, no podía soportar la idea de marcharme, de no volver a ver a Irene nunca más.

Fue Sid quien me dio el empujón que necesitaba.

—Tienes que transmitir un sentimiento más melancólico: «Siempre he dependido de la bondad de los extraños». —Él modelaba mi entonación una tarde durante mi clase de interpretación—. Los brazos extendidos y las palmas hacia arriba —dijo, mientras tiraba de mis muñecas.

—«Siempre he dependido de la bondad de los extraños» —repetí, torciendo los labios para esbozar la esperanzada sonrisa de Blanche DuBois,[*] ladeando la cabeza con el gesto excéntrico de ella. Podía sentirla con facilidad. No tenía ningún problema para imaginar cómo se sentiría siendo tan vulnerable, permitirte entregarte a todo el mundo. Podía actuar como ella, pero nunca sería ella.

Mis brazos estaban extendidos y mis palmas apuntaban hacia arriba como él me había sugerido, pero Sid seguía cogiendo mis muñecas. Le miré, abandonando el personaje de Blanche. Su expresión mientras me miraba en el gran salón no era pedagógica.

—¿Sabes? —dijo con una voz que nunca le había oído antes, baja y casi ahogada—, cuando viniste hace tres años, pensé: «Dios mío, nunca he visto a una cría con un aspecto tan patético».

---

[*] Personaje de la obra teatral de Tennessee Williams, *Un tranvía llamado deseo. (N. del T.)*

—Su rostro estaba ahora tan cerca del mío que podía ver claramente las gotas de sudor que brillaban sobre su fino bigote—. Y ahora...

No acabó la frase, este marido de la maravillosa esposa, pero después de Jake Mann y Falix Lieber yo sabía muy bien lo que Sid quería. ¿Debía echarme a reír? ¿Debía apartarme de él y correr a la calle? ¿Podían salvarme acaso la inocencia o una expresión patética? Mi mente comenzó a bullir y luego se enfrió. Puse voz de niña pequeña.

—Usted ha sido para mí como un padre maravilloso durante todos estos años —dije. —Sid respiraba como si acabase de correr un maratón y sus manos se movieron hacia mis hombros. Las palabras eran mi arma y disparé con ellas—. Usted e Irene han sido el padre y la madre que nunca tuve. —Mi voz se elevó, el gemido áspero de una niña—. La próxima vez que vea a Irene en la oficina le diré lo bueno que usted ha sido conmigo.

Podía leer perfectamente las expresiones de su cara: sorpresa al principio, luego temor y, por último, astucia. Finalmente, compuso una expresión de estudiada indiferencia.

—Repitamos esa línea de los «extraños» —dijo.

Todo el incidente no había durado más de dos minutos y eso fue todo. ¿Pero cómo podía permanecer en el Theatre Arts Studio después de lo que había pasado?

Una semana más tarde, aproximadamente, cerca de mi decimoquinto cumpleaños, busqué en las Páginas Amarillas del listín telefónico de Los Ángeles bajo el título de «Teatros». El anuncio más grande decía «Teatro y Escuela de Arte Dramático Geller. Producciones profesionales representadas por nuestros estudiantes. Las estrellas del futuro. Convenientemente ubicado a pocos pasos de Hollywood».

—En buena hora te libraste de esa rubia de frasco por quien estabas tan loca, pequeña inestable. —Eddy, imitando a Escarlata, se burló de mí en la escalera de su porche.

Ignoré su comentario de rubia de frasco referido a mi amada porque yo jamás había estado en el lado oeste de la ciudad, excepto la vez que hicimos con mi madre el recorrido turístico con la Tanner Grey Line por las casas de los ricos y famosos, y si Eddy me acompañaba no sería tan terrible.

—Venga —le imploré—. Éste puede ser el respiro que estábamos esperando.

—¡Ella está lista para su primer plano, señor DeMille! —Sus dedos largos y delgados se extendieron en una perfecta y perturbadora imitación de una desquiciada Gloria Swanson—. Tonta, tonta. Ella cree realmente que alguien pondrá a dos pequeñas niñas judías en el mundo del cine. Pero esta niña judía —se señaló con el dedo— no es tan tonta como ésta. —Frotó mi clavícula con su elegante índice.

—Al diablo contigo —dije, apartando su mano y bajando los escalones a la carrera. ¿Por qué no era capaz de tomarse las cosas en serio? ¿Por qué no quería acompañarme en esta audaz aventura?—. Quédate aquí si eso es lo que quieres —le grité por encima del hombro—. Voy allí adonde hay posibilidades de que pase algo bueno.

¿Pero cómo se logra llegar a Wilshire Avenue y Fairfax Avenue desde el este de Los Ángeles? Un autobús desde Wabash Avenue hasta Brooklyn Avenue, descubrí; otro desde Brooklyn Avenue hasta Olvera Street; un tercero por Wilshire Boulevard hacia otro universo, en el límite con Hollywood. Me instalé en el asiento delantero de cada autobús, mirando a través del gran parabrisas, viajando hacia el oeste de la ciudad. Al llegar a Wilshire contemplé una puesta de sol gloriosamente carmesí y platino que lo prometía todo.

El vestíbulo del Geller estaba lleno de encanto. Nunca había tantas rubias juntas. Casi todo el mundo, hombres y mujeres, tenían el pelo dorado, incluso con cejas y ojos más oscuros que los míos, incluso aquellos que exhibían llamativas raíces negras. La mayoría de los hombres llevaban vaqueros ceñidos estilo James Dean y camisetas blancas. Muchas de las mujeres vestían pantalones capri hasta la pantorrilla y tacones muy, muy altos. Una belleza solitaria y de pelo negro —todos la llamaban Babette— tenía puesto un vestido de encaje blanco que abultaba sobre una pila de enaguas de crinolina, y llevaba una sombrilla de pequeña Bo-Peep para completar el aspecto de belleza sureña. («Su padre es un gran director de cine», escuché que susurraba un recién llegado.) Otra mujer aleteaba sus ojos Joan Crawford ante todo el mundo y les llamaba «querido». Era bastante mayor que los demás y llevaba un llamativo vestido negro; Hollywood rezumaba por todos sus poros. Mis tacones plateados no hubiesen desentonado en aquel lugar, pero yo llevaba mi ridículo atuendo de *pachuca*, con el aspecto inconfundible de una chica del este de Los Ángeles. ¿Qué estaba haciendo aquí? Eddy tenía razón.

¡No! No me dejaría amedrentar. Ellos no tenían que saber quién era o de dónde venía. Yo era una actriz. Simplemente, actuaría como si fuese otra persona. Me deslicé en el lavabo, donde dos mujeres que parecían estrellas en ciernes peinaban sus brillantes cabelleras delante del espejo, y me metí en uno de los retretes.

—Así que este tío me prometió que me presentaría a alguien que trabaja en la agencia William Morris —dijo una de ellas. Esperé hasta que se hubieron marchado.

Cuando las puertas se cerraron detrás de ellas, me quité la pintura de labios *pachuca* de la boca y volví a empezar, siguiendo el contorno. Borré los estoques negros y con mi lápiz para cejas Maybelline tracé nuevas líneas para tener un aspecto más natural. Y también reduje mi enorme peinado en copete. Con mi vestimenta *pachuca* no podía hacer nada, pero al menos mi cara y el pelo ya no se parecían tanto a los de una chica de pandilla del instituto Hollenbeck.

Una especie de neblina azul cubría el vestíbulo. Todo el mundo fumaba. Algunos expulsaban el humo a través de boquillas de ébano o marfil. El chico más musculoso sostenía su Chesterfield entre el índice y el pulgar y entrecerraba los ojos cuando daba una calada. Un rival sostenía el cigarrillo entre los labios y lanzaba bocanadas de humo sin quitarlo de allí, con una mirada furtiva que era al menos tan atrevida como la del tío del índice y el pulgar. Fumé el primer cigarrillo de mi vida en el vestíbulo del Geller, ofrecido del paquete del tío del pitillo colgante. Antes de que acabase aquel verano fumaba dos paquetes y medio diarios. Fumar me hacía parecer mayor.

Aquella primera tarde me presenté a una audición para la escuela de interpretación junto a otra docena de personas. Cuando el señor Lord, el director del Geller, pronunció mi nombre, salí al escenario y recité el monólogo de *Frankie y la boda.* *

Aunque llevaba mi ropa *pachuca*, sabía cómo colocar mi cuerpo en la pose ambigua de Frankie, sabía cómo hacer que mi voz sonara varonil y confundida y llena de anhelo, un adolescente perdido.

—Soy E. J. Smith —susurró un hombre grande y de piel rosada que se inclinó sobre mi asiento cuando volví a ocupar mi puesto entre el público—. Has estado genial. —Me ofreció su enorme pezuña para que la estrechara. Vestía un traje de tres piezas a rayas y una pajarita rojo tomate, y tanto el pelo como las cejas y las pestañas eran rubios blanquecinos. «Un auténtico *goy*», hubiese dicho mi madre de él—. Trabajo en una agencia de talentos —me dijo. La cabeza comenzó a darme vueltas. «¿Ya estaba pasando?»

—¿Podemos ver esa interpretación de *Frankie y la boda* otra vez? —preguntó con voz autoritaria cuando el resto de audiciones hubo terminado.

—Claro, aún disponemos de tiempo —dijo amablemente el señor Lord, y me llamó nuevamente al escenario. Vi que los presentes se inclinaban hacia delante para mirar y me convertí una vez más en Frankie. Cuando acabé todos aplaudieron, aunque no habían aplaudido a ninguno de los otros.

—Una beca de estudio y trabajo —dijo el señor Lord cuando le expliqué más tarde que no podía permitirme la cuota de cuarenta dólares por mes—. Puedes ponerle las señas a los sobres que enviamos con la publicidad del teatro, diez horas a la semana.

Había empezado mi camino.

---

* Obra de la novelista norteamericana Carson McCullers. *(N. del T.)*

—¡Has estado *geniaaaal*! —me dijo una chica mientras me dirigía en estado de trance hacia la parada del autobús. Tenía el pelo rubio platino y una voz aguda tipo Judy Holliday con acento judío de Nueva York—. Simone Deardon —se presentó. (Unos meses más tarde pude ver su carné de conducir. Decía Sonya Dubisnky.)

—Lil Foster —contesté. Yo no quería ser «Lilly»: ésa era la chica ilegítima que había crecido en una sórdida habitación amueblada y que parecía una refugiada. Y no podía ser Lillian, porque era un nombre triste. Comprendí que en este lugar podía ser absolutamente cualquier persona, sólo se trataba de actuar—. Dieciocho —contesté cuando Simone me preguntó qué edad tenía. Ella tenía veinte.

—Li-li. —Albert abrió la puerta antes de que yo comenzara a subir la escalera del porche. Vi el rostro pálido de mi madre por encima de su hombro—. Tu madre me estaba volviendo loco. ¿Qué es lo que pasa contigo para quedarte fuera toda la noche?

—No le grites —le gritó mi madre a Albert—. ¿Quieres que me ponga mala? —me gritó a mí—. ¿Dónde te habías metido?

Era la una de la mañana. Los autobuses ya no circulaban cuando llegué a Olvera Street, pero estuve esperando un largo rato en la parada antes de darme cuenta. Cuando una mujer mexicana mayor y su esposo detuvieron su coche delante del semáforo les pedí que me llevasen. Ella le dijo a su esposo que me recogiera. Acababan de cerrar el bar que tenían en Olvera Street, dijo ella. Luego agitó un dedo maternal ante mis narices.

—Cosas terribles le pueden pasar a una chica joven que está sola en la calle.

Ahora también tenía que enfrentarme a Irene. Se suponía que al día siguiente debía tomar con ella una lección de canto.

—Tengo que hablar con usted de algo muy importante —le diría, mirándola a los ojos—. Hay algo muy importante... extremadamente importante... que necesito decirle.

Ensayé el discurso en voz alta, caminando de un lado a otro del comedor entre mi catre del ejército sin hacer y la mesa con patas de león desequilibrada. Pero no se me ocurría qué podía decir a continuación porque el recuerdo de sus formas esculturales me dejaban la cabeza completamente vacía.

Llegué al estudio treinta y cinco minutos antes de la hora prevista, sólo para poder sentarme sola en la oficina durante un rato y escuchar a través del tabique las lecciones que Irene estaba impartiendo y pensar cómo solía acariciar su suéter de orlón. Contemplé el viejo grabado de las bailarinas con tutú que había formado parte del mobiliario de mi vida durante más de tres años. «Cada vez que nos decimos adiós muero un poco». Era Jamie, uno de sus alumnos de canto, cantando con un ritmo sincopado, jazzístico, mientras Irene tocaba el piano. Yo había venido a decir adiós. Las palabras me golpearon como un garrote en el corazón.

—Muy bien, hemos terminado —anunció Irene, y comenzaron a abandonar el salón. Había olvidado que Jamie sólo tenía lecciones de media hora. Oí los tacones altos de Irene, que repiqueteaban sobre el suelo de madera del salón, luego los pasos de Jamie detrás de ella, y yo quería esconderme debajo de la silla como la rata asustada que era.

—Hola —me saludó Jamie antes de irse.

—Tu lección no comienza hasta las cuatro. ¿Qué sucede? —preguntó Irene.

No pude responderle porque mi lengua había dejado de funcionar otra vez. Conseguí respirar profundamente.

—¿No me digas que sigue siendo ese hombre? Pensé que ese asunto ya había terminado.

Se refería a Chuck. Me parecía que eso había sucedido hacía un siglo. Sacudí la cabeza.

Se sentó detrás de su escritorio en nuestra silla de metal gris.

—¿De qué se trata?

Su tono había sonado impaciente al referirse a Chuck, pero mi expresión debió de ser trágica, porque ahora me miraba con ojos tiernos.

No podía mirar esos ojos. Estudié mis puños cerrados. Cuando alcé la vista —después de una eternidad— Irene tenía la mano extendida sobre el escritorio con la palma hacia arriba. Me atreví, cogí su mano. Finalmente, su piel sedosa, su cálido contacto, ¡estaba tocando a Irene Sandman! Nunca la soltaría.

—Puedes contármelo —dijo suavemente.

—Estoy terriblemente enamorada de usted —las palabras salieron atropelladamente de mi boca cuando la abrí, el muñeco del ventrílocuo otra vez, y no pude parar—. Me temo que es así como comienzan los homosexuales. —Sentí que sus dedos se movían con un gesto de sorpresa, pero los mantuve cogidos, la presión del ahogado—. Creo que será mejor que me marche —dije efusivamente ahora (¿de dónde había salido eso?)— porque no quiero ser uno de ellos. —No había ensayado ninguna de esas frases que brotaban de mis labios—. Y sé que eso es precisamente lo que pasará si me quedo porque no puedo evitarlo.

«No, ¿por qué estaba diciendo eso? Era Carlos. Si yo hubiese sido diferente aún sería su novia.» Hice un esfuerzo para recordar el contacto de sus labios en mi cuello; luego aspiré el perfume de Irene y el aroma llenó mi cerebro y borró todo lo demás. Miré nuestras manos entrelazadas, mis dedos morenos contra su palma blanca rosada, el milagro que eso representaba, y la aferré con más fuerza aún. Podía oír el reloj que marcaba los segundos en la pared, justo encima de mi cabeza. «Tick-tick, tick-tick, tick-tick.»

Cuando finalmente levanté la vista vi que sus hermosos ojos estaban llenos de lágrimas. No había visto nada semejante desde aquel día que había exclamado «guau» la primera vez que me vio hacer el papel de Rachel Hoffman. Respiró profundamente. ¿O estaba constipada? No —y eso era realmente maravilloso—, ¡la había emocionado otra vez! Ya no importaba ser actriz. ¡Estaba llorando por mí! Me quedaría en el estudio, sólo para estar a su lado.

—Sé que esto es muy duro para ti —murmuró, y sus dedos se movieron bajo mi mano—. Estas cosas pueden ser terribles. Sid y yo teníamos un buen amigo en el teatro en Chicago que...

Miré fijamente sus ojos violeta, temiendo lo que me diría pero necesitando oírlo. Pero se interrumpió.

—¿Qué qué?

—Eres tan joven, Lillian —suspiró. Había cambiado de opinión y no me lo diría, podía verlo; ella estaba retirando la tentadora, amenazadora golosina. Ahora liberó su mano y se secó la nariz con un pañuelo de papel—. Probablemente, tienes razón —dijo—. Sería mejor para ti si te marchas.

¿De qué estaba hablando? «No, se trata de un error», quería gritar. Caería de rodillas a sus pies y besaría el dobladillo de su falda. Cogería nuevamente su mano. ¡Sería su pequeño perro faldero! «Por favor, no dejes que me vaya», le rogaría.

Pero no podía quedarme. Necesitaba convertirme en otra persona. Y tal vez fuese verdad, que lo que sentía por Irene era la forma en que comienzan los homosexuales, y no quería ser una de ellos.

Ya no sabía qué era verdad.

Irene se levantó y volvió a extender la mano, aunque esta vez sólo para estrechar la mía.

Yo también me levanté, debilitada por la confusión.

—Gracias por todo —dije, luchando por encontrar los tonos bien modulados que había aprendido de ella, y toqué su mano por última vez.

—Sid y yo te echaremos de menos —contestó. Luego, con la cabeza gacha, atravesé la puerta con piernas de goma.

«He perdido al amor de mi vida», gimió dentro de mí la máscara de la tragedia.

«Libre, libre», exclamó alborozada la máscara de comedia.

—De modo que no tendrás necesidad de coger todos esos autobuses —dijo mi madre. Nos mudábamos al lado oeste de la ciudad, donde estaba la famosa esquina de Hollywood con Vine, donde estaban los estudios de cine.

—Y podrás ir al instituto con *Yiddishek kinder* otra vez —dijo Rae. Ella y el señor Bergman también se mudaban al lado oeste.

Por primera vez en su vida mi madre compró muebles. Y ahora ella, Albert y yo viviríamos en un apartamento nuestro, sin una Missus. ¡Nos íbamos de Dundas Street!

Recorrí la casa de Fanny como si estuviese en trance. ¿Realmente me libraría de este lugar? ¡Adiós a los globos oculares flotantes! ¡Adiós a las sábanas amarillentas y llenas de polvo que cubrían los destartalados muebles de la sala de estar! ¡Adiós a la habitación donde había crecido, las camas en las que había dormido y soñado antes de que se convirtiesen en las camas de Albert! Una última mirada en el espejo moteado que me había visto como Betty Grable y Eddie Cantor y Mary Marvel. Ese espejo también había sido testigo de los gritos y los gestos desesperados de mi madre por su hermano muerto, y me había visto a mí, corriendo detrás de ella, año tras año, dos pollos decapitados. Me había sentido miserable en esa habitación, pero aun así había sido un hogar para mí y también había sido feliz allí. Pero todo aquello era el pasado. ¿Quién sería yo el año próximo en esta época, mirándome en un espejo en alguna otra parte?

—Tenga cuidado con ese loco cabrón —le dijo Fanny a mi madre cuando nos reunimos por última vez en la horrible sala de estar. Albert se paseaba por la franja de césped quemado que había delante de la casa, con el sombrero hundido hasta las orejas.

—La echaré de menos —le dije a Fanny. Era verdad. Había sido uno de los pocos adultos en mi vida cotidiana. Fanny había prodigado sobre mí los vestidos de sus nietas y también, para bien o para mal, sus opiniones y consejos. Ahora quería abrazarla, pero era tímida, a pesar de todos los años que habíamos pasado juntas.

—No, no me echarás de menos. —Fanny hizo un gesto con la mano. Llevaba puestos un abrigo y los zapatos de su difunto esposo, preparada para regar la hierba del frente tan pronto como nos hubiésemos marchado—. Dentro de una semana te habrás olvidado de mí y de Boyle Heights. Así es la vida, pequeña *momzer*. No debes preocuparte por ello.

—Jamás olvidaré Dundas Street —prometí—. Crecí aquí. Este lugar me formó.

—Formó, *shmormed* —se burló Fanny. Pero finalmente nos abrazamos, por primera vez en todos esos años.

Nunca volví a verla. Dejé el este de Los Ángeles detrás de mí por muchos años.

SEGUNDA PARTE

LIL

6

HOLLYWOOD

Los estudios de la Paramount, la RKO, la esquina de Hollywood y Vine, todo se encuentra a pocos kilómetros del Teatro y Escuela de Arte Dramático Geller. Casi podías estirar la mano y tocar esos templos relucientes.

«Alguien tiene que hacerlo —dice Simone lógicamente—. Ellos necesitan talento y nosotras lo tenemos».

«Correcto —decimos a coro—. ¿Por qué no podríamos ser nosotras?» Después de clase la multitud se apiña en los reservados de Tiny Naylor's y habla de Hollywood hasta las dos de la mañana. Ésta es «la pandilla», como nos llama Simone, la camaradería más entrañable que he tenido nunca (aunque mi inquietante temor es que ellos puedan descubrir que sólo tengo quince años y piensen que soy una chiquilla).

«¡John Wayne en una comedia romántica! Su agente está loco si permite que haga esa película», dice uno de nosotros. Las estrellas de cine son nuestros rutilantes primos segundos. Estamos tan cerca, por profesión, por geografía. Por supuesto que nos preocupamos por ellas, aunque todavía no nos reconocen como su familia. Seguimos sus vidas y milagros a través de las páginas de *Hollywood Reporter* o *Variety*, las crónicas familiares que leemos religiosamente.

«Eh, tíos —anunció Nick, aún aturdido por su suerte—, el

agente de mi primo me ha prometido que me conseguirá un papel como extra en *Los diez mandamientos*. Veinticinco dólares diarios durante, al menos, dos semanas. Treinta y cinco si consigues decir alguna línea o un gruñido».

«¡Fabuloso!», exclama Simone, palmeándole la espalda, y todos festejamos la noticia.

Aún no tengo mucho que añadir, soy nueva en este juego. La mayoría de ellos lleva años en Hollywood.

* * *

—¿Quieres que te lleve a casa? —me preguntó Simone la primera vez que fuimos todos juntos a Tiny Naylor's. Conducía un flamante descapotable rosa con la capota blanca. «¿Pero qué pasará si ve a mi madre? "Esta chica viene de una familia de paletos", podría decirle a la gente del Geller. ¿O a Albert? "De una familia de chiflados", podría decir Simone. Incluso podría ser incapaz de entender sus acentos yídish.»

—Puedes dejarme aquí —le dije cuando llegamos a la esquina de Stanley con Oakwood; mi mano ya estaba preparada para abrir la puerta del coche en el instante en que frenase junto al bordillo, y entonces huiría, como Cenicienta después del baile, de modo que Simone no viese en qué edificio vivía.

—Querida, hay algo que debo decirte, por tu propio bien —comenzó a decir Simone mientras detenía el coche en la esquina. «¿Qué sabía ella sobre mí? ¡Mi edad! Yo había sido tan cuidadosa, ¿cómo podía haberse enterado?»—. Esa blusa rayada y la falda de *tweed* se dan patadas —dijo con sus ojos de Betty Boop aleteando compasivamente—. Tienes talento, pero no sabes vestirte.

Su casa era una mansión de columnas blancas, con dos plantas y pinturas auténticas colgadas en las paredes: crepúsculos y océanos y cachorros en grandes marcos dorados. Seguí a Simone a lo largo de la alfombra blanca decorada con brocado, temiendo que mis zapatos pudiesen dejar una mancha.

—Ésta es la mejor actriz de la escuela —exclamó efusivamente cuando llegamos ante su madre, quien llevaba un elegante peinado.

—Bueno, eso está muy bien.

Su madre tensó los labios sobre sus dientes perfectos mientras me examinaba de la cabeza a los pies.

Su padre, vestido con un traje gris perla y gafas de acero, llegó a la casa un poco más tarde. A través del ventanal de la sala de estar pude ver el coche, grande y reluciente, que acababa de aparcar en el camino particular.

—Estaré arriba hasta la hora de cenar —le dijo a su esposa, revisando la correspondencia sin alzar la vista. Dijo algo así como «bu-día» cuando Simone le dijo quién era yo.

En la habitación de Simone había una cama con pabellón de satén rosa; mil muñecas de su infancia estaban ordenadas contra la pared en estantes empotrados. Su vestidor, más grande que mi habitación en nuestro nuevo apartamento, estaba lleno de ropa de estrella de cine.

—Éstas ya no me quedan bien. Puedes probártelas.

Simone sacaba una prenda preciosa tras otra, lanzándolas generosamente encima de la cama. Pantalones capri ceñidos que llegaban por encima del tobillo; un vestido rojo («maravilloso escote», dijo Simone) hecho con un material suave, etéreo; una blusa negra resplandeciente, con un escote profundo y ceñida con un elástico en la cintura—. Éstos tampoco los uso. Apuesto a que te quedan bien —dijo, con las mejillas arreboladas con un placer de Pigmalión, mientras buscaba entre una torre de zapatos y sacaba pares sin puntera con tacones de siete centímetros, pares sin talón de diez centímetros, sandalias de plástico transparente con plataformas que parecían casi invisibles una vez calzadas—. Ahora ya no pareces nada cursi —dijo, gratificada por sus esfuerzos mientras yo exhibía el vestido rojo y los zapatos con tacones de diez centímetros ante ella.

—Ahora debemos hacer algo con ese pelo —me dijo la vez siguiente que fui a su casa, vestida con sus pantalones capri morados y los zapatos sin puntera y con tacones de siete centímetros.

Quería que me tiñese el pelo de rubio platino, igual que ella, pero convinimos finalmente en un negro ala de cuervo con una fina franja cobriza en el lado izquierdo de la cabeza. Hizo que me sentara en el taburete rosa de su cuarto de baño de mármol y cubrió con mano experta mis hombros con una sábana de plástico, luego pintó mi cabeza con el oloroso tinte negro, hundiendo el pincel en el frasco con la pericia de un artista que moja el pincel en los colores de su paleta. Retrocedió para examinar su obra y advirtió que había dejado caer accidentalmente una gota de tinte en la punta de mi nariz. La frotó con un paño, una expresión de preocupación en el rostro, pero la mancha no salió.

—¿Qué podemos hacer? —gritó.

Examiné la mancha negra mirándome en el espejo. Era del tamaño de una moneda de cinco centavos y hacía que la nariz pareciera gorda. Entonces la froté con fuerza hasta que toda la zona que la rodeaba se encendió como una rosa, pero la mancha siguió allí.

—No pasa nada. —Me alcé de hombros para ocultar lo disgustada que estaba—. Walt Disney me contratará para que haga de Minnie Mouse.

Simone parecía a punto de echarse a llorar, pero el sollozo que escapó de sus labios sonó más como una risa. Eso era lo único que me faltaba. Una carcajada escapó a través de mis labios y entonces las dos nos echamos a reír sin parar hasta que nos dio el hipo, pero aún así no podíamos contenernos.

—Probemos con un poco de crema —dijo Simone entre sus carcajadas histéricas. Corrió a buscarla en su botiquín. Mientras se mordía el labio en un gesto de profunda concentración, esparció la crema sobre mi pobre y manchada y frotada nariz. Dio resultado. Pero durante el resto de la tarde nos reímos como dos crías por cualquier motivo, por la simple diversión de reír. Simone era la amiga que nunca había tenido cuando era pequeña.

—Eres igual que Elizabeth Taylor —dijo la generosa Simone cuando me marchaba.

No podía creer mi buena suerte. Era ella quien organizaba habitualmente nuestras visitas a Tiny Naylor's, y ahora yo estaba sentada a su lado en el descapotable rosa, con el resto de la pandilla amontonada en el asiento trasero, mientras recorríamos a toda velocidad Wilshire Boulevard después de las clases o tras un ensayo. Simone le caía bien a casi todo el mundo y ella había encontrado algo en mí que le gustaba. Oh, no permitas que nada lo eche a perder.

—Simone tiene la profundidad emocional de un poste cuando trata de actuar —la chismosa Babette me susurró al oído durante un descanso, cuando Jesse, el tío parecido a James Dean, mantuvo la mirada de Simone mientras encendía su cigarrillo—. Sólo está aquí para encontrar a un tío guapo, ¿no crees?

—Simone es maravillosa —contesté, defendiendo a mi amiga.

—Bueno, todavía es incapaz de hacer un solo papel decente —dijo Babette con una sonrisa afectada.

Simone le propinó una bofetada juguetona a Jesse.

Yo tenía secretos que debía ocultar, incluso a Simone, pero ella también tenía secretos que me ocultaba. Después de la suave bofetada a Jesse, Simone se paseó con una débil sonrisa en los labios y una mirada distante en los ojos. La causa era Jesse, estaba segura, aunque jamás lo mencionó. Luego la sonrisa se desvaneció, la mirada se volvió triste y, por primera vez desde que la conocía, no tenía ganas de hablar. Descubrí la razón cuando me encontraba fuera de lo que creí que era un aula vacía, esperando la clase de las siete de la tarde. Gloria, la mujer mayor que llamaba «querido» a todo el mundo, ya estaba dentro.

—Nunca había visto a Nick tan enfadado —oí que decía—. Jesse le pidió prestado el apartamento cuando Nick se marchó a Las Vegas y entonces, querido, Nick regresó y encontró sangre en las sábanas. ¡Había sangre por toda la cama! ¿Puedes creer eso de Jesse? Ni siquiera se molestó en limpiarlo.

—¡Oh! Bueno, ella tuvo más de lo que era capaz de manejar, la estúpida zorra. —Era la voz de Babette—. Ahora la dejará tirada, porque lo único que él quiere en una chica es su virginidad.

Tenía que ser Simone de quien estaban hablando. Pobre Simone. Qué horrible era que Nick hubiese hablado, y ahora Babette y Gloria también estaban hablando, y muy pronto todo el mundo estaría enterado de lo que había pasado. No era la primera vez que me daba cuenta de que no es mucho lo que las chicas pueden conseguir.

En aquellos días mi madre no dejaba de gritarme.

—¿Qué quieres decir con que no irás más al instituto? Solías ser una alumna muy buena. Albert, ¡escucha lo que Lil quiere hacer!

Había tenido un verano de clases de interpretación, actuaciones y noches en Tiny Naylor's y fines de semana en la playa con la pandilla. Albert y yo ya habíamos tenido algunos altercados porque llegaba a casa de madrugada y mi madre no le dejaba dormir hasta que no oía mi llave en la cerradura.

—Todas las noches tengo que oír lo mismo: «¡Algo terrible le ha sucedido!» «¡La ha atropellado un coche!» «¡La han secuestrado!» —Imitaba los chillidos agudos de mi madre—. ¡Ya está bien!

—Bueno, es una estupidez que se preocupe —contesté.

Sabía cómo vivir mi vida mucho mejor de lo que ella lo había hecho. Al principio había intentado tranquilizarla.

—Ensayamos hasta tarde y luego Simone siempre me trae a casa en su coche. Sólo estoy aprendiendo a ser una actriz —le decía razonablemente—. ¿Qué es lo que te preocupa?

Pero tiré la toalla.

—Dice que deja el instituto —volvió a gritarle mi madre a Albert.

—Puede decir todo lo que quiera, pero tiene que ir al instituto hasta los dieciséis años. Te meten en la cárcel si no vas.

—Acabo de conseguir un trabajo, soy la recepcionista de un abogado que está en el centro, un abogado penalista —inventé cuando Simone me invitó a ir de compras. Ya había pasado cuatro días furtivamente en décimo grado y lo odiaba. Había oído decir que los remilgados vestidos de Lane's que usaban las chicas costaban cuarenta y cinco dólares, y sus padres eran dentistas o contables o poseían tiendas como aquellas en las que acostumbraba a trabajar mi madre. Hacían crujir la goma de mascar en los dientes traseros y tenían expresiones temerosas en el rostro, y se pasaban todo el día cepillándose su hermoso pelo de salón de belleza como si fuese el trabajo de su vida. Las princesas judías norteamericanas. Ellas ni siquiera me veían, pero no me importaba, porque tenía mi propia pandilla.

Tuve que convertirme en una agente doble. De hecho, cuando no tenía miedo de que me descubriesen, era casi divertido. Para ir al instituto Fairfax me ponía unos sucios zapatos Oxford marrones y blancos, con calcetines grises que se amontonaban sobre los tobillos, negándose a permanecer sujetos a mis pantorrillas. Camuflaba mi cuerpo con faldas largas de lana gris y blusas arrugadas que se salían de la cintura. Éste era mi uniforme, mi disfraz. Anticipando mis maravillosas noches, me recogía el pelo sujetándolo con imperdibles, y me cubría la cabeza con un viejo pañuelo.

—¡Ohhh!, ¿adónde vas esta noche? —alguna chica entremetida me preguntaba desde un pupitre cercano, sorprendida por mi cabeza llena de imperdibles, como si una criatura tan desaliñada tuviese algún lugar adonde ir.

—A ninguna parte —contestaba, sin apenas levantar los ojos de mi libro de teatro. Dejemos que se coman el coco.

Cada tarde regresaba a mi casa desde el instituto y me ponía mi otro disfraz. Esta operación me llevaba un par de horas: base Max Factor, oscuro y misterioso; sombra de ojos y pintura de labios y colorete, del modo en que Simone me había enseñado a aplicarlos. Me cepillaba los rizos con un toque sofisticado, detrás de la oreja en uno de los lados, cayendo exóticamente sobre un ojo maquillado en el otro; una Veronica Lake morena, eso esperaba. «Diamond Lil», así me había llamado Simone cuando me probé el último par de pantalones capri que me había regalado, un material elástico con un efecto arlequín, una pierna completamente negra y la otra completamente blanca.

—Diamond Lil —sonreí en la clase de álgebra, metida en mi disfraz de paleta. Me *encantaba* ese nombre.

Cuando estaba con mi pandilla del Geller, el instituto Fairfax era mi vergonzoso secreto, porque jamás podía permitir que supiesen que era una cría. A veces despertaba de una pesadilla como si me hubiesen arrojado en un pozo: ellos han descubierto la verdad. «¡Ella sólo tiene quince años! —Babette me señala con un dedo vergonzante, y los demás me abuchean, incluso Simone—: ¡Niña, niña de jardín de infancia!».

Muy bien, cuanto menos hable será mejor: seré una belleza silenciosa, oculta. Era una actriz y podía representar cualquier papel.

—¿Cómo va tu nuevo trabajo? —me preguntó Stan.

—Fabuloso —contesté, con una sonrisa misteriosa bailando en mis labios. Fin de la discusión. Una serpiente que desaparece entre dos rocas.

La mujer encargada de averiguar las ausencias injustificadas de la escuela vino a nuestro apartamento dos o tres veces.

—Su hija tuvo doce ausencias el mes pasado.

La primera vez oí la voz clara y nasal dirigiéndose a mi madre. Asomé la nariz desde mi habitación y alcancé a ver el cuello de encaje y el peinado gris azulado que se asentaba como un casco en su cabeza, y regresé a mi cama de puntillas. Metí la cabeza debajo de la almohada, simulando los ronquidos de un sueño profundo, pero ella no entró en la habitación. «¿Debería estar asustada? ¿Ellos realmente podían meterme en la cárcel? ¿O en un reformatorio para menores? Probablemente, pensaban que era una niña inmigrante, una familia pobre. No se preocuparían demasiado por mí, porque pronto cumpliría los dieciséis y dejaría el instituto para casarme.»

—No se ha encontrado bien —dijo mi madre, excusándome la vez siguiente.

—Entonces debe llevarla a que la vea un médico y tiene que llevar a la escuela un certificado firmado por él. En Estados Unidos, los niños tienen que ir a la escuela —dijo la mujer con tono admonitorio y pronunciando cuidadosamente cada palabra—. Cuando tenga dieciséis años puede trabajar o casarse o lo que usted quiera que haga.

—De acuerdo —dijo mi madre, temblando ante la autoridad norteamericana—. Le diré que se cuide mejor. —Cuando la mujer se marchó, mi madre comenzó a gritar ante la puerta de mi habitación—. Lilly, ¿qué es lo que pasa contigo? ¿Quieres que me enferme?

—Déjame en paz —le grité—. Sé lo que hago.

Odiaba cuando esa mujer venía a hablar con mi madre, porque después, ella se ponía histérica, pero no podía arrastrarme hasta el instituto después de haber estado fuera de casa hasta las dos o las tres de la mañana. Y, de todos modos, no estaba aprendiendo nada de esos profesores. Me sentaba en el fondo de la clase y leía obras de teatro. Nadie me decía que dejase de leer, ni siquiera reparaba en mi presencia, y era capaz de leer tres obras por día. Sabía más acerca de Tennessee Williams, Arthur Miller, Maxwell Anderson y William Inge que cualquiera en el Geller.

Álgebra: D (decía el boletín de calificaciones), *Inglés: C, Geografía: D, Historia: D, Latín: F* (¿por qué diablos había elegido Latín?) ¿Pero qué importaba? Sólo quedaban unos pocos meses de clases y luego podía abandonar el instituto y dedicarme a mi carrera de actriz.

Aunque ahora le daba a mi madre nuevos motivos de preocupación, la verdad era que, tan pronto como se casó con Albert, su vieja locura se evaporó; tal vez porque ya no tenía necesidad de seguir trabajando en un lugar sin ventilación donde la explotaban, todos el día de pie y con los brazos extendidos; quizá porque ya no tenía que ver a aquella mujer húngara y oír sus trágicas historias acerca de hermanos perdidos que la hacían pensar en su propia familia; o tal vez se debía, simplemente, a que ahora tenía nuevas responsabilidades —hacer la compra, preparar la cena cada noche— y esas cosas ocupaban un montón de espacio en su mente. Cualquiera que fuese la razón, aunque mi madre nunca parecía feliz, tampoco corría desnuda por el apartamento, tirándose del pelo y gritando «¡Hirshel!». ¿Cómo no iba a estarle agradecida a Albert por eso?

En otros aspectos, sin embargo, su vida seguía siendo horrible. Por las películas y las canciones que había amado y la forma en que se había aferrado a mi padre durante todos aquellos años después de que él la hubiese traicionado, sabía que mi madre había sido una persona muy romántica y sexual. Pero no podía imaginarla haciendo el amor con mi padrastro. ¿Tenían relaciones sexuales alguna vez? Las noches en que me quedaba en casa trataba de escuchar desde mi habitación, curiosa y preparada para sentir repugnancia, pero ningún sonido llegaba a través del delgado tabique de yeso que separaba ambas habitaciones, excepto los sonoros ronquidos de Albert y los movimientos de mi madre en la cama, su cabeza o la almohada golpeando la pared.

Las mañanas de los fines de semana me despertaba habitualmente la voz de Albert que llegaba desde la cocina.

—*Nu,*[*] ¿piensas dar las cartas hoy o mañana? —Luego se producía un largo silencio—. *Nu,* ¡te toca a ti! ¿Estoy jugando solo o con alguien más? —Luego, con pasión—: ¡Ja, te he cogido! —Y oía cómo golpeaba la mesa con sus cartas de triunfo. ¿Jugaban al *gin rummy* en lugar de disfrutar del sexo? «¿Por qué, oh, por qué, me obligó a que la empujase a hacer esto? ¿Por qué, por qué, con toda su voluptuosa belleza, no fue capaz de conseguir que Moishe se casara con ella?»

Durante la semana, en el momento en que Albert llegaba a casa del trabajo, se sentaba a la mesa de la cocina, jugaba una mano de solitario con su mugrienta baraja y esperaba a que mi madre depositase la comida delante de él. Cuando ella se quedaba a su lado con el plato en la mano, Albert apartaba las cartas para dejar espacio en la mesa y levantaba el cuchillo y el tenedor sin abrir la boca, sin un gesto de reconocimiento. «¿Y si se volvía loco otra vez y le hacía daño?» Pero jamás lo hizo. No era una persona normal, pero trabajaba y traía el dinero a casa y ella le preparaba la comida. Era un acuerdo comercial. Jamás hablaban.

Yo tampoco hablaba cuando estaba en casa a la hora de comer. La mesa estaba en absoluto silencio, salvo por los *chomp* y *slurp* de Albert y los *crunch* y *crack* de mi madre. Eran los sonidos de ella, más que los de él, los que rechinaban en mis oídos, los que me irritaban, como si alguien rascara una pizarra con las uñas. A veces, sentada a la mesa de la cocina, la odiaba con una furia tan visceral que me hacía apretar los puños con fuerza. «¿Por qué no se las había arreglado para que su vida

---

[*] «¿Y bien?», en hebreo. (*N. del T.*)

fuese mejor?» ¡Yo jamás llevaría una vida como la de ella! Pero a mi odio seguía casi siempre un brote de piedad. La había amado tan apasionadamente en otro tiempo, cuando éramos el centro de nuestros respectivos mundos. Y ahora ella estaba atascada.

Ya no caminábamos cogidas del brazo, como acostumbrábamos a hacerlo por las calles del Bronx o del este de Los Ángeles. Ya no íbamos juntas a ninguna parte. «Madre e hija», decíamos en Nueva York. Trataba de no pensar en ello. Cuando recordaba aquella época sentía un nudo en el estómago, pero podía huir mentalmente de esas imágenes pensando en el Geller y en mis amigos, y en mi futura carrera. Tenía que construir mi propia vida.

* * *

—He oído que el propio William Morris vino aquí a ver *Anna Christie* el mes pasado y que contrató a uno de los actores —susurró alguien durante la audición nocturna la primera vez que fui al Geller.

—Elia Kazan estuvo entre el público hace un par de años. Fue cuando descubrió aquí a Eva Marie Saint —susurró otro.

¿Esperábamos todos con secreta esperanza después de cada actuación el fabuloso golpe en la puerta del camerino?

—¡William Wyler está en la sala y quiere hablar con Lillian Foster!

Pero aunque estábamos prácticamente al lado de ellos, los peces gordos no asistían a las producciones de la escuela. ¿Dónde encontraban entonces a los jóvenes talentos? ¿Cómo te descubrían? Aún no tenía ninguna pista y en el Geller no había nadie que pudiera aconsejarnos. Asistíamos a las clases y no podíamos contar con nadie. Jack Lord examinaba a los estudiantes en las audiciones, pero después, como si fuese un dios en un universo mecánico, desaparecía virtualmente. Hacíamos bromas con respecto a lo apropiado de su nombre.[*]

---

[*] Lord es 'Señor' en el sentido de *Ser Supremo, Dios. (N. del T.)*

La noche mi audición creí que ya había sido descubierta por E. J. Smith porque trabajaba en una agencia de talentos y me dijo que había estado magnífica, pero después de aquella noche no volvió a decir nada. ¿Qué podía pasar si hablaba con él ahora?

—Oh, eso fue cuando estaba en la agencia de Mel Kaufman. Me fui de allí —me dijo cuando le pregunté cómo podía conseguir una entrevista—. Estoy tratando de empezar en algún otro lugar. Pero puedes ir a la agencia de Mel Kaufman sola. Lleva algunas fotografías —añadió.

—¿Has ido? —me preguntó unas semanas más tarde cuando nos encontramos delante del Geller. Yo había abandonado inmediatamente la idea porque no tenía dinero para hacerme fotografías profesionales. Había visto la clase de fotos que se suponía que debías llevar contigo para enseñárselas a la gente adecuada. Gloria se había hecho algunas. «Fotografías publicitarias», dijo que se llamaban: preciosas fotos en blanco y negro, ojos grandes y taciturnos con una mirada intensa, labios brillantes y húmedos. Las fotos estaban iluminadas desde detrás, con sombras que transmitían misterio y dramatismo. Gloria me dijo lo que costaban. Una verdadera fortuna.

—Si necesitas fotografías, tengo algunas ideas —dijo E. J. Su mirada me provocó una especie de hormigueo, y me sentía intimidada por su imponente presencia rubia, pero me quedé para oír lo que tenía que decirme—. Conozco a un tío que es fotógrafo, le gusta hacer fotografías provocativas de chicas guapas como negocio extra. —Debo de haber mostrado una expresión de total asombro, porque E. J. alzó las manos en un gesto que significaba «no hay nada de qué preocuparse»—. Todo es muy profesional —dijo con tono indiferente—. Sé que aceptaría hacer fotos publicitarias a cambio de que posaras un par de horas para su negocio extra. Él te dará lo que necesitas.

No dije nada mientras E. J. arrancaba la primera página del guión mecanografiado que llevaba, *Baby Doll,* de Tennessee Williams, y apuntó un nombre y un número de teléfono, luego sostuvo el papel delante de mí. Dudé un segundo, pero había visto esa clase de fotografías de Betty Grable. Un traje de baño con la espalda descubierta, piernas largas con tacones altos, una sonrisa luminosa por encima del hombro, flirteando con la cámara. No sería más que otro papel.

Para la sesión fotográfica en el estudio de Wes Martin me vestí con los pantalones capri de arlequín y las sandalias transparentes con plataforma que me había regalado Simone. Retratos enmarcados adornaban las ventanas: una novia radiante envuelta por kilómetros de satén blanco, un muchacho pelirrojo, menudo y con los labios fruncidos, sosteniendo un cachorro en los brazos, una debutante con aspecto fresco y virginal antes de su presentación en sociedad.

—¿Señorita Foster? —preguntó Wes Martin, saliendo de otra habitación cuando abrí la puerta y sonó un timbre. Llevaba pantalones grises de trabajo y una camisa con las mangas enrolladas, era un hombre delgado y calvo con aspecto competente.

Puedo hacerlo, me dije.

—Gigi —improvisé—. Mi nombre profesional es Gigi Frost.

Lillian Foster o incluso Lil sonaban demasiado serios para una modelo de fotos de esa naturaleza.

—Haremos unas fotos con el atuendo que lleva. Es magnífico.

Su sonrisa era absolutamente impersonal.

Las poses que improvisé no eran muy diferentes de las que había ensayado ante el espejo de Fanny cuando tenía ocho años: las manos apoyadas en las caderas y la barbilla inclinada, una expresión de «acércate» en la mirada; los brazos levantados, una expresión provocadora en los labios; una pose con las piernas cruzadas, la espalda arqueada y el pecho adelantado, un mohín de chica traviesa en el rostro. Luego, en su diminuto cuarto de baño, colgué mis capri y el suéter de algodón en un gancho, doblé las bragas y el sujetador y los dejé en el suelo, y me puse el bañador de dos piezas.

—Muy bien. Muy bien. Muy bien —decía ante cada nueva pose que exhibía con sombrillas, pañuelos y ukeleles. Era divertido, pensé, sorprendiéndome a mí misma por la forma en que podía flirtear delante de una cámara. No era yo, era una belleza exótica, o, más bien, era yo representando el papel de una belleza exótica.

—¿Podemos hacer ahora algunas fotos de figura? —preguntó Wes Martin.

—¿Como las primeras? —pregunté a mi vez, refiriéndome a los pantalones de arlequín y los tacones altos, posando de pie en lugar de hacerlo sentada o arrodillada.

—No —dijo él. Me miró fijamente y sus pálidas mejillas se sonrojaron—. «Figura» significa 'desnuda', 'sin ropa'.

Parecía tan incómodo como yo.

Desnuda. ¿Quería que me quitase toda la ropa delante de él? No había estado completamente desnuda delante de nadie desde que era un bebé. ¿Qué pasaría si mi madre o Rae veían fotografías en las que aparecía desnuda? «¿Esto es lo que hace una chica judía?», gritaría Rae. Mi madre se pondría a chillar como una loca.

¿Pero cómo iba a verlas? Por qué no debía permitir que Wes Martin me hiciera algunas fotografías de «figura», como las llamaba. Necesitaba esas fotografías publicitarias si realmente quería dar un paso adelante en mi carrera y podía ver que no había nada que temer de Wes Martin. ¿Acaso Marilyn Monroe no había comenzado de esa manera?

—En el cuarto de baño hay una toalla con la que puedes cubrirte. Colocaré un fondo blanco y liso, ¿de acuerdo?

El aire era frío cuando me quité la toalla blanca que cubría mi torso y me quedé sobre la enorme hoja de papel grueso que también hacía las veces de fondo. Cuando las intensas luces me calentaron los pezones y el vientre, mis dientes dejaron de castañetear, pero no podía alzar la vista para mirarle. Y tampoco podía flirtear con la cámara. Desnuda, posaba de un modo reposado, como imaginaba que lo haría la modelo de un artista.

—Buen trabajo, buen trabajo —decía Wes, completamente concentrado, ante cada una de mis poses—. He tirado tres rollos —añadió—. ¡Genial!

Regresé al cuarto de baño para vestirme mientras él preparaba las luces para las fotografías que yo necesitaba llevar a la agencia de Mel Kaufman.

Una semana más tarde, regresé para ver las tomas de contacto que Wes había hecho con una docena de primeros planos y quince copias de ocho por diez de la que él pensaba que era la mejor. Sostuve la foto por los bordes, absolutamente encantada. Parecía la actriz de una película de serie negra.

—¿Te gustaría ver algunas de las otras fotografías? —me preguntó Wes.

—No, está bien así —dije.

El recuerdo de mis poses desnuda realmente me había preocupado, inquietado, durante toda la semana, como si hubiera permitido que me robasen algo. Abandoné el estudio tan deprisa como pude; pero con las fotos publicitarias dentro del sobre de cartón que Wes me había entregado, pronto aparté esos insistentes escrúpulos. Necesitaba esas fotos profesionales para entregárselas a un agente, y ahora las tenía. Muy buenas.

Miré nuevamente la de ocho por diez mientras viajaba en el último asiento del autobús. No, no me parecía a Elizabeth Taylor, pensé, ahora con mirada crítica, un poco decepcionada. Pero aun así...

Estudié la fotografía durante días. Había algo que estaba muy mal. Mi nariz. Donde debería ser respingada o recta, como las de Debbie Reynolds o Doris Day, como todas las narices de las actrices más populares de los años cincuenta, tenía una protuberancia y era demasiado grande. Era la nariz de mi madre. Siempre había pensado que ella era hermosa, pero ahora veía que yo no era en absoluto hermosa. No con esa nariz.

Había conocido chicas en el instituto Fairfax que comenzaron el año con narices convexas y, antes de que acabase el semestre, sus narices se habían convertido en cóncavas. Un «trabajo de nariz» lo llamaban, cirugía plástica.

—Un montón de chicas se lo están haciendo —oí que alguien susurraba cuando Annette Kessler regresó al instituto con el aspecto de una actriz de cine después de haber estado ausente una semana.

—Tengo que preguntarle algo muy importante —le dije a E. J. cuando quiso ver las fotografías publicitarias que Wes Martin me había hecho. ¿A quién más podía preguntarle qué era lo que se necesitaba para tener éxito en Hollywood?—. ¿Debo hacerme la cirugía plástica en la nariz?

E. J. emitió un débil silbido y luego me examinó detenidamente, cogiéndome la barbilla para girar mi cabeza a la izquierda y luego a la derecha y estudiar mi perfil.

—Estás hablando de un montón de dinero —dijo—, pero te diré una cosa, hay algo que puedes hacer y que es mucho más barato. —Deslizó un brazo sobre mis hombros como si fuésemos buenos amigos—. Con tus dientes.

—¿Mis dientes? —Nunca había pensado en ellos.

—Las llaman fundas de Hollywood. Un dentista te las coloca y eso te asegura una sonrisa perfecta. Puedes quitártelas cuando comes o cuando te vas a dormir. Cuestan alrededor de cien pavos.

Me eché a reír nerviosamente. No tenía siquiera un dólar.

—Mira, si no te molestó la sesión con Wes —dijo E. J.—, puedo ponerte en contacto con este agente, Andy, que sólo trabaja con chicas de calendario y desnudos. Puedes sacarte cien dólares en unas horas. Hazte un favor. —Sonrió, mostrando sus dientes inmaculados.

En cuanto se hubo marchado entré en el camerino de las chicas y me coloqué delante del espejo, forzando una sonrisa fatua. Recité el abecedario lentamente, exagerando cada letra, para ver qué aspecto tenía cuando hablaba con la gente. E. J. tenía razón. ¿Cómo no había reparado antes en mis dientes? Eran unos dientes horribles que apuntaban en direcciones distintas, amarillos, dispares, apiñados como las señales de las tumbas en un viejo cementerio que había visto en una fotografía.

Fotografías de mujeres jóvenes en diferentes etapas del proceso de desnudarse cubrían las paredes de la oficina de Andy en Santa Monica Boulevard, y esparcidas sobre su escritorio había instantáneas de mujeres en blanco y negro: con diminutos bikinis, con camisones cortos que dejaban un hombro desnudo, con saltos de cama transparentes que se amoldaban a los pechos, el vientre y los muslos, completamente desnudas, el pubis cubierto sólo con una pelota de playa o una rodilla tímidamente levantada. Andy era un hombre risueño, de unos sesenta años, con un vientre prominente y una barba mullida como la de Santa Claus.

—Veamos qué aspecto tienes, querida —dijo—. Puedes desvestirte allí. —Señaló una habitación contigua.

Le miré desconcertada, súbitamente asustada.

—Allí hay una bata. Sólo tienes que ponértela y volver aquí —dijo con ligera impaciencia—. Nadie te va a morder.

Podía olvidarme de todo este asunto, me dije mientras me dirigía a la otra habitación. ¿Por qué había querido hacerlo, por una carrera en Hollywood? Mi madre y yo lo habíamos soñado juntas, pero aquellos sueños habían terminado.

¿Pero qué era lo que me esperaba si no me convertía en una actriz? Era la única meta en la que siempre había pensado seriamente, y era buena en lo que hacía. Todo el mundo lo decía. No podía abandonar ahora.

Me desvestí delante del espejo de cuerpo entero que estaba apoyado en una de las paredes del cuarto de vestir. Qué sucio parecía mi sujetador. No recordaba cuándo lo había lavado por última vez. Era el único sujetador que tenía y uno de los tirantes estaba sujeto con un alfiler de gancho. Me lo quité y lo metí en el bolso, luego me puse la ligera bata de nailon y salí de la habitación.

—Muy bien, querida. —Andy me condujo mecánicamente hasta una plataforma elevada—. Si quieres quitarte la bata, por favor. —Encendió dos grandes focos de luz deslumbrante y ajustó sus haces para que apuntaran hacia mí—. Ahora, ponte de lado.

Comencé a posar, sonriendo con los labios apretados.

—Notable —exclamó, acentuando la primera sílaba—. ¡Absolutamente notable!

Al volver al cuarto de vestir me puse el vestido azul sobre la piel desnuda, temblando como si todas mis sinapsis estuviesen estallando como si fuesen petardos.

—Puedo ponerte a trabajar inmediatamente —gritó Andy desde el estudio—. Mario Parma hace anuncios a doble página en revistas como *King*, *Adam*, publicaciones de primera clase, y siempre está buscando rostros nuevos. Cincuenta pavos por día y él se encarga de mi comisión, no tú. ¿Quieres que lo llame?

Revistas. Revistas de desnudos femeninos, así las llamaban. Las había visto en los puestos de periódicos de Hollywood Boulevard, y también a los chicos barbilampiños y llenos de granos y a los viejos encorvados que las hojeaban. Pero mi madre y Rae sólo leían el *Forward*, el periódico yídish que compraban en los pequeños colmados judíos. Ellas nunca iban a los puestos de periódicos donde se vendían esas revistas. Cincuenta dólares por día. Era casi tanto como lo que ganaba Albert en una semana.

—Claro —contesté mientras salía del cuarto de vestir.

Andy no perdió el tiempo.

—Tengo algo nuevo y fantástico para ti —dijo, hablando por el auricular de su teléfono negro—. Su nombre es Gigi Frost. ¡Increíble! Aproximadamente, 96-51-92. ¿Sí? —Lo confirmó conmigo.

Asentí. Por Dios, ¿qué estaba haciendo?

—No usa sujetador —dijo Andy, contemplando con aprobación la parte superior de mi vestido azul—. No lo necesita.

Mario Parma permitió que yo programara la sesión fotográfica para el lunes anterior a Pascua, aunque nunca le dije que quería hacerlo ese día porque no tendría clase. Un día de trabajo se convirtió en un segundo, luego en un tercero y un cuarto. ¡Doscientos dólares por cuatro días de trabajo! Firmé el formulario de cesión de derechos: «Yo, Gigi Frost, cedo al Sr. Mario Parma el exclusivo e incondicional derecho a utilizar las fotografías que me ha hecho los días 26-29 de marzo de 1956, con propósitos de publicación o como él lo considere apropiado». Doscientos dólares era una pequeña fortuna. Podía utilizar ese dinero para conseguir las fundas de Hollywood y comprarme ropa que no fuese la que me regalaba Simone... ¿y quién sabía qué más?

Cobré el talón en el Bank of America de Fairfax. Oh, el peso en mi mano de los veinte nuevos y crujientes y verdes y maravillosos billetes de diez dólares. De modo que realmente habría podido rescatar a mi madre de la tienda si las dos hubiésemos tenido un poco más de paciencia.

* * *

—Puedes hacer un buen negocio durante tres meses aproximadamente —me dijo Crissy. La veía en la oficina de Andy cuando los fotógrafos venían a recogerla para hacer fotos en exteriores o cuando ella tenía una sesión en el estudio. Era una pelirroja vivaz cuyos dientes delanteros de conejo impedían que fuese realmente guapa—. Siempre están interesados en un cuerpo nuevo, pero una vez que tus fotos aparecen en un montón de revistas, es el final.

—Sí, es una mierda —dijo Olga con su acento del este de Europa. Era la amiga íntima de Crissy y nunca veía a una sin la otra. Olga llevaba el pelo recogido en una larga y fina coleta negra azulada que le colgaba hasta más abajo de las nalgas, pero su rasgo más impresionante eran sus ojos: acentuaba los párpados con un intenso delineador negro, que le daban una apariencia de mapache—. Los únicos trabajos que consigues son con aficionados —dijo—, y esos tíos nunca te pagan más de veinte o veinticinco dólares. —Llevaba seis meses en la agencia de Andy.

—Y también tienes que andarte con cuidado con ellos —dijo Crissy misteriosamente, sin mirarme a mí sino a mi imagen reflejada en el espejo.

—A esa chica la asesinaron hace un par de meses. —Olga sacudió la cabeza ominosamente y la coleta se agitó en una triste confirmación—. Fue con un fotógrafo aficionado a hacer unas fotos en Topanga Canyon y lo siguiente que supo todo el mundo fue que habían encontrado su cuerpo cortado en pedazos y esparcidos por todo el lugar.

—Nunca cogieron al tío que lo hizo —dijo Crissy. Ella y Olga se miraron y rieron nerviosamente.

—Tendré cuidado.

Me encogí de hombros, ocultando mi horror, casi preguntándome también si estaban tratando de meterme el miedo en el cuerpo para que les dejase el campo libre.

—Nunca permitas que esos cabrones te hagan fotos del felpudo —me advirtió Crissy, arrugando su pequeña nariz—. Se supone que no deben hacerlo, pero les gusta intentarlo y luego venden las fotos de forma ilegal.

Llegué temprano al estudio de Tom Eakins, otros cincuenta dólares por unas horas de trabajo.

—He oído cosas muy buenas de ti —dijo, sonriendo amablemente—. Dame un par de minutos para preparar las luces. Mi oficina también sirve como vestidor, de modo que puedes cambiarte allí.

Mientras doblaba los pantalones capri y los dejaba sobre una silla giratoria, no pude evitar ver una nota que él había garabateado con lápiz en papel y sobresalía debajo del teléfono. Gigi Frost gran figura fea cara. Alguien debió decírselo por teléfono. ¿Fea cara? Ahora llevaba las fundas de Hollywood cuando acudía a trabajar a un estudio. Ya no podían ser mis dientes. Era mi jodida nariz. ¿Realmente era tan fea? Podía ver mi perfil en el espejo de tres caras de Tom Eakins. Sí. Era horrible. Mi nariz ocupaba toda la cara. Había sido ridículo pensar que podía entrar en Hollywood con esa nariz. Tenía que hacerme esa operación de nariz; tenía que seguir posando el tiempo suficiente como para poder pagarme la cirugía plástica.

—¿Por qué ya no nos reunimos los fines de semana? —se quejó Simone cuando la llevaba a casa en su coche desde Tiny Naylor's—. ¿Tienes novio?

Decidí correr el riesgo, sólo con esto. Estábamos sentadas en el coche en la esquina de Stanley con Oakwood y le ofrecí uno de mis cigarrillos.

—Los fines de semana tengo mucho trabajo. Como modelo.

Encendí los cigarrillos de ambas.

—Eso es fabuloso —dijo, claramente impresionada—. ¿En una tienda o qué?

—No, para fotógrafos. Hago figuras y fotos provocativas.

Simone se volvió para mirarme, aleteando sus enormes pestañas.

—¿Fotos provocativas? —Estaba desconcertada—. ¿Qué son «figuras»?

Era demasiado tarde para volverse atrás.

—Ya sabes —dije—, posar desnuda.

—¿Tú posas desnuda?

Me miró con los ojos abiertos como platos.

—Sí.

—¿Delante de hombres? —Su voz se convirtió en un chillido indignado—. Creo que es terrible. ¿Desnuda delante de hombres desconocidos? ¿Cómo pudiste hacer algo así? —Apagó el cigarrillo con gestos airados en el cenicero lacado de rosa—. ¿Qué pasa con la moral?

¿La moral? Yo sabía lo de ella con Jesse. ¿Por qué era peor lo que yo hacía? Él la había utilizado, ni siquiera se había molestado en limpiar la sangre de su himen de las sábanas de Nick. Al menos, a mí no me tocaba nadie cuando trabajaba. Y qué sabía ella acerca de ese trabajo, de todos modos, acerca de nada, con su cama con dosel, con un millón de muñecas de cuando era niña y un armario repleto de ropa cara y elegante. Tuve que morderme los labios para no vomitarlo todo; Simone había sido buena conmigo. Pero ahora era yo quien estaba furiosa, maldita sea. Cuando ella tenía mi edad llevaba hierros en los dientes; su padre podía permitírselo. Simone no sabía nada del hambre que yo había sentido durante toda mi vida.

—Necesito el dinero —fue todo lo que dije, abriendo la puerta del coche, cerrándola al bajar, ese sonido inconfundible que hace un automóvil caro. Ninguna de las dos se despidió.

Después de aquel incidente, Simone me evitó. Incluso dejó de organizar las visitas al Tiny Naylor's. De vez en cuando yo iba con otra gente, pero ya no era lo mismo. A veces, mis ojos y los de Simone se encontraban casualmente en el vestíbulo, y ella apartaba la mirada. Ella había sido la única amiga íntima que yo había tenido y la echaba de menos, pero pronto también comencé a apartar la mirada.

Mario Parma me dio una docena de fotografías y guardé algunas para mí y le dejé el resto a Andy. Él las colocó con cuidado en la gran carpeta de cuero negro que los fotógrafos venían a examinar, y me dijo que podía enviarme a sesiones de fotografía todos los días si eso era lo que quería.

—Recibo un montón de pedidos para ti. ¿Por qué sólo puedes trabajar los fines de semana? —se lamentó.

—Oh, ya sabes —dije frívolamente—. Cosas. Novios. Asuntos.

No podía decirle a Andy que aún me quedaban más de dos meses para completar el décimo grado antes de olvidarme del instituto para siempre.

¿Qué podía hacer con todo el dinero que estaba ganando? Ahorraría la mayor parte para operarme la nariz, naturalmente, ¿pero no podía darle a mi madre un poco de felicidad? Albert jamás la llevaba a ninguna parte.

—Aún no he conseguido ningún trabajo para actuar —le dije una tarde mientras la llevaba de la mano hasta mi habitación. Cerré la puerta. Éste sería nuestro secreto—. Pero he estado ganando algún dinero posando como modelo fotográfica, como Betty Grable. —Ella sabía quién era la feliz y saludable Betty Grable. Cogí el sobre que me había dado Mario Parma y saqué una fotografía en la que aparecía con un traje de baño imitación piel de leopardo—. Ésta la hizo un fotógrafo famoso —dije—. Piensa publicarla en una revista.

Mi madre estudió durante varios minutos la imagen en blanco y negro. ¿Iba a enfadarse, igual que lo había hecho Simone?

—Qué hermosa estás —dijo finalmente, y pasó suavemente el dedo sobre el brillo del traje de baño y los muslos. Se volvió para mirarme con lágrimas en los ojos—. Antes yo tenía unas piernas así —recordó—, y un vientre tan bonito y plano como el tuyo.

Simone me había contado una vez que, para festejar su cumpleaños, sus padres la habían llevado al mejor restaurante de Los Ángeles, un lugar llamado Café de París. Aunque yo sólo tenía quince años, podía permitírmelo. Acababa de ganar cien dólares con un fotógrafo japonés que organizó una sesión de dos días conmigo en Paradise Cove. Había hecho novillos en el instituto porque dijo que los fines de semana ese lugar se llenaba de gente y sólo podía contratarme si trabajaba durante la semana.

—Estoy ganando mucho dinero como modelo —me jacté luego ante Rae (omitiendo, por supuesto, la parte que se refería al desnudo)— y quiero invitaros a cenar a mamá y a ti. —Volveríamos a estar las tres solas otra vez.

—Una mesa para tres a nombre de Lil Foster —dije por teléfono cuando hice la reserva en el restaurante, recordando con nostalgia mi voz educada e infantil cuando mi madre y yo íbamos a comer a restaurantes en Nueva York y yo le hacía mi pedido al camarero.

—¡Rae, se supone que no debes cogerlo, por amor de Dios! —susurré desesperadamente. Estábamos en este elegante lugar, ella había pedido una chuleta y la sostenía con las dos manos, mordisqueándola con los dientes delanteros como si fuese un oso. Miré de soslayo para ver si alguien nos estaba mirando.

—No me molestes. Como del modo que me apetece —gruñó mi tía, frunciendo los labios. Volvió a coger la chuleta por el hueso y le dio un gran mordisco, masticando con expresión desafiante.

—Rae, por favor —imploré—, nos echarán.

¿Estaba mirando el jefe de comedor hacia nuestra mesa? Sí. Las aletas de la nariz se agitaban en una clara muestra de desaprobación. Me encogí en la silla. Rae no pertenecía a este mundo: ¿por qué la había traído a este lugar? Pero era el mundo que yo quería, este delicioso exceso, este lujo. Pero también necesitaba a Rae y la amaba. Sólo tenía que aprender a mantener separados ambos mundos.

—Demasiada grasa. —Mi tía hizo una mueca de disgusto, dejando caer el hueso completamente limpio sobre el plato—. Y es muy caro.

Mi madre sostenía el cuchillo y el tenedor con delicadeza. La adoré por eso. Cuando bebía el té, una vez acabada la cena, el meñique se extendía describiendo un arco aristocrático. Sus ojos brillaban mientras admiraba las elegantes sillas tapizadas de rojo, el aterciopelado papel rojo que cubría las paredes, los camareros vestidos con esmoquin.

—Es tan agradable —susurró—. Es todo tan hermoso. —No importaba realmente si Rae era incapaz de apreciarlo. Esto era algo que compartíamos mi madre y yo, y suponía un gran placer para ella y también para mí. Esto era lo que un poco de dinero podía hacer—. Disfruta de todo esto, Lilly —susurró mi madre, como si fuésemos dos niñas que han entrado furtivamente en un palacio.

Le compré un pequeño reloj Bulova de oro con el dinero de mis dos trabajos siguientes y una docena de rosas rojas en una caja envuelta en papel dorado.

—¿De dónde sacas tanto dinero para gastarlo en flores? —dijo Albert, pero aceptó cuando le invité a que nos acompañase a mi madre y a mí al Cocoanut Grove, porque era el club nocturno favorito del Dr. Nathan Friedman.

Cuando comenzó el verano descubrí que Crissy tenía razón: había estado posando como modelo durante tres meses, y una vez que los fotógrafos profesionales te hacían todas las fotografías que pensaban que podían vender, buscaban un rostro nuevo. Ahora las llamadas para trabajos de cincuenta dólares eran cada vez menos frecuentes. Aún quedaban los aficionados, por supuesto, que no dejaban de visitar el estudio de Andy buscando chicas a quienes fotografiar. La paga no era muy buena e incluso podía resultar peligroso, pero aun así era trabajo.

—Lo único que quieren esos tíos es meterse en la cama contigo —volvió a quejarse Olga mientras cuatro de nosotras nos preparábamos en el vestidor de Andy para una sesión en grupo.

—Sacaríamos mucho más dinero que con esto —dijo Corinne amargamente, mirándose en el espejo—. A veces me siento tentada de hacerlo.

—Apuesto a que ninguno de esos tíos lleva siquiera película en la cámara —dijo Olga con una débil sonrisa.

Me quité la ropa y me puse un bikini fucsia de corderillo que apenas si cubría los pezones y el pubis. ¿Corinne hablaba en serio? Esos fotógrafos aficionados eran habitualmente hombres de cuarenta o cincuenta años, quizá mayores. ¿Cómo podías permitir que esa clase de hombres te pusieran las manos encima? Repulsivo. Me estremecí, recordando a Jake Mann y

Falix Lieber. Ya era la una, y a las cinco saldría de allí con veinte dólares en el bolso. Veinte dólares por cuatro horas de trabajo seguía siendo, aproximadamente, cinco veces más dinero del que podías sacar trabajando detrás de un mostrador. Eso era todo lo que necesitaba pensar en ese momento.

Una docena de hombres con cámaras llenaban el estudio, esperando a lanzarse sobre nosotras. Coyotes hambrientos, pensé. Pero Olga se equivocaba al pensar que no tenían película en sus cámaras. Miraban a través de los visores y disparaban, y las bombillas parpadeaban sin cesar mientras nosotras cuatro nos movíamos adoptando diferentes posturas. Uno de los hombres, sin embargo, con el pelo demasiado negro, un fino bigote demasiado negro también, y una expresión lasciva que no se molestaba en ocultar, colocó su Rolleiflex en un trípode y se pasó la mayor parte de las cuatro horas mirando a través del visor mientras sus manos jugaban con las monedas que llevaba en los bolsillos. Yo posaba lo más lejos posible de él porque me recordaba a Sid.

Cuando acabó la sesión y volví a vestirme con mi ropa de calle, me temblaban los brazos y las piernas por el cansancio; habíamos tenido sólo dos descansos de diez minutos. Cuando salí del cuarto de vestir vi que el tío del bigote fino no se había marchado. Estaba en el pasillo, débilmente iluminado, con Corinne, que ahora llevaba puesto un ceñido vestido blanco tejido y le estaba diciendo algo que él apuntaba en un papel. Pasé junto a ellos y luego, en la puerta, dejé caer el bolso y fingí que me arreglaba una media para escuchar lo que hablaban.

—Habitación dos dieciséis, a las siete. —Alcé la vista cuando él le estaba acariciando el pecho apenas cubierto; luego Corinne se volvió, alejándose sobre sus altos tacones rojos, pero no antes de que el hombre cogiese un trozo de su nalga entre el índice y el pulgar—. Un pequeño aperitivo. —Sonrió.

—Nos veremos.

Corinne agitó la mano por encima del hombro, una sonrisa adherida al rostro como si fuese base de maquillaje. No me miró ni me dirigió la palabra, aunque pasó a pocos centímetros de mí.

«¡No lo hagas!», quería gritarle. Pero ¿y si ella me contestaba: «Por qué no» o «realmente necesito el dinero» o «tal vez me guste»?

—Adiós —le dije, turbada por lo que acababa de ver y oír.

—Adiós —respondió débilmente, sin mirarme y cerrando la puerta.

¿Es eso lo que sucede cuando se acaban los grandes trabajos como modelo? ¿Les pasaría lo mismo a Crissy y a Olga? A mí no. A mí no.

—¿Te gustaría hacer una sesión en exteriores con...?

Andy mencionó a una famosa estrella del cine mudo.

Yo había visto una de sus películas con mi madre en el Classic Silent Film Theatre de la Fairfax Avenue hacía sólo un par de semanas. Y ahora trabajaría con él. Mi madre se emocionaría cuando le contase que le había conocido. Maquillaría la historia, por supuesto.

—Le recuerdo de la época en que llegué a este país, un actor tan bueno —recordaría.

Había sido un comediante con una famosa sonrisa de papanatas en un rostro inocente.

—Le gusta trabajar en una vieja mansión en Hollywood Hills —dijo Andy—. Cincuenta dólares por un par de horas de trabajo, y ni siquiera tienes que firmar una cesión de derechos, porque no vende las fotografías.

—Es la vieja mansión de Harry Houdini —dijo Crissy—. Es muy divertido. He estado allí muchas veces con fotógrafos aficionados.

La estrella del cine mudo ya no era el papanatas delgado y con gafas que divertía al público en la pantalla. Su peso había aumentado probablemente al doble, concentrándose la mayor parte alrededor del abdomen, que estaba dividido en dos por un ceñido cinturón provisto de una gran hebilla de plata que exhibía un puma que rugía alzado sobre sus patas traseras, los dientes mordiendo el aire. Había perdido dos dedos de la mano izquierda; y en el pulgar y el índice de la otra llevaba grandes anillos de plata y turquesa.

—Encantado de conocerte, Gigi Frost.

Su sonrisa de papanatas no había cambiado y aún era lo bastante célebre como para que la timidez me dejase casi completamente muda ante su presencia.

—Mi madre siente una gran admiración por usted —era la frase que bailaba en la punta de mi turbada lengua, pero eso hubiese hecho que pareciera una chiquilla—. Es un honor conocerle —dije en cambio, con el corazón latiendo a mil revoluciones.

Viajamos en su coche hacia las colinas del norte, una zona donde había mansiones tan lujosas como las que había visto en Beverly Hills hacía mucho tiempo. Pero ahora me encontraba en presencia de la verdadera realeza de Hollywood; había recorrido una enorme distancia.

La vieja mansión de Harry Houdini —si realmente lo era— parecía un enorme castillo de piedra gris, con torrecillas y fosos y una enorme extensión de verde que se proyectaba hasta el infinito. La estrella del cine mudo sacó tres cámaras del maletero de su largo Cadillac y se las colocó sobre el hombro.

—Todo listo —dijo.

Le seguí por las escaleras de mármol blanco con la respiración entrecortada. Jamás había estado en un lugar así. Hacía que la mansión de Simone pareciera la habitación amueblada de Fanny.

Una criada, con el uniforme negro cubierto con un impecable delantal blanco y almidonado, respondió a las melodiosas campanillas de la puerta, saludando por su nombre a la estrella del cine mudo.

—¿Querrá la habitación del ala oeste otra vez, señor? —preguntó discretamente, sin mirarme en ningún momento. Podía ver el intenso brillo de los suelos de roble americano que bordeaban las alfombras orientales, oscuras y de intrincados dibujos. ¡Qué esplendor! Una enorme estatua de marfil de un unicornio se alzaba junto a las puertas dobles de bronce de la entrada.

—No, no, hoy hemos venido a hacer unas fotografías —dijo él con brusquedad.

—Oh, por supuesto —susurró la mujer, echando un vistazo a sus cámaras—. Lo siento mucho.

Un hombre con un traje blanco y una chica con un ceñido vestido negro salieron de algún sitio y bajaron por una escalera de caracol perfectamente lustrada.

—Pueden ir alrededor de la casa —dijo la criada, acompañándonos fuera como si se sintiese incómoda, y ahora supe con certeza que ésta era la clase de casa de la que había oído hablar a Olga y a las otras chicas.

Pero la estrella del cine mudo había traído cámaras. Seguramente, no iba a haber ningún problema.

—Conozco el camino —dijo él, claramente disgustado ante la actitud de la criada—. Sólo quería avisarle de que estábamos aquí. —Me cogió del brazo y atravesamos el portón de hierro—. Estúpida —protestó—. ¿Acaso no vio mi equipo?

En el enorme y cuidado jardín me despojé del vestido y la ropa interior mientras él preparaba las cámaras. Luego comencé a posar, besando a sátiros de metal cubiertos de moho que me miraban con lascivia y extendían sus brazos musculosos. Abracé a ninfas, desnudas como yo, que sonreían con sus bocas de piedra. Me tendí debajo de una fuente que manaba de los grandes labios de mármol de cuatro gigantes tocados con turbantes. Podía aspirar el perfume de las gardenias por todas partes, y el sol brillaba, fuerte y seductor, sobre mi piel desnuda. ¡Cómo me encantaba el esplendor de ese lugar! Trabajé a conciencia para él, ansiosa por complacerle, y la estrella del cine mudo disparaba alternativamente con las tres cámaras. Pero las imágenes que había visto en la casa seguían presentes en mi mente. ¿Qué había pensado la criada? Sabía que estábamos allí para hacer aquello de lo que había hablado Corinne. ¿Qué habían estado haciendo juntos el hombre del traje blanco y la chica? Mientras abrazaba, besaba y me tendía, seguía viendo sus miembros desnudos y entrelazados, y las manos de él recorriendo todo su cuerpo. No podía apartar esa visión de mí. ¿A ella le gustaba?

En un momento de la sesión, la estrella del cine mudo se acercó y alzó uno de mis brazos para indicarme una pose, y su mano me rozó el pecho; tal vez había sido sólo un accidente, pero me acordé de Sid y me aparté rápidamente.

—Puedo hacerlo —dije, adoptando la pose que él quería.

Frunció el ceño. Pero, en general, parecía estar satisfecho con mi trabajo.

—Muy artístico —dijo, sonriendo de vez en cuando ante alguna de las poses que yo adoptaba. Se había quitado la chaqueta y pude ver las manchas húmedas que la transpiración dejaba en las axilas de la camisa—. Quince rollos —dijo, dando por acabada la sesión después de tres horas de trabajo.

—Es un lugar increíble —dije, una vez que me hube vestido. Hasta ese momento no me había atrevido a decir mucho más que «¿esta pose le parece bien?».

—Sí, esta casa tiene toda una historia —dijo—. ¿Te gustaría ver un poco más? Puedo ofrecerte la visita guiada del Cook.

¿Había sido realmente la mansión de Harry Houdini en otro tiempo? Podía imaginar las fiestas salpicadas de estrellas, Pola Negri, Clara Bow y Mabel Normand con elegantes vestidos que alguna vez habían desfilado en esta romántica opulencia.

Me llevó a través de la puerta vidriera que se abría al patio de mármol y le seguí mientras subíamos por la escalera de caracol. La criada que le había ofendido no estaba a la vista.

—Echa un vistazo a este tapiz. —Señaló un tapiz que cubría la mayor parte de la pared en lo alto de la escalera. A través de sus colores apagados pude vislumbrar caballos y jinetes con el torso desnudo y escudos que estaban levantando o pisoteando a mujeres aterrorizadas—. Francés, del siglo XVII —dijo, como un experto en arte—. Ésta es mi habitación favorita. —Apoyó la mano en la parte inferior de mi espalda con un gesto de familiaridad y permití que me condujese, a través de una puerta de madera oscura y profusamente tallada, a una habitación de paredes espejadas, una cama con pilares de caoba reluciente y un edredón de piel oscura.

—Es bonita —dije sin pensar. Entonces, me atrajo hacia él. Aparté la cara y vi que su mano izquierda con los dos dedos mutilados se clavaba en mi hombro.

—¿No te gustaría que triplicase tus honorarios de la sesión de fotos? Ciento cincuenta dólares —dijo con voz ronca.

La visión verde de los billetes serpenteó en mi cabeza. Ciento cincuenta dólares equivalía a casi cuatro pagas semanales para muchas mujeres, y yo podía conseguirlos en unas pocas horas. Su penetrante colonia se mezclaba con el olor agrio de su transpiración. Miré la mano mutilada que se apoyaba sobre mí. *Mi madre. Sus abortos.*

—¡No! Mis padres me están esperando. —Las palabras salieron solas de mis labios—. Tengo que volver a casa.

—¿Eres una niña pequeña? —se burló, y su boca se aplastó contra la mía.

Una voz aterrada gritó en mi interior: «¡Muérdele la lengua!», pero la imagen de su rostro inofensivo en la pantalla muda apareció ante mí. «Tiene contactos en Hollywood. Podría rescatar a mi madre de Albert.» «¡No!», gritó la voz presa del pánico dentro de mí, y le empujé con todas mis fuerzas.

—¡No! —grité.

—Está bien, pequeña —dijo, soltándome—. Aquí tienes tus cincuenta dólares. —Con una mirada de desdén, sacó de la billetera dos billetes de veinte y uno de diez—. Te llevaré de regreso a la oficina de Andy —gruñó por encima del hombro mientras le seguía, bajando por unas escaleras alfombradas que no había visto antes.

«Estoy en peligro —pensé durante el viaje de regreso a la ciudad desde Hollywood Hills—. Estoy a punto de perder el control.» La estrella del cine mudo miraba al frente, maniobraba el volante con ambas manos y no abrió la boca. Se había olvidado de mí, dejándome sola con mis pensamientos. Qué insignificante me sentía en ese asiento de cuero negro. «Una chica sola en el mundo es un conejo perseguido por una jauría de coyotes hambrientos.» Esa visión me estremeció. Era sólo cuestión de tiempo que el conejo fuese atrapado y despedazado.

El pelo de mi madre se alzaba recto como si estuviesen tirando de él y tenía la misma expresión que en la época en que gritaba «Hirschel».

—¡Oh, Dios mío, Lilly, Dios mío! —comenzó a chillar cuando abrí la puerta mosquitera—. Me estás matando. ¿Por qué quieres castigarme de ese modo?

—¿Qué? ¿Qué ha pasado?

—Le dije a la señora Frank del apartamento de al lado: «Mi hija es modelo de trajes de baño». —Mi madre hablaba entre sollozos—. No sabía las cosas horribles que guardabas dentro de ese sobre. ¡Desnuda! —gritó—. Me sentí tan avergonzada. Nunca podré volver a mirar a los vecinos.

Las fotografías de figura. No las había escondido porque nunca pensé que ella miraría en mis cajones. Di un puñetazo en la pared, disfrazando el disgusto de afrenta.

—¿Lo sabe Albert?

—¡Albert! Sentía tanta vergüenza que sólo quería morirme. ¿Cómo se lo iba a contar a Albert?

—¡Tampoco debes decírselo a Rae! —Sacudí a mi madre por los hombros, una sacudida de toro—. Prométemelo —le grité. No podía soportar la idea de que mi tía también comenzara a chillar y montara un escándalo.

—Es mi culpa. No te di una buena infancia —dijo mi madre, llorando ruidosamente—. ¿Cómo puedes hacerlo? —volvió a gritar—. ¿Es así como se comporta una buena chica judía?

¿Una buena chica judía? ¿Cómo soy judía? ¿En qué debo ser buena?

—¡Maldita sea, cállate de una vez! —grité, y me cubrí los oídos con las manos para no oírla—. ¡Por favor, por favor, cállate! No volveré a hacerlo. ¡Deja de gritar! —Cuanto peor me sentía, más gritaba ella—. ¡Maldita sea, cállate!

Quería parar. Veía a Corinne con el tío del bigote, la chica con el vestido negro ceñido y el hombre con traje blanco. La bilis burbujeaba en mi boca. Tenía que parar antes de que me sucediera a mí. Estaba segura. Los coyotes acabarían por cogerme.

7

MI NARIZ DE ACTRIZ DE CINE

Cuando mi madre descubrió las fotografías incorporó todo un nuevo conjunto de temores a su vida: su hija, desnuda para que todo el mundo la vea, vulnerable y despreocupada, se había extraviado y estaba condenada a acabar como ella. Qué peligro, qué miseria eran las mujeres para sí mismas, si no eran capaces de controlar su deseo sexual y eran poco inteligentes en su trato con los hombres. Su propia vida le había enseñado esa lección a un precio terrible: en lugar de encontrar una forma de apartar a su familia del camino nazi, había permitido que un hombre y el sexo la distrajesen de esa sagrada misión.

La realidad es que, probablemente, no había ninguna manera en la que ella hubiese podido triunfar en su misión. Ella y Rae habían sido dos adolescentes ignorantes embarcadas a Estados Unidos desde su pequeño pueblo, que sólo se tenían la una a la otra como guía en un nuevo y prodigioso mundo. Mi madre lo hizo lo mejor que pudo. El hombre adecuado jamás se cruzó en su camino, ¿y qué podía hacer una mujer entonces? Ella fracasó en el apartado del matrimonio, pero año tras año el reloj despertador sonaba a las seis y media y ella atravesaba la puerta para llegar a su trabajo a las siete en punto, sin importar cuán miserable se sintiese, sin importar cuán abominable fuese el comportamiento de Moishe. Y mientras el correo siguió llegando a su pequeño pueblo, ella y Rae enviaron giros postales de sus magros salarios a Prael todos los meses. Ese dinero alcanzaba para comprar un poco más de comida, un nuevo abrigo ocasionalmente, tal vez un par de zapatos, aunque no era suficiente para rescatar a toda la familia, ya que ni ella ni Rae consiguieron reunir nunca el dinero necesario. Pero creo que, de alguna manera, el fracaso de mi madre en salvarles debió de mezclarse en su cabeza con la aventura amorosa con mi padre. Aquellos años en los que iba perdiendo el juicio en nuestra habitación amueblada, mi madre debió de haber creído que la muerte de sus hermanos y hermanas estaba directamente relacionada con sus errores sexuales. ¿Qué otra conexión podía haber tenido su terrible culpa? Y ahora yo, su única hija, el último vestigio de su familia aniquilada, también había mostrado todos los signos de la estupidez sexual.

—¡Pueden pasarte cosas terribles por esto! —A la mañana siguiente me llevó el café a la cama y volvió a gritarme—: Echarás a perder tu vida. Los hombres te robarán la inocencia si dejas que lo hagan. Te convertirán en una muerta en vida.

—Está bien, está bien, ya está bien —musité.

—¡Te convertirás en una basura! ¿Acaso no he sufrido bastante ya? ¿Ahora tú también quieres sufrir?

Al día siguiente mi madre lloraba sobre mi cama cuando estaba amaneciendo. Me levanté y me encerré en el baño, respirando agitadamente con los dientes apretados y dando un sonoro portazo.

Pero quizá tuviese razón en no confiar en mí. Tal vez yo era débil del mismo modo en que ella lo había sido, una especie de debilidad heredada. No estaba segura. Había estado a punto de sucumbir ante Carlos aquella tarde debajo del sauce en Hollenbeck Park, no podía engañarme con respecto a eso. Incluso ante Falix también, sobre el suelo sucio de la habitación amueblada de Fanny. ¿Qué podría impedirme que cometiese los mismos errores que ella había cometido? Me había sentido tentada incluso por la proposición de la estrella del cine mudo en aquel lugar con las paredes forradas de espejos y un edredón de piel. Mi madre jamás se lo perdonaría si acababa como ella. Sería su tragedia final.

Ella estaba al otro lado de la puerta del baño y podía oír sus sollozos.

—¡Deja de hablar de eso de una buena vez! —grité. Me senté en el borde de la fría bañera blanca y no salí hasta que no oí sus pasos cuando se marchaba. Entonces volví a mi habitación y cerré la puerta.

Pero me prometí a mí misma que nunca volvería a perturbarla de aquella manera. Dejaría de trabajar como modelo. Pero, si dejaba de hacerlo, ¿de dónde sacaría el dinero para la cirugía plástica que le daría a mi nariz el estilo Hollywood? Y si no podía hacerme esa operación de nariz, también tendría que abandonar el sueño por el que había vivido durante tanto tiempo, el sueño que había sembrado en mí cuando yo tenía siete años.

En realidad, ahora ella me había dado permiso tácitamente para que me olvidase de ese sueño.

—Lilly, te lo ruego, sé una buena chica —me dijo unos días más tarde, parada detrás de mí mientras me cepillaba los dientes.

—De acuerdo, ¿qué es una buena chica? —pregunté a su implorante reflejo en el espejo, con mi boca llena de pasta de dientes sonriendo irónicamente.

—Debes ser buena en el instituto, como solías serlo.

Seguro, brillante. Había suspendido prácticamente todas las asignaturas que había cursado en el semestre de primavera.

—Si eres buena en los estudios, puedes llegar a ser alguien. Tal vez una secretaria. Una contable. No tendrás que trabajar toda la vida en una tienda como yo.

¡Una secretaria! ¡Una contable! De modo que ahora eran esos sus miserables sueños para mí, no mucho mejores de lo que Fanny pensaba que yo podía hacer. Mi madre había perdido la esperanza en mí, en el sueño que habíamos tenido juntas. Escupí la pasta de dientes en el lavabo. Fue sólo cuando cerré con violencia la puerta y comencé a pasear de un lado a otro de la habitación cuando tuve una revelación asombrosa: para mi madre, una secretaria o una contable era un trabajo de alta categoría.

—Esa *Americanerin* —solía decirme refiriéndose a la mujer que llevaba la contabilidad en la tienda de Schneiderman— gana mucho dinero, y se viste con tanta elegancia que es tan presuntuosa como la esposa del dueño. —O hablando de la señora Frank, que había trabajado como secretaria en la compañía de seguros Allstate antes de casarse con un vendedor, mi madre había afirmado—: ¡Es tan educada! Acabó el instituto y consiguió un buen empleo en una oficina.

Para ella, probablemente, era todo lo mismo —actriz, secretaria, contable—, cualquier trabajo que no te obligase a estar prisionera dentro de una tienda, como ella había estado, era un buen empleo, un gran empleo. Ella me había dicho que fuese actriz cuando era pequeña porque era demasiado joven para ser secretaria o contable, y el de actriz era un buen trabajo que incluso una niña podía conseguir. Antes, simplemente, no había comprendido el elemental concepto de trabajo que tenía mi madre.

Pero era demasiado tarde. El hecho de que ahora lo entendiese no podía liberarme del anhelo por la manzana dorada que había sido la obsesión de mi vida. No podía conformarme con «un trabajo agradable en una oficina» porque conocía la diferencia, aunque mi madre fuese incapaz de verla.

De modo que examinaba mi nariz en el espejo siempre que podía. Si no disponía de un espejo de tres caras o de un espejo de mano para sostenerlo delante de uno de cuerpo entero, inclinaba la cabeza hacia la derecha, hacia la izquierda, desviando los ojos en el sentido opuesto para poder echar un vistazo a mi perfil. Mi nariz no se estaba volviendo más pequeña. Me apretaba el puente con fuerza, levantaba la punta bulbosa hasta convertirla en una pista de esquí, pero siempre recuperaba su forma grotesca. Allí, ante el espejo, estaba Pinocho, Jimmy Durante. Estaban W.C. Fields y Cyrano de Bergerac.

—Una nariz romana —pensé, recordando un chiste estúpido que había oído en Geller acerca de otra pobre chica—. Vagando por toda la cara.* —Tenía que hacerme ese trabajo en la nariz.

---

* El chiste juega con los sonidos fonéticos similares de *Rome* y *roam*, 'vagar, vagabundear', y que resultan intraducibles. *(N. del T.)*

¿Cuánto había conseguido ahorrar en todos esos meses de trabajo como modelo? Guardaba el botín en un viejo calcetín negro en el fondo de mi armario, detrás de un montón de zapatos. Ahora saqué los billetes arrugados y los conté, seis de veinte, doce de diez, siete de cinco. Había despilfarrado tanto que ahora no me alcanzaba para pagar la cirugía plástica, que E. J. Smith había dicho que me costaría quinientos dólares. Si no volvía a trabajar con Andy tardaría años en ganar la diferencia como vendedora o archivadora a 1,25 dólares la hora, en caso de que pudiese conseguir uno de esos trabajos sin tener ninguna experiencia.

—¿Por qué no puedes conocer a un buen chico judío en el instituto y comenzar a salir con él? —no dejaba de fastidiarme mi tía, y me reía para mis adentros, pensando en los disfraces patéticos que llevaba a clase—. Los dieciséis abriles es una edad suficiente para encontrar un buen chico —dijo ahora cuando íbamos a buscar algunos números atrasados del *Forward* para mi madre—. Si esperas demasiado tiempo no podrás tener hijos. Como yo.

Se suponía que mi primer hijo debería llamarse Avrom, como su padre. Y una hija llevaría el nombre de Sarah, como su madre. Lo había oído un millón de veces.

Estaba parada sobre un solo pie, preparada para largarme de allí y lejos de sus reproches.

—Será mejor que me vaya. Tengo ensayo.

—¿Por qué tienes que ir a esos ensayos y volver sola por la noche? Es *mishugas*, una locura. La hija de la señora Pinsky, que vive en la planta baja, sólo tiene diecisiete años, ya está comprometida y luce un hermoso anillo.

—Bueno, tal vez pueda encontrar un buen chico y comprometerme y tener un hermoso anillo como la hija de la señora Pinski-que-vive-en-la-planta-baja si yo no fuese tan fea —refunfuñé.

—¿Fea? ¿De qué estás hablando? Eres tan *shayn gevacksen*, tan hermosamente desarrollada. —Mi tía me defendía de mí misma—. Pero parece que estás triste todo el tiempo. Sonríe y les gustarás a los chicos.

«Sonríe y les gustarás a los chicos.» Mi tía no tenía ni la menor idea de quién era yo porque no sabía nada acerca de mi vida: el baile de los pollos, Falix, las fotografías de desnudos, mi dolorosa ambición. ¿Y qué diablos sabía de lo que les gustaba a los chicos, si no había podido encontrar un esposo hasta después de los cuarenta?

—Tengo una nariz horrible —dije—. Todas las chicas del instituto Fairfax con narices como la mía se las cortaron el año pasado.

—¿Qué quieres decir? ¿Cortarlas como un corte de pelo?

—En cierto modo. Cirugía plástica. —Me senté en el sofá y ella se sentó a mi lado. Me di cuenta de que estaba interesada y, si ésta era mi oportunidad, debía aprovecharla—. Un médico puede hacer que tu nariz parezca pequeña, como la de una *shiksa*.

—¿No es peligroso?

Rae se inclinó hacia adelante para escuchar. De modo que yo tenía razón, hasta mi tía pensaba que mi nariz era fea.

—Las chicas que se lo hicieron regresaron al instituto en diez días.

—¡Entonces hazlo! —dijo mi tía, siempre práctica.

Yo había heredado ese rasgo.

—Se necesita un montón de dinero. Tal vez doscientos cincuenta, trescientos dólares, pero las chicas del instituto me hablaron de un médico muy bueno. Y cambiaría mucho mi aspecto —dije—. Tal vez con una nariz diferente podría encontrar un buen chico.

Podía oír al señor Bergman, que buscaba algo en los cajones de la cocina. Mi tía se levantó —para ayudarle, pensé— pero se quedó junto a la ventana con los brazos cruzados.

—Yo no hice nada bueno por ti cuando eras pequeña —suspiró—. Quise hacer las cosas bien y nada dio resultado.

Me acerqué y la abracé. Permanecimos así, sin hablar, sólo mirando a través de la ventana a nada especial, la pared estucada del horrible edificio de apartamentos contiguo. Ahora, con los tacones, era casi una cabeza más alta que My Rae. Le besé el pelo.

Olía a sopa de *matzoh* y a todos los buenos guisos que acostumbraba a cocinar para mí.

—Tendría que haberte llevado a vivir conmigo cuando me casé con el señor Bergman. Tal vez si hubieras tenido un buen hogar cuando eras pequeña ahora no tendrías ese aspecto tan triste, pero esa Mary siempre fue una gata egoísta. No me dejaba hacer nada. ¡Una gata mala y egoísta! —siseó Rae con toda su vieja furia.

Su infelicidad mutua, sus andanadas... nada de eso había cambiado a lo largo de los años. Sin embargo, a pesar de la virulencia de sus palabras, eran hermanas, dos ramas en un árbol desnudo. Ellas jamás hablaban de la raíz compartida que había sido volada en pedazos, pero no podían olvidarla y eso las unía, a pesar de los insultos y el lanzamiento de zapatos y las amargas recriminaciones. Aunque ahora ambas estaban casadas, los hombres habían llegado demasiado tarde como para que importase; aun cuando Albert y el señor Bergman hubiesen sido diferentes, no habrían podido hacer mucho. Las personas importantes en sus vidas eran cada una de ellas y yo.

—Esa gata egoísta de Mary no me dejaba hacer lo que quería para ti, pero para mí erais siempre primero, Dios y luego tú. ¿Por qué si no sigo trabajando todavía si no es para ayudar? Mañana iré al banco. Apuesto a que la hija de la señora Pinsky con su pequeña nariz también se la hizo arreglar.

Eso era lo que las chicas norteamericanas hacían en estos días para conseguir novio, debió imaginar mi tía.

La nariz que me dio el cirujano plástico no era la nariz de Marlene Dietrich que esperaba, pero tampoco era la gran carga convexa que había estado llevando durante tanto tiempo. Llamé a la antigua agencia de E. J. Smith para concertar una entrevista tan pronto como bajase la hinchazón y pudiera hacerme una nueva fotografía publicitaria.

Había esperado secretarias y una serie de oficinas, pero Mel Kaufman estaba solo detrás de un gran escritorio de metal. Era un hombre feo, grueso, con cicatrices de viruela y los dientes separados, rodeado por una pared de bellezas enmarcadas en blanco y negro. Cuando le dije por teléfono que E. J. me había dado su número, se mostró muy amable y me dijo «pásate por aquí cuando estés en el vecindario», pero cuando atravesé la puerta, se mostró muy brusco.

—¿Qué puedo hacer por ti? —preguntó.

Había llevado varios monólogos para leer y la fotografía por la que acababa de pagarle treinta dólares a un estudio de Hollywood.

Le entregué la foto y, mientras él la examinaba, miré las que cubrían la pared. Descubrí con desesperación que la mía no se parecía en nada a ellas. ¿Cómo había podido engañarme a mí misma de ese modo? Todas las mujeres tenían pelo rubio y piel clara y aspecto despreocupado, con sonrisas grandes y abiertas. Chicas típicamente norteamericanas, las chicas de la puerta de al lado, las queridas de Sigma Chi. Yo, de aspecto semítico, morena, con expresión triste, con mucho que ocultar, era diametralmente opuesta a ellas. Naturalmente, muchos actores de Hollywood parecían semíticos como yo, y por lo que podía deducir, los productores, directores y agentes eran en su mayoría judíos. La mayor parte de ellos procedían de familias inmigrantes como yo. Pero las fotografías que tapizaban la pared de la oficina de Mel Kaufman me mostraban lo que debería haber sabido. Si eras mujer y esperabas actuar, tenías que tener el aspecto de una *shiksa* alegre y despreocupada, a menos que fueses lo bastante mayor como para hacer el papel de Molly Goldberg.

—¿Una *lantsman*, eh? —dijo Mel Kaufman, mirando otra vez la fotografía y luego a mí. Él lo supo al instante, por supuesto que sí. Le había dicho que me llamaba Lil Foster. Había recurrido al dinero duramente ganado por mi tía y a todo el que me quedaba, y aun así no pude pasar desapercibida.

Ignoré su pregunta como si no la hubiese entendido. Tal vez si podía conseguir que me observara actuar, Mel Kaufman vería el talento que tenía, aunque no tuviese el aspecto de todas esas mujeres que estaban en su pared.

—E. J. Smith pensó que tal vez me permitiese que leyera para usted —comencé con mi voz de mujer segura de sí misma—. Hice el papel de protagonista en *Night Must Fall* en el Teatro Geller y la obra batió todos los récords de público en los últimos cinco años.

—E. J., ese viejo *pisher*, he oído que ahora dirige un establo. ¿Es cierto?

¿Un establo?

—Ni siquiera sabía que montase —dije espontáneamente.

Kaufman echó la cabeza hacia atrás y se echó a reír a carcajadas como si yo hubiera dicho algo divertido.

—Eres una chica divertida, ¿lo sabes? Mira, estaba a punto de salir a almorzar. Ven conmigo y come algo.

No esperó una respuesta y me acompañó fuera de la oficina cogiéndome por el codo.

—¿Entonces tú eres un poni o qué? —preguntó, saliendo a toda pastilla del aparcamiento en su MG rojo, girando bruscamente a la derecha sobre dos ruedas y enfilando una calle estrecha como si estuviésemos huyendo de la escena de un crimen.

—¿Un poni? —Me eché a reír. ¿De qué diablos estaba hablando?—. No, a menos que me hayan salido otras dos piernas.

—Veamos —dijo, apretándome la rodilla—. No, a mí me parece la pierna de una *maydeleh*. —No apartó los dedos. ¿Qué se suponía que debía hacer? Si era realmente un agente poderoso, como había dicho E. J., quería caerle bien. ¿De qué otro modo podía conseguir un agente? Pero no podía permitir que dejase la mano sobre mi rodilla. La levanté, una garra pesada y húmeda, con una sonrisa en los labios.

—Vamos, vamos —dije en lo que esperaba que fuese un encantador deje de *shiksa*—, nos acabamos de conocer.

En Googie's, un restaurante de Sunset Strip, Mel Kaufman le pidió a la camarera una mesa justo en el centro del salón. No dejaba de mover la cabeza y saludar con la mano a gente que le devolvía el saludo con un gesto de asentimiento o agitando las manos: hombres que llevaban grandes anillos de diamante en los meñiques, mujeres altas y delgadas con pieles inmaculadas y largas pestañas cubiertas de rímel.

—¿Ves a esa chica? Sexy, ¿eh? Es Mara Corday. Le conseguí un papel en *The Quiet Gun*. ¿Reconoces a ese tío de *Mister*

Roberts? Es William Henry, uno de mis chicos. —Yo movía la cabeza junto a la de Mel Kaufman—. ¿Te gustaría leer en los estudios Paramount la semana que viene? —me preguntó entre gigantescos mordiscos a su bocadillo de atún.

Dejé mi bocadillo de jamón y queso en el plato y traté de tragar el trozo que tenía en la boca. De modo que había conseguido impresionarle. Aunque todavía no había oído siquiera mis monólogos, sí había visto algo en mí que le hizo pensar que podía presentarme a una audición en los estudios Paramount. ¿Acaso iba a suceder, finalmente, después de toda una vida de esperar y soñar?

—Eso me gustaría mucho —contesté, sorprendiéndome a mí misma ante la suavidad de mi voz, aunque estaba preparada para caminar por el techo.

Cuando regresábamos en el coche a la oficina de Mel (que conducía tan alocadamente como en el viaje de ida a Googie's) me enteré de que había concertado una audición con Tom Saulus.

—Te he conseguido otra lectora —dijo, presentándome a un tío joven y fuerte con el perfil recto y grandes dientes blancos que estaba repanchingado en el sillón de Mel, con los pies calzados en zapatillas negras y apoyados en el escritorio de metal, leyendo la sección de deportes del *Herald*.

—¿Cómo estás?

Tom miró por encima del borde del periódico y me saludó con un leve movimiento de su mano carnosa.

—Si al estudio le gusta la escena, Tom conseguirá una prueba para la pantalla —explicó Mel, alcanzándome unas páginas de *Waiting for Lefty*, de Odet, una obra que ya conocía porque la había leído en la última fila durante mis clases de álgebra.

—¿Para cuándo debo tenerla memorizada? —les pregunté, dispuesta a quedarme toda la noche despierta si era necesario.

Tom dejó que su agente se encargase de los detalles. Él había vuelto a concentrarse en los resultados del béisbol.

—Limítate a leer. No tienes que memorizar nada —contestó Mel, como si yo hubiese formulado una pregunta estúpida.

Yo era Florence en la escena de tres minutos que ensayamos al día siguiente. Tenía cinco líneas: «Sé que no eres tú, lo sé»;

«lo sé»; «tengo un nudo en la garganta, querido»; «el parque era bonito»; «sí, iré contigo». El resto del texto correspondía a Tom, que mantenía su mirada a media distancia mientras le iba dando la letra. Su interpretación era inexpresiva y movía las manos como si fuese un robot y, sin embargo, había conseguido una audición con la Paramount. ¿Por qué? Yo era la Bernhardt comparado con él, pero Mel intentaba que ésta fuese la audición de Tom, no la mía. ¡Era una injusticia!

Mientras esperaba el autobús en la parada que había delante de la oficina de Mel decidí que, tan pronto como llegase a casa, le llamaría para decirle que buscase a otra persona para que leyera la obra con Tom. Pero antes de llegar a Stanley Avenue cambié de idea; después de todo, ¿qué tenía que perder? Tendría la oportunidad de pisar el mismo suelo donde Gloria Swanson y Barbara Stanwyck y Shirley Booth habían posado sus gloriosos pies... ¿y quién sabe lo que podía ocurrir?

—Quién sabe —dijo Mel a la semana siguiente mientras nos dirigíamos hacia los estudios en su coche—, puede que captes su atención. No importa si sólo tienes unas líneas de diálogo, podría gustarles lo que ven. Cosas más extrañas han sucedido.

Recordé la leyenda de Lana Turner de mi infancia. Lo daría todo.

—¿Han dicho algo? —me atreví a preguntarle a Mel cuando salíamos a toda velocidad del aparcamiento de la Paramount. Me aferré al asiento con las uñas. Uno de estos días ese tío iba a matar a alguien.

—Llamarán. Tom hizo un gran trabajo —dijo—. Bien, ¿qué te han parecido los estudios Paramount? —Esta vez su mano se posó en mi regazo y sus dedos jugaron entre mis piernas. La garra parecía una piedra cuando la cogí—. Eh, eh, ten cuidado, ¿quieres que tengamos un accidente? —dijo, echándose a reír, acelerando y dirigiéndose luego hacia una calle lateral. Detuvo el MG delante de una casa con las persianas bajas y apagó el motor.

—¿Qué está haciendo? —pregunté. Antes de que pudiese darme cuenta de lo que estaba pasando, Mel se bajó la cremallera y sacó su miembro. Giré la cabeza hacia otro lado, pero ya lo había visto: una barra de carne enorme y oscura—. Por favor, lléveme a casa —dije, haciendo un esfuerzo por mantener la voz serena. En la calle no había ningún movimiento, no había coches, ninguna persona a la vista en las aceras bordeadas de árboles o en los patios delanteros protegidos por vallas de estacas.

—No te preocupes, sólo dame la mano —dijo con voz ronca.

Luché para mantener la mano apartada de él, convirtiéndola en un puño, mientras él trataba de obligarme a que tocara aquella cosa, que la cogiera. Un monstruo torcido. Un arma mortal. En todas mis luchas —con Chuck, con Jake Mann, con Falix Lieber— nunca había visto uno.

Conseguí rescatar mi puño, manteniéndolo cerrado como los de un peleador callejero.

—¡Maldita sea, lléveme a mi casa!

—Eh, eh, ¿hasta dónde crees que puedes llegar en Hollywood? —Me miró con una expresión sincera, como si me estuviese ofreciendo un consejo razonable, pero sus mejillas redondas estaban moteadas de rojo—. De acuerdo, quédate sentada ahí —dijo cuando le lancé una mirada furiosa.

Apreté el cuerpo contra la puerta. Podía abrirla y salir y echar a correr. Pero entonces tendría que admitir que todo había acabado, todos mis sueños de Hollywood. Y ni siquiera sabía hacia dónde debía correr. Sólo tenía veinte céntimos en el bolsillo y eso no me llegaba para un billete de autobús que me llevase a casa desde este lejano vecindario cuyo nombre ni siquiera conocía. Volví la cabeza hacia la calle. Podía oír su mano, que se movía velozmente arriba y abajo por el horrible poste. Me obligué a mirar hacia delante, pero podía ver el movimiento periféricamente. Me volví hacia él, dispuesta a rogarle que parase, intentando mirarle sólo a la cara, pero aun así podía verle completamente, ver cómo sacaba un pañuelo blanco y almidonado del bolsillo exterior de la chaqueta, cubría la mano que se movía, cerraba los ojos. Luego se estremeció y dejó escapar un profundo suspiro.

—Muy bien, larguémonos de aquí —dijo segundos más tarde con buen humor, dejando el pañuelo arrugado sobre el asiento, manipulando la cremallera del pantalón; los neumáticos chirriaron cuando apartó el coche velozmente del bordillo. Cuando se detuvo delante del edificio donde estaba su oficina me miró fijamente, y sus labios se abrieron en una amplia sonrisa de dientes separados—. Supongo que no conoces el juego, ¿verdad? —dijo.

—¡Váyase a la mierda, cabrón! —le grité después de haber bajado del coche—. ¡Espero que se le caiga a pedazos!

Estuve a punto de darme de bruces con una mujer mayor, de pelo azulado, que llevaba una caja de sombreros I. Magnin. Había oído lo que acababa de decir y me miró horrorizada mientras se alejaba rápidamente.

* * *

Tal vez tengo veintiséis años. No dieciséis. (¿Soy yo o es esa criatura patética, de pelo oscuro, que he visto un par de veces vagando por los alrededores de Hollywood Boulevard, con aspecto de haber recibido un golpe en la cabeza?) Llevo círculos rojos de colorete en las mejillas y círculos negros de rímel en torno a los ojos. Mis medias de nailon tienen enormes carreras que van desde los zapatos hasta las rodillas y más arriba; las ligas que las sujetaban desde hacía tres días no impiden que se aflojen. Mi falda manchada está levantada prácticamente hasta mi *pupik*, como solía decir mi tía, mi ombligo. Cruzo la calle y un camión se desvía bruscamente y hace sonar la bocina, pero estoy abstraída. He caminado arriba y abajo y alrededor durante horas, durante días. Estoy en venta y nadie me comprará. El furioso conductor da la vuelta con su camión y se lanza a toda velocidad hacia mí, pero aparece mi madre y, sin esperar un segundo, se arroja debajo de las ruedas.

8

THE OPEN DOOR

La manzana de oro jamás sería mía. Nunca llegaría junto a los temibles guardianes de la puerta porque nunca sería la chica capaz de encantarles como Doris Day, o volverles locos de deseo como Marilyn Monroe. ¿Cómo pude haber creído que la Lilly de la habitación amueblada de Fanny podía conseguir la manzana dorada? A las chicas como yo las usaban para otra cosa en Hollywood. Y ahora no tenía idea de qué hacer con el resto de mi vida.

Entonces nos mudamos otra vez porque Albert tuvo una pelea con la señora Ostroff, la casera. Ella le dijo que era un puerco cuando él se negó a meter la basura en una bolsa antes de lanzarla en el contenedor común. Albert blandió el puño al tiempo que le gritaba:

—¡Váyase a la mierda!

—Conseguiré una orden de desahucio —le respondió ella, también gritando.

Albert encontró una pequeña casa con patio en Fountain Avenue, a pocas manzanas de Hollywood Boulevard.

—Es más barata también —le dijo a mi madre—. Ojalá que a esa mujer le crezca una cebolla en la nariz.

Seguí asistiendo a las clases en el Geller porque no tenía ningún otro lugar adonde ir ese verano, y si me quedaba en casa mi madre me volvía loca. Todo lo que hacía era un misterio inquietante para ella.

—Al teléfono hay una mujer con una voz rara que pregunta por ti. —Estaba parada en la puerta de mi habitación con expresión irritada una tarde, poco después de mi fiasco con Mel Kaufman—. Choo Choo Sand.

—No conozco a nadie con ese nombre. ¿Qué clase de voz rara?

—No lo sé. Con acento. ¿A quién conoces que tenga acento?

¿Alguna estúpida bromista del instituto? No necesitaba esto ahora. Fui a la sala de estar y cogí el auricular.

—Hola, ¿quién es?

—La reina de la noche. —Ese falsetto melodramático me resultaba familiar—. Y bien, ¿tu nombre ya está en las marquesinas o la señorita Mary tenía razón? —añadió, bajando dos octavas el tono de voz—. Enterremos la aguja de tejer, Glenda. Quiero verte.

Eddy. Hacía un año que no sabía nada de él, desde que se había sentido ofendido por lo de Irene y se había reído de mí cuando le propuse ir al Geller. ¿Por qué había regresado a mi vida?

Eddy pasó a recogerme acompañado de un tío joven al que presentó como «Zack, mi novio», y cuando aparcamos en Western Avenue me dijo que íbamos a un lugar nuevo del que le habían hablado hacía poco, el Hearts and Spades.

—Es un lugar donde a los tíos les gustan otros tíos —dijo echándose a reír.

Yo había oído palabras como maricón y afeminado porque la gente las usaba en el Geller. Sabía que Eddy era así, aunque nunca le había llamado de ninguna manera parecida, y ahora también me daba cuenta de que eran amantes por la forma en que Eddy mantenía la mano apoyada sobre el musculoso muslo de Zack mientras conducía. Durante un breve instante me resultó una idea extraña, pero pronto hizo que me sintiese cómoda en cierto modo, aunque no habría podido decir cómo o por qué. Tal vez fuese porque yo sabía que la mano de Eddy sobre el muslo de Zack significaba sexo, aunque no provocaban en mí esas perturbadoras imágenes que, a veces, trepaban por mi cerebro como hombres del saco que se colaban por mi ventana: la Estrella del Cine Mudo en aquella habitación llena de espejos, Mel en su coche aparcado.

El Hearts and Spades estaba oscuro y desagradablemente húmedo y los vahos del alcohol se podían oler antes incluso de que empujásemos la pesada puerta del local. Estaba en Sunset Boulevard, pero bastante al este de Vine, en un vecindario que nunca había gozado de encanto a pesar de su proximidad con los lugares de moda. Eddy me dijo que le llamase Herman Hermine porque eso era lo que podía leerse en su identificación falsa, y me pasó rápidamente un arrugado certificado de nacimiento a nombre de «Arlene Knopfelmacher, nacida en 1934». Debía mostrárselo a la camarera si me preguntaba la edad, porque en California no podías beber alcohol hasta los veintiún años. Mientras bebía el Brandy Alexander que Eddy había pedido para mí me sentí como una facinerosa, y era divertido, como mi actuación de la agente doble, la chica en el instituto y la mujer en el Geller.

El novio de Eddy también era divertido. Parecía un chico duro, con barba completa, botas de trabajo acordonadas, Levi's ajustados y un tatuaje de un barco de guerra, aunque articulaba las palabras con precisión y sus ojos eran marrón claro. Estaba disfrazado, lo supe al instante, y por supuesto, entendía perfectamente la idea del disfraz. Me gustaba Zack y también me gustaba la gente que nos rodeaba en el Hearts and Spades. La mayoría eran hombres, pero en este lugar no me sentía como un conejo en medio de una jauría de coyotes. Cuando apenas llevábamos unos minutos en el local, uno de ellos se acercó a nuestra mesa y me dijo:

—¿Puedo decirte que tienes unos ojos preciosos? —Pero sabía que no estaba tratando de seducirme—. Hola, Charlie —saludó un momento después, agitando la mano a su amigo que acababa de entrar.

Zack no tardó en achisparse con la bebida y, aunque yo sólo había bebido un Brandy Alexander, los dos nos repanchingamos enlazándonos con los brazos, riéndonos a carcajadas con las historias que nos contaba del año que había pasado embarcado en un barco de la Armada. «Zack, la Bella del Pacífico», llamó Eddy a su novio, y todos brindamos por la Armada. Me lo estaba pasando en grande. No era capaz de recordar cuándo me había divertido tanto.

—Escuchad, conozco un bar donde van las chicas lesbianas —dijo Zack después de otro brindis patriótico.

—Ella es heterosexual, cariño. —Vi que Eddy le golpeaba suavemente en las costillas—. ¿No es así? —Me guiñó un ojo.

Chicas lesbianas. Las había visto una vez en Venice Beach, adonde había ido con la pandilla del Geller. Simone y Stan habían querido ir a almorzar a un pequeño restaurante mexicano en el paseo marítimo.

—Ése es un bar de lesbianas —había dicho Stan cuando pasamos delante de un lugar que tenía un gran letrero en el techo: LUCKY'S—. Ya sabes, son maricas —había añadido cuando ambas le miramos desconcertadas. En la puerta había un hombre bronceado en bermudas que llamaba a un perro de lanas negro: «Ven con papaíto».

—Oh, Deb, tiene que ir a hacer sus necesidades —había dicho una mujer joven, y volví a mirar y vi que «papaíto» también era una mujer. Maricas. Me aferré al brazo de Stan cuando pasamos delante de ellas.

Eddy condujo a través de vecindarios que presentaban un aspecto cada vez peor: aceras cubiertas de periódicos, ventanas de tiendas entabladas, automóviles abandonados y quemados. Cuando nos acercábamos a la esquina de la Octava con Vermont, una mujer mayor, con un sombrero rojo que se sostenía ladeado en su cabeza, se lanzó a cruzar la calle y no la atropellamos de milagro. Eddy aparcó delante de un lugar con un cartel en letras verdes: THE OPEN DOOR.

—Señorita Thang, ¿estás lista? —preguntó, como si presintiese algo fabuloso, y luego me condujo dentro del local con el brazo ligeramente apoyado en mi cintura, como si fuésemos dos buenas amigas. Zack nos siguió tambaleándose.

—Creo que somos los únicos tíos aquí, por decirlo de alguna manera —farfulló Zack después de echar un vistazo al local—, excepto él. —Hizo un gesto con la cabeza hacia un hombre con gafas que estaba acodado en la larga barra y que se tocaba nerviosamente el cuello blanco y almidonado de la camisa. Eddy me susurró algo al oído.

—¿Qué? —grité por encima del ruido de las voces y de la gramola.

—Reinona —me gritó él a su vez.

—¿Qué? —volví a gritar, aún incapaz de entender sus palabras, pero Eddy se había vuelto hacia el tío que atendía la barra para pedirle tres cervezas.

Miré a mi alrededor. ¿De qué estaba hablando Zack? Parecía haber un montón de hombres, o al menos de muchachos, en el salón débilmente iluminado y lleno de humo. La mayoría estaban vestidos casi al estilo *pachuco*, con pantalones de dril y camisas de manga larga abiertas en el cuello, un trozo de camiseta blanca asomando por debajo, el pelo aplastado hacia atrás con gomina.

Entonces me cogí del brazo de Zack como lo había hecho con Stan en Venice Beach.

—Eh... ¿Qué te ocurre? —Zack se echó a reír—. ¿Estás bien?

Había estado observando a quien mi ojo había seleccionado como el chico más guapo, con rizos oscuros que caían sobre su frente marfileña y ojos dorados de gato con pestañas negras, y me guiñó un ojo al ver que lo miraba. La forma en que estaba parado era una pose —una pierna de pantalón brillante adelantada, la palma de la mano derecha cubriendo un cigarrillo que se llevaba de vez en cuando a los labios, los dedos de su mano izquierda sosteniendo una botella de cerveza por el cuello—, una pose de chico duro calculada para imitar a James Dean, pensé, o a Elvis Presley. En la gramola sonaba a todo volumen *I Want You, I Need You, I Love You,* de Presley. Y entonces el chico se transformó en una chica como por arte de magia, que fue cuando me aferré al brazo de Zack. Pero ahora lo solté.

—Sí, estoy bien —contesté.

De pronto me sentía más que bien. Ahora podía ver que eran todas chicas. Muchas de las más femeninas llevaban pantalones capri y tacones altos, el uniforme que Simone me había enseñado a llevar y que significaba ser sexy. Aquí no estaba fuera de lugar. Algunas de ellas estaban junto a las que tenían aspecto de chicos en la concurrida barra, con los brazos enlazando los cuerpos. Algunas parejas estaban sentadas a las mesas con las manos cogidas. Dos de ellas se miraban a los ojos como si estuviesen solas en el mundo. La chica —la más femenina de las dos— tenía el rostro profusamente maquillado y un peinado de elaborados rizos y remolinos color castaño rojizo, y la otra levantó la mano y la apoyó tiernamente en la mejilla de su amiga. Se besaron, allí mismo, en el bar atestado de gente, y las miré. Me gustó. Me encantó.

—Estás rara, señorita Chicklet. ¿Quieres que nos vayamos? —Eddy tiró del cuello de mi blusa.

—¡No quiero irme nunca! Aquí es donde quiero estar. —Me eché a reír y los ojos se me llenaron de lágrimas, que corrieron por mis mejillas. ¿Era la agitación que había sufrido en los últimos meses la que me provocaba ese estado emocional, allí en el atestado salón del Open Door? No lo sé. Pero me sentía del mismo modo que cuando había visto por primera vez a Irene colgando el cuadro de las bailarinas y ella se había vuelto para mirarme con sus increíbles ojos violeta. Aunque aquella noche en el Open Door no había nadie que me trastornara como ella lo había hecho, me sentía transportada. Era como si estuviese mirando a través de un prisma brillante que reflejase todas las partes de mi vida con absoluta claridad y las uniese, prodigiosamente, en un todo inteligible.

—Imitadora. Sólo porque te dije que era homosexual, tú también quieres serlo. —Las palabras de Eddy eran broma, pero yo me daba cuenta de que no era feliz conmigo—. Ni siquiera sabes de qué va todo esto —me dijo más tarde cuando me llevaba a casa.

—Bueno, voy a averiguarlo —contesté.

—Él sólo intenta protegerte —dijo Zack desde el asiento trasero, donde estaba acostado—. Es una vida dura... muy dura —dijo entre hipos.

Durante todo el día estuve reviviendo en mi cabeza las imágenes de la noche anterior. Los ojos de gata de la chica de piel muy blanca vestida de chico que me había guiñado el ojo, la que había acariciado la mejilla de su amiga, la voz de Elvis Presley en la gramola, *Hold me close, hold me tight*, ésa era la canción que tocaban una y otra vez. «Aquí es donde quiero estar», le había dicho a Eddy. Y ahora no podía pensar en nada más, ni siquiera en mi decisión de no volver a perturbar a mi preocupada madre nunca más.

—Un ensayo importante —le grité mientras salía por la puerta a las ocho de la tarde el día siguiente.

The Open Door. Me encantaba incluso el nombre. Abrí la puerta y todas las miradas parecieron volverse hacia mí, pero sólo por un instante, y luego fui atraída hacia Presley y los vahos de cerveza y la penumbra del salón.

—Hola otra vez.

El hombre de gafas con la camisa blanca y almidonada, al que Eddy había llamado «reinona», me sonrió como si fuese una amiga suya.

—Hola.

Me alejé rápidamente y me senté en un taburete en el otro extremo de la barra. No había venido al Open Door para conocer a un hombre.

—¿Qué tomarás? —me preguntó el tío que atendía la barra cuando reparó en mí, y recordé lo que Eddy había pedido la noche anterior.

—Una botella de cerveza Eastside —le dije.

De pronto todo me pareció peligroso, ese hombre extraño, todas esas mujeres raras. ¿Y si me detenían y me metían en la cárcel o en un reformatorio por estar en un bar? Pero ya había pedido una cerveza. Me marcharía en cuanto la hubiese acabado.

Me quedé sentada junto a la barra un largo rato, bebiendo pequeños sorbos de cerveza, tan sola como si hubiera estado en mi habitación. La chica de los ojos dorados estaba allí otra vez, pero acompañada de una hermosa chica negra de piel clara. Estaban sentadas a una mesa, muy juntas, y en ningún momento miraron hacia donde estaba. Pero tenía que quedarme allí. Quería una amante y no sabía en qué otro lugar podía encontrarla. Mi amante jamás podría ser un hombre. Los hombres se habían convertido en seres a los que no podía amar. Encendía cada nuevo cigarrillo con la colilla del anterior, lanzando grandes bocanadas de humo a la ya densa atmósfera del local. Me quedé sentada hasta que el taburete me hizo daño. Nunca tendría el coraje de comenzar una conversación con alguien. Ahora observé a dos chicas junto a la gramola que estaban demasiado ocupadas como para reparar en mí. La chica del pelo oscuro metió una moneda y comenzó a apretar los números con un dedo furioso. Llevaba grandes pendientes de diamantes de imitación y su blusa de satén brillante caía sobre los hombros exhibiendo sus pechos altos y cremosos. Junto a la barbilla tenía un lunar que parecía que lo hubieran colocado allí con un lápiz para cejas y se movía cuando fruncía los labios. Entonces una lágrima resbaló por su mejilla y cayó sobre la blusa dejando una mancha húmeda.

—No quiero que te levantes y te marches —le dijo bruscamente la mujer que estaba junto a ella. Pude oír sus palabras claramente a través del ruido. Ésta era rubia. En la oreja izquierda llevaba un único pendiente, pequeño y en forma de argolla, y tenía puesta una americana de pana de hombre que le quedaba demasiado grande. Hablaba por un costado de la boca, como un gángster, aunque tenía un rostro de rasgos aristocráticos: pómulos altos, nariz fina, una hendidura en la pronunciada barbilla. Fuera de la pantalla, jamás había visto a nadie que se contoneara y mirase de soslayo como lo hacía ella. ¿Lo hacía en serio o sólo estaba actuando como James Cagney?

—Se acabó, Jan. No pienso seguir soportando tu mierda nunca más —dijo la chica de tacones altos con un sollozo. Se colgó del hombro el bolso de charol con un gesto amplio y airado y se dirigió hacia la puerta.

—Jodida zorra —siseó Jan—. ¿No lo sabes? —preguntó en voz alta, y me di cuenta de que estaba hablando conmigo. Me había sorprendido cuando las miraba—. ¡Esa tía es una puta de primera clase! —Luego se acercó a mí y pude oler el alcohol en su aliento—. Eh, eres una chica muy mona, ¿lo sabías? ¿Cómo te llamas? —Jan levantó los labios dibujando una sonrisa de chico borracho. Nunca había visto unos dientes tan blancos y parejos.

—Gigi —dije.

—Gigi. Me gusta. Yo soy Jan, la lesbiana más caliente de la ciudad. Puedes preguntarle a cualquiera. —Se echó a reír ante su propia fanfarronada—. Pregúntale a Terri, esa jodida zorra.

Miré mi vaso de cerveza. ¿Debería levantarme e irme?

—¿Tienes fuego? —preguntó Jan, lanzándome el aliento en el cuello. Le di mi caja de cerillas—. Puedo encenderlo con tu cigarrillo —dijo—, como lo has estado haciendo tú. Te he estado observando. —Guiñó un ojo y alzó mis dedos hasta el cigarrillo que tenía apretado entre los dientes. Inclinó la cabeza, dio una calada y me sorprendió una vaharada de su champú con fragancia a limón—. No prestes atención a mi forma de hablar —dijo, exhalando una nube de humo—. Habitualmente no soy así, pero Terri me ha jodido —oh, lo siento—, provocó una respuesta extremadamente irritada de mi parte. —Jan pronunció cada palabra cuidadosamente y me volvió a obsequiar con su perfecta sonrisa de chico malo—. ¿Puedo sentarme? —Hizo una reverencia como un joven caballero en el baile de las debutantes, luego se sentó a horcajadas en el taburete junto al mío, animada y alegre—. Prometo portarme bien. Deja que te invite a un trago de verdad. —Silbó para llamar al camarero—. Whisky puro para la señorita… y para mí.

Mi intención seguía siendo marcharme de allí, pero tan pronto como hube terminado de beber el primer whisky, ella pidió otra ronda. Colocó la mano al final de mi espalda y la dejó allí. Di un salto como si me hubiesen clavado una aguja cuando sentí sus dedos sobre mí, pero no traté de apartarlos. Había viajado con Terri haciendo autoestop desde Nueva Orleans hasta Los Ángeles, dijo. Habían estado juntas a intervalos durante seis meses, pero ahora habían roto para siempre. Antes de que apareciera Terri, había sido la amante de Stormy. ¿Había oído hablar de Stormy alguna vez? Stormy era la *stripper* más caliente de Nueva Orleans, tenía su propio club en Bourbon Street; todo el mundo conocía a Stormy. No había una sola bollera en varios centenares de kilómetros de Nueva Orleans que no se estuviera muriendo por meterse en los pantalones de Stormy, pero ella era muy, muy selectiva.

Me encontré inclinando el cuerpo sobre la mano de Jan. Ahora la movió hacia mi muslo y recordé a Mel Kaufman con un ligero sobresalto, pero esto era diferente porque ella era una mujer. Dejé que mantuviese la mano allí y, de pronto, descubrí que me resultaba difícil recobrar el aliento.

—¿Por qué no me acompañas a mi casa? —Jan me miró fijamente a medianoche, agitando las aletas de la nariz, con una expresión que yo no alcanzaba a descifrar, una mirada como de ira o desafío—. Venga —insistió, y pude ver los puntos dorados en sus ojos.

—Tengo que hacer una llamada —dije y fui hacia la cabina telefónica que había junto a los lavabos—. El ensayo durará aún unas cuantas horas —le dije a mi madre cuando contestó con una voz espesa por el sueño—. Simone me dijo que esta noche puedo quedarme en su casa. —Me cuidé de hablar con claridad, como una persona sobria.

Jan vivía en el tercer piso de un hotel que estaba a un par de manzanas del Open Door. HUÉSPEDES PASAJEROS BIENVENIDOS, decía el letrero en la luna del escaparate. 2 $ LA NOCHE. 12 $ LA SEMANA. DUCHAS DE AGUA CALIENTE.

Abrió con la llave la puerta de su habitación y me invitó a entrar con una fingida reverencia. Luego cerró la puerta con el pie y me empujó contra la pared, dejándome sin aliento, sus manos tiraban de la cremallera de mis capri, su boca sobre mis labios. Mis piernas de gelatina querían hundirse en el suelo, pero la presión de su cuerpo me mantuvo de pie.

—Espera —le rogué—. ¡Espera un minuto!

Se echó a reír con una risa grave y sucia y susurró algo que sonó como «te haré llorar, papaíto». Uno de los botones de mi blusa se desprendió bajo sus dedos ansiosos y sus dientes me mordieron un pezón a través del sujetador. El dolor me dejó paralizada por un segundo y mi reflejo fue de empujarla, de golpearla. Pero el dolor cedió paso al deseo y me dejé llevar por él, me abrí a él, a cualquier cosa que ella quisiera hacer.

—Súbete a la cama —me ordenó, y me arrancó el resto de la ropa, separó mis piernas, aleteó con la lengua y la hundió profundamente. Yo me aferré con las uñas al borde de un acantilado hasta que creí que se me romperían los dedos, hasta que ella me lanzó al espacio.

Me deslicé en el sueño con la fragancia a limón de su champú en la nariz, mis propios gemidos aún en mis oídos, sus dedos apretando mi pecho. No había dormido con nadie desde que era una niña pequeña en la cama de mi madre, y ahora estaba aquí, abrazada por una mujer que hablaba como James Cagney. Era alarmante, inquietante. Me gustaba.

Durante la noche me desperté varias veces, excitada e inquieta en esa habitación extraña. En la oscuridad seguía recordando a la pareja que salía del apartamento de al lado cuando llegamos, una mujer con una gran peluca rubia y un hombre inmenso vestido con chaqueta y pantalones de cuero negro que la sostenía con fuerza de la cintura. Jan estaba quieta como una piedra, de espaldas a mí, y yo apreté mi mejilla tan fuerte como me atreví contra su carne firme. Aún podía sentir dónde había estado sobre mí y dentro de mí, y seguía pensando en la caída salvaje, alarmante que no se había parecido en nada a los dulces latidos que solía sentir en la oscuridad cuando pensaba en Irene. Luego volví a dormirme durante un rato.

—Eh, ¿dónde conseguiste un cuerpo así? —murmuró Jan a la mañana siguiente con voz ronca. Me había despertado pasando sus dedos sobre mis muslos, mi vientre, mi cintura, y yo contemplé su bello rostro, luego observé su mano fuerte y hábil que acariciaba suavemente mi pecho. La noche anterior no había reparado en las dos feas heridas que tenía en el dorso de la mano. Cada una era del tamaño de una moneda de diez céntimos y parecía como si la piel hubiese sido arrancada con un cuchillo sin punta.

La mano despellejada me revolvió el estómago ya delicado por la bebida de la noche anterior. Pero amaba su mano y ahora sentía pena por ella.

—¿Cómo te hiciste esas heridas? —pregunté.

—¿Realmente quieres saberlo? —Se echó a reír—. El tío me dijo que me daría cinco pavos si podía sostener un cigarrillo encendido en el dorso de la mano mientras él contaba hasta tres. Tengo dos heridas en la mano porque acabé con diez dólares.

—No, venga, en serio. —Yo no sabía de quién estaba hablando pero estaba segura de que le restaba importancia a un accidente o me tomaba el pelo—. ¿Qué sucedió de verdad? —Quería que Jan confiase en mí lo suficiente como para dejar que la consolara.

. —Eso fue realmente lo que pasó, cariño. —Exhibió una sonrisa perfecta—. Fueron diez pavos muy fáciles de ganar.

Llamé a mi madre desde una cabina de Vermont Avenue el domingo por la mañana, cuando las calles están desiertas excepto por los adictos que buscan su próximo chute y los borrachos para quienes la noche aún no había terminado.

—Bueno, tuvimos que ensayar mucho porque se trata de una obra muy larga —dije. Un gato hambriento se restregó contra mis piernas y lanzó un maullido lastimero—. *El Rey Lear*, de Shakespeare —añadí. Ella había oído hablar de esa obra, el padre con las hijas malas, era incluso una película yídish.

—¿Cuándo volverás a casa? —gritó.

Tuve que ignorar la irritación en su voz porque no pensaba dejar a Jan justo en ese momento.

—Me quedaré en casa de Simone durante algunos días. Comenzamos los ensayos muy temprano y ella vive a pocas manzanas del Geller. No querrás que regrese en autobús a última hora de la noche, ¿verdad?

—¿Qué harás cuando empiecen las clases? Tienes que matricularte en un nuevo instituto en septiembre.

—Ya me preocuparé por eso en septiembre.

—Vuelve a casa ahora mismo —gritó—. ¿Me has oído?

—Tengo que dejarte, mamá. Simone me está esperando. Mira, te llamaré mañana. No hay nada de qué preocuparse.

Colgué el auricular sin esperar su respuesta. Jan seguía en la cama y yo sólo quería regresar rápidamente a su lado como un conejo a su madriguera. Quería volver a desnudarme en esa habitación oscura y secreta y acurrucarme entre sus brazos.

* * *

Jan no trabaja. Así transcurre uno de nuestros días: nos quedamos en la cama hasta el mediodía, aunque suelo despertarme hacia las diez y arrimarme a ella, escuchando su respiración y los sonidos del hotel mientras duerme. A veces oigo a la mujer de la gran peluca rubia, que grita en la habitación de al lado cuando su novio la golpea; a veces oigo otras voces que provienen de esa habitación y el crujido de los muelles de la cama. «Esa mujer es una prostituta. ¿No te enteras de nada?», dice Jan cuando le pregunto por el origen de esos sonidos.

Luego, a la una aproximadamente, Jan abre un ojo y dice: «¿Dónde está mi café? Sabes que no sirvo para nada sin mi café de la mañana», y me levanto de la cama, pongo una cucharada de café instantáneo Yuban en un vaso y caliento un poco de agua en el hornillo. Jan bebe apoyada en dos almohadas, luego deja el vaso vacío sobre la alfombra color aguacate quemada con cigarrillo, me atrae nuevamente hacia la cama y me hace el amor.

Ahora pasan de las tres de la tarde. «Tengo hambre», dice, y nos vestimos para ir a comer una hamburguesa en un puesto que hay calle abajo, o bien la que se viste soy yo y Jan me da un par de dólares y me envía por costillas y pastel de boniato a un lugar de comida para llevar atendido por negros que queda a un par de manzanas del hotel. Las dos comemos sentadas en la cama, escuchando música de *Rhythm and Blues* y descargas estáticas en una emisora negra que captamos con un aparato de radio al que le falta el botón de sintonización y sólo puede encenderse y apagarse. Luego apilamos los platos y las servilletas sucios y los huesos de las costillas encima de la colección que se ha ido acumulando en el suelo desde antes de que yo entrase en su vida.

Luego Jan se levanta para ducharse y yo me quedo allí, acostada, sintiendo todavía todas las cosas, viejas y nuevas, que ella me ha hecho en su cama ese día. «Ve a lavarte», me dice cuando ha acabado con el baño, y yo abro los grifos de agua caliente y fría para llenar la bañera oxidada mientras las cañerías sisean y golpean ruidosamente.

Ahora son casi las seis de la tarde, demasiado temprano para visitar los bares, de modo que deambulamos por las calles y nos sentamos en el Harry's Coffee Shoppe. Un montón de gente conoce a Jan y ella saluda a todo el mundo. «Son tan retorcidos como sacacorchos», dice a veces, contemplando con satisfacción perversa a sus interlocutores. Su conversación suele desarrollarse de este modo:

«Eh, ¿dónde se mete Penny estos días?»
«Oh, tío, le han calentado bien el culo.»
«Oh, tío, ¿cuándo se presenta su caso?»
«No lo sé y me importa una mierda.»
«Eh, ¿has visto a Barry por aquí?»
«El jodido mamón está muerto, tío. Sobredosis.»
«Tío, que se joda ese jodido mentiroso de todos modos.»

¿Cómo llegó Lilly a este lugar?, me pregunto a veces. Aunque en realidad no formo parte de ello, me digo. Es como mirar a través de una ventana, contemplando un drama que se desarrolla en la casa de al lado, y no puedo apartar la vista. «Ese tío es un chulo» o «esa tía es una drogata», me dice Jan después de que se han marchado. «Ése es una vieja reinona», dice refiriéndose a un tío flaco y calvo vestido con traje negro y una corbata del mismo color.

«¿Qué es eso?», pregunto, recordando que Eddy también había empleado esas palabras.

«Significa que no le gusta follar. Lo único que hace es comer coños —dice—. Tampoco le molesta pagar por hacerlo. Es un primo. Buena pasta.» Me ilumina con su deslumbrante sonrisa. «Terri lo hizo más de una vez.»

Nunca nos decimos nada importante. Hay tantas cosas que no puedo explicarle, como que soy diez años más joven que ella y no tengo veintidós, como le dije; y, probablemente, hay un montón de cosas que ella tampoco me dice. Pero una vez, después de haber estado sentadas en el Harry's durante más de cuatro horas, Jan habla con una larga procesión de chulos y prostitutas y drogatas y clientes, y dice: «No sé por qué hago esto, tengo una buena educación». No pienso en preguntarle a qué se refiere.

En el Harry's a veces volvemos a comer, quizá otra hamburguesa o un plato de sopa. Ahora ya son las nueve o diez de la noche, de modo que nos acercamos al Open Door o al If Club, que está al otro lado de la calle. Jan inspecciona las calles detenidamente para asegurarse de que son seguras. «Los tíos de antivicio siempre viajan en estos coches sin identificación —me instruye—, pero son realmente unos capullos, porque nunca viajan en otra cosa que no sean Ford marrones o azules, de modo que siempre sabes cuándo están cerca». Una noche estamos a media manzana de los bares y vemos una furgoneta negra aparcada delante del If Club. «Mierda.» Jan me coge del brazo y cambiamos de dirección, caminando deprisa, casi corriendo, durante al menos un par de manzanas. «Es una jodida redada —dice Jan mientras trata de recobrar el aliento y apoya una mano en el costado—. ¿No viste el furgón policial? Esos jodidos dueños de los clubes, seguramente, olvidaron pagar el soborno esta semana.» Me tiembla el corazón. Si me cogen en una redada mi madre y mi tía se morirán y Jan descubrirá que soy menor.

La mayoría de las veces empezamos nuestra ronda en el Open Door, bebemos hasta que sé que vomitaré si vuelvo a oler el whisky, luego me cojo de su brazo porque no me resulta fácil andar y cruzamos la calle para entrar en el If Club, donde Jan bebe otro par de copas. Cuando mira a las mujeres me preocupo, porque no quiero perderla ahora. «Mmmmm mmmmm mmm, mira el culo que tiene esa tía», me dice. «¡Hermosas tetas!», señala a otra. Sé que sólo está intentando provocarme cuando se ríe con su risa de chico malo.

Ahora son las dos de la mañana y los bares cierran, de modo que regresamos al hotel por las calles oscuras y peligrosas. Ayuda cogerse de su cintura por debajo de la chaqueta de pana mientras caminamos porque aún tengo problemas para conseguir que las piernas se muevan. Subimos las escaleras, coloca el pestillo de la puerta de su habitación y me deja sin aliento con un beso ardiente. Me arroja sobre la cama o al suelo y me hace el amor hasta que me duele todo el cuerpo y la luz del amanecer comienza a filtrarse a través de la persiana rota, y luego nos quedamos dormidas.

* * *

—Eh, cariño, será mejor que vayas a buscar otra ropa —dijo Jan el domingo siguiente cuando me estaba preparando para ir a buscar nuestro almuerzo a *Mattie's Ribs*—. Tienes las medias rotas en la parte de atrás y tu blusa da pena.

Yo había colocado un imperdible en el lugar donde estaba el botón que Jan me arrancó de la blusa aquella primera noche, hacía más de una semana. Ahora me miré en el espejo que había en la desvencijada puerta del armario y el cristal me devolvió la imagen de una chica desgreñada. Tenía que volver a mi casa y buscar unas cosas, pero no quería dejar a Jan, ni siquiera durante unas horas. «Ven conmigo», quería decirle, ¿pero no se sentiría horrorizada mi madre al verla? ¿No preguntaría: «Es un hombre o una mujer?». Y Jan se sentiría aún más horrorizada al ver a mi madre, con su marcado acento yídish, y a Albert, con sus agujeros en la cabeza.

—Te esperaré en el Harry's —dijo Jan por encima del hombro, y se marchó de la habitación.

Al llegar a casa vi que las luces estaban encendidas como si no las hubieran apagado en toda la noche. Albert me recibió en la puerta.

—Li-li, ¿dónde has estado? No has llamado a tu madre en tres días. —Las cejas cenicientas subían y bajaban y parpadeaba como un gato rabioso—. ¡Se está volviendo loca y a mí con ella! Me cogió por los hombros como si fuese a sacudirme y salté hacia atrás, sorprendida. Albert jamás me había puesto la mano encima—. Tu madre ni siquiera se acostó anoche —gritó.

Mi madre oyó los gritos y corrió hacia la puerta.

—¡Canalla! Harás que me dé un infarto —gritó, y me abofeteó con la mano abierta, pero el golpe me atizó en el cuello—. Llamé a la policía. Te están buscando por todas partes.

¡La policía!

—¡Cerrad la boca! —les grité a los dos—. ¡Y no intentéis pegarme, maldita sea! Llámales ahora mismo y diles que estoy bien.

La empujé hacia el teléfono. Si aparecía la policía y comenzaba a hacer preguntas, ¿qué podía decirles?

—¿Qué clase de chica desaparece durante una semana?

Albert me apartó de mi madre.

—No es asunto tuyo. Tú no eres mi padre. —No podía permitirles que me dijeran cómo debía vivir mi vida—. ¡Vosotros no sabéis una mierda de nada!

—¡Ramera asquerosa! —Albert mostró los dientes podridos y pude oler su rancio aliento a cigarrillo cuando me cogió con fuerza por los hombros y me sacudió. Le di un golpe en el pecho y me libré de él.

—¡Vete a la mierda! —grité.

—Ya está en casa y se encuentra bien —escuché que mi madre sollozaba en el teléfono mientras hablaba con la policía o con Rae y yo me metía en mi habitación y cerraba violentamente la puerta. Ellos no impedirían que regresara con Jan.

Aunque continué viviendo con ellos durante casi dos años, Albert y yo no volvimos a dirigirnos la palabra hasta el día que me casé.

Jan alteró nuestra rutina un par de días más tarde porque se había quedado sin blanca y dijo que conocía a un fulano de Terri que solía aparecer por los clubes al anochecer.

—Nos dejará unos dólares si podemos encontrarle. Se llama Hank, siempre lleva una impecable camisa blanca almidonada y gafas con montura negra.

Hablaba de la reinona que había visto en mis primeras visitas al Open Door.

Hank no estaba en el Open Door en ese momento pero probablemente le encontraríamos en el If Club, dijo Jan, y cruzamos por el medio de la calle, su mano guiándome apoyada en mi nuca.

—Oh, mierda, no —siseó con los dientes apretados, y un coche blanco y negro dio una vuelta en U y se detuvo delante del

If Club antes de que llegásemos al bordillo—. La pasma, joder —susurró.

Un hombre grueso, con uniforme azul y una placa plateada en el pecho, bajó del coche.

—¿No sabéis que cruzar por el medio de la calle va contra la ley? —preguntó, sonriendo.

—No, *señó* —dijo Jan, rápida y educada, con un marcado acento sureño—. No soy de aquí, *señó*. Vengo de Lu-siana, hace sólo un par de meses que estoy en Los Ángeles.

—Puedo poneros una multa a las dos por esto —dijo el policía, mirándome.

—Sí, señor, lo siento mucho —dije, siguiendo el ejemplo de Jan.

—Bien, no podemos interrumpir el tráfico en medio de la calle. Subid al coche, las dos —dijo, y abrió la puerta trasera. Pude oír una voz femenina a través de la radio. Jan me empujó hacia el asiento trasero, luego subió ella, con el rostro inexpresivo a pesar del rubor que subía por su cuello. Estaba dentro de un coche de la policía, como si fuese una delincuente, sentada en el mismo lugar donde se sentaba la gente que era enviada a la cárcel. Por un instante me pregunté si acabaría desmayándome. El oficial dio la vuelta a la manzana hasta una calle residencial.

—¿Nos va a detener, *señó*? —La voz de Jan sonó aguda y femenina por primera vez desde que la conocía. Eso significaba la cárcel. Debido a mi conducta estúpida y peligrosa estaba a punto de ser arrestada y mi madre sufriría realmente un infarto. Y Rae... podía oírla gritando en mis oídos: «¿Acaso Hitler no hizo bastante? ¿Tenías que matarnos?».

—Bien, ¿cómo es el asunto? ¿Las dos estáis juntas?

El policía sonrió afablemente.

—Sí, *señó* —respondió Jan, pero no era con ella con quien quería hablar ahora el oficial.

—Tú vete a sentarte debajo de ese árbol y mantén la boca cerrada.

Abrió la puerta trasera para que Jan bajase y yo miré, impotente, mientras ella se acercaba al pino que había delante de una casa estucada de blanco y se sentaba. Miró el cielo, sus zapatos, a cualquier parte menos hacia el coche de la policía conmigo dentro.

¿Me violaría? Me zumbaban los oídos. Había oído a Tommi y Roseann contarle a Jan esa historia hacía un par de noches en el Harry's.

—Ese poli nos recoge en plena calle cuando paseábamos sin molestar a nadie, ocupándonos de nuestros asuntos, y me dice que suba a la parte de atrás y a Roseann, que se siente a su lado. ¿Y sabes lo que hace entonces el muy hijoputa? —dijo Tommi, golpeando la mesa con el puño—. ¡Obliga a Roseann a hacerle una mamada! —Roseann, pálida, se mordió el labio y sacudió la cabeza.

—¿Cómo es que no te gustan los hombres? —me preguntó ahora el policía, con tono de curiosidad, como si estuviese examinando un espécimen de laboratorio.

—Me gustan, señor —contesté, tratando de encontrar un tono que fuese inofensivo.

—¿Entonces por qué estás con esa tortillera?

—Oh, sólo es una amiga, señor.

—Apuesto a que sí —dijo con una sonrisa irónica. Podía sentir sus ojos sobre mí a pesar de que yo miraba mis manos inmóviles sobre mi regazo—. ¿Trabajas?

¿Qué podía contestar? Si le decía que era camarera o empleada, lo comprobaría.

—Soy modelo. —No era una actividad ilegal siempre que no supiera mi edad—. Mi verdadero nombre es Arlene Knopflemacher, pero trabajo con el nombre artístico de Gigi Frost. —Podía darle el número de teléfono de Andy. Andy le diría que era mi agente.

—Bien, Arlene o Gigi o como demonios te llames —dijo lentamente el oficial—, aquella tía —señaló a Jan con su grueso pulgar— no es una buena pieza. Y será mejor que espabiles o acabarás como ella. —Estiró el brazo y abrió la puerta. ¡Dejaba que me marchase!—. Que no te vuelva a sorprender cruzando por el medio de la calle o te meteré en un calabozo. ¿Lo has entendido? —preguntó. Luego puso el coche en marcha y se alejó mientras yo temblaba, primero de alivio, no me iba a arrestar, y luego de furia.

—Jodido cabrón, ¿qué derecho tenía a hacer esto? —exclamé, como una chica dura, cuando Jan se acercó a mí.

—¿Por qué estás tan alterada? Estas cosas pasan todo el tiempo —dijo Jan con una sonrisa.

Hank estaba en el If Club y le dejó a Jan cinco dólares. Sabía que me estaba dirigiendo su sonrisa enfermiza, tratando de establecer contacto visual, mientras sacaba un billete arrugado del bolsillo. Yo no despegaba la mirada del suelo.

Dos días más tarde estábamos nuevamente sin blanca.

—Tengo que largarme de esta ciudad —suspiró Jan como si estuviese pensando en voz alta. Se apoyó nuevamente en las almohadas, vestida con la camiseta y los pantalones de boxeador que siempre usaba cuando estaba en la habitación. Bebió ruidosamente del vaso de café que le había traído, como todas las mañanas—. No puedo conseguirlo en Los Ángeles. Llamaré a Stormy y le diré que me envíe dinero para pagarme un billete de autobús de regreso a Nueva Orleans.

Yo estaba acostada en la cama junto a ella, pero ahora di un brinco.

—¡No! ¿Qué hay de nosotras? —grité.

Jan entornó los ojos, sorprendida, como si por un momento hubiese olvidado que yo estaba allí.

—Oh, cariño, me gustaría que las cosas no fuesen así. Dios, odio tener que marcharme ahora. ¿No lo sabes acaso? —Frunció el ceño con expresión malhumorada—. Juntas lo hemos pasado de maravilla. Eh, ¿sabes lo que haríamos si tuviese pasta? Te vendrías conmigo a Nueva Orleans. —Dibujó su radiante sonrisa y ahora parecía un niño pequeño excitado—. Conseguiría una moto y nos largaríamos juntas a Nueva Orleans a toda pastilla. Puedo conducir esas jodidas máquinas, y tú viajarías detrás. ¿No sería genial?

Nueva Orleans. Ella me había hablado de los fabulosos bares de homosexuales y *drag queens* y del Mardi Gras[*] y de cómo

---

[*] El Martes de Carnaval, que en Nueva Orleans se festeja con espectáculos de toda clase, sobre todo en Bourbon Street, donde se congrega la mayoría de los clubes de jazz de la ciudad. (*N. del T.*)

allí la policía jamás te molestaba. En Nueva Orleans podías beber alcohol a los diecisiete años. Un año más y podría entrar en los bares sin problemas.

Jan me arrancó de mis sueños.

—Gigi, cariño, pero no lo tenemos —dijo, acariciándome la mejilla con su mano cálida, mirándome fijamente a los ojos—. No podemos tenerlo todo. Eh, ¿sabes la cantidad de pasta que podríamos ganar con ese cuerpo tan fantástico que tienes? ¿Sabes con qué rapidez lo conseguiríamos? —Salté de la cama como si Jan me hubiese empujado—. Podríamos comprar la moto en un santiamén. —Ahora hablaba deprisa, seriamente, como si se tratase de una cuestión de vida o muerte—. Escucha, Hank me dijo que nos daría veinte pavos, y eso sólo para empezar. Ni siquiera tendrías que tocarle. Terri lo hacía todo el tiempo. Por favor, cariño. Cariño, por favor —me imploró Jan con los ojos llenos de lágrimas, los brazos tendidos hacia mí—. Si realmente me amas... si amas lo que tenemos... por favor.

Amaba lo que teníamos. De verdad. En toda mi vida me había sentido tan viva como en las últimas semanas. Y ahora lo único que quería era acurrucarme y quedarme allí. Pero había abandonado mi precioso sueño de convertirme en actriz porque temía que me llevase al mismo lugar donde Jan ahora me rogaba que fuese.

—No me pidas eso, Jan —imploré débilmente.

—¡No te comportes como una estúpida zorra! —Se inclinó hacia mí y alzó la mano como si fuese a pegarme. Yo la miré, asombrada—. ¿Quieres perder esto? —se lamentó, bajando la mano. Luego su expresión se suavizó—. Lo siento, cariño. No quería decir eso... pero me duele que no confíes en lo que te digo. Cariño, quiero que estemos siempre juntas —susurró.

Me aparté de ella y me desplomé en el único sillón que había en la habitación. Su andrajoso tapizado apestaba a sudor y orín. Tal vez no podía escapar de lo que Jan me proponía que hiciera. Me cubrí la cara con las manos y Jan permaneció en silencio. Poco después oí que se estaba cortando las uñas con el alicate que tenía sobre la mesilla de noche. Quizá lo que Jan quería que hiciese era mi destino. ¿No era inútil tratar de luchar contra tu destino? Y si hacía lo que ella me pedía, nos iríamos juntas a Nueva Orleans. Nueva Orleans con Jan. ¿Pero qué pasaría con mi madre, con Rae?

—Jan. —Alcé finalmente la vista y le dije—: Es algo muy fuerte. Necesito un poco de tiempo. —Fui a sentarme junto a ella, para apoyar la cabeza en su hombro, pero se apartó—. Mira, Jan —dije después de largos y silenciosos minutos—, hace días que no llamo ni me paso por casa, y debo ir. Volveré —prometí. Ella no me miró en ningún momento mientras me vestía. Al salir, cerré la puerta suavemente detrás de mí.

La última vez que había llamado a casa, mi madre había empezado a gritar diciéndome que regresara inmediatamente.

—Tienes que confiar en mí —le dije con voz serena—. Ya no soy una niña y sé muy bien lo que hago. —Volví a contarle la historia de los ensayos, el *Rey Lear*—. Volveré a casa en cuanto pueda —dije, y colgué. Pero ahora, mientras el autobús se dirigía hacia el oeste por Sunset Boulevard, me sentía terriblemente agitada, y cuando se detuvo finalmente en Highland, corrí como una loca desde la parada hasta los Court Bungalows en Fountain Avenue —ignorando los semáforos, esquivando los coches, tropezando con los bordillos—, como si Belcebú y Banshee[*] me pisaran los talones. ¿Y si estaba enferma? ¿Cómo podía haber sido tan cruel e inconsciente?

Fue el señor Bergman quien abrió la puerta mosquitera. Apartó de mí su cabeza calva y redonda.

—Lilly, Lilly —dijo—. Pensé que eras una buena chica.

Empecé a reírme ante su solemne declaración, pero, en cambio, de mis labios se escapó un sollozo. Podía oír que mi madre y mi tía también estaban llorando, como si alguien hubiera muer-

---

[*] En los cuentos populares escoceses e irlandeses, fantasma cuyos gemidos anticipan la muerte en una casa. (*N. del T.*)

to. En el instante en que me vieron, ambas se abalanzaron sobre mí, me abrazaron, me mojaron las mejillas llorando.

—¡Estamos casi muertas, las dos! ¡Casi nos matas! —chillaron. Las dos tiraron de mí y yo las dejé hacer, cayendo las tres al suelo—. ¡Eres todo lo que tenemos en el mundo! —rugió Rae en mi oído.

—¡He vuelto! ¡Seré buena! —dije entre sollozos. Las besé en las mejillas húmedas—. No lo haré. ¡No lloréis!

Me levanté del suelo deshaciéndome de su abrazo. Fui tambaleándome hasta el baño, cerré la puerta con llave, llené la bañera con agua muy caliente, me quité la ropa sucia y me sumergí en el agua hasta la nariz. No me importó que la piel se pusiera roja y doliese. Quería sentir el dolor.

—¡Te pondrás enferma si te quedas tanto tiempo en la bañera! ¡Debilita el corazón! —gritó mi tía, mientras aporreaba la puerta media hora más tarde. Permanecí obstinadamente en el agua unos minutos antes de salir de la bañera y secarme pasando con fuerza la toalla sobre la piel dolorida. Luego me fui a mi habitación y cerré la puerta.

—Lilly, ¿estás ahí? —llamó mi madre.

—Sí. Ahora debo dormir. —Y ya no me molestaron más. Pero me sentía feliz de que estuviesen cerca, en la habitación de al lado.

Me tendí sobre la cama, demasiado cansada para taparme, y cerré los ojos. Cuando desperté estaba oscuro, era medianoche, y eché de menos a Jan, el olor de su pelo limpio, sus manos sabias. Imaginé que me abrazaba. La sentí encima de mí, sus dientes en mi cuello. En mí había una temeridad que resonaba con negligencia ante lo que ella tenía de salvaje. Pero tenía que controlarlo o acabaría cometiendo una locura. Había aprendido a luchar contra los hombres, porque todo en mi vida me había preparado para esa lucha: yo no sería su conejo. Pero una mujer era alguien más engañoso para mí. No sabría cómo seguir resistiendo ante Jan, aunque ella también era un coyote.

Si era demasiado estúpida para escapar por mi propio bien, me dije mientras volvía a caer en un sueño inquieto, tenía que hacerlo por mi madre y My Rae. De ese modo, yo no sería su tragedia final.

9

EL DON DE LA SABIDURÍA

Érase una vez una niña que fue al bosque con una gran cesta para recoger setas porque su madre, que estaba muy enferma, le había dicho: «Mi pobre pequeña, no tenemos nada que comer y vamos a morirnos de hambre». Justo cuando la niña estaba a punto de empezar a recoger las setas vio a un zorro gordo y de pelo lustroso debajo de un árbol. Estaba profundamente dormido porque había metido un montón de setas en su vientre voraz.

«Voy a atrapar a ese zorro y lo venderé por su piel —pensó la niña astutamente—, y luego podré comprar mucha comida para mi madre y para mí». Acto seguido, colocó la cesta encima del zorro y se sentó sobre ella, esperando a que apareciese un cazador o cualquier persona que pudiera ayudarla.

El zorro despertó al fin y descubrió el aprieto en el que se encontraba. «Eh, déjame salir», le dijo a la niña.

«No —dijo ella—. Sé que no está muy bien hacer esto, pero puedo venderte por tu hermosa piel y conseguir dinero suficiente para que mi madre y yo podamos vivir todo un año. En casa estamos desesperadas y no tengo otra alternativa. Sólo estoy esperando a que alguien me ayude.»

«Escucha —dijo el zorro—. Puedo ser mucho más valioso para ti de lo que puedes sacar por mi piel. Si me dejas en libertad te daré el don de la sabiduría, tres conceptos muy profundos que te permitirán continuar no sólo durante un año sino toda la vida.»

Eso sonaba a una proposición que ella no podía rechazar. ¿Qué preciosas gemas de sabiduría le serían concedidas? «De acuerdo, trato hecho —dijo ella—. Habla, y luego te dejaré salir. Soy toda oídos.»

«Número uno —comenzó el zorro—. Nunca lamentes el pasado.»

«Hmmmmm», pensó la niña, y asintió sin comprometerse.

«Número dos —dijo el zorro—. Nunca seas crédula.»

Eso tenía sentido. «Entendido», dijo ella.

«Y aquí va el último: nunca desees lo imposible.»

Ella suspiró. A decir verdad, estaba bastante decepcionada, pero se levantó de la cesta. «Un trato es un trato», pensó, y dejó que el zorro abandonara su encierro.

Luego —veloz como un zorro— el animal trepó al árbol. «Pequeña tonta», se mofó de la niña desde lo alto de una rama fuera de su alcance. «¿No sabes que soy un zorro con poderes mágicos? A cambio de mi libertad podrías haber pedido un castillo; podrías haberme pedido cien manzanas de oro; podrías haber conseguido dos billetes para Norteamérica. Y, en cambio, lo único que has conseguido son esas máximas ridículas.»

«¡Maldito zorro marrullero! —exclamó la niña—. ¡Me has engañado! ¡Volveré a cogerte y esta vez no seré tan tonta!» Con la cesta debajo del brazo, trepó por el árbol como lo había hecho el zorro. Pero cayó al suelo y se rompió los brazos y una pierna.

El zorro se partió de risa al ver a la niña en tierra. «Chica, ¿ves como eres tonta? —dijo entre carcajadas—. Yo te doy esas importantes reglas para la vida y tú las olvidas un minuto después. ¿Recuerdas que te dije "nunca lamentes el pasado"? Tú has lamentado de inmediato haberme dejado en libertad sin pedirme más de lo que te había dado. ¿Recuerdas que te dije "nunca seas crédula"? Niña estúpida, ¿has sabido alguna vez de un zorro que pueda conceder un castillo o manzanas de oro o billetes para Norteamérica? ¿Y qué fue lo último que te dije? ¿Lo recuerdas? "Nunca desees lo imposible". Tienes mucho que aprender.»

Los padres de mi madre murieron sin enterarse de mi llegada al mundo y, por supuesto, nunca conocí a mis abuelos paternos. De modo que no hubo ningún *zaydeh* sabio de barba blanca o una *bubeh* hogareña y con un pañuelo en la cabeza que me sentara sobre las rodillas y me contase esta fábula del *shtetl* que había sido transmitida, en una u otra versión, a través de las generaciones familiares. Si mi madre recordaba esas historias, o cualesquiera de las útiles muestras de sabiduría del libro sagrado de nuestros antepasados, jamás me las contó. Tal vez su primera visión de la antorcha de la dama de verde apuntando hacia el cielo quemó todas las historias en su memoria, o tal vez fueron arrastradas por todas las películas que vio y todas las melodías populares que escuchó en Norteamérica. En cualquier caso, sus pérdidas y su lucha por la existencia aquí, en la tierra prometida, debieron de hacer que toda esa vieja sabiduría le pareciera inútil. De modo que lo que me transmitió no fueron las historias de las que se suponía que debía vivir su gente, sino terribles historias de exterminios, lugares donde te explotaban, y de un hombre malo. Y ella, inconscientemente, me transmitió la antítesis del consejo del zorro de que nunca deseara lo imposible. ¿Qué podía saber ella, al fin y al cabo, sobre lo que era posible o imposible para su hija norteamericana?

Mi tía me contaba otra clase de historias. Cuando era pequeña y lloraba porque me había hecho daño en algún juego infantil, My Rae siempre intentaba consolarme diciendo: «Para cuando llegue tu *chusen*, tu novio, ya no se verá». Éste fue un maravilloso prólogo a la fabulosa historia que me contó en los años siguientes, que un príncipe judío se casaría un día conmigo, me rescataría de las penurias de la vida y me daría un montón de hijos para compensar aquellos que nuestra familia había perdido. Y ahora que había crecido, había llegado el momento, en lo que a Ray concernía, de que encontrase a ese príncipe.

—Veo a tantas chicas acompañadas de unos chicos judíos tan agradables, que me duele el corazón —había dicho Rae cuando mi operación de nariz no produjo inmediatamente un príncipe—. Eres más bonita que esas chicas. ¿Por qué no puedes encontrar un buen chico judío?

—No quiero un buen chico judío —musité bruscamente a través de la nueva nariz que ella me había ayudado a pagar y, como aún abrigaba esperanzas de hacer una carrera en Hollywood, volví a hundir esa nariz entre las páginas de las *Obras completas de Eugene O'Neill*.

Pero ella no se daba por vencida.

—¿Por qué quieres hacernos desdichadas a tu madre y a mí? ¿Por qué quieres ser tú una desdichada? —se lamentaba, rogándome que sentara la cabeza en lugar de dedicarme a las lecciones de interpretación y a los ensayos teatrales. Cuando dejé de ir al Geller, sus esperanzas florecieron—. Sophie, la hija de los Litvisheh Verein, acaba de comprometerse con un maravilloso dentista —me dijo.

—Rae, sólo tengo dieciséis años.

—Cuando tu madre y yo nos hayamos ido no tendrás a nadie. Los dulces dieciséis es el momento ideal para comprometerse, especialmente para una chica pobre como tú. Estarás en mejor posición si te casas con un chico bueno y serio, un dentista, un médico, un contable. —No había duda de que mi tía había llegado a dominar esa fábula norteamericana.

Aunque yo aún no tenía idea de cómo maniobrar en el mundo, sabía con absoluta certeza que el sueño del príncipe judío que ella trataba de meterme en la cabeza era tanto la antítesis del consejo del zorro como el sueño del estrellato de Hollywood que mi madre había sembrado en mí cuando era pequeña. Y, sin embargo, ¿cómo podía convencer a Rae de que tenía que dejar de intentarlo? No diciéndole que, excepto en los cuentos de hadas, los dentistas o médicos o contables judíos no se casan con chicas pobres que no tienen padre, cuya madre ha estado loca y cuyo padrastro aún lo estaba. Tampoco explicándole que, aunque tenía dieciséis años, era una mujer que ya tenía sobre los hombros una historia considerable en una época en la que se suponía que las novias del príncipe no debían tener absolutamente ninguna historia. Y, sin duda, no insistiendo en que yo no tenía ningún interés en los príncipes. Rae no podía escuchar esa clase de cosas.

Y ella tampoco, igual que mi madre, tenía una idea real de los límites o las posibilidades de la vida en Estados Unidos a mediados del siglo XX. Mi madre y mi tía apenas habían sabido sobrevivir como inmigrantes treinta años antes y sus mundos jamás crecieron más allá de las tiendas donde trabajaban o las casas que mantenían en orden para sus esposos. ¿Qué herramientas, qué sabiduría, podían transmitirme para que me ayudasen a prosperar? ¿Qué, aparte de su fracaso? ¿Qué moneda a la que pudiese darle un buen uso?

Sólo la gema más valiosa del universo, mucho más preciosa que lo que ese zorro taimado pretendía ofrecer: la certeza de que yo era profundamente amada, que yo era el ser más importante del mundo para ellas, todo lo que les quedaba. Y, precisamente, porque yo era el vestigio apreciado, no podía permitir que me destruyesen. Mi vida era importante y tenía que encontrar una manera de hacer algo con ella.

Qué salidas falsas, qué inminentes desastres y qué altos y bajos había conocido ya y seguiría conociendo. No tenía fábulas o historias del pasado, cuidadosamente arropadas, con las cuales vivir (en ese sentido era afortunada, aunque durante mucho tiempo no lo vi de ese modo). Tendría que empezar de cero. Tendría que crear mis propias fábulas, mis propios sueños, los únicos que podía hacer a mi medida y con los cuales vivir aquí en Estados Unidos. Pero ¿dónde obtendría la sabiduría para conseguirlo?

Si hubiese pasado mi vida en el *shtetl* de mi madre en Prael, me habrían inculcado todas sus reglas inflexibles desde el momento de nacer: «Sé una hija obediente». «Aprende a cocinar, coser y cuidar de la casa.» «Cásate y sirve a tu esposo y a tus hijos.» No podría haber escapado al destino de mi *shtetl* excepto, tal vez, durante un breve respiro en Dvinsk, trabajando para un sastre y enviando dinero a mis padres en lugar de mis servicios cotidianos, hasta que me concertasen un matrimonio.

Y si la Lilly *shtetl* hubiese tenido un espíritu batallador y revoltoso como la Lil norteamericana, el patriarca de la familia se habría encargado de meterla a tiempo en cintura con una mano pesada y callosa si la amable persuasión no había dado resultado. O, si eso fracasaba, el rabino hubiese venido a visitarnos. Después de hacer que ella se sentase en un banco, la habría instruido, meciendo su larga barba, sobre lo que decía el libro sagrado acerca de sus obligaciones como hija de Israel. La Lilly de Prael no hubiese podido tomar muchas decisiones en su pequeña y miserable vida, porque su camino era tan obvio como inevitable.

Pero Prael había sido arrasado durante el Holocausto y yo era norteamericana. Para mí, ahora, aquí, nada era obvio, y nada era inevitable todavía. Hasta entonces había aprendido alguno: Mel Kaufman y compañía, por ejemplo, me mostraron lo que no podía hacer y los lugares adonde no podía ir; Jan me mostró que los coyotes podían ser de ambos sexos. ¿Pero quién me mostraría lo que podía hacer, qué puertas podía abrir, qué sueños podía inventar para reemplazar mis gastados sueños de alcanzar el estrellato?

—¿Cuándo vas a matricularte en el instituto? —preguntó mi desesperada madre cuando regresé a casa después de haber pasado una semana en el hotel de Jan.

Ahora dormía hasta las diez de la mañana aproximadamente, y cuando despertaba me quedaba en la cama, con la vista fija en los parches y garabatos que podías leer como si fuese un test de Rorschach y consecuencia de la pintura color lavanda que se caía a pedazos de las paredes y el techo. No sabía qué podía hacer con mi vida si salía de la habitación. Si ya no iba a estar nunca más con Jan ni volver al Geller ni leer obras de teatro ni trabajar como modelo, ¿cómo podía pasar la mañana y la interminable tarde y la noche?

—Tienes que matricularte en el instituto Hollywood. Me lo ha dicho la señora Marcus que vive al lado. Lilly, ¿me has oído? Está a cinco manzanas. En Sunset con Highland.

Desde que había desaparecido de casa durante varios días, mi madre ya nunca me hablaba sin un agudo tono de lamento en la voz, como si temiese que ya hubiera dado el inevitable siguiente paso después de haber permitido que me hicieran fotografías completamente desnuda. Ahora no había nada que pudiera decirle para tranquilizarla. ¿Acaso no la había tranquilizado después del terrible hallazgo de las fotografías? Y, justo después de aquello, me esfumé y ni siquiera la llamé para decirle que estaba bien. ¿Para qué servían mis intentos de tranquilizarla?

—Las clases comienzan dentro de una semana. Es necesario que te matricules —insistió mi madre.

Durante todo el año anterior había esperado mi decimosexto cumpleaños para poder abandonar el instituto. Ahora tenía dieciséis. ¿Por qué iba a volver? Y, sin embargo, si no lo hacía, ¿qué haría el resto de mi vida?

Si no te imponen ningún patriarca o rabino, o si ni siquiera están disponibles para ti, ¿hacia quién te vuelves para que te guíe?

Abrí las páginas amarillas en la sección de psicólogos y marqué el número con un dedo insensible.

Cuando el Dr. Sebastian Cushing supo que tenía sólo dieciséis años y mi familia no tenía dinero, me habló de un consejero que estaba contratado por el Rotary Club para que hablase con los jóvenes desvalidos con problemas.

¿Cuándo no había sido yo una joven desvalida con problemas?

—Pero sus pacientes son en su mayoría delincuentes juveniles. —El Dr. Cushing rezumaba simpatía a través del teléfono.

—No hay problema, soy una delincuente juvenil, aunque soy una chica —le dije sinceramente, y apunté el nombre del señor Maurice Colwell en la página amarilla.

El vetusto edificio de piedra parecía haber alojado en otro tiempo la elegancia de un estudio de cine, pero cuando atravesabas la gran puerta de roble te asaltaba el intenso olor a cloro que provenía de la enorme piscina cubierta. El edificio pertenecía ahora a la Asociación de Jóvenes Cristianos de Hollywood, un templo para la puesta a punto física masculina, y la oficina del señor Colwell estaba en el segundo piso.

Me quedé junto al escritorio de recepción, sintiéndome fuera de lugar y esperando a que reparase en mí la única mujer que había a la vista, una señora mayor con el pelo recogido que se encargaba de la centralita. Podía oír los gritos roncos y estridentes propios de la camaradería masculina detrás de las puertas del gimnasio y el apagado bote de las pelotas de baloncesto.

La mujer de la centralita me indicó que subiera la escalera de mármol y luego recorriese un oscuro corredor hasta el cubículo que el señor Colwell utilizaba como oficina.

—Adelante. Lillian, ¿verdad?

Su voz era sonora y desagradable. Se levantó y extendió una mano inmensa, pero no se movió de detrás de un escritorio que estaba atestado de libros y pilas de papeles, cajas de Kleenex arrugadas y vacías y una llena y un bastón con la empuñadura de ornitorrinco encima de todo ese desorden. Tenía el pelo castaño muy corto y llevaba gafas redondas con montura de carey y un traje de franela gris con una corbata azul, como un respetable miembro del Rotary Club. Babbit,* así solían llamar en el Geller a los hombres que tenían ese aspecto.

—Muy bien, dime, ¿cuál es tu historia? —me preguntó el señor Colwell sin ningún preámbulo, señalándome una silla plegable de metal que había al otro lado del escritorio. Él también se sentó en una silla similar, con la cara apoyada en las manos y los codos haciendo equilibrio sobre el desordenado escritorio. Parecía un búho en una rama.

¿Cómo podía empezar a contarle mi vida a un desconocido en una oficina deprimente mientras por los pasillos transitaban tíos fuertes y musculosos? Busqué en mi cabeza algunas palabras superficiales que me ayudasen a salir del apuro hasta que pudiera largarme de ese sitio.

—Mientras piensas, deja que te cuente un chiste —comenzó—. Era un *schnorrer*, sabes lo que es un *schnorrer*, ¿verdad?

Recordé lo que mi madre y Rae habían dicho de Fanny.

—Sí, una persona que actúa como si fuese un mendigo. —¿El nombre de este tío era Colwell?

---

* Expresión despectiva que describe a un individuo de la burguesía aferrado a las normas éticas y sociales propias de su clase. (*N. del T.*)

—Exacto. Va a visitar a un hombre rico y le dice: «Tengo hambre. Dame algo de comer». Y el hombre rico le contesta: «¡Qué *chutzpah*!». ¿Tengo que traducírtelo?

—No, es descaro... o atrevimiento... un atrevimiento ultrajante.

—Sí. Así que el hombre rico le dice: «Qué *chutzpah*, un hombre como usted, con los brazos de un buey, ¿qué derecho tiene a andar por ahí mendigando?». Y entonces el *schnorrer* le dice: «¿Qué cree que debería hacer por los asquerosos céntimos que usted me dé, cortarme los brazos?».

Maurice Colwell sonrió y la abertura que tenía entre los dientes delanteros parecía lo bastante grande como para que un cigarrillo se perdiese entre ellos.

Me eché a reír, más por su estúpida sonrisa que por el chiste, que no estaba segura de que fuese realmente divertido.

—Veamos ahora un poco de *chutzpah* de tu parte —dijo seriamente—. ¿Cuál es tu historia?

—¿Cómo sabe lo que significa *chutzpah*? —le pregunté.

—Soy judío honorario. Mi esposa es judía —dijo—. ¿*Nu*? —y se inclinó tanto hacia adelante que la parte superior de su cuerpo ocupó la mitad del escritorio.

Se lo conté. ¿Qué tenía que perder? Acerca de mi trabajo posando desnuda para los fotógrafos y del Open Door y cómo mantenía mi edad en secreto, y sobre los insuficientes que sacaba en el instituto y mi decisión de no volver a estudiar, y luego le hablé de cómo le había fallado a mi madre, obligándola a que se casara con Albert —y entonces las lágrimas comenzaron a rodar por mis mejillas y él me alcanzó la caja de Kleenex—, y por qué había abandonado mis sueños de Hollywood que había alimentado y planeado desde que era una niña, y cómo aún seguía pensando en cómo sería viajar a Nueva Orleans en moto con Jan. Le conté toda mi vida.

—O sea, que realmente piensas que eres homosexual, ¿eh? —me preguntó después de dos horas.

—No pienso que lo soy. Lo soy —dije. ¿Acaso este tío vestido con una camisa de fuerza de Brooks Brothers pretendía rescatarme de la homosexualidad?

—Bien, presta mucha atención. No importa si eres un mandril a topos, aun así tienes que comer. Y si eres homosexual, no quieres casarte, ¿verdad? De modo que tienes que trabajar para comer. Y si tienes que trabajar para comer —recitó con la lógica de un sabio talmúdico— también puede ser un buen trabajo que te permita comer bien, ¿sí? De modo que será mejor que acabes el instituto y vayas a la universidad. No es necesario que ahora asistas a clase a tiempo completo, de modo que escribiré una nota, se la llevarás al director, y él permitirá que salgas antes de la hora del almuerzo todos los días. ¿Trato hecho?

Tenía razón. ¿Por qué no se me había ocurrido a mí? Si no quería casarme, tendría que trabajar. Si no podía trabajar como actriz de cine y no quería trabajar como mi pobre madre en un lugar donde te explotaban y te pagaban una miseria, tenía que acabar el instituto.

—¿Qué te gusta hacer, cuando no estás corriéndote juergas en los bares o ligando con sociópatas o arriesgándote a romperte el cuello a lomos de una moto?

Entornó sus ojos de búho. No sabía si estaba tratando de hacer una reflexión moral o simplemente trataba de ser gracioso. ¿Qué podía decirle sobre lo que me gustaba hacer? ¿Hacer el amor con Jan?

Busqué en mi memoria.

—Solía leer obras de teatro todo el tiempo —dije.

—Es un buen comienzo. —Revolvió la montaña de libros y papeles que había encima del escritorio—. Esta obra te encantará, *Un árbol crece en Brooklyn*. Es una novela, una chica pobre que se convierte en escritora, católica irlandesa, no como tú pero tampoco tan diferente. Léela y la semana próxima me cuentas qué te ha parecido. Ésta también, y éstas.

Extrajo, no sin esfuerzo, media docena de libros en rústica con las puntas dobladas y me los dio.

—Te veré la próxima semana —dijo, ofreciéndome nuevamente su enorme mano en un apretón que se tragó la mía—, pero mientras tanto piensa en esto que te voy a contar, ¿de acuerdo? Hace doscientos años había un rey que odiaba a los judíos e hizo este decreto: «Todo judío que ponga el pie en mi reino debe contar algo de sí mismo. Si miente será fusilado y si dice la verdad será colgado. De modo que un día llega un judío —abrigo largo negro, patillas, todo— y los guardias del rey le ordenan que cuente algo sobre sí mismo. «Hoy me fusilarán», dice el judío. Esta respuesta confunde a los guardias (todos ellos llevan *goyishe kups*), ¿qué deben hacer con este tío? Entonces van a ver al rey para que les aconseje, pero el monarca también está desconcertado. «Si fusilo al judío, eso significa que dijo la verdad —se dice el rey a sí mismo—, pero en ese caso mi decreto dice que debe ser colgado, ¿cómo puedo fusilarle entonces? Pero si ordeno que sea colgado, eso implica que dijo una mentira, y por una mentira mi decreto dice que debe ser fusilado, ¿cómo puedo colgarle entonces?» ¿Qué puede hacer el rey? No tiene más remedio que dejar al hombre en libertad. —Nuevamente la sonrisa con el agujero entre los dientes—. Rápido... ¿cuál es la moraleja?

Me reí por dentro. Este tío era realmente gracioso. Pero como respuesta a su pregunta me encogí de hombros.

—La moraleja es —dijo Maurice Colwell— que en este mundo tienes que usar la cabeza. Ahora, piensa en ello.

Cogió el bastón de la pila de papeles y me acompañó por el corredor con una marcada cojera, un pie calzado en un zapato con plataforma que intentaba en vano compensar la cortedad de su pierna.

—Polio —me contó mucho después—. Así fue como empecé a leer. Si te ves obligado a permanecer en cama uno o dos años, descubres muchas cosas.

Apreté los libros contra el pecho y caminé hacia el oeste por Sunset Boulevard, de regreso a los Court Bungalows de Fountain Avenue. Maurice Colwell tenía razón, con respecto a casi todo, pero sobre todo en lo que se refería a que usara la cabeza. Había dejado de hacerlo. Pero ahora regresaría al instituto y decidiría qué quería hacer y cómo conseguirlo. Había pasado la mayor parte del año anterior en estudios de fotógrafos, vestida con plumas y pantalones de harén y pelotas de playa y nada; había estado en el prostíbulo de Houdini; me había asociado con drogadictos y borrachos; había sido clienta asidua de bares de homosexuales; había hecho el amor en un hotel de mala muerte con una alcahueta tortillera. Y ahora necesitaba ser una estudiante de undécimo grado. Tenía que conseguirlo. Tenía que conseguir el diploma del instituto que el señor Colwell —Maury, así me dijo que le llamase— dijo que necesitaba si quería ir a la universidad y convertirme en alguien.

Me encontré encumbrándome sobre botas de siete leguas por Sunset Boulevard porque, de pronto, me sentía más colocada de lo que nunca habían conseguido los whiskies de Jan, aunque mi mente estaba absolutamente clara, como si me hubiese quitado de encima un montón de capas de gasa. Podía hacer algo bueno, aun cuando no pudiera ser actriz. Recordé que alguna vez había querido ser abogada y Fanny había dicho que las chicas pobres no podían llegar a ser abogadas. Le preguntaría al señor Colwell —Maury— qué pensaba de eso. Él conocía este país como mi madre y Rae y Fanny jamás podrían conocerlo.

Álgebra II, Historia, Inglés, Latín, mis clases eran de ocho a doce. Ahora no podía imaginar cómo me las había arreglado para hacer semejante desastre en Fairfax. Sólo tenías que prestar atención y entregar los trabajos que la profesora te decía que debías entregar, y tus deberes volvían marcados con una A o, al menos, una B. Era fácil.

Aunque terminaba antes de la hora del almuerzo y era libre para marcharme, hacia la tercera semana no quería hacerlo. El Club de Declamación se reunía al mediodía. «Buscamos caras nuevas: polemistas, intérpretes orales, oradores extemporáneos», decía el impreso. «¡Ayuda al instituto Hollywood a traer el sustento a casa desde los campeonatos regionales de Pepperdine!» Interpretación oral, eso significa lectura dramática. Yo ya no tenía sueños de convertirme en actriz, pero echaba de menos el oficio que había estudiado durante tantos años. En uno de los libros que me había prestado Maury —*USA*, de John Dos Passos— encontré *Body of an American*, una pieza acerca de los horrores de la guerra, algo que había sentido en cuerpo y alma desde la infancia.

Me encantó la dulce y familiar calma y la aguda concentración que sentí cuando me dirigía al frente de la clase durante la segunda reunión del Club de Declamación. Lil desapareció en el texto del airado e irónico Dos Passos. Sostuve el libro en las manos, pero conocía el texto de memoria, y modulé mi entrenada voz para adaptarla al matiz de cada frase. Me encantó el silencio que reinaba en la habitación y la expresión en los rostros de los chicos y también en el rostro del señor Bell, el director de declamación.

—¡Guau! —oí que susurraba uno de los chicos cuando hube acabado. Como el «guau» que lanzó Irene hacía ya muchos años.

* * *

Durante un tiempo se convierten en mi pandilla. Nunca había tenido un grupo de amigos de mi edad, y me gusta la nueva sensación, finalmente soy algo parecido a una adolescente. Está Ken, el chico que exclamó «guau», es hijo de un famoso abogado de izquierdas y vive en una gran casa en las colinas de Hollywood. Allí es donde aprendo que, si bien el dinero puede comprar una casa como la de Simone, para crear un hogar como el de Ken también necesitas cultura y gusto. Ken me presta libros encuadernados con las sobrecubiertas intactas —Dalton Trumbo, Upton Sinclair y Howard Fast— que coge de las estanterías que cubren las paredes del techo al suelo en la sala de juegos de la casa de su familia. Nos sentamos en muebles de roble lustroso y ante castaño, y él sostiene mi mano entre las suyas y contempla mi rostro mientras me habla apasionadamente del socialismo y los males de McCarthy y de cómo su padre había defendido a escritores y directores incluidos en las listas negras, y las cosas valientes e inteligentes que había dicho ante el Comité de Actividades Antinorteamericanas del Congreso. Está Alice, quien se desplaza haciendo piruetas por los corredores del instituto sobre zapatos de hada, que quiere aprender a tocar el dulcémele para que la gente la llame «la doncella con el dulcémele»; quien declara que todo es «más curioso y más curioso» porque sabe que se parece a Alicia en el País de las Maravillas, con sus grandes ojos de vincapervinca. Está Mario, quien nos lee en voz alta párrafos de *Las flores del mal*, de Baudelaire, de un libro que siempre lleva en el bolsillo trasero del pantalón, los labios rojos y carnosos fruncidos expresivamente, el bíceps de su lampiño brazo alzado que se agita mientras el libro se mueve al ritmo de las palabras. Ken es el enamorado de todas las chicas cerebrales en el Club de Declamación, pero Mario está considerado como el chico más sexy del instituto por casi todas las otras chicas y también por Denny, quien me llama muy tarde por las noches para hablarme del contenido oculto en cada migaja —cualquier gesto o palabra— que Mario se digna a hacer en su dirección.

* * *

Arrastro el trofeo gigante hasta el edificio de la YMCA en una gran bolsa de papel, sintiéndome ridícula, pero necesito escuchar que Maury me dice que he hecho algo bueno. Primero se lo mostré a mi madre: Gran Premio en Interpretación Oral: Campeonato Regional de la Liga Forense del Sur de California.

—Chicos de cincuenta institutos —le dije.

Ella dejó el recipiente de Salt Morton *kosher* con la que estaba salando las gruesas rebanadas de carne roja, se limpió las manos en el delantal y levantó con mucho cuidado la Victoria Alada de madera dorada. Movió los labios, tratando valientemente de leer y entender todas las palabras que había en la base, y su sonrisa era radiante. Como solía hacerlo cuando acudía a ver las actuaciones con el grupo de Irene. ¿Pero qué sabía ella?

—Actividades extracurriculares. A los colegios les encantan esas cosas. —Maury me gratificó con las palabras, sus ojos de búho aleteando debajo de las gafas—. Sigue acumulando éxitos.

Si él pensaba que tenía mérito, así debía ser. Estaba ansiosa anticipando el siguiente certamen, sobre todo porque quería volver a ganar y tener otro trofeo con el que subir la escalera de mármol de la YMCA y presentarlo para que Maury lo aprobase.

—Dieciséis años y un cerebro de diez —me castigaba, pero muchas noches me iba a dormir con la visión de cómo atravesaría la puerta de su pequeña oficina con otra Victoria Alada en las manos, y él me diría: «¡Lo has hecho muy bien, chica! No aflojes».

—Veamos lo que llevas en esa bolsa —me decía siempre. Búho sabio, conocía mi necesidad.

—Quedé primera en Occidental o gané el premio de Estado en interpretación oral —le decía, avergonzada de cuánto disfrutaba con sus elogios—. ¡Me envían a los campeonatos nacionales en Lexington, Kentucky! —corrí a decirle, siendo ese momento casi más delicioso que el hecho en sí.

Él hablaba y hablaba, durante dos o tres horas cada semana, en ocasiones dos veces por semana. Maury se mostraba generoso con los comentarios como con su tiempo, y yo aceptaba ambas cosas como si fuese un caminante extraviado, agradecida por el beicon, el mapa de carreteras, el reflector que iluminaba el camino. Me orientaba hacia campos abiertos y me hacía intuir horizontes que se extendían más allá de la vista.

Me aleccionaba: «En Estados Unidos no existe realmente eso que llamamos clase, no como en Europa. Allá, donde naces, te quedas. Aquí, puedes subir y puedes bajar. No hay nada grabado en la piedra, ninguna *Guía de la Nobleza*. Tus padres pueden dejarte un millón de dólares, te pules esa fortuna en heroína o alguna mierda de ésas y no eres nada. O puedes nacer sin nada y llegar a convertirte en alguien importante: médico, abogado, profesor universitario. Necesitas cerebro y trabajar duro, y es todo tuyo. ¿Sabes quién era Horatio Alger? De la pobreza a la riqueza. Esas cosas pasan».

Él me educaba: «¿Sabes cuál es el mayor horror, la mayor amenaza a la humanidad? No es la pobreza, ni la ignorancia. La injusticia. Eso es lo que más niega tu humanidad básica. Eso es lo primero en lo que necesita gastar sus energías una sociedad civilizada, en combatir la injusticia. Todo lo demás se ordena naturalmente cuando se soluciona la cuestión de la injusticia».

Él respondía a mis preocupaciones: «Sí, tienes razón, no hay muchas mujeres haciendo cosas importantes. ¿Y qué? No hay nada que no sean capaces de hacer, sólo tienen que luchar más para conseguirlo. Mira, ha habido mujeres políticas, mujeres científicas, mujeres inventoras, mujeres abogadas. Aquí no estamos en el siglo XIX. Sólo tienes que desearlo».

Hasta el día de hoy sus enseñanzas, acertadas o equivocadas, están grabadas en mi psique del mismo modo que las enseñanzas del *shtetl* en la de mi tía. «Si estás destinada a ahogarte —Rae solía repetir el estrecho fatalismo que había absorbido junto con las patatas y las coles de Prael—, te ahogarás en una cucharada de agua». Le encantaba ese dicho. Otro de sus preferidos era: «Si algo no es como a ti te gusta, tiene que gustarte como es».

¿Cómo no iba a preferir los mensajes de Maury que hablaban de esperanza y justicia y libre albedrío?

10

EXPULSADA

Denny usaba camisas deslumbrantes que eran de color amarillo girasol, verde loro, rojo manzana acaramelada. Era travieso y demasiado guapo para ser un chico y cualquiera que se fijase bien se habría dado cuenta de que sus cejas no podrían tener ese arco tan alto y perfecto sin la ayuda de unas pinzas. En los certámenes de declamación hacía el papel de Biff de *Muerte de un viajante* con una voz exageradamente melodramática que se elevaba una octava y convertía su interpretación en un acto involuntariamente cómico, pero eso no parecía importarle demasiado. Mario era la auténtica razón por la que se había unido al Club de Declamación.

Cuando me llamó una tarde a casa para preguntarme si pensaba que Mario estaba mejor con su camiseta negra o con la blanca, le dije: «Yo también soy homosexual».

—¡Lo sabía, lo intuían mis huesos! —exclamó entre chillidos y cloqueos; se convirtió en mi mejor amigo en el instituto. Yo tenía mucho que ocultar ante los otros chicos.

Fue Denny quien me introdujo en la vida secreta que se desarrollaba en Hollywood Boulevard, a sólo unas manzanas de nuestro instituto. La mayoría de los transeúntes nunca parecían reparar en los muchachos que recorrían arriba y abajo el bulevar desde Highland hasta Vine en pequeños corrillos, lanzando gritos de júbilo o insultos a otros grupos de muchachos. «Ella» o «Mary» o algún término femenino similar era la forma en que se dirigían unos a otros, y hablaban en voz alta sobre pasear y exhibirse y reinas y rosarios de marineros («los botones en los pantalones de un marinero que las reinas adoran», como definió para mí Destiny, la reina más fabulosa de todas y mi compinche durante tres meses). Un transeúnte cualquiera podía ver a una mujer hermosa y cuidadosamente maquillada y pensar «una joven estrella de Hollywood», pero Denny me presentó a muchas de ellas, *drag queens* que recorrían el bulevar ejerciendo la prostitución o para ver lo bien que daban el pego. Fue Denny también quien me instruyó acerca del escenario homosexual en el bulevar y me llevó al Marlin Inn, un café donde podían reunirse los homosexuales menores de edad sin necesidad de documentos de identidad falsos. Nuestra parada preferida después de clase era el Coffee Dan's, un lugar de reunión habitual para la comunidad homosexual de Hollywood, donde los clientes heterosexuales raramente advertían que las personas que estaban en el reservado de al lado —acariciándose y arrullándose o comportándose como mujeres, a veces con exageradas sombras de ojos y colorete— eran todos hombres.

Ser miembro honorario del mundo secreto de los homosexuales me hizo añorar las libertades que reclamaban para ellos. Nunca había oído de lesbianas que ligaban en plena calle, pero deseaba saber cómo sería pasar junto a una desconocida en el bulevar, cruzar una mirada llena de significado que fuese invisible para los demás y seguirla (igual que lo hacían los gays entre ellos), con la sangre hormigueando en todo el cuerpo, a la vuelta de la esquina. Pero si alguna vez las lesbianas pasaban por esa calle, no las reconocía, y viví en un estricto celibato durante gran parte de mi penúltimo año en el instituto porque sabía que debía mantenerme alejada de los bares. Pero todo estaba bien porque tenía planes: en un par de años acabaría mis estudios en el instituto y luego me matricularía en una escuela universitaria[*] que había visto

---

[*] En Estados Unidos comprende generalmente los dos primeros años universitarios. (*N. del T.*)

a un par de manzanas del Open Door, Los Ángeles Junior College, y todos los días, después de clase, iría allí a tomar unas cervezas y a conocer mujeres y a tener todas las amantes que me apeteciera. Y no me metería en problemas con una mujer brutal como Jan. Por el momento todo se limitaba a recorrer el bulevar con las *drag queens* o pasar el tiempo con ellas en los cafés.

De vez en cuando «salía» con gays que conocía en el Marlin o el Coffee Dan's. Wendell tenía el aspecto de un hombre de negocios fuerte y joven y trabajaba para la Compañía de Gas del sur de California. Me pidió que le sirviese de fachada en una fiesta de Navidad.

—A esas fiestas siempre tienes que ir con tu esposa o tu novia, de modo que me harías un gran favor si me acompañas —dijo—. Diles que tienes veinte años, ¿de acuerdo? Y si te preguntan, diles que llevamos saliendo cerca de un año.

Yo estaba encantada de hacerlo.

—Tengo una cita —le dije a mi tía cuando el señor Bergman la trajo a casa en el coche—. Tiene veintitrés años y un buen empleo en la compañía del gas. —La miré con fingida alegría. Tal vez eso pusiera remedio a sus sermones durante algún tiempo.

—¿Judío? —preguntó.

Al final de cada semestre le llevaba mis libretas de calificaciones a Maury porque también eran trofeos: acabé el undécimo grado con casi todos sobresalientes. Entornó los ojos de búho detrás de las gafas redondas mientras examinaba las notas. «*Mazel tov, bubeleh!*», exclamaba, y me estrechaba efusivamente la mano como si le hubiese llevado nachas, se sentía complacido como si fuese su hija.

—Los colegas saben perdonar un primer año de universidad malo si puedes sacar notas como éstas. Demuestra que has madurado. Serás una joven *collitch* y una joven bachiller y una joven profesora y una joven *phudd*. Bien, ¿dónde piensas matricularte?

—¿Los Ángeles City College? —Me miró con el ceño fruncido cuando le expliqué cuáles eran mis planes—. ¡Eso es ridículo! Es una escuela universitaria... sólo dos años. Con estas notas y todos esos trofeos que has conseguido en los certámenes de declamación puedes escoger sin problemas: UCLA (Universidad de California, Los Ángeles), Berkeley, Columbia. ¿No sabes acaso que existe una diferencia entre esos lugares y un lugar como Los Angeles Junior College? Allí fuera hay todo un mundo esperando. ¿Te gustaría vivir en el corazón de Nueva York? Allí está Columbia. ¿No sabes acaso que en Nueva York tienen más teatros, conciertos, museos, conferencias... más de todo aquello que merece la pena hacer y ver que en cualquier otro lugar del planeta?

No lo sabía. Sólo sabía que era el lugar desde donde había llegado a Los Ángeles y aquellos recuerdos no eran tan maravillosos. Pero las palabras de Maury me impulsaron a soñar con Nueva York como una posibilidad fabulosa. La Universidad de Columbia. O podía quedarme en California e ir a Berkeley. O a UCLA.

La primera vez que vi a Nicky pensé que era un muchacho heterosexual. Había ido al Marlin Inn a encontrarme con Denny y ella estaba sentada a una mesa con él y otras reinas. Su camisa masculina de lana gris colgaba por fuera de los vaqueros y su pelo castaño era mucho más corto que el de cualquiera en el Marlin. Tenías que mirar realmente para advertir los pechos debajo de la camisa, no porque fuesen pequeños sino porque el efecto masculino estaba tan conseguido que tus ojos podían hacer que ignorases la suave protuberancia que se insinuaba debajo de la pechera de la camisa.

Fue la primera lesbiana que conocí en Hollywood.

—¿Quieres unirte a nosotros? —dijo con gran formalidad, y se levantó de su silla. Cogió mis libros y casi me hizo una reverencia cuando me acercó una silla. Al principio me pregunté si se estaba burlando de mí, pero no, lo hacía en serio. Era Humphrey Bogart en *Casablanca*.

—Gracias, eres muy amable —dije. Yo también sabía cómo ser Ingrid Bergman, de modo que dejé que me ayudase a sentarme. Denny reía entre dientes. Le fulminé con la mirada.

En el momento en que saqué un cigarrillo del paquete había un mechero dorado, muy usado, delante de mi nariz, y cuando el camarero trajo el café que había pedido, Nicky insistió en pagar, luego se levantó para buscar un trozo de pastel de manzana y luego una segunda taza de café. Cuando dije que tenía que marcharme, me preguntó si podía acompañarme a casa.

—Claro —dije, porque echaba de menos a las lesbianas del Open Door.

Nicky no dejó de hablar mientras bajábamos por Hollywood Boulevard, como si hiciera mucho tiempo que no tenía a nadie con quién hacerlo. Ahora pude ver que era toda una chica, con pies de cachorro y ojos de cachorro que frustraban sus esfuerzos por pasar por un hombre sofisticado. Había llegado a Los Ángeles formando parte del equipo de una revista, me dijo, un jefe y media docena de jóvenes. Su trabajo consistía en ir de puerta en puerta con expresión de cordero degollado y una historia lacrimógena, como «mi madre y mi padre murieron en un incendio el mes pasado y ahora no tengo a nadie en el mundo salvo una tía soltera en Topeka, Kansas, y estoy tratando de reunir dinero vendiendo revistas para poder comprar un billete de autobús e ir a vivir con ella. ¿Podría ayudarme, por favor?». «Son revistas muy buenas y mucho más baratas que en los kioscos. La gente disfruta de ellas una vez que las compra», me explicó Nicky con expresión seria.

—¿No tienes que volver a casa en seguida, verdad? —me preguntó cuando giramos en Fountain Avenue. Era todo un personaje; nunca había conocido a nadie como ella. De modo que me instalé con ella en el césped del edificio de apartamentos que había junto a los Court Bungalows y escuché durante otra media hora mientras me contaba la historia de su vida, arrancando nerviosamente hojas de hierba y amargones. En seis meses ya había estado en Chicago, Des Moines, Cheyenne, Salt Lake City, Reno y San Francisco. Pronunciaba con placer el nombre de cada ciudad, un viajero del mundo que había visto maravillas.

—Y he ganado mucho dinero. Soy muy buena en lo que hago —dijo con voz varonil—. El jefe te guarda el dinero y se encarga de pagar las facturas de hotel y esas cosas. Luego, cuando estás preparado para marcharte, recibes tu fortuna.

Fortuuuuuna, así lo pronunció, haciendo que la palabra sonara como si significase *cofre de doblones de oro*. Aunque sólo era un año o dos mayor que yo, comparada con ella me sentía como una mujer agotada. Las mentiras que había contado para poder vender el *Ladie's Home Journal* aún no habían conseguido que sus ojos tuviesen una expresión dura y astuta, y estaba rodeada por una especie de aura ingenua. Antes de unirse al equipo de ventas de la revista había sido camarera en uno de esos lugares donde la gente come en sus coches, y antes de eso había trabajado como telefonista.

—Pero lo que realmente me gusta es escribir —dijo.

A veces, cuando una profesora de lengua me hacía comentarios exageradamente elogiosos sobre un ensayo, pensaba que no me desagradaría la idea de convertirme en escritora. Parecía algo tan excitante como ser actriz; más excitante, en realidad, porque para ello se necesitaba inteligencia. («Escribes algunos garabatos en un papel y, milagrosamente, tu mente se une a la de miles de desconocidos. Tú jamás les has visto siquiera, pero les has enseñado, les has tocado», había dicho Maury. «La mejor profesión del mundo», la llamaba).

—Ya tengo cerca de cincuenta páginas escritas —dijo ahora Nicky, y yo la escuchaba con admiración—. En realidad, el libro trata sobre mí, pero llamo Blackie a la protagonista, una lesbiana de San Luis, de dieciocho años, que viaja por todo el país tratando de salir adelante sin ayuda de nadie. El título es *Camina con el viento*. Cuando Blackie tiene doce años gana un certamen nacional de cuentos para chicas de colegios católicos, el primer premio, y la historia, *Big Red*, que habla de un perro del tipo *La llamada de la selva*,* se publica en una revista que se distribuye en todos los colegios católicos. En su colegio, las monjas dicen de ella que será la próxima Graham Greene. Pero cuando tiene dieciséis años su madre hace que entre a trabajar para la compañía telefónica de San Luis, a pesar de que la monja directora le implora a la madre y le dice que le conseguirá a Blackie (Nicole, se llama en aquella época) una beca para que pueda

---

* Famosa novela del escritor norteamericano Jack London. *(N. del T.)*

ir a la universidad. La madre de Nicole se muestra inflexible; ella ha ido a la escuela sólo hasta los dieciséis años y lo que fue bueno para ella debería de ser bueno para su hija. De modo que Blackie comienza una vida de enchufar clavijas en el cuadro de conexión manual principal de la compañía telefónica. «Soy homosexual», le dice a su madre cuando tiene diecisiete años, porque se ha enamorado de una chica que también trabaja en la compañía telefónica. Es entonces cuando su madre la echa de casa, no deja siquiera que recoja su ropa, sólo le dice: «No quiero una chiflada como hija».

—¿Todo eso sucedió realmente? —le pregunto, sin poder creer que existan madres que puedan hacerle eso a sus hijos.

Nicky hace crujir los nudillos ruidosamente, primero los de la mano izquierda y luego los de la mano derecha, antes de contestar.

—Así es exactamente como sucedió. Eso fue el año pasado. He estado caminando con el viento desde entonces.

—Pero... ¿no te grita que regreses a casa cuando la llamas? —recordaba mis llamadas desde las cabinas telefónicas a mi madre histérica.

—La llamé sólo una vez, cuando me echaron del restaurante por robar porque la paga era miserable, estaba sin blanca y no tenía adónde ir. Le dije: «Mamá, soy yo, Nicole. Quiero volver a casa, mamá». «No conozco a ninguna Nicole», me dijo, y colgó. Qué zorra, ¿verdad? —Nicky sonrió, pero vi que le temblaba el labio inferior.

—¿Puedo entrar unos minutos? —preguntó, aferrando mis libros del colegio contra el pecho cuando le dije que realmente tenía que volver a casa.

Ella no se parecía en nada a Jan y yo jamás había conocido a nadie que quisiera ser escritor.

—Será mejor que te metas la camisa dentro de los pantalones y te pongas un poco de color en los labios —le dije, alcanzándole una barra de Red Hot Peppermint que saqué del bolso.

Por un momento pareció horrorizada, pero cogió la barra de labios.

—No tengo espejo —dijo—. Dime si lo hago bien.

Mi madre estaba en la cocina jugando al *gin rummy* con Albert y ni siquiera reparó en Nicky.

—He venido con una amiga del instituto —grité en dirección a mi madre, y Nicky y yo nos metimos en mi habitación.

—Está bien —oí que decía mi madre. Albert no abrió la boca. Cerré la puerta y saqué del bolso un puñado de libros con cubiertas llamativas que había encontrado en la estantería de libros en rústica a veinticinco céntimos en la tienda de bebidas y revistas: *Women's Barracks; Queer Affair, We Walk Alone, Odd Girl Out.*

—Toma —le dije a Nicky—. Hablan de lesbianas, pero tu historia es millones de veces más interesante. Sé que conseguirás que te la publiquen. —Mi ambición por ella estaba creciendo como un tallo de frijol.

Mi madre le echó un vistazo un poco más tarde, cuando se marchaba, pero no pareció darse cuenta de que Nicky parecía un chico. En el *shtetl* no había habido lesbianas, ni en las películas que ella había visto, ni en las tiendas en las que había trabajado.

—Es demasiado alta para ser una chica. Nunca había visto una chica tan alta —fue todo lo que dijo mi madre sobre ella.

Nicky volvió a casa el sábado y también el domingo, y cuando comenzó la semana venía en cuanto quedaba libre a última hora de la tarde. Maury me dijo que necesitaba rellenar las solicitudes de ingreso en la universidad y escribir mi ensayo acerca de por qué cualquier universidad sería feliz teniéndome en sus filas. Yo ya había decidido presentarme a todas las buenas universidades de California —UCLA, USC, Pepperdine, Occidental— porque en cualquiera de ellas no estaría demasiado lejos de mi madre. Nicky se quedaba conmigo en mi habitación mientras yo me concentraba en mi trabajo. A veces escribía un poco de *Camina con el viento* o leía algunos de mis libros de teatro o mis novelas, su largo cuerpo tendido en el suelo cerca de mí mientras yo estaba sentada a mi pequeño escritorio. «¿Puedo leerte esto?», me preguntaba de vez en cuando. No me importaban las interrupciones porque habitualmente me leía párrafos que a mí también me gustaban, y pensaba que sus comentarios eran muy inteligentes, mejores que los míos. «Tú eres la que tendría que estar presentando solicitudes de ingreso en la universidad», le decía. Era agradable —su compañía, nuestros gustos compartidos— y me encontré soñando un poco, en cómo ella se convertía en una escritora famosa y yo me convertía en... aún no lo sabía, en alguna otra cosa buena.

Cuando ella me besó la primera vez, allí en mi habitación, fue un beso tímido, infantil, con los labios blandos y cerrados.

—¿No sabes cómo se besa? —le tomé el pelo, y le mostré cómo se hacía, como una mujer mayor. De alguna manera, sin embargo, las piezas no encajaron; no parecía en absoluto... erótico. Pero, aun así, fui a la sala de estar y le dije a mi madre que Nicky se quedaba a dormir porque me estaba ayudando a estudiar para un examen.

* * *

Cierro la puerta con llave y apago la luz después de escuchar que mi madre o Albert cierran la puerta de su habitación y dos pares de zapatos golpean el suelo. Me quito toda la ropa y la dejo en una pila junto a la cama. Puedo ver la sombra de Nicky, de espaldas a mí, cuando se quita los zapatos, los calcetines, la camisa, los pantalones y nada más. Se mete en la cama antes que yo, se cubre con las sábanas y la manta y luego me atrae hacia ella. Me deslizo debajo de la manta y ella me acaricia todo el cuerpo. Había deseado tanto tener una amante y ahora tengo una que es tan dulce e inteligente y apasionada. Pero falta algo fundamental. Sea lo que sea, permite que mi mente siga vagando hacia otras cosas, el sonido de mis pasos en la escalera de mármol que lleva a la oficina de Maury, los círculos oscuros alrededor de los ojos de mi madre. Y súbitamente lo sé: no es culpa de Nicky que no esté profundamente excitada. Juntas somos dos zapatos izquierdos. Lo que quiero realmente es una mujer mayor. Una mujer mayor. Incluso la frase me excita.

* * *

Pero no quiero que se marche. Realmente me gustaba la forma en que nos emparejaban a los homosexuales en Hollywood Boulevard, éramos Lil-y-Nicky. A veces, las tardes de fin de semana me ponía nuevamente mis capri arlequinados y los tacones altos que a ella le encantaban y paseábamos por el bulevar, su brazo rodeándome los hombros.

—No pasa nada —me tranquilizó la primera vez—. Todo el mundo piensa que soy un chico.

Decidí que, probablemente, tenía razón y me relajé participando de la diversión, del encanto de engañar a los turistas que pensaban que éramos como ellos. «Queridos, formáis una pareja encantadora», decía Destiny efusivamente. Me gustaba incluso más la forma en que se sentaba conmigo mientras hacía mis tareas escolares, y cómo hablábamos sobre la forma en que ella acabaría *Camina con el viento* y la vendería por un montón de dinero. Descubríamos juntas libros como *El profeta* y *Renascence*, de Edna St. Vincent Millay. Nicky me dijo que el libro que más le gustaba era el poemario de amor de Walter Benton *This Is My Beloved*, porque el nombre de la amada era Lillian. Me recitaba una y otra vez el poema de Benton titulado *"Tus ojos"* con una voz rica y melodiosa, con entonaciones sutiles y profundas.

En un mes, aproximadamente, el equipo de la revista había agotado todos los vecindarios de Los Ángeles y el jefe de Nicky le dijo que se trasladaban a San Diego. Corrió a mi casa tan pronto como lo supo.

—Dime que me quede. —Sostuvo mi mano entre las suyas, mirándome fijamente a los ojos e implorándome como si fuese un pretendiente victoriano.

—Sí, quédate —le dije. Me quedaría sola otra vez si ella se marchaba.

La acompañé al hotel donde se había alojado el equipo de la revista a que recogiera su ropa y el dinero, el Royal Astor, un edificio tan mugriento como el que ocupaba el hotel de mala muerte donde había vivido con Jan. La puerta cristalera de la entrada estaba rajada, como si alguien le hubiese dado con un bate, y el vestíbulo estaba decorado con un único sofá de cuyas entrañas desgarradas brotaban manojos de paja. Seguí a Nicky a través de escaleras oscuras que me resultaban familiares y luego por un corredor maloliente.

El jefe del equipo gastaba un fino bigote negro y mostraba un gesto arrogante en la barbilla. Llevaba tirantes rojos y el pelo engominado, como si fuese un gángster de los años treinta. Sin mirar apenas a Nicky siguió metiendo cosas en una maleta y murmuró que tenía cincuenta dólares para ella.

Incluso desde el vano de la puerta, donde yo estaba, pude ver el intenso rubor que cubrió el cuello y la cara de Nicky.

—¿Pero qué hay de todo mi dinero en los libros de cuentas? —se lamentó ella.

—Sí, son cincuenta dólares —replicó él, sin mirarla, sacando un libro mayor de una gran caja y lanzándolo sobre la cama sin hacer—. Mira, aquí. —Señaló la página con un dedo romo y Nicky se inclinó, estirando el cuello para poder ver—. Aquí: hotel, comida, ropa, dinero para gastos personales. —Pasó las páginas violentamente. Ella seguía sacudiendo la cabeza al ver los números—. Un médico en octubre cuando cogiste la gripe, mira lo que nos costó eso. —Clavó el dedo en otra página como si fuese una cuchilla.

—¡Pero he estado trabajando desde julio. He vendido más revistas que nadie! —gritó Nicky. Yo estaba con la espalda apoyada contra la puerta, súbitamente asustada por ella.

—¡Joder, está todo aquí! —La voz del jefe se elevó y cerró el libro con fuerza antes de mirarla fijamente—. Desde julio ganaste 1.265 dólares y la compañía gastó en tu manutención 1.215 dólares. ¿Es que no sabes leer?

—Eh, un momento, escuche... —dije, y me acerqué a él desde atrás.

—¿Quién coño eres tú? —El tío se volvió como si no me hubiese visto antes y curvó los labios como si estuviese contemplando a una cucaracha. Sentí que el estómago me daba un vuelco y volví a apoyarme contra la pared, pero se desentendió de mí agitando brevemente la mano y se volvió hacia Nicky—. Te debemos cincuenta pavos y eso es lo que voy a darte —dijo ahora en un tono suave y razonable.

—Eso es imposible —gimoteó Nicky.

—¡Jodida tortillera! —El tono moderado se esfumó rápidamente y dejó el libro de cuentas encima de la caja—. ¿Qué piensas hacer ahora, llamar a la policía? —se mofó.

Nicky miró el libro cerrado. Movía la boca, pero de ella no salía ningún sonido.

—¿Quieres el dinero o no? —preguntó el hombre un momento después, cerró la maleta con llave y metió el libro de cuentas dentro de la caja—. No puedo quedarme aquí todo el día contigo. Escucha, dejas el trabajo sin haber dado aviso. Legalmente, ni siquiera debería darte los cincuenta dólares.

—Carl, no me hagas esto —imploró Nicky—. ¡No puedes hacerme esto!

Pero él ya había arrojado dos billetes de veinte y uno de diez al suelo. Puso la caja debajo del brazo, cogió la maleta y se marchó dando un portazo.

* * *

Wendell dice que Nicky puede dormir en su sofá hasta que encuentre un trabajo. Todas las mañanas me espera en la esquina de Fountain con Orange Grove para acompañarme al instituto y tener unos minutos para estar juntas. Cuando llego a la esquina siempre la encuentro estudiando las ofertas de trabajo de *Los Angeles Herald* y trazando un círculo alrededor de los anuncios con un gastado lápiz verde. Ahora lleva el pelo más largo, la camisa por dentro de los pantalones y usa mi barra de labios y mi sombra para los ojos. «Seguro que hoy encontraré alguna cosa», dice cada mañana con la energía renovada. Pero a las tres de la tarde me está esperando en el Coffee Dan's, la pintura de los labios desteñida, la sombra de los ojos tiznada, los hombros hundidos. Para entonces había respondido a todos los anuncios, pateado todo Los Ángeles. «Me rechazan sin siquiera haberme preguntado nada.»

En uno de esos sitios, unos grandes almacenes, no la rechazaron inmediatamente. Una mujer le dio cuatro hojas de formularios para que los rellenase y un test de seis páginas. La mujer evaluó el test mientras Nicky estaba allí y luego la llamó y le dijo: «¡Has conseguido el cien por cien! Nunca habíamos tenido a nadie que consiguiera el cien por cien!». Le dijo que fuese a otra habitación y esperase allí al entrevistador, quien salió de su oficina un par de horas más tarde, le echó un vistazo a Nicky y le dijo: «Aquí no contratamos a marimachos».

Cuando Nicky nos contó esta última historia a Wendell y a mí en un reservado del Coffee Dan's, él trató de levantarle el ánimo hablándonos de un nuevo bar en North Hollywood.

—Sobre todo lesbianas, muy chi-chi. Iremos este viernes. —Sonrió—. Yo invito.

—No, será mejor que no vaya —dije. Si había una redada en el bar, todos mis esfuerzos en el instituto no habrían servido para nada.

Pero Nicky se animó al instante, como si los brutales insultos a los que había sobrevivido en las últimas semanas estuviesen muertos y enterrados y estuviera lista para lanzarse nuevamente a la vida.

—¡Oh, sí! Lil, por favor —me rogó—. Nunca hemos ido juntas a un bar. Por favor, necesito divertirme un poco.

* * *

El Club Laurel no se parecía en nada al Open Door o al If Club. La marquesina de neón del frente decía:

«BEVERLY SHAW, SEÑOR»
CANCIONES HECHAS A SU GUSTO
ACTUACIONES NOCTURNAS PARA DELEITAR LOS OÍDOS

Una fotografía a todo color en el escaparate enmarcado por una cortina azul mostraba a una mujer, de unos cuarenta años quizá, apoyada en un piano y vestida con una falda corta, zapatos de tacón alto, pajarita y una chaqueta blanca hecha a medida. Sus largas piernas estaban cruzadas a la altura de las rodillas, la boca con los labios pintados estaba abierta entonando una canción, y sostenía un micrófono en las manos como si estuviera seduciéndolo. La miré asombrada. No había visto a nadie tan hermoso desde que posara mis ojos sobre Irene Sandman. Pero había algo más: la mujer de la fotografía proyectaba una especie de poder, no masculino exactamente, pero tampoco femenino. Nunca había visto nada igual. Estaba hipnotizada.

—Entremos. —Wendell me apoyó ligeramente la mano en la espalda, pero no podía dejar de mirar aquella fotografía. ¿Era realmente una lesbiana?

Una vez dentro del local, estuve segura de que Wendell se había equivocado, éste no podía ser un bar de lesbianas. Había parejas de aspecto totalmente heterosexual ocupando los reservados tapizados de negro y junto al elegante piano bar blanco. También había un montón de mujeres acompañadas de otras mujeres, pero la mayoría de ellas llevaban vestidos hechos a medida, tacones altos y maquillaje, y para mi ojo ingenuo todas ellas parecían ser ejecutivas o abogadas o periodistas.

—¿Toda esta gente es homosexual? —le susurré a Wendell.

—Te lo prometo —dijo, echándose a reír ante mi mirada de asombro—. Quizá algunos son turistas hetero a quienes les gusta disfrutar del espectáculo, pero confía en mí, aquí la mayoría son lesbianas.

Me sentía como debió de sentirse mi madre en el Café de París cuando suspiró y dijo: «Disfruta de todo esto, Lilly». Yo estaba borracha, ¡con Beverly Shaw, la elegancia del Club Laurel, las hermosas lesbianas con sus magníficos vestidos! Vi que Nicky también se lo estaba pasando de maravilla, las mejillas sonrojadas de placer, observándolo todo con expresión maravillada.

«I love youuuu, for sentimental ree-sons», cantaba Beverly Shaw. Estaba sentada encima del piano bar, como en la fotografía, acariciando el micrófono con su voz melodiosa. Las canciones eran las mismas que mi madre y yo solíamos escuchar en «Tu lista de éxitos», y ahora Beverly Shaw parecía mirarme directamente mientras salía cada una de las palabras de su boca. Su voz era grave y sensual. El resto del mundo se evaporó mientras ella me sostenía en la palma de su mano, hermosa y perfectamente cuidada. Pude sentirla en lo más profundo de mi ser. Estudié la piel bronceada del cuello y sentí los labios allí, luego en los pechos. Besaría su vientre como si estuviese adorándola; y bajaría para deleitarme con todos sus lugares secretos. Nunca le había hecho eso a nadie antes. Tocarla así, saborearla, devorarla, ¿desvelaría eso para mí el secreto de su fuerza mágica?

Intenté escuchar lo que cantaba, prestar atención a Nicky y Wendell, pero mis fantasías estaban desbocadas, fuera de control. Después de cada número, Nicky aplaudía con entusiasmo, como una niña que contempla en el circo un fabuloso número en la cuerda floja. No podía apartar la mirada de las piernas de Beverly Shaw.

—Ahora haremos un pequeño descanso. No os vayáis —dijo Beverly Shaw al público.

—Nunca —susurré para mí—. Nunca.

Había tenido una gloriosa revelación. Ésta era la clase de mujer que quería tener como amante, una que pareciera dominante, con pleno control de su vida, nada parecida a Nicky o a mí. Y más que eso, ésta era la clase de mujer en la que quería convertirme.

—¡Allí está Mark! —Wendell me sacó de mi sueño. Miré hacia donde estaba señalando, en dirección a un hombre en quien había reparado antes porque parecía tan fascinado por Beverly Shaw como yo, pendiente de cada una de sus notas. Me pregunté si sería heterosexual. Tenía el pelo negro y rizado y llevaba una corbata gris perla y un traje oscuro que podía verse que era caro, incluso a través de la distancia que me separaba del piano bar. Un caballero, un auténtico caballero, pensé. Ahora Wendell estaba diciendo que le había conocido el verano anterior en Mazatlán, en el O'Brien's, un bar frecuentado por norteamericanos—. Y ése es Alfredo, su novio. —No había reparado antes en el muchacho delgado con un ostentoso peinado ondulado y una expresión melancólica. Wendell fue hacia él y nos dijo que le acompañásemos. Mark se volvió cuando Wendell le golpeó levemente el hombro con un dedo y se levantó de su asiento. Ambos se abrazaron y se echaron a reír ante la coincidencia de volver a encontrarse en un bar, esta vez a miles de kilómetros del O'Brien's. Luego Alfredo se irguió y Wendell y él se estrecharon formalmente las manos, y Wendell nos presentó a Nicky y a mí—. Mis compañeras —dijo.

—¿Has estado alguna vez en Mazatlán? —Mark se volvió hacia mí con una brillante sonrisa.

—Eh, vosotros dos os parecéis mucho —dijo Nicky desde ninguna parte.

—¡Es verdad, podríais ser hermanos! —Wendell sonrió.

Mark me miró.

—No soy tan guapo —dijo.

Cuando Beverly Shaw volvió a aparecer junto al piano para su segunda actuación de la noche, no sabía adónde mirar. Era verdad que Mark y yo teníamos un gran parecido. Era como mirarse en un espejo y ver a una versión mayor, refinada y masculina de mí misma. Los cinco ocupamos uno de los reservados y Mark pidió una botella de Mumm's y le pagó a la camarera con un billete de veinte dólares.

—¡Salud, *l'chaim, à votre santé*! —dijo, golpeando levemente su copa primero con la mía. Alfredo no brindó con nosotros. Cuando llegó el champán, se levantó y fue al lavabo, pero Mark no pareció advertir que se había marchado.

Dejé que Nicky me acariciara los dedos por debajo de la mesa hasta que Mark me ofreció un cigarrillo. Liberé mi mano para cogerlo de su paquete de Kent. Nicky sacó su mechero, pero Mark ya había encendido una cerilla e incliné la cabeza torpemente hacia la llama, sintiendo el disgusto de Nicky pero sin mirarla.

—Bev sabe realmente cómo impresionar al público, como Marlene Dietrich, ¿no crees? —me susurró Mark entre *I Get a Kick out of You* y *Let Me Go, Lover*—. ¿Has visto alguna vez a la Dietrich en persona? Estuvo en el Palladium el mes pasado.

Alfredo no regresó a la mesa. Estaba hablando animadamente con dos hombres sentados a la barra. Saludó agitando la mano con aire ausente cuando pasamos junto a él con Mark, quien dijo que nos acompañaría hasta el coche de Wendell.

—Tengo un par de entradas para el concierto de Rubinstein el jueves de la semana que viene. Alfredo trabaja los jueves por la noche y odio ir solo. ¿Por qué no venís conmigo?

—Bueno... —comenzó a decir Nicky, y me miró. Yo sabía que ella quería decir que no.

—Nos encantaría —dije rápidamente, aunque no tenía ni la menor idea de quién era Rubinstein.

Estaba realmente preocupada por Nicky. Le quedaban sólo siete dólares y estaba asustada y macilenta.

—¿Por qué no vuelves al colegio? —le aconsejé la solución de Maury mientras estábamos en el Caffee Dan's bebiendo los cafés que había pedido.

—¿Con qué dinero? —Nicky se encogió de hombros.

—Bueno, podrías encontrar un trabajo de media jornada para mantenerte. Después del primer año incluso es probable que consigas una beca.

Pero, mientras lo decía, sabía muy bien que eso no daría resultado. En 1957 las chicas pobres como nosotras raramente podían atravesar la enorme distancia que las separaba de la universidad. Incluso para atreverte a hacer la expedición necesitabas un búho que te guiase, un tigre que te protegiese y una criatura fiel que te susurrase al oído: «No importa lo que pase, yo te amo». Si tenías todo eso podías conseguirlo, porque te daría poder, tal vez incluso más de lo que pudiera darte un cofre lleno de doblones de oro. Sin todo eso, ¿cómo podía conseguir incluso un cofre lleno de doblones de oro que una chica cruzara ese terreno peligroso?

Nicky no tenía nada, ni las criaturas ni el oro. Había que hacer alguna otra cosa.

—Tal vez sea la forma como vas vestida —dije, tratando de que mis palabras sonasen lo más dulcemente posible—. Quiero decir, los pantalones con cremallera, la camisa de hombre...

—De acuerdo —dijo mientras destrozaba la servilleta de papel—. Haré lo que sea. ¿Qué crees que debería hacer? —Parecía enfadada.

—Escucha, tal vez cuando sales a buscar trabajo, si tuvieras un traje de mujer y tacones altos... —Denny conocía a una *drag queen* muy alta, Miss Latisha, que podría dejarle una falda y un par de zapatos finos—. Pídele una chaqueta a Wendell —le dije. Así se vestía Beverly Shaw. Me encantó la idea.

Denny vino a buscarme a la reunión del Club de Declamación. Estaba sudando y jadeaba como si hubiese corrido varias manzanas.

—Tengo que hablar contigo —susurró—. ¡Se trata de Nicky!

Le seguí al corredor, sintiendo que el pánico formaba un nudo en mi garganta. Se trataba de algo terrible, lo sabía. Y era mi culpa, porque ella se había quedado en Los Ángeles por mí.

—¡Habla! —le dije, sacudiéndole el hombro.

—Me dijo que viniese a buscarte... —Hizo un esfuerzo para recobrar el aliento—. La han arrestado. ¡Ahora mismo! En el Coffee Dan's.

Echamos a correr por Highland en dirección al bulevar. Cuando me rezagaba, Denny me cogía de la mano y tiraba de mí.

—Denny, ¿por qué? Dime —le gritaba—. ¡Dime!

Pero él no podía detenerse para explicarme lo que había ocurrido.

Dos coches de la policía estaban aparcados delante del Coffee Dan's. Dentro del café había dos policías, con los revólveres enfundados, riendo y hablando como si no estuviese cambiando la vida de nadie.

—¿Dónde está Nicky? —le pregunté a Denny. Él se encogió de hombros y su expresión era de miedo. La gente que ocupaba los reservados y la que estaba sentada a la barra giraba la cabeza para mirar a los policías.

En ese momento Nicky salió del lavabo de mujeres, con la cabeza gacha, vestida con una falda negra, zapatos negros y la chaqueta de tweed gris de Wendell. Detrás de ella venía una mujer con uniforme de policía. Cuando Nicky levantó la cabeza, vi que su rostro estaba mortalmente pálido.

—Dios, la llevan detenida— jadeó Denny, pero la mujer fue a reunirse con los dos policías y Nicky nos vio y corrió hacia nosotros.

—¡Gracias a Dios que estás aquí! ¡Oh, Lil, fue espantoso!

En los ojos tenía una expresión como si la hubiesen azotado y abrí mis brazos para recibirla.

—Chicos, id a sentaros en ese reservado —susurró Sandra, la

camarera rechoncha que nos conocía, señalando una mesa en la parte trasera. Denny cogió a Nicky de la mano para llevarla hasta la mesa y Nicky cogió la mía, y los tres caminamos en fila hasta el reservado, mientras nos seguían las miradas curiosas y hostiles de los clientes.

La horrible historia salió de los labios de Nicky en sucesivas oleadas. Había ido a buscar trabajo vestida con elegancia. Visitó todos los lugares que figuraban en los anuncios, pero no había nada para ella. Finalmente, decidió entrar en el Coffee Dan's a esperarme.

—Entonces aparece ese poli gordo como por arte de magia. Se acerca blandiendo su porra. Se para delante de mí y me dice: «¿Llevas encima tres prendas de vestir masculinas?». Juro que no sabía de qué coño me estaba hablando. «Tres prendas de vestir masculinas», vuelve a decir. «¿No sabes que hay una ley contra el disfraz?» —Denny parecía tan desconcertado como yo—. ¿No lo entendéis? —exclamó Nicky—. El poli pensó que era un tío vestido de mujer. Me dice que me lleva detenida. «Soy una chica», le digo. Pero no me cree. «Le juro que soy una chica», repito una y otra vez hasta que, finalmente, me dice: «De acuerdo, llamaré a una mujer policía, pero si estás tratando de engañarme, me encargaré de que te encierren y tiren la llave». Ese hijo de puta me hace colocar contra la pared hasta que llega esa tía, y ella me lleva al lavabo de mujeres, me dice que me abra la blusa y me baje las bragas... y me manosea por todas partes. ¡Oh, Lil!

—Ya pasó, Nicky. Te pondrás bien —dijo Denny, abrazándola contra su pecho, palmeándole la espalda como si fuese una niña que acaba de tener una pesadilla—. Lil te ama, yo te amo.

Ella se apartó de Denny y cogió mi mano entre las suyas, como si se estuviese hundiendo. Bajo las luces que iluminan el reservado su piel parecía la de una persona muerta y vi que tenía el pelo húmedo por el sudor.

En el reservado delante del nuestro había un hombre con un polo azul acero acompañado de su familia. Su esposa llevaba gafas con montura de imitación a diamante y sus tres hijas rubias y escalonadas llevaban broches amarillos a juego en el pelo.

«Soy inocente como un repollo», proclamaban las caras redondas. Durante un rato no repararon en nosotros, pero luego la mujer miró a Nicky a través de sus gafas. Debió de reconocerla como la persona a quien la mujer policía había acompañado al lavabo porque, casi en un acto reflejo, abrazó con un gesto protector a las niñas que se sentaban a cada lado de ella, como alguien que repele el mal o una plaga.

—Hija de puta —susurré con impotencia hacia Denny—. ¿Qué es lo que está mirando?

Nicky estaba demasiado alterada como para reparar en la presencia de otra gente. Sabía que ella seguía en el lavabo de mujeres con la mujer policía que la había obligado a desnudarse y la había tocado donde ella ni siquiera había permitido que la tocase una amante.

—Estoy tan avergonzada, Lil, tan avergonzada —repetía.

Y yo estaba tan avergonzada por ella, tan furiosa también por las injusticias que había soportado una y otra vez; primero su madre, luego Carl, el entrevistador de los grandes almacenes, ahora la policía.

Pero también estaba horrorizada por Nicky. ¿Por qué las cosas le salían siempre mal? Con toda su inteligencia, ¿por qué siempre era presa de las bestias del mundo que podían despedazar a las mujeres solas con menos conciencia que una jauría de lobos hurgando entre los huesos de un cordero? La clase de crueldad que infligían a Nicky era diferente de la que querían infligirme a mí, pero ambas eran mortales. Lo que el tiempo que pasaba junto a ella me estaba enseñando era que tenía que buscar la manera en que una mujer pudiera arreglar su vida de modo que las bestias no pudiesen convertirla en carroña.

II

UN PRÍNCIPE JUDÍO

El vestido negro fue lo que decidí ponerme esa noche. Era uno de los que me había regalado Simone, con la tela que bajaba desde uno de los hombros y se reunía en pliegues bajos en el pecho, dejando el otro desnudo. Nicky dijo que no quería ir, y sabía que tampoco quería que yo fuese, pero jamás había estado antes en un concierto en directo. Había tantas cosas que la hacían desdichada que el hecho de que fuese al concierto de Rubinstein era una más. Al comenzar la semana había conseguido un trabajo en la línea de montaje de barras de labios en la fábrica de Max Factor en Hollywood; tenía que permanecer de pie durante horas y mezclar tinas por 1,25 dólares la hora. Al acabar su turno de ocho horas estaba manchada de naranja y rojo y rosa y ciruela de la cabeza a los pies. Se lavaba, se frotaba, pero siempre quedaban vestigios en su piel, y de cada uno de sus poros exudaba un extraño olor químico. No podía quitárselos con nada. Cuando me abrazaba, no podía evitar un respingo.

—Sé que apesto. Lo siento —decía ella, pero me besaba de todos modos, y la dejaba porque me sentía culpable, aunque no podría haber dicho por qué.

El vestíbulo del Philarmonic Auditorium era una masa de estolas de armiños y visones, esmóquines y trajes de etiqueta. Me sentía como si hubiera entrado en un plató de una película maravillosamente sofisticada y me hubiera convertido en parte de ella. ¿Aquel tío no era Robert Mitchum? ¿Ruth Hussey? Y el aire estaba sutilmente saturado de perfumes, no como Emir, que ahora reconocía como una fragancia barata en su brusco asalto a los nervios olfativos. No, estos perfumes jugaban levemente con los sentidos. Hacía que quisieras acercarte. Te seducían con su sutil complejidad.

—Diría que hacemos una pareja tan elegante como cualquiera —susurró Mark con el costado de la boca, y sonrió como si se lo estuviera pasando en grande. Estábamos en el bar del vestíbulo con sendos daiquiris en las manos. Era aún más guapo de lo que le recordaba, con sus rizos negros cayendo sobre la frente y los ojos oscuros. Me gustaba la audacia, el *chutzpah*, de su pajarita roja y el borde rojo a juego de la capa negra que llevaba sobre un esmoquin del mismo color. Antes de que sonara el timbre indicando que el concierto estaba por comenzar, pidió un segundo daiquiri y lo bebió de un trago, luego me ofreció el brazo. Nos dirigimos a nuestros asientos por un pasillo cubierto por una alfombra roja. Me encantaba nuestra farsa. Aquí estábamos, pasando por una pareja heterosexual en medio de ese público mundano y aficionado a los conciertos. Era un delicioso secreto entre nosotros.

Pero no compartía con él mis propios secretos. ¿Qué pensaría si conociera todo acerca de mí?

Sentados en nuestra segunda fila de platea, imitaba a Mark, aplaudiendo animosamente cuando dos hombres acompañaron a la orquesta hasta el escenario.

—El más bajo es Rubinstein —susurró Mark.

«Artur» era el nombre del apuesto y pequeño hombre de pelo gris y ondulado que ahora se sentó en la banqueta del piano con un gesto ceremonioso, apartando las colas de su chaqueta, su postura erguida como la de un espadín; yo ya estaba hechizada por esa figura diminuta y encantadora.

—Concierto en Re menor de Brahms —susurró Mark en mi oído. Asentí y me dejé transportar, primero por la expresión de intenso placer de Rubinstein ante lo que estaba produciendo, y luego, lentamente, por el flujo y la pasión de la música. Me encontré viviendo dentro de cada nota, moviéndome arrobada con el pianista cuando ejecutaba los magníficos acordes junto con la orquesta, haciendo que penetraran profundamente dentro de mí en compases conmovedores cuando Rubinstein cerraba los ojos. Nunca había imaginado que el sonido pudiera ser tan sensual como una caricia. Qué huérfana había estado. En una pausa me uní fervorosamente a los débiles aplausos que sonaban a mi alrededor, asombrada de que no fuesen aplausos atronadores.

—¿No les gusta? —le susurré a Mark.

—Generalmente, no se aplaude entre las pausas, se llaman «movimientos» —susurró él a su vez.

Me contó que era psicólogo infantil en el Hospital de Niños mientras observábamos el trajín de los camareros del Lawry's, trinchando costillas de primera calidad en grandes carros plateados. Había logrado una licenciatura en psicología en el Clermont Men's College, llevaba tres años trabajando en el hospital, vivía con *Genghis* y *Khan,* sus dos gatos siameses en las colinas de Los Ángeles. Solo.

—¿Y Alfredo?

Me apoyé en el reservado tapizado de rojo, bebiendo a pequeños sorbos un borgoña aterciopelado que había pedido Mark.

—Oh, le conocí en el Otis Art Institute. Aún hacemos algunas cosas juntos, pero ahora está trabajando para un diseñador importante y quiere vivir por su cuenta. —Mark pasó un dedo por el borde de su copa con expresión ausente—. La verdad es que tuvimos un par de años magníficos y luego uno realmente penoso. Los conoces jóvenes y devotos, les enseñas el mundo y luego cambian. —Torció los labios para componer un gesto cómicamente desconsolado—. Dice que ya no necesita un papá. Tiene veintitrés años y piensa que soy un viejo. ¿Te parezco un viejo? —Mark se echó a reír.

—Naturalmente que no. ¿Qué edad tienes?

Tan pronto como las palabras salieron de mis labios, me preocupó que ahora él me hiciera la misma pregunta.

—Treinta y cuatro. ¿Y tú?

Me arriesgué. Quería tener con Mark una amistad en la que no tuviese necesidad de ocultar nada.

—Aproximadamente la mitad —dije rápidamente.

—Eso es genial —dijo Mark echándose a reír—. ¡Me encanta! Te comportas como una mujer madura. ¿Vives con tus padres? Pensé que Nicky y tú vivíais juntas.

—Vivo con mi madre y mi padrastro. Son un tanto raros. —Me arriesgaría un poco más, ¿pero cuánto?—. Hablan casi todo el tiempo en yídish —comencé a decir.

—¡Eres judía! —exclamó Mark—. Bueno, tenemos eso en común. Fui adoptado por gentiles, pero soy judío por parte de madre. ¿Lo ves? —Se quitó la pajarita y luego se abrió el cuello de la camisa, exhibiendo una estrella de David de oro que pendía en medio de la densa pelambrera rizada del pecho.

—Ven a cenar el viernes —dijo Mark cuando me dejó delante de mi casa.

—¿Nicky también?

La culpa había vuelto a aparecer... y, además, nunca había estado sola en la casa de un hombre.

—Haz novillos —dijo con una sonrisa—. Te recogeré a las siete.

Todo estaría bien, me dije, como con Eddy o Denny o Wendell.

—Esta noche tengo una cita con un médico judío —llamé a mi tía el sábado por la tarde para contárselo. Albert oyó la palabra «médico» desde la sala de estar, donde estaba hablando por teléfono, hasta la mesa de la cocina, donde estaba jugando a las cartas.

—¿Un médico? —le preguntó a mi madre, pronunciando la palabra con reverencia, como era su costumbre—. ¿Qué clase de médico?

Al anochecer, cuando me estaba vistiendo, pude oír cómo le hablaba a mi madre, quien aún no había podido deducir qué hacía su esposo para ganarse la vida, acerca de «mi jefe, el doctor Nathan Friedman, patólogo de fama mundial».

—Ponte un vestido bonito antes de que llegue Mark —le rogué a mi madre, pero Albert y yo seguíamos sin hablarnos, de modo que a él no podía hacerle ninguna petición en cuanto a su forma de vestir. Había adoptado un aspecto absolutamente desaliñado; sus camisas y pantalones le quedaban muy ceñidos debido a las comidas que preparaba mi madre, y llevaba un sombrero manchado de grasa que jamás se quitaba hasta que no se metía en la cama. Detestaba que Mark le viese. Albert estaba sentado a la mesa de la cocina con su solitario cuando Mark llamó al timbre, y justo cuando estaba a punto de susurrarle a mi madre que por favor cerrara la puerta de la cocina, Albert se levantó de un salto y la cerró.

Mark vestía pantalones de franela gris y un suéter blanco de esquiar, un diseño atrevido con una raya negra que comenzaba en los hombros y se prolongaba por las mangas. Pensé que estaba increíblemente guapo.

—Éste es el doctor Mark Letson —dije, presentándoselo a mi madre.

Mark sonrió amablemente.

—He reparado en su hermoso *mezuzah* —dijo, tocando con dedos respetuosos el objeto plateado en la parte interior del quicio de la puerta—. ¿De Israel?

Mi madre se había pintado los labios y se había puesto tacones altos para la ocasión, pero ahora descubrí los centímetros de raíces marrones y grises que asomaban de su pelo negro teñido. ¿Por qué no le había pedido que fuese al salón de belleza?

Me pisaba los talones cuando fui a mi habitación a buscar una chaqueta.

—Lilly, ¡qué caballero tan guapo! —exclamó, y apretó las manos como si le hubiese regalado un abrigo de armiño—. Conduzca con cuidado con Lilly —instruyó a Mark cuando nos marchábamos.

—Qué mujer tan dulce —dijo, manteniendo abierta la puerta de su descapotable blanco para que subiese al asiento del acompañante—. Veo que eres muy querida.

En la chimenea ardía un fuego que olía a madera de cedro y Mark había preparado una jarra de martinis para los dos.

—Deja que te muestre mi habitación preferida —dijo, y lo seguí, con una copa de cuello largo, la aceituna rellena chapoteando en ginebra y vermut. *Genghis* y *Khan* nos seguían sigilosamente, moviendo sus cuerpos tostados y marrones alrededor de mis pies y frotándose contra mis piernas—. Les gustas. —Mark sonrió—. No siempre se muestran tan amistosos con los desconocidos.

Las cinco habitaciones de la casa estaban llenas de objetos: grandes floreros que parecían hechos de jade y lapislázuli, pequeños elefantes de cristal.

—Ésta es Quan Yin, la diosa de la misericordia —dijo, cogiendo de un estante de mármol una estatua de cincuenta centímetros de altura completamente tallada en marfil y acariciándola con dedos suaves—. La encontré en Hong Kong.

Las paredes estaban cubiertas de litografías —Chagall, Kollwitz, Miró—, Mark mencionó nombres que nunca había oído. En un armario abierto sólo había álbumes de discos perfectamente ordenados: clásicos, ópera, música de cabaret, musicales de Broadway. Cómo sería vivir en medio de todo esto, me pregunté, dejando que la fantasía me llevase a una época no demasiado lejana cuando yo, psicóloga como él... abogada o escritora... pudiera vivir acompañada de una colección de objetos tan fascinantes, unos artefactos tan bellos y de un gusto tan fino.

Cenamos en una mesa cubierta con un mantel de lino blanco e iluminada con velas también blancas que ardían en brillantes candelabros de plata. Mark sirvió paella en platos verde pálido y sangría que vertía de una jarra de cristal tallado. Boleros alternados con tonos roncos de Marlene Dietrich y las canciones extrañas de Yma Sumac que hablaban de muchachas vírgenes, y Mark me habló de azafrán y naranjas de Sevilla y de la guerra civil española y las crueldades cometidas por Franco. Le escuchaba sin apenas atreverme a respirar, buscando en mi cerebro algún comentario que fuese apropiado.

—Suena como si la guerra civil española hubiera sido un prólogo a la segunda guerra mundial —dije.

—Exacto. —Su rostro se iluminó, como el de un profesor con un alumno de sobresaliente—. Los fascistas vieron que Franco podía conseguirlo y ya no hubo manera de detenerles.

* * *

Mark me llama todas las tardes. Estoy tratando de resolver mis deberes de física, aburrida, deseando que mi paso por el instituto acabe de una vez para siempre, y el teléfono suena. Espero que sea Mark. Me siento halagada de que alguien como él piense que soy lo bastante interesante como para molestarse en llamarme. Mi madre llama a la puerta de mi habitación. «Es Mark.» Pronuncia su nombre con veneración.

Durante nuestras conversaciones telefónicas no hablo mucho, pero a él le encanta contar historias, enseñar. Tiene todos los conocimientos del universo para compartir y ha descubierto qué alumna tan dispuesta soy, cuán maravillada estoy ante la inmensidad de su cultura, sus pasiones, sus convicciones.

Viene a recogerme para ir a cenar; para ir a una cafetería que acaban de abrir en Sunset Strip y que es frecuentada por *beatniks*; al Huntington Theater a ver *Viaje de un largo día hacia la noche*. Una noche, después de cenar, le cuento que representé una escena de *Anna Christie* cuando estudiaba en el Geller. Él me sonsaca, quiere conocer todos los detalles de mi vida, escucha atentamente, asiente juiciosamente ante todo lo que digo, incluso cuando le hablo de la estrella del cine mudo, o de Jan. Sus ojos se llenan de lágrimas cuando le hablo del hermano y las hermanas muertos de mi madre, sus historias en el *shtetl*, de nuestra vida en el este de Los Ángeles. «Obsesivacompulsiva.» Me hace una evaluación psicológica gratuita de la angustia pasada de mi madre. Volvemos al Club Laurel, y aunque sigo deseando posar mis labios en el vientre de Beverly Shaw y viajar lentamente hacia el sur, me gusta sentarme junto a Mark mientras ella canta para nosotros. ¿Piensa acaso la gente que somos una pareja de turistas heterosexuales?

Al acabar cada velada nos estrechamos las manos cálidamente, casi con fervor. «Ha sido maravilloso, lo he pasado genial», nos decimos mutuamente. A veces me besa castamente en la mejilla.

Somos grandes amigos, dos homosexuales. Simplemente, nos encanta estar juntos. Si pasamos por ser una pareja heterosexual ante un mundo ciego, hostil, mucho mejor para nosotros.

Albert y yo seguimos sin dirigirnos la palabra, pero sé qué es lo que dará a mi madre un poco de paz y respeto: «Papá —me obligo a pronunciar palabras extrañas que nunca antes han salido de mi boca—, éste es el doctor Mark Letson». «Mark, mi padre», y Mark le tiende una mano amable y profesional. Albert resplandece; siento que he hecho un *mitzvah*, una buena obra. Mark, por supuesto, ya sabe que este hombre es el esposo de mi madre y no mi verdadero padre, que no tengo padre. «No, no es una lobotomía prefrontal —me asegura, y se echa a reír—. Se llama trepanación. La practicaban con frecuencia en la medicina primitiva, taladraban un agujero en el cráneo para liberar la presión en el cerebro».

¿Qué es lo que Mark no sabe?

* * *

«Sí, aún salgo con el médico judío», le digo a mi tía. «Es maravilloso», añado efusivamente. «¡Alto, moreno y guapo!», una expresión norteamericana que ella conoce.

«¿Cuáles son sus intenciones?», pregunta mi tía.

* * *

Una tarde recorremos velozmente Sunset Boulevard en dirección al *Sea Lion,* en Malibú. Le estaba contando sobre lo desdichada que era Nicky en su trabajo en Max Factor, lo buena escritora que era y cómo estaba desperdiciando su talento.

—¿Cómo está Alfredo? —le pregunté.

—Ya está fuera de mi vida —dijo Mark—, para siempre. La idea fue suya.

Me sorprendió la forma en que me sentía. Como si tuviese los bolsillos llenos de rubíes secretos.

Las mesas en el Sea Lion estaban iluminadas con la tenue luz de las velas. Las olas bañaban las rocas, también iluminadas, y luego rompían contra las ventanas con un rugido delicioso e inquietante.

—Tienes que probar los lenguados de arena —dijo Mark por encima de nuestros martinis—. Son los mejores del mundo. —Pidió por mí—. Y una botella de *chablis* Paul Masson, muy frío, por favor.

—La pasión y los asuntos domésticos no se llevan bien —opinó Mark mientras el camarero recogía nuestros platos con restos de ensalada. Le dijo que se llevase la botella vacía del cubo del hielo y pidió otra—. Viví seis años con Raymond y tres con Alfredo. No sé cuál es la solución. —Mark frunció el ceño—. Pero sé que conmigo no funciona.

Estuve de acuerdo con él. No podía imaginarme viviendo con Jan... y tampoco con Nicky, de eso no había duda.

—Mi tía me preguntó el otro día cuáles eran tus intenciones —le dije mientras comíamos nuestro Baked Alaska. Por mi expresión Mark se dio cuenta de que lo encontraba divertido, la forma en que estábamos engañando al mundo. Nadie a nuestro alrededor podría adivinar las cosas gay que nos decíamos.

—Dile que honorables.

Sus ojos marrones y cálidos centelleaban.

Entre el instituto y mis salidas con Mark, estudiaba para el Examen de Aptitud Escolar (SAT). Maury Colwell había dicho que era mucho lo que dependía de mí y aún tomaba en serio sus principios, aunque mi gran necesidad de contar con su aprobación parecía haberse disuelto bajo la soleada amistad de Mark, y ahora veía muy poco a Maury.

Algunas tardes, Nicky venía a casa a hacerme compañía mientras estudiaba.

—Podrías ir a Berkeley. He oído que es una gran universidad —fantaseaba—, y podríamos vivir en una casa flotante en Sausalito. Sé que allí podría escribir.

Alcé la vista y la miré.

—¿Con qué dinero? —pregunté—. Cielo, estoy estudiando sinónimos y antónimos —y volví a concentrarme en lo que estaba leyendo.

Nicky apartó la silla bruscamente y me miró.

—Echa un vistazo a esto. —Era un pequeño calendario de bolsillo que arrojó encima de mis apuntes de lengua—. Las marcas señalan todas las noches que pasaste conmigo y las x señalan todas las noches que has pasado con él... que yo sepa. —Nicky pasaba las semanas y señalaba los días como si los acuchillase con el dedo—. Mira. Prácticamente no hay marcas. ¡Está todo lleno de x! —Su voz era estridente y áspera—. Si tienes tanto que estudiar, ¿cómo es que siempre puedes estar saliendo con ese maricón?

Cerré el calendario, cerré mi libreta de apuntes, los dejé en el suelo y miré a Nicky con calma.

—Probablemente me case con Mark —le dije.

Me miró como si le hubiese hablado en chino.

—¡Pero si los dos sois homosexuales! —exclamó por fin.

—Sería un matrimonio tapadera —improvisé. Sabía por otros homosexuales que esa clase de matrimonios eran moneda corriente en Hollywood entre las estrellas de cine homosexuales—. Mira, mi madre está muy disgustada porque le dije que me mudaría cuando comenzara la universidad —le dije a Nicky—. La única manera de que acepte que me vaya de aquí es si me caso.

Era verdad en parte. Aún no había hablado con mi madre acerca de la posibilidad de marcharme de casa cuando comenzara la universidad, pero ya sabía lo que me diría si le decía que necesitaba vivir en una residencia universitaria. ¿Cómo iba a comprender siquiera la idea de la universidad? Se echaría a llorar y me rogaría que me quedase. Estaría atrapada. Jamás podría ir a la universidad. Pero si me casaba con un médico judío, ella lo entendería y podría ir entonces a USC o a UCLA mientras vivía con Mark. No podía imaginar un futuro para mí si no encontraba la manera de salir de mi casa.

—¿Pero qué pasará conmigo? —gimoteó Nicky.

—¿Qué pasará contigo? Seguiremos viéndonos. Seguiremos estando como hasta ahora. Es sólo que...

Abrió la puerta con tanta violencia que la golpeó contra la pared y varios libros se cayeron de la estantería. Se marchó furiosa. No volví a verla en diecisiete años.

Mark me llamó mientras aún podía oír los pasos de Nicky en la acera, mientras seguía luchando contra el impulso de correr tras ella y decirle que lo sentía. Me senté en la silla anaranjada cubierta de plástico que había en la sala de estar mientras hablaba con él, y podía ver a mi madre sentada a la mesa de la cocina, recogiendo las cartas de *gim rummy* que Albert había repartido. La mano que sostenía el auricular temblaba visiblemente.

—Creo que lo mío con Nicky se ha terminado —le dije a Mark—. Le dije la cosa más descabellada del mundo y se puso realmente furiosa.

Hablaba en susurros para que mi madre y Albert no me escucharan.

—¿Qué le dijiste?

Mark pareció preocupado.

—No sé por qué se lo dije. —Me eché a reír tímidamente—. Le dije que vamos a casarnos.

Hubo una larga pausa al otro extremo de la línea. Y luego Mark dijo:

—Casémonos.

Le había llevado hasta allí, ¿pero por qué? ¿Cómo podía casarme con un hombre? Excepto con Maury Colwell, todas mis experiencias con los hombres habían sido penosas. Llamaría a Mark. Levanté el auricular. Nunca me había sentido siquiera próxima a un hombre; para mí eran tan extraños como monos. De pronto no pude recordar su número de teléfono. Le diría que la comedia que habíamos montado había sido tan divertida como una de George Burns y Gracie Allen. Y los dos nos echaríamos a reír.

No. ¿Por qué habría de hacerlo? Casarme con él resolvería un montón de problemas, y no sería en absoluto como había sido con los otros hombres que habían pasado por mi vida. En primer lugar, los dos éramos homosexuales; sería un matrimonio de conveniencia, lisa y llanamente. Y en segundo lugar, Mark no tenía ninguna de las lamentables características de otros hombres. Y tenía todas las virtudes: sabía cosas que para mí eran un misterio; sabía cómo manejarse en el mundo. De hecho, sus virtudes eran tantas que me preguntaba qué podía ofrecerle a un hombre como él. Tal vez Mark pensara que como psicólogo infantil necesitaba una esposa para que la gente pensara que era heterosexual. ¡Por mí no había problema! Podría ayudarle del mismo modo en que él me estaba ayudando con mi madre y mi tía. Y me había dicho que creía que la pasión y los asuntos domésticos no se llevaban bien. Eso debía de significar que no quería vivir con un hombre otra vez, de modo que podríamos ser compañeros para siempre.

—¡Me ha propuesto matrimonio! —Di un brinco como si hubiese sido catapultada por una honda, como si la alegría me hubiese vuelto loca—. ¡Me ha propuesto matrimonio! —volví a gritar, no muy segura de si la alegría era ficticia por el bien de mi madre o auténtica.

Albert y mi madre se levantaron de la mesa de la cocina y se acercaron corriendo a la sala de estar.

—¿Te irás de casa? —Mi madre se puso mortalmente pálida—. ¡Lilly, no! ¿Cuándo? Eres tan joven.

—*Mazel tov* —gritó Albert, olvidando para siempre la vez en que me había llamado ramera y llegamos a las manos. Ahora extendió una mano de perdón y felicidades a su hija que iba a casarse con un médico.

Tres días más tarde salí de casa por la mañana como si fuese al instituto y esperé a que Mark me recogiese en la esquina.

—Iremos a Tijuana. Allí no hay restricciones en cuanto a la edad de los novios. —Lo había planeado todo de una manera muy práctica—. En Los Ángeles tendría que acompañarnos tu madre o no podríamos conseguir la licencia.

—¡Qué divertido! —pensé mientras nos alejábamos de Los Ángeles y mi corazón cantaba. Pero pronto mi ánimo se volvió tan abatido y gris como el cielo encapotado. ¿Qué estaba haciendo? Mientras pasábamos velozmente junto a las instalaciones petrolíferas cerca de Long Beach, comprendí que ya era demasiado tarde para echarme atrás.

Fue a Rae a quien llamé más tarde, a cobro revertido, desde una gasolinera de Texaco junto a la frontera de San Diego mientras el empleado llenaba el depósito del coche de Mark. La lluvia golpeaba el cristal de la cabina telefónica con gotas grandes y pesadas y yo temblaba en la oscuridad bajo el viento húmedo.

—Acabo de casarme con el médico —le dije a Rae, derramando lágrimas auténticas en el teléfono, limpiándome la nariz furtivamente con la manga de la chaqueta—. Llama a mamá y cuéntaselo.

—*A dank Rot* —exclamó Rae— ¡una gran noticia! Ahora tendrás por fin un buen hogar.

Viajamos bajo la lluvia buscando el hotel El Cortez y Mark dijo con voz suave, reflexivamente ahora, como si fuese algo que llevase pensando durante mucho tiempo:

—La nuestra es la clase de relación en la que nos tocamos entre nosotros con una mano y a los demás con la otra.

Asentí.

—*Il va sans dire* —contesté, recurriendo a una frase que él me había enseñado. Se volvió hacia mí y ambos esbozamos una sonrisa de complicidad.

—En El Cortez tienen un buen restaurante —dijo Mark.

Mientras disfrutábamos de una bandeja de ostras, me dijo que me enseñaría a conducir y me compraría un coche.

—Desde mi casa estarás a tiro de piedra de USC o UCLA.

En pocos meses, cuando acabase el instituto, iríamos a pasar el verano a México. Me llevaría a conocer Mazatlán y Guadalajara y Acapulco. Su supervisor en el hospital le había hablado acerca de un cargo de conferenciante, en psicología, al que podría presentarse en la Universidad de México. ¿Me gustaría vivir en la ciudad de México durante seis semanas?

—¿Debería pedir una habitación con camas gemelas? —preguntó Mark después de la cena.

—No. Prometo no morderte en mitad de la noche... ni darte un susto —dije con aire solemne, y nos echamos a reír como dos adolescentes porque yo había bebido un par de *margaritas* y Mark, tres, y durante la cena nos habíamos acabado una botella de Chianti. Ahora volvía a sentirme animada. No era capaz siquiera de recordar qué era lo que me había inquietado tanto cuando llamé a Rae. Bebimos Kahlua con hielo antes de levantarnos de la mesa; luego esperé en el vestíbulo mientras Mark se encargaba de los detalles de la habitación y después seguimos al botones vestido de rojo hasta el ascensor, cogidos de la cintura.

Me desvestí y me quedé en bragas y sujetador y me deslicé debajo de las sábanas frías. Mark apagó la lámpara de la mesilla de noche antes de quitarse la ropa. Un haz de luz del pasillo se filtraba por debajo de la puerta y miré sus calzoncillos blancos mientras Mark se movía en la penumbra doblando la chaqueta, la corbata, la camisa y por último los pantalones sobre los brazos de un sillón, y luego colocaba los zapatos y los calcetines a un lado. No podía dejar de temblar y una oleada de emociones desconocidas me recorría por dentro. Mark se metió en la cama sin quitarse los calzoncillos.

—Buenas noches, Lil.

Se volvió hacia mí y sentí la suavidad de sus labios en mi mejilla; yo le besé del mismo modo. Ahora todo mi nerviosismo se desvaneció. Estaba a salvo con mi querido, querido amigo. Había estado casi segura de que sería así.

Ambos permanecimos acostados de espaldas. Cuando nuestros dedos se tocaron por casualidad, unimos nuestras manos ligeramente sobre las sábanas.

—Eres una persona muy querida para mí. Y quiero cuidar de ti —susurró Mark en la oscuridad, y me quedé sin aliento. Ningún hombre había cuidado jamás de mí. No podía imaginar siquiera lo que eso significaba—. Querida mía, conmigo estarás tan segura como entre los brazos de tu madre —dijo, y me deslicé hacia un sueño dulce y apacible.

Me desperté por la luz y el aroma a chocolate mexicano caliente con canela. Mark ya estaba vestido. Había bajado al restaurante para volver con una gran jarra y dos vasos, y desayunamos suntuosamente, bebiendo a pequeños sorbos el brebaje aún humeante. Me subí la manta hasta la barbilla para conservar el calor y él se quitó los zapatos y se sentó encima de la cama, estirando el brazo de vez en cuando para volver a llenar los vasos con la gran jarra de plata que había dejado sobre la mesilla de noche. Qué agradable era todo. Me habló de sus viajes por México, de las gigantescas formaciones rocosas de formas extrañas frente a la costa de Mazatlán.

—Iremos a visitarlas este verano. La mejor vista la tienes desde el O'Brien's. ¡Es algo realmente fabuloso!

Después se levantó y se quedó frente a la ventana, mirando para ver si aún seguía lloviendo. Le miré la parte posterior de la cabeza. Me encantaba la forma en que su pelo rizado formaba una V en el pequeño hoyo de la nuca, haciendo que pareciera tan vulnerable, casi como un niño. Estaba conmovida: amaba a este hombre con quien me acababa de casar.

—Creo que va a despejar —dijo con optimismo.

En la habitación del hotel me había sentido tranquila y cómoda, pero una vez en el coche, con rumbo norte y nuevamente bajo la lluvia, me sentí acosada otra vez por la ansiedad. Imaginaba a mi madre llorando como una criatura abandonada. Me sentía atenazada por imágenes fatalistas: mi madre languideciendo, paralizada por una embolia, ahogándose y cianótica por la apoplejía, porque la había abandonado, la había dejado sola con Albert en esa imitación de matrimonio a la que yo la había obligado a comprometerse con engaños. Pero no le dije nada a Mark. ¿Cómo podría entenderlo?

Cuando llegamos a Los Ángeles, Mark se dirigió al este por Sunset Boulevard. En Highland Avenue un camión de bomberos hizo chirriar los neumáticos y nos pasó a toda velocidad con sus ojos rojos de monstruo girando en el techo de la cabina. Mark se detuvo junto al bordillo y el camión de los bomberos giró delante de nosotros hacia Fountain, de camino a algún terrible desastre. ¿Y si se trataba de mi madre? Vi nuestra casa presa de las llamas, mamá dentro, atrapada.

—Tengo que hacer una llamada —le rogué a Mark cuando llegamos a Sunset con Vermont. No podía decirle que girase y volviésemos a Fountain Avenue. Pensaría que estaba loca—. ¿Puedes parar en la próxima gasolinera? ¿Por favor?

—Llegaremos a casa en quince minutos —dijo sensatamente—. ¿No quieres esperar?

—Por favor, por favor.

Mi voz se quebró por la urgencia y Mark me miró, desconcertado, pero detuvo el coche en la primera gasolinera con un cartel telefónico. No podía evitarlo. No podía esperar ni un minuto más.

—¿Cuándo te veré? —exclamó mi madre—. Lilly, ¿por qué te escapaste de esa manera? ¿Vas a tener un niño? —Su voz denotaba mitad horror y mitad esperanza.

La boda judía fue idea de Rae. Durante años había estado planeando cómo sería la ceremonia cuando me casara.

—Eres todo lo que nos queda en el mundo. No tenemos más familia que tú —dijo para convencerme de que le permitiese organizar una boda cuando la llamé al día siguiente desde mi nuevo hogar.

—Por supuesto —contesté generosamente. En realidad, ahora sentía que había alcanzado el éxito. Contra todo pronóstico le había hecho realidad la fábula del príncipe judío. ¡Realmente lo había conseguido! Y mi madre también estaba feliz. Vivíamos a pocos kilómetros de distancia y le prometí que llevaría a mi esposo a los Court Bungalows de Fountain Avenue todos los viernes. Ella estaba extasiada ante esa perspectiva. Prepararía cenas de Sabat para su hija casada y su guapo yerno era médico. Era casi tan bueno como haberme convertido en una estrella de cine.

—¿Te parece bien? —le pregunté ansiosamente a Mark más tarde—. ¿La boda? ¿Las cenas?

—¿Por qué no? Somos socios en el crimen —dijo, y se echó a reír.

Estaba bromeando, naturalmente, pero me golpeó como un látigo: les estoy engañando. La razón de ser de todo esto había sido hacerles creer que era un matrimonio de verdad, y no lo era. No hice ningún comentario ante su ocurrencia; me dediqué, en cambio, a colgar mi ropa en el lugar del armario del dormitorio que había dejado libre para mis cosas. Pero el sarcasmo de esa palabra —crimen— no me abandonaría.

Quizá no se tratase de un engaño. Mark y yo nos amábamos, no de la manera en que mi madre y mi tía pensaban, pero aun así era amor. En cierto sentido, incluso era la clase de amor que Rae siempre había dicho que quería para mí: alguien que cuidase de mí. ¿No era acaso exactamente eso lo que Mark dijo que haría, cuidar de mí? Ellos habían empleado incluso las mismas palabras, aunque no estaba realmente segura de lo que habían querido decir. Aún esperaba poder ir a la universidad para convertirme en alguien capaz de cuidar de sí misma. Pero ahora lo importante era, para mí, que las intenciones de Mark eran genuinamente lo que mi tía había deseado. De modo que, después de todo, no estábamos engañando a nadie. La lógica de ese razonamiento me tranquilizó.

—¡Ya he terminado!

Salí del armario y fui a sentarme junto a Mark, feliz nuevamente con la sensatez de mi matrimonio.

Mark invitó a la boda a una pareja mayor de la que nunca me había hablado, Gilbert Pollack, un dentista huesudo y encorvado a quien conocía del hospital, y su esposa, Vera, una mujer rolliza y con aspecto de matrona que no cesaba de incordiar a Mark, alisándole la chaqueta del esmoquin, arreglándole los rizos alrededor de la *yarmulke* blanca, como si fuese su hijo. Ellos fueron quienes dijeron que llevarían a Mark a tomar una copa mientras mi madre se afanaba con mi velo en el cuarto de vestir del Litvisheh Verein Hall.

—Está tan nervioso. Como un crío. Mira, su cara está tan blanca como su *yarmulke*. —La risa de Vera era aguda y cristalina—. Le llevaremos a tomar algo y te lo devolveremos con tiempo suficiente para la ceremonia.

Miré a mi esposo. Realmente, tenía aspecto de estar asustado. Nos sonreímos anhelantes y nos saludamos agitando la mano mientras sus amigos se lo llevaban.

Mientras Rae hilvanaba una pinza que se había descosido en la cintura de mi vestido blanco, mi madre me trajo un 7-Up para que no tuviese sed mientras estaba debajo del *chupa,* el pabellón nupcial. Albert entró con su mazo de cartas, que guardaba en el bolsillo de la chaqueta de su traje nuevo, y me dijo que estaba muy bonita y que mi madre estaba muy orgullosa de mí. Me levanté y le besé en la mejilla y le dije que me sentía feliz de que hubiese venido a mi boda. Luego se sentó junto a un tocador e hizo varios solitarios alejado de la multitud antes de volver a marcharse. Alcanzaba a escuchar un murmullo de voces, la mayoría de ellas en yídish, que procedían del vestíbulo. Alguien comenzó a cantar con una voz chillona que se propagó por arriba y por abajo y luego se le unieron otras voces y las palmas comenzaron a resonar sobre las mesas llevando el ritmo. «*Shpilt oyf a chasene tantz, Greyt un das chupa kledyl* —cantaban en yídish—. Tocad la danza matrimonial; preparad el vestido matrimonial; hacia él irás como una princesa cuando regrese de los campos de batalla y los océanos.» Veía lo orgullosa que estaba Rae de que sus amigos y vecinos entonasen un epitalamio para mí. Ella, virtualmente, se pavoneaba sobre sus piernas cortas, enfundada en su vestido largo y brillante, y yo quería echarme a llorar porque la había hecho tan feliz. Mi madre, con los ojos brillantes, se sentó junto a mí y cantó-habló junto con las voces que llegaban desde el vestíbulo, como lo hacía cuando yo era pequeña.

Después de unos minutos los cantos cesaron y sólo podía oír los murmullos de las conversaciones. Eran casi las seis de la tarde, la hora en que se suponía que debía comenzar la boda. Pero Mark todavía no había regresado. Mi madre fue a echar un vistazo a través de la ventana oscurecida.

Cuando la habitación se quedó en penumbras con el sol que se ocultaba en el horizonte, el rostro de mi tía cambió. Su boca se puso tensa. Miraba su reloj cada pocos segundos y luego se levantaba y se quedaba en la puerta del cuarto de vestir, desde donde podía ver quién estaba y quién no estaba en el vestíbulo.

Entró el señor Bergman seguido de su hija y de su nieta. Encendió una luz y pude oír el preocupado *buzz-buzz* de sus susurros a Rae y los de ella dirigidos a él.

—¡Enhorabuena! —dijo Diane, la nieta del señor Bergman, que tenía aproximadamente mi edad, pero me miró como si acabase de enterarse de que sufría un cáncer cerebral terminal.

—Gracias —respondí en un tono de voz demasiado alto.

A las seis y media el rabino le preguntó a mi tía cuándo podía comenzar la ceremonia.

Mi madre gimoteaba.

—¿*Vus fur a finsterer nacht*, qué clase de noche oscura es ésta? —dijo mi tía, gimoteando a su vez.

¿Acaso Gilbert había tenido un accidente? Quizá Mark estaba en el hospital.

—¡Basta! —les grité a mi madre y mi tía—. Sólo están en un atasco de tráfico. ¿Qué es lo que os pasa?

¿Habría cambiado de idea? Tal vez había echado una mirada a los extravagantes invitados a la boda, con sus terribles acentos y sus ropas mal entalladas, y decidió que no pensaba mezclarse con semejante familia.

Mark regresó a las seis y cuarenta y cinco, con la mirada nublada, la boca floja. Gilbert le sostenía de la cintura, manteniéndole erguido, y la mano de Vera estaba apoyada en su hombro, guiándole a través de la puerta. Quería esconder a mi esposo, llevármelo en secreto, para que mi madre y Rae no lo viesen con este aspecto.

—¡*Oy*, Dios del cielo! —exclamó mi madre, y se aferró al alféizar de la ventana.

—Café —me susurró Gilbert al oído. Con ayuda de Vera consiguieron llevar a Mark hasta una silla y le ayudaron a sentarse.

Mi tía apartó a un lado a Gilbert y Vera y se abalanzó sobre Mark.

—¿Qué es lo que pasa? —tronó su voz ronca—. ¿Cómo puedes desaparecer de ese modo, con el rabino esperando, y Lilly, tu esposa?

—Rae, basta, por favor —imploré, tratando de apartarla de Mark. Ella no se movió, respirando agitadamente, mirándole con ojos brillantes, pero no dijo nada más. Corrí a buscar una taza de café del gran samovar que había en el pasillo—. ¡Dejadle en paz! —grité por encima del hombro.

Regresé rápidamente con el café en la mano, ignorando las miradas curiosas de los invitados a la boda, y llevé la taza a los labios de Mark.

—No pasa nada, sólo bebe, bebe —le dije.

—Estoy pre-parado —balbuceó Mark arrastrando las palabras—. Estoy bien, fadre... padre. ¡Mirad! —Y se puso de pie, rechazando la mano que le ofrecía Vera. Se balanceó hacia mí con el brazo extendido—. ...os a casarnos —dijo.

—*¡Oy, Gott!* —volvió a chillar mi madre.

—¡Qué clase de despreciables amigos son ustedes que le emborrachan! —gritó mi tía en las narices de Vera—. ¡Canallas!

—¡Basta! —le grité a mi tía—. Ahora ya está todo bien. Empecemos con la ceremonia. —Había que seguir adelante. Me volví hacia Mark, manteniendo mi voz tranquila—. ¿Puedes andar? —Le cogí del brazo con mano firme y dispuesta a alzarle si era necesario.

—Sí.

Su boca se frunció en un gesto de concentración y adelantó un pie.

—Bebió mucho, pero no pareció estar borracho hasta que no se puso de pie —se lamentó Gilbert sin dirigirse a nadie en particular.

Se suponía que debía caminar hasta el pabellón nupcial cogida del brazo del señor Bergman y se suponía que allí estaría Mark para recibirme. Pero ahora no podía preocuparme por esas formalidades. Conduje a mi esposo por el pasillo. Primero pasamos junto a Denny, con su esmoquin verde azulado y camisa rosa con volantes fruncidos en la pechera. Nos miró con expresión asombrada. Mientras Mark y yo nos tambaleábamos en tándem captaba por el rabillo del ojo las expresiones de los invitados. Eran como la de Denny. Nadie podía dudar que Mark estaba como una cuba.

Cuando el rabino, con expresión avinagrada, vio que nos acercábamos, se puso de pie de un brinco y ocupó su sitio debajo del pabellón de terciopelo azul y blanco. ¿Conseguiríamos llegar hasta allí sin que Mark se cayese? La caminata parecía interminable. El rabino esperó, con el rostro inescrutable, a que detuviésemos nuestra inestable marcha delante de él. Finalmente, pronunció las pocas palabras que nos convirtieron en marido y mujer bajo las leyes del antiguo Israel. Una vez concluida la ceremonia, colocó la copa envuelta en el pañuelo junto a los pies de Mark y le dijo que la aplastase. Mark levantó el pie delicadamente y aplastó la copa. Luego hizo un puchero y comenzó a llorar como un crío.

—*Mazel tov!* —exclamaron los invitados obedientemente, como si no hubiese ocurrido nada inusual, y sonaron los aplausos.

12

UNA MUJER CASADA

Nuestra vida en común es un sueño y una pesadilla.

Mark me lleva a San Francisco, un largo fin de semana —*Aída* en la ópera, *Anastasia* en el Curran Theater, el Top of the Mark y el restaurante en el último piso del Sir Francis Drake. En medio de todo eso, Mark expone: sobre María Callas, Ingmar Bergman, Rosa Parks, el Acta de Derechos Civiles de 1957. Es elocuente, apasionado, y no me pierdo una sola de sus palabras, junto con el caviar untado sobre pequeños trozos de tostadas, los tournedos, la *crème brulée*. Visitamos todos los lugares homosexuales, Gordon's, el Paper Doll, el Black Cat. «Ese tío guapo, con el pelo rubio y rizado, que está junto a la barra, te quiere ligar», le digo a Mark. «En el reservado detrás de ti hay una tía parecida a Barbara Stanwyck que te come con los ojos», se inclina sobre la mesa para susurrarme. Le sonríe al tío rubio de la barra; me vuelvo y flirteo con Barbara Stanwyck. Pero Mark y yo regresamos juntos a nuestro hotel, ligeramente achispados y muy satisfechos, cogidos de la cintura.

Cuando estamos en casa, Mark suele cocinar para los dos —*bouillabaisse, quiche lorraine*, osso bucco—, platos suculentos de los que ni siquiera había oído hablar; y yo soy su impresionada ayudante de cocina, cortando, picando, rompiendo huevos. A menudo salimos a cenar fuera, al Ginza, donde aprendo a comer con palillos, a La Chic Parisienne, donde Mark pide por los dos porque sólo él puede leer el menú. Bebemos cócteles y vinos y licores y, cuando llegamos de regreso a casa, ya han dado las diez o las once. Es entonces cuando empiezo a hacer los deberes: latín, trigonometría, física, redacción avanzada. La mayoría de las noches sólo duermo cuatro o cinco horas, y, aunque sé que están acostados en sus cojines en un rincón de la cocina, a veces veo a *Genghis* y a *Khan* merodeando por la sala de estar mientras estudio sentada en el sofá de cuero blanco. La falta de sueño me provoca alucinaciones, pero no me importa porque disfrutamos de unas veladas maravillosas.

Cuando hago el SAT, un sábado por la mañana después de haber dormido apenas cuatro horas, veo a *Genghis* y a *Khan* desfilando arriba y abajo por los pasillos del anfiteatro y dejo el lápiz para mirarlos. «¡Tiempo!», dice el monitor, y me siento aterrada.

* * *

Un sábado regresamos al Sea Lion. Al volver a casa, nos reímos durante todo el viaje recordando a un solícito camarero con un peluquín rojizo que empezaba cada frase: «Bueno, mis queridos señor y señora», y atravesamos la puerta del apartamento tambaleándonos, sin dejar de reírnos, apoyándonos el uno en el otro para no caernos. Entonces Mark se irguió y me miró con expresión grave.

—Oh, mi querida Lil —dijo—. Me siento tan feliz de que estés aquí —y nos abrazamos con fuerza.

—Te amo —le dije.

—Lo sé —dijo Mark, sin dejar de abrazarme, y añadió después de lo que me pareció una eternidad—: Pero sólo como a un hermano, supongo.

Yo nunca había tenido un hermano. No sabía lo que significaba sentir eso.

—No —contesté lentamente, acariciándole la mejilla con la mano—. Como si realmente fueses mi esposo.

Aquella noche hicimos el amor.

* * *

No estoy asustada ni asqueada como siempre pensé que lo estaría con un hombre, tampoco es como lo era con Jan, ni como lo había vivido intensamente en mi imaginación con Beverly Shaw. No hay erupciones volcánicas. No siento ninguna lujuria abrumadora en él o por él, pero me encanta abrazarle después, y amo el aroma de su colonia y su champú y el tacto de su espalda fuerte bajo mis manos, y sus nalgas prietas y duras. Cuando me quedo hasta muy tarde haciendo mis deberes y él se ha acostado, siento la urgente tentación de abrazarme a él como si fuésemos dos cucharas, o de enredar mis dedos en el matorral de rizos negros de su pecho. Nunca había amado a un hombre antes y es extraño. ¿Pero cómo podría no amar a Mark? A veces, cuando me despierto antes que él, estudio su rostro, sus pestañas largas y gruesas, la hendidura marcada en su barbilla, el rosa delicado de los labios. Toco suavemente su mejilla para no despertarle. Amo su rostro. Éste es el rostro que adoro, me digo.

Pero Mark bebe. Puede beber y beber y estar bien, como en los días anteriores a la boda. Luego bebe ese trago que colma el vaso y, en un abrir y cerrar de ojos, ese estar «bien» se convierte en una borrachera feroz. Ahora ya no se cuida tanto de no beber ese último trago.

Si estamos en un restaurante, a veces tengo que forcejear con él para poder quitarle la llave del coche de su puño cerrado y sentarme sobre ella o deslizarla dentro de mi blusa; pero no sé conducir. «¡Por favor, llame a un taxi!», le ruego al camarero moviendo los labios y con una expresión preocupada sin que Mark me vea, por favor, ayúdeme a llevar a mi esposo hasta la salida y meterle dentro del taxi que espera junto al bordillo. Si el camarero le coge de un brazo, Mark fingirá durante unos minutos que está menos bebido de lo que realmente está y se obligará a permanecer erguido. No puedo sostener sola su peso muerto. Detesto a esa criatura de mandíbula laxa y piernas de goma que se ha apoderado de Mark.

Si ese último trago llega cuando estamos en casa, es mucho peor. Mark coge todos y cada uno de los vasos de vino, martini y whisky —todos los vasos que pueden romperse— y los lanza uno por uno contra la pared de la cocina, poseído, llorando desconsoladamente como si su corazón se hubiese hecho añicos junto con el cristal.

«¡Basta!», grito la primera vez. Trato de coger la mano con la que lanza los vasos, hace un gesto hacia atrás y me golpea accidentalmente en el ojo. Estoy demasiado asustada y confundida como para volver a intentarlo. Cuando se inicia la batalla de los vasos contra la pared, me meto en el baño y cierro la puerta con llave; me siento en el borde de la bañera, meciéndome, hasta que todo ha pasado. ¿Quién es ese desconocido que se ha vuelto loco al otro lado de la puerta? Entonces, cuando cesan los ruidos, salgo del baño y me deslizo silenciosamente dentro de la cama, pero no puedo cerrar los ojos. Me quedo con los ojos fijos en la oscuridad, temerosa. Cuando siento que se hunde el colchón de su lado, me vuelvo hacia la pared.

A la mañana siguiente el otro Mark ha vuelto. Barre todos los trozos de cristal, los recoge con una pequeña pala de plástico y los echa en el cubo de la basura de la cocina. «Creo que anoche me pasé. Lo siento», dice, avergonzado, un momento después.

«Mark, ¿qué pasó? Dime por qué lo hiciste», le imploro.

En lugar de contestarme, coge el coche y conduce hasta Beverly Hills para comprar más vasos, con los que beberemos nuestros cócteles y vinos hasta la próxima vez que beba un trago de más y se vuelva loco.

¿Cuál es la causa de la terrible angustia que sale a borbotones cuando está bebido? No me lo dirá.

* * *

—No lo entiendo —le dije con tono cansino una mañana mientras él recogía los restos de otra explosión de sábado por la noche. Mark no dijo nada.

Pero más tarde, cuando estaba sentada con *la Eneida* en mi regazo, tratando de concentrarme en mi traducción del discurso de Dido, Mark se repanchingó en el sofá de cuero blanco frente a mí y dijo, como si estuviese continuando un diálogo:

—¿Te conté alguna vez cuándo descubrí que era adoptado?

Tenía dieciocho años —el día que me marchaba a la marina— y esa perra que se había llamado madre toda la vida me dice: «Debo decirte que tú no naciste en esta familia». ¡Así como lo oyes! —Sacó un cigarrillo del paquete que había en la mesilla de café, encendió una cerilla e inhaló el humo con furia—. Justo antes de que me marchase a combatir en la guerra. ¿Puedes imaginarlo?

—¡Oh, Mark! —exclamé, dejando a un lado la ira que había sentido durante todo el día. Cerré el libro de Virgilio, fui a sentarme en el brazo del sofá, le besé la coronilla y lo apreté contra mi pecho. Permaneció sentado, aplastado por la indignación—. ¿Sabes algo de tus verdaderos padres? —le pregunté, sintiendo ahora su dolor tan vívidamente como si la traición de su madre adoptiva se hubiese producido aquella misma mañana.

—Sólo que mi madre era una judía, una prostituta —dijo, moviendo la boca como lo había hecho la noche anterior cuando la coctelera se estrelló contra la pared.

* * *

Sólo aceptaron mi solicitud en UCLA, con una modesta beca, el dinero suficiente para pagarme los libros y los 108 dólares de derecho de matrícula. No me quedaría ni un centavo, ni siquiera para los almuerzos en el campus. Estaba decepcionada pero no preocupada todavía, porque Maury Colwell me había dicho que el Hollywood High probablemente me concediese una buena beca ya que, durante dos años, había sido una estrella de los certámenes de declamación y debate. El 14 de junio de 1958 estaba sentada con toga y birrete blanco, nerviosa pero llena de ilusión, bajo un ardiente sol en el Hollywood Bowl, donde el instituto celebraba su ceremonia de graduación. Antes de que subiésemos al estrado para recibir nuestros diplomas, el vicedirector pronunció en voz alta los nombres de los alumnos a quienes se les había concedido becas, más de una docena de ellos, y cada uno se puso de pie para recibir los aplausos de los asistentes mientras el vicedirector desgranaba lo que habían hecho por el instituto. Sus logros retumbaron entre la audiencia de quinientas o seiscientas personas y resonaron en los miles de asientos vacíos que había más allá. Mi nombre no fue pronunciado.

—Estás casada. ¿Por qué quieres ir a la universidad? —me había dicho la señorita Brooks, mi profesora de redacción avanzada, cuando le dije unas semanas antes que me habían admitido en UCLA. ¿Hablaba en serio? En sus labios finos no advertí ninguna traza de broma.

Los ojos se me habían llenado de lágrimas de indignación, como si ella me hubiera acusado de haber cometido una maldad.

—¿Qué tiene que ver mi matrimonio con el hecho de ir a la universidad? —conseguí preguntarle.

A principios del semestre había calificado con sobresaliente mi ensayo sobre *Jude the Obscure*; me dijo que no era una nota que ella concediera a la ligera, que debería especializarme en Inglés en la universidad. Pero, probablemente, cuando llegó el momento de decidir quién recibiría las becas que otorgaba el instituto a sus mejores alumnos, todas las profesoras pensaron lo mismo que había dicho la señorita Brooks: ahora era una mujer casada, y las mujeres casadas no tienen ninguna razón para ir a la universidad.

«Está bien», me dije allí mismo en el Hollywood Bowl. De todos modos, sería estudiante de UCLA el otoño siguiente. Aunque no soportaba tener que pedirle dinero a Mark, al menos no tendría que preocuparme por el alojamiento y la comida, y podría conseguirme un trabajo a tiempo parcial. Todo saldría bien.

A la semana siguiente partimos hacia México, después de haber dejado a *Genghis* y a *Khan* con los Pollack y la mayor parte de mi ropa y los libros y discos de Mark y algunas cajas en mi antigua habitación en los Court Bungalows de Fountain Avenue. («¡Tan lejos! ¡Ella nunca ha estado tan lejos!», le gritó mi madre a Mark.)

—¿Por qué no podemos dejar todas las cosas aquí? —le había preguntado la noche anterior, confundida al ver que empezaba a envolver las copas de coñac de cristal con papel de periódico, y dijo que debíamos guardar todo lo que no nos llevásemos a México.

—Es una tontería pagar el alquiler mientras estamos fuera —dijo—. Cuando regresemos de México buscaremos otro lugar donde vivir.

—¿Pero... esta casa no es tuya?

Mientras le ayudaba a sacar las copas de la estantería, comencé a rebuscar en mi mente, desconcertada, tratando de recordar por qué había pensado que la casa era de Mark.

—No, por supuesto que no. La alquilaba.

—Bueno... pero los muebles...

—Ya estaba amueblada —dijo con cierta impaciencia, como si no hubiese advertido algo que resultaba obvio.

Nunca pregunté por los jarrones de jade y lapislázuli y todas las litografías, o el elefante de cristal o la estatua de marfil; pero después de haber abandonado la casa de Los Feliz Hills aquel junio, jamás volví a verlos.

* * *

Cuando llegamos al pequeño aeropuerto de Mazatlán ya era de noche. Mark habló en español con un hombre moreno y bajo que estaba parado junto a un taxi y le dio la dirección del apartamento que habíamos alquilado. Con el cigarrillo colgando de sus labios, el hombre metió nuestro equipaje en el maletero y nos abrió la puerta trasera para que subiésemos al coche, sin mirarme jamás a los ojos. Luego nos llevó en el destartalado coche por una carretera oscura y llena de baches, pasando junto a pequeños grupos de chabolas y perros vagabundos que ladraban a los neumáticos y nos persiguieron hasta que dejamos atrás el pequeño villorrio. El aire pesado y húmedo entraba por la ventanilla y su olor era extraño y excitante; pero también hizo que me sintiera sola. Busqué la mano de Mark en la oscuridad y él me dejó que la estrechara.

Entonces las luces aparecieron delante de nosotros y, pronto, avenidas llenas de vida. «Aquí, aquí»,[*] dijo Mark, diri-

---

[*] En español en el original. (N. del T.)

giendo al conductor por una calle estrecha. El coche redujo la velocidad y luego se detuvo delante de un edificio de dos plantas con un cartel de BEBE PEPSI en rojo, blanco y azul en la ventana de una pequeña tienda que había en la planta baja.

Cuando bajé del taxi el tacón del zapato chapoteó sobre algo. Miré hacia abajo. Montones de cucarachas enormes, cada una del tamaño de un dedo; la calle estaba cubierta de ellas. Me estremecí y salté nuevamente dentro del taxi.

—No pasa nada —dijo Mark—. Salen después de las lluvias nocturnas.

—¡Aj, son asquerosas!

—Oh, venga, Lil. Mañana ya habrán desaparecido. —Extendió la mano para ayudarme a salir del asiento trasero—. Sólo tienes que mirar dónde pones el pie —dijo con aire distraído, pagándole al conductor, quien depositó nuestras maletas encima de las ubicuas cucarachas.

El apartamento olía a desinfectante y estaba amueblado sólo con una cama llena de bultos, un tocador cubierto de arañazos, una mesilla de noche en una habitación, y un sofá y un sillón desiguales en otra. La cocina estaba vacía. Pero el lugar parecía estar bastante limpio, y cuando nos tendimos en la cama pude percibir el aroma a lavanda del jabón que habían utilizado para lavar las sábanas. De la calle llega el sonido de unas voces acompañadas de guitarras.

—Mariachis. Me encantan. Tocan en el restaurante que hay calle abajo —susurró Mark desde su almohada—. Los oíamos cantar todas las noches la última vez que estuve aquí.

Me apreté contra él, mis labios apoyados en su cuello, escuchando el dulce y suave español. Sí, a mí también me encantaba el sonido de los mariachis. No quería pensar en ninguna otra cosa que no fuese estar aquí con Mark, visitando México con él. Todo estaría bien. Sería maravilloso. Mi esposo ya estaba dormido, su respiración era suave y regular. Conseguí contener las ansiedades que trataban de irrumpir desde mi interior. Finalmente yo también me dormí.

Por la mañana las cucarachas habían desaparecido, tal como Mark había dicho, y la playa, donde el agua era caliente como la de una bañera y de un azul intenso, estaba sólo a un par de manzanas del apartamento. Desayunamos en un pequeño café —un exquisito café negro y bollos con mantequilla— desde donde se podía ver la playa aún desierta. Luego Mark enrolló las perneras de sus pantalones de algodón, nos descalzamos y, con las sandalias en las manos, caminamos junto al agua. Con mi mano libre le cogí el brazo, pero él lo mantuvo colgando a su lado, de modo que lo solté al cabo de unos minutos. Tal vez la gente no acostumbraba a caminar cogida del brazo en las playas mexicanas.

—¡Mira quién ha vuelto! —Una mujer robusta y pelirroja con un vestido anaranjado saludó a Mark desde detrás de la barra cuando entramos en el *O'Brien's* después del paseo—. ¡Es el señor doctor Mark! ¿Dónde está Alfredo... y dónde... cómo se llamaba? —le preguntó.

—¿Y dónde están las nieves del año pasado? —dijo Mark con una sonrisa. La mujer dio la vuelta a la barra para abrazarle, pero Mark no me presentó—. Es Lucille O'Brien, una verdadera entremetida —me susurró cuando ella fue a atender a otro cliente—. Pero es todo un éxito, a los *ex-pats* les encanta este lugar.

«Coco loco»: me dijo el nombre del nuevo trago, un coco verde con un agujero en la parte superior, con la mitad de leche que aún conservaba mezclada con hielo y tequila. Cuando terminabas de beber, sacabas con una cuchara la pulpa dulce y suave y te la comías. Bebimos en la galería del O'Brien's mientras contemplábamos las oscuras formaciones rocosas que se alzaban cerca de la playa. Ahora el agua era de color esmeralda. Las rocas parecían pequeños volcanes, emergiendo justo delante del O'Brien's, exactamente como Mark lo había descrito meses antes.

Coco loco, una mujer irlandesa norteamericana que regenta un bar en la playa de Mazatlán, *ex-pats*, las aguas azules y esmeraldas y las rocas con unas formas fantásticas: me sentía embargada por lo romántico del momento. «Qué camino he recorrido desde una habitación amueblada en el este de Los Ángeles», me maravillé mientras bebía.

Desde la mesa junto a la nuestra nos sonrió un muchacho rubio y bronceado vestido con una camiseta blanca. Un gran sombrero de paja colgaba de su cuello sujeto con un cordel y hacía que pareciera uno de los chicos en la Knott's Berry Farm, esperando a que le sacaran una foto.

—¿De dónde sois? —le preguntó a Mark amablemente. Ya había pedido una segunda ronda de cocos locos para nosotros y ahora se levantó para sacar un fajo de billetes grande como mi puño del bolsillo trasero del pantalón para pagar las bebidas que la camarera depositó sobre nuestra mesa. Sus brazos estaban marcados por músculos que parecían exageradamente grandes para su pequeño cuerpo—. Oí que Lucille decía que acabáis de llegar. Bienvenidos. —Nos saludó alzando su copa. Dijo que su nombre era Stefano, de Newark, Nueva Jersey (aunque pensé que su acento parecía más próximo a Dallas, Tejas), ahora vivía en Mazatlán, antes en Oaxaca, y antes de eso en Cuernavaca—. Hace siete años que no piso Estados Unidos —dijo arrastrando las palabras.

Más tarde, Mark pidió otra ronda de cocos locos para los tres.

—Oh, no, paso. —Me eché a reír y me levanté—. ¿No podemos ir a comer a alguna parte? —Tenía que ser rápida y lista; tenía que mantener a Mark alejado de ese trago de más que siempre lo echaba todo a perder.

Stefano salió con nosotros y nos llevó a un pequeño mercado al aire libre junto a la playa donde, según dijo, podías sentarte a una mesa en la arena y pedir gambas que habían estado retozando en el océano media hora antes. Mientras comíamos, llamó a unos mariachis y les pidió que cantasen *Bésame mucho*. Apartó su plato con gambas y caparazones a un lado y cantó acompañando a los mariachis, con los brazos extendidos y las manos con las palmas hacia arriba, como si le estuviese implorando a un amante imaginario que lo besara mucho.

Horas más tarde, de alguna manera, acabamos nuevamente en el O'Brien's, los tres sentados en la galería mientras el sol descendía lentamente sobre el mar color vino y dejaba el cielo herido de rojos y anaranjados. Mark pidió cervezas, Dos Equis, las llamó. No estaba preocupada porque nunca había visto que nadie se emborrachase bebiendo cerveza. Stefano no dejaba de hablar: sobre sus viajes a través de todo México en un viejo burro cargado con diez alforjas, su trabajo para el gobierno mexicano en una misión que no podía revelar, su triunfo en el campeonato de lucha en la categoría de peso gallo en Guadalajara tras derrotar a Antonio Cardoza por fuera de combate. Él contaba alguna anécdota, nosotros hacíamos unos pocos comentarios, y luego seguían diez o quince minutos de silencio. Bajo la tenue luz del crepúsculo observábamos a pelícanos y gaviotas que sobrevolaban las rocas de formas extrañas, donde finalmente se instalaban para pasar la noche. Entonces Stefano contaba otra historia. No exigía demasiada respuesta de nuestra parte, y Mark parecía entretenido con los gestos que hacía Stefano al relatar sus historias. Con su pelo rubio desteñido por el intenso sol, una sonrisa juvenil con un montón de dientes y labios rojos de niño, no parecía mucho mayor que yo. Me gustaba y pensaba que era un tío interesante y gracioso. Pero finalmente deseé que se marchara para que Mark y yo pudiésemos caminar solos otra vez por la playa, bajo la menguante luz del crepúsculo.

Cuando las estrellas titilaron en el cielo tan cerca del O'Briens tuve la sensación de que podría tocarlas con sólo extender el brazo y me di cuenta de que Mark había desaparecido. Me giré en el silencio para hablarle de las estrellas y su silla estaba vacía. Stefano aún estaba allí, al otro lado de la silla vacía.

—¿Adónde se ha ido mi esposo? —pregunté, riendo ante mi olvido.

—Probablemente al lavabo. —Stefano se encogió de hombros—. Estaba mirando las estrellas —dijo.

Ambos regresamos a nuestras ocupaciones solitarias hasta que pareció haber pasado mucho tiempo.

—¿Podrías ir a echar un vistazo al lavabo? Tal vez no se siente bien o algo parecido —le pedí finalmente, sintiendo cierta aprensión. ¿Qué haría en este lugar extraño si a Mark le sucedía algo?

Stefano regresó unos minutos más tarde, sacudiendo la cabeza. Mark no estaba en el lavabo.

—Probablemente, ha salido a dar un paseo —dijo Stefano, y me dio unas palmadas en la mano—. No hay de qué preocuparse.

Pero no podía evitarlo. No tenía dinero y ni siquiera estaba segura de poder encontrar el camino de regreso al nuevo apartamento.

—Tal vez se sintió indispuesto y se fue a casa —sugirió Stefano—. ¿Quieres que vaya contigo para ver si está allí?

Sus ojos eran amables, ¿pero qué haría si Mark no estaba en casa?

Stefano y yo caminamos deprisa por calles muy iluminadas y llenas de gente y podía sentir las miradas insistentes de los hombres que formaban pequeños corrillos. «Chiquita* guapa», me dijo uno de ellos lascivamente, e intentó tocarme. «Vamos», le espetó Stefano en voz baja, y el hombre pareció sorprendido, como si no hubiese reparado en que estaba acompañada. Recorrimos arriba y abajo el laberinto de calles desconocidas para mí mientras trataba desesperadamente de recordar el camino que Mark y yo habíamos hecho esa mañana, pero no había nada que me resultase familiar. De pronto apareció milagrosamente el cartel rojo, blanco y azul de BEBE PEPSI en el edificio donde habíamos dormido la noche anterior.

Stefano subió las escaleras detrás de mí. Yo no tenía llave del apartamento.

—¡Mark! —gritó mientras golpeaba la puerta.

—¡Mark, abre, por favor! —grité en medio del silencio, y esperamos.

—Le encontraremos. Ven conmigo.

Stefano me cogió con fuerza por el codo. Me dejé guiar porque no sabía qué más podía hacer. ¿Qué le había pasado a mi esposo? Nuevamente en la calle, Stefano hizo bocina con las manos y llamó a un taxi.

—No tengo dinero —dije.

—No te preocupes por eso —dijo Stefano, abriendo la puerta del taxi para mí con un gesto galante, deslizándose luego en

---

* En español en el original. (N. del T.)

el asiento a mi lado e indicándole en español la dirección al conductor. Con la llegada de la noche el aire se había vuelto pesado y, súbitamente, una lluvia torrencial inundó las calles en pocos minutos.

¿Qué podía hacer? Miré a ese desconocido que estaba junto a mí en el interior oscuro del taxi mientras recorríamos con dificultad las calles llenas de lodo. No tenía la menor idea de adónde me llevaba Stefano.

—No te preocupes. Le encontraremos —repitió Stefano. Estaba sentado en el borde del asiento, inclinado hacia delante, tenso y concentrado en la aventura de encontrar a un marido desaparecido para una chica que acababa de llegar a un país cuyo idioma no hablaba. ¿Y si Mark estaba muerto? No, estaba segura de que no lo estaba, ¿pero dónde se había metido?

El taxista enfiló por una calle que pude reconocer de la noche anterior.

—A la derecha —dijo Stefano. El conductor giró violentamente hacia una empinada colina de tierra. A lo lejos se veía la luz de una casa solitaria. Las escobillas del limpiaparabrisas se movían en un enloquecido *staccato* mientras el taxi reducía la velocidad.

—Espera aquí —gritó Stefano, sin esperar a que el coche se detuviese del todo delante de la casa, calándose el sombrero hasta las orejas y saltando en medio de la lluvia. Desde detrás del cristal de la ventanilla pude oír los golpes en la puerta. La luz del porche me permitió ver el voluminoso peinado rubio y los labios rojos de la mujer que abrió, y detrás de ella a otras mujeres y un par de hombres en una habitación en penumbra. La mujer de la puerta sacudió la cabeza ante Stefano y se echó a reír, señalando un punto en la distancia.

Stefano regresó corriendo al taxi, la camiseta empapada y transparente y el sombrero goteando agua sobre el asiento.

—No está aquí —dijo sin aliento, y le dio otra dirección al taxista. Volvimos a navegar bajo el aguacero.

Debemos de habernos detenido ante seis o siete casas antes de que amaneciera. No me llevó mucho tiempo darme cuenta de que Stefano pensaba que Mark se había emborrachado e ido en busca de una prostituta. Yo sabía que tal cosa era imposible; pero no sabía cómo decirle a Stefano que entendía el tipo de lugares adonde nos llevaba el taxista y que apostaría mi vida a que Mark no estaría buscando prostitutas.

Era casi de día cuando Stefano le dijo al taxista que nos llevase de regreso al apartamento. La mirada trágica de Stefano, su boca herméticamente cerrada, me inquietaron más de lo que ya estaba, pero tenía que mantener mi mente despejada. Sabía que tenía que elaborar un plan en caso de que Mark no regresara nunca más. Primero, le pediría a Stefano que me ayudase a llamar a la policía. ¿Pero qué pasaría si ellos no podían encontrarle? Le diría a Stefano que me prestase algo de dinero para llamar a Rae. Ella me enviaría dinero suficiente para que comprase un billete de avión. No podría ocultarle el desastre en el que se había convertido mi matrimonio y mi tía se pondría histérica, ¿pero de qué otro modo podía regresar a la seguridad? Tendría que llamarla.

Stefano se sentó conmigo en la escalera.

—Mark aparecerá —dijo, pero en su voz no había ninguna convicción, y no dijo nada más. Sólo sacudía la cabeza como si lo peor ya le hubiese sucedido a mi esposo. Había dejado de llover y no hacía frío, pero me castañeteaban los dientes como si sintiera un terror mortal, y estaba agotada.

A las seis de la mañana, aproximadamente, cuando las franjas oscuras habían desaparecido del cielo y el sol asomaba en el horizonte, apareció Mark. Subió las escaleras como si nada hubiese pasado, sin advertir, aparentemente, la expresión de asombro de Stefano o mi mirada asesina. Abrió la puerta del apartamento y entré, con Stefano detrás de mí, ambos mudos. Mark había estado paseando en taxi, explicó. Había contemplado la salida del sol en compañía del taxista, «y luego le dije que me trajese a casa, pero no llevaba suficiente dinero para pagarle». Su rostro parecía tan inocente como el de un niño de siete años. «¡Imbécil!», quería gritarle. Mis dedos deseaban vasos de cristal para lanzarlos contra la pared, contra su cabeza.

—De modo que le di al hombre mi reloj y mi estrella de David —dijo Mark, encogiéndose de hombros.

Me abalance sobre él con las uñas por delante.

—¡Eres un miserable hijo de puta! ¡Jodido borracho! —Un torrente de palabras salió de mi boca, todo el dolor y la furia que había estado acumulando desde el fiasco de la boda; no podía parar—. ¡Jodido maricón! —chillé. Mark me cogió ambas manos, protegiéndose el rostro.

—Eh, eh, eh —intervino Stefano, apartándome de mi esposo, tratando de calmarnos—. Ella ha estado muy preocupada, tío. ¿Cómo has podido hacer algo tan estúpido?

Cerré la puerta con violencia detrás de mí. Lancé mi ropa al suelo y me hundí en la cama, anhelando alguna especie de magia que me transportara hasta la casa de mi madre, a mi antigua habitación. Pero no podía volver a mi casa, comprendí en un acceso de cordura. Si dejaba a Mark ahora, tendría que regresar a donde había empezado; nunca sería capaz de cortar el vínculo que me unía a mi madre. ¿Cómo podría, entonces, ir a la universidad?

Un rato más tarde sentí que Mark se metía en la cama. Me di la vuelta hacia el otro lado, todavía furiosa.

—Stefano está durmiendo en el sofá —dijo.

—Vete a la mierda —musité. Luego debí de quedarme dormida.

Cuando me despertó una mano suave que me acariciaba el pubis, luché contra el sopor para darme cuenta de lo que estaba pasando. No podía ser la mano de Mark, ya que él me daba la espalda.

El miedo se apoderó de mí. Aparté las sábanas. Stefano estaba arrodillado en el suelo junto a la cama, una masa compacta de piel rosada y músculos, con una expresión suplicante en el rostro.

—¡Maldita sea! ¡Mark! —grité, lanzando la almohada contra la figura arrodillada y cogiendo un cenicero colmado de colillas para arrojárselo—. ¡Socorro!

Mark se levantó en un segundo, tratando de entender qué era lo que estaba pasando, y luego vio a Stefano, quien se había puesto de pie y se cubría los genitales con ambas manos.

—Será mejor que te largues de aquí —dijo Mark con una voz que me pareció irritantemente calmada. Stefano parecía desconcertado, como un crío que esperaba un abrazo y había recibido en cambio un bofetón; luego se marchó, rápida y silenciosamente. Oí cómo recogía sus cosas en la sala de estar y yo no dejé el cenicero hasta que la puerta no se cerró detrás de él.

—¡Es tu culpa! Me llamaste maricón delante de él —dijo Mark despectivamente—. ¿Qué esperabas, maldita sea? ¡Probablemente, pensó que los dos lo deseábamos!

Cogió la almohada y salió de la habitación. Oí que se acostaba en el sofá que Stefano acababa de dejar.

Estuve furiosa con Mark durante varios días. No podía dejar de pensar en la forma en que me había dejado tirada en el O'Brien's, desapareciendo sin decir nada, cómo había estado descompuesta de preocupación, no sólo por mí sino también por él. Mi mente volvía una y otra vez a ese momento, como si fuesen las imágenes de un sangriento accidente. Pero entre medias de esos pensamientos recordaba la época en la que nos habíamos conocido en Los Ángeles. ¿Qué había pasado con el Mark que me hablaba de Rubinstein y la guerra civil española? De aquella persona que se había mostrado encantadora con mi madre y Albert. De aquella perfecta primera noche juntos en Las Vegas. ¿Aún nos amábamos? No debería haberle llamado maricón... y por haberlo hecho, el pobre Stefano se confundió y todo acabó horriblemente mal. Muchas cosas iban mal entre Mark y yo.

Y había algo más, algo horrible en lo que no podía dejar de pensar: ¿dónde podía haber estado sino con un hombre? Un prostituto, probablemente, un chapero, que le había pedido el reloj y las joyas porque Mark no tenía suficiente dinero para pagarle por sus servicios. Me debatía entre sentimientos oscuros y tumultuosos: aversión, pero también rechazo, y celos. *Il va sans dire*, había dicho yo con tanto entusiasmo al principio cuando Mark me había recordado que, por supuesto, intimaríamos con otras personas. Pero eso había sido antes de que nos convirtiésemos en amantes. Una vez que nos deslizamos en ese territorio asombroso, las reglas habían cambiado. ¿O no había sido así? Me sentía celosa de que a Mark aún le gustasen los hombres, ¿pero acaso no me sentía yo atraída hacia las mujeres? ¿Dónde estaba el punto culminante del deseo? Vi la mano competente y perfectamente cuidada de Beverly Shaw mientras sostenía el micrófono, la forma en que su falda se había levantado sobre sus piernas contorneadas y cubiertas de nailon oscuro cuando las había cruzado. Esa visión volvió a encender la fantasía de mis labios entre sus muslos. Jamás me había excitado de ese modo cuando Mark me hacía el amor, ¿por qué me preocupaba entonces de que su máximo deseo no fuese yo? Era una contradicción que no podía resolver.

Ahora éramos amables el uno con el otro, pero sabía que ya no podría confiar más en que actuase de forma considerada conmigo, y él también dejó de confiar en mí. Aquel día algo se había roto definitivamente entre nosotros. Una mañana, aproximadamente una semana más tarde, mientras esperaba a que la camarera nos acomodase en el café donde solíamos desayunar, vimos la cabeza rubia de Stefano inclinada sobre una taza de café en una mesa de la esquina, y Mark y yo nos marchamos rápidamente. No hablamos una sola palabra, ni acerca de Stefano ni de ninguna otra cosa, mientras recorríamos las calles buscando otro restaurante, aunque sabía que los dos estábamos reviviendo todo el episodio del apartamento. Fue después de que estuvimos sentados a la mesa en otro café cuando Mark dijo, en voz tan baja que casi no pude oírle:

—El peligro de que un judío se case con alguien que no es judío es que cuando se enfurecen contigo te llaman judío de mierda.

—Eso no tiene sentido. Los dos somos judíos —dije, aunque sabía perfectamente lo que quería decir.

—Me llamaste maricón —insistió en un susurro, y los ojos se le llenaron de lágrimas.

Quise cogerle la mano, pero la apartó rápidamente.

—Mark, yo también soy como un maricón —le recordé.

—¿Lo eres? —preguntó con una risa Ponta.

—Sí —contesté con convicción—. Lo soy.

* * *

Ya no hacemos el amor. Mark nunca se acerca a mí de ese modo, y aunque no tengo sentimientos ambivalentes con respecto a eso, no sabría qué hacer para seducirle. ¿Qué soy para él? Ya no lo sé. ¿Qué lugar ocupo en su vida o él en la mía? A veces siento como si estuviese viviendo la vida de otra persona y debo marcharme para encontrar la mía. ¿Pero cómo?

Por ahora estoy atrapada aquí, y siempre estoy asustada y recelosa. Le pido algo de dinero, para tenerlo en el bolso en caso de emergencia, y me da un fajo de pesos sin decirme nada. Me siento como una niña, teniendo que pedir dinero, y lo odio, ¿pero y si vuelve a desaparecer y me deja sola? Se emborrachará; encontrará a un chico guapo; y me quedaré abandonada en medio de ninguna parte. Ahora siempre controlo hacia donde mira.

José, el chico que atiende la pequeña tienda que tiene el cartel de BEBE PEPSI en la ventana, tiene las mejillas lisas como una manzana y una piel color café con leche que hace que sus ojos verdes parezcan más verdes aún y sus dientes más blancos. Tiene quince o dieciséis años y todas las mañanas, cuando bajamos la escalera, Mark le saluda con una expresión jovial: *«Señor José, ¿cómo se va?»** El chico es todo sonrisas para Mark.

Un día Mark hace una pila con media docena de camisas que acaban de llegar, almidonadas y perfectamente dobladas, de la lavandería que hay en la esquina. «¿Qué haces?», le pregunto.

—Se las llevo a José —me contesta con indiferencia—. El pobre chico viste con harapos.

* * *

Una mañana, cuando miré a través de la ventana de la sala de estar, en la azotea puntiaguda de la casa al otro lado de la calle había dos buitres negros. Estaban posados, uno a cada lado de la punta, con las alas extendidas, sus patas de dedos largos y ominosos. Cuando volví a mirar ya eran cuatro los buitres, dos a cada lado. Me prometí a mí misma que no volvería a mirar nunca más por esa ventana. Siempre que paso junto a ella, aparto la mirada, luchando contra el impulso de mirar hacia el otro lado de la ca-

---

* En español en el original. (*N. del T.*)

lle, obligándome a mirar a cualquier parte menos hacia allí. Pero un día volví a mirar: apenas un vistazo fue suficiente para comprobar que ahora había seis buitres, tres a cada lado, sus picos grotescos apuntando precisamente hacia nuestro edificio. Habían venido a por mí. Estaba segura de ello, sólo esperaban a que pasaran un par de semanas, para que tuviera dieciocho años.

Corrí hacia el dormitorio, donde Mark estaba acabando de vestirse, y me abracé a él, apoyando la mejilla en su pecho.

—¡Tenemos que irnos de este lugar! —dije entre sollozos. Le dije que los buitres se estaban multiplicando.

Por un instante, Mark me cogió los brazos como si fuese a apartarme de él, luego algo le hizo cambiar de idea y me palmeó cariñosamente la espalda, como alguien que consuela a un niño enfermo.

—Pero he pagado el alquiler de este apartamento hasta el diecinueve de julio —dijo suavemente.

Eso sería un día después de mi cumpleaños.

—Por favor —le rogué, cayendo de rodillas ante él. Tenía que convencerle—. El diecinueve es demasiado tarde —dije—. Tenemos que marcharnos ahora. ¡Por favor, Mark!

Y así lo hicimos.

—De acuerdo —dijo, asombrosamente, y nos apresuramos en meter nuestras cosas en las maletas como si estuviésemos atendiendo a una alarma de huracán. Luego corrimos a la calle y le hicimos señas a un taxi. No volví la vista para ver cuántos buitres había ahora en el techo de aquella casa. Aquel mismo día cogimos un autobús hacia la ciudad de México.

Una vez en el autobús, me sentí súbitamente avergonzada por mi «representación», como llamaba Mark a las escenas histéricas, pero me cogió la mano mientras nos dirigíamos hacia el sur.

—En pocas horas estaremos en la ciudad de México —me aseguró con voz suave y tranquila, como un médico afable—. Todo saldrá bien.

* * *

Mark se marcha a media mañana, y la mayoría de las noches regresa a las ocho o las nueve, cansado pero entusiasmado por su estimulante jornada. «El doctor Sánchez dice que el campo está abierto para los psicólogos en México —me cuenta, o—: La doctora Cordova estuvo realmente divertida hoy. Dijo que me erigirán un monumento si les ayudo a montar un departamento de psicología». Está enamorado de su trabajo, del campus, de sus colegas. Para mí son como fantasmas; no me presenta a ninguno de ellos y ni siquiera piso los terrenos de la universidad.

¿Qué hago con mis días? Mark me da un poco de dinero para que recorra la ciudad, y aunque sigo detestando el hecho de recibir dinero de él, lo hago. Camino y camino, durante todo el día, y cuando me canso me siento en un café a comer algo mientras observo a la gente que pasa. Me siento bien, aunque aún un poco temblorosa, como si acabase de recuperarme de unas fiebres muy altas: la ciudad de México es hermosa, como imagino que debe de ser París, edificios antiguos y señoriales y escaparates con ropa elegante, perfumes, flores y joyas. Un día me detengo para presenciar una manifestación de muchachos, cientos de ellos, que recorren el bulevar, profiriendo gritos y agitando brazos y pancartas. Tres de ellos pasan junto a mí, el que va en el medio lleva un cartel escrito a mano donde puede leerse 5 CENTAVOS, los dos que le acompañan llevan un ataúd en miniatura abierto, los tres derraman profusas lágrimas de cocodrilo.

«¿Qué es lo que ocurre?» le pregunto al hombre calvo que está a mi lado y ha estado tratando de ligar conmigo en español y en inglés. «Son estudiantes de la Universidad de México, señorita —me dice—. Están protestando porque el precio del billete de autobús ha subido de cinco a siete centavos. Muy malo para los pobres». Me vuelvo para mirar la manifestación. Me encantan sus rostros, tan vivos de pasión y humor.

Soy una paseante solitaria en una ciudad desconocida y no me desagrada. Tengo mucho tiempo para soñar y para ver lo que haré con mi vida. No puedo ser la esposa de alguien. Ésa sería una yo falsa, no importa cuáles fuesen las circunstancias. Todo el mundo se apresura para llegar a alguna parte, a los negocios, a citas románticas, a cambiar el mundo, y me encanta mezclarme con la multitud, fingir que voy con ellos. Naturalmente, aún no tengo ningún lugar adonde ir, pero entiendo lo importante que es: en la vida tienes que tener un lugar adonde ir. Es algo que siempre había sabido. Sólo lo olvidé por un momento.

* * *

«La doctora Cordova me ha pedido que me quede hasta diciembre», me dijo Mark. Se pasa la mano por los rizos desordenados, mientras se sirve una taza de chocolate caliente que ha preparado en la cocina de nuestro pequeño apartamento.

—Es una oferta realmente atractiva. De todos modos, he decidido que no quiero volver al hospital.

—Creía que regresaríamos a casa la próxima semana.

Saco mi tostada de la tostadora y me entretengo buscando un plato. «¿Acaso pretendía que me quedase aquí? Las clases en UCLA comenzaban dentro de dos semanas; le había prometido a mi madre que estaríamos de regreso para las vacaciones.»

—Lil, escucha. —Me volví para mirarle y nuestros ojos se encontraron, aunque sólo un instante antes de que Mark apartase la mirada—. Regresa tú ahora y me reuniré contigo en diciembre. —Volvió a mirarme y sonrió con dulzura. Le devolví una sonrisa igualmente dulce—. Tengo que pedirte un gran favor —dijo, enjuagando el vaso, de espaldas a mí—. ¿Te importaría viajar en autobús? Cuesta mucho menos que el avión, y estoy realmente sin fondos. No me pagarán hasta que no haya acabado el curso. Sólo serán tres o cuatro días.

Me acompañó a la estación de autobuses y esperó conmigo, le alcanzó mi maleta al conductor y me besó en la mejilla.

—Realmente te amo mucho —dijo—. ¿Lo sabes?

—Yo también te amo —le dije, con los labios apoyados ligeramente en su mejilla cerdosa, pero dudo que dijésemos la verdad.

* * *

Me siento feliz de estar en el autobús. Le saludo agitando la mano a través de la ventanilla y él sonríe y me saluda y sonríe. Respiro mejor cuando salimos de la estación. Soy la única no mexicana en todo el autobús y soy la única mujer que viaja sola, pero sé que estaré bien. Puedo cuidar de mí misma. No quiero que sea de ninguna otra manera. Nunca pensé realmente que pudiese ser de otra manera. Atravesamos grandes zonas de la ciudad, luego espacios verdes, luego desierto, luego pueblos pequeños y más desierto, pasamos por lugares cuyos nombres nunca había escuchado y probablemente jamás volveré a escuchar. Miro a través de la ventanilla, observando cómo el autobús devora los kilómetros de la carretera. Voy a Los Ángeles, hacia mi madre y Rae y UCLA y mi futuro.

El autobús hace varias paradas al día para que los pasajeros puedan comer. En un restaurante pequeño, en un pueblo cuyo nombre nunca supe, la camarera es una chica joven que se parece al Príncipe Valiente, con el pelo negro y liso, que le llega hasta debajo de las orejas y el flequillo largo y suave. Lleva una camisa de hombre a cuadros y pantalones también de hombre. Los ojos negros son hermosos e inteligentes. Puedo ver lo eficaz que es, cuán concentrada está en su trabajo, qué trabajadora tan constante. Me gustaría que subiese al autobús conmigo, que viajásemos en la misma dirección —hacia Los Ángeles, hacia UCLA— y que ambas nos convirtiésemos en... ¿qué? ¿Abogadas? Psicólogas quizá. ¿Imagino acaso que nuestras miradas se encuentran cuando me entrega la cuenta? «Muchas gracias», dice en inglés, sin apenas acento. La observo desde mi asiento junto a la ventanilla hasta que el autobús vuelve a la carretera que me lleva de regreso a Los Ángeles.

TERCERA PARTE

LILLIAN

13

EDUCACIÓN SUPERIOR

Regresé a los Court Bungalows de Fountain Avenue porque por el momento no tenía ningún otro lugar adonde ir. Mi madre me apretó contra su pecho, me besó la cara con grandes besos sonoros y continuó así como si hubiese estado fuera durante décadas.

—Mamá, estoy cansada —le rogué—. Ahora lo único que quiero es tomar un baño bien caliente.

Mi vestido de algodón blanco estaba gris después de cinco días de viaje a través de las polvorientas carreteras de México, y mi pelo era un montón de mechones enredados y sucios.

—¿Y te dejó viajar sola? ¿En un peligroso autobús desde México?

Mi tía también estaba en casa esperándome, como yo había temido, una pequeña guerrera furiosa con los puños apretados contra sus muslos rollizos.

—Ese hombre es un *paskudnyak*, un hombre malo —se lamentó mi madre.

—Escucha, regresará a casa en diciembre. En el hospital le guardan el puesto —improvisé mientras se llenaba la bañera—. Mark está ayudando a organizar un departamento de psicología muy importante en la Universidad de México. Allí es una especie de héroe. —Las eché del baño y cerré la puerta con llave. Si se enteraban de que todo había acabado entre Mark y yo, tratarían de atraparme otra vez—. Tuve que regresar para empezar las clases en UCLA y viviré en una residencia cerca del campus —grité sin detenerme a tomar aire—. Cuando Mark vuelva, alquilaremos una hermosa casa en Malibú. —Cerré los ojos, me hundí en el agua hasta la nariz y me quedé allí.

No salí de la bañera hasta que mi piel estaba tan arrugada como una pasa, pero las dos aún estaban en el pasillo cuando abrí la puerta, mi madre con una expresión trágica y mi tía echando chispas como si quisiera arrancar los rizos de Mark de su cabeza. La parte más dura vino después.

—Rae, escucha —dije—. A Mark todavía no le han pagado. ¿Me podrías prestar el dinero para alquilar una habitación en la residencia?

—¿Qué quieres decir con una habitación? —dijo mi madre—. Tú te quedas aquí hasta que él vuelva. Aquí tienes tu habitación y todo lo que necesitas.

—¡Imposible, imposible! Necesito vivir cerca del campus. No puedo viajar todos los días a UCLA desde aquí y perder horas preciosas en el autobús.

—¿Por qué tienes que ir a la universidad cuando tienes un esposo? —gritó mi madre.

—¿Qué clase de esposo es ése? ¡Debería crecerle una zanahoria en la oreja! —Rae agitó el puño ante mi esposo ausente y cogió su bolso—. Acompáñame al banco —dijo.

* * *

En un momento mi ánimo está por los cielos y por los suelos al minuto siguiente. Mi matrimonio ha fracasado, ¿pero acaso no está por empezar un maravilloso capítulo de mi vida? Con el dinero de mi beca compro mis libros de texto. *Introducción a las humanidades*: *La Orestíada*, *la Odisea*, *La divina comedia*, *Don Quijote*, *Hamlet*, *El paraíso perdido*, *Madame Bovary*, libros sobre los fracasos y los triunfos de los hombres, cosas en las que antes ni siquiera se me había ocurrido pensar, palabras escritas hacía cientos de años, tan vívidas que podrían estar ocurriendo hoy: el milagro de ello, pienso, adorando incluso las páginas impresas, que para mí son como un texto sagrado. *Francés elemental*, la portada dura, veteada de verde, está llena de promesas: aprenderé a entender a la gente que no habla inglés, a leer sus ideas; algún día, incluso es probable que viaje a Francia. *Introducción a la psicología*, aprenderé todo lo que Mark sabe; éste es el primer paso. Sueño despierta con una doctora Faderman cuya sabiduría y sagacidad curarán a los obsesivos, los agorafóbicos, los compulsivos, los paranoicos. Los libros serán mi llave para acceder a una nueva vida. Nada será imposible; ellos me convertirán en una nueva persona, la persona que quiero ser.

Tengo una semana antes de que comiencen las clases. Coloco los libros perfectamente ordenados en la estantería de mi habitación en Rudi Hall, luego los cojo, uno por uno, y los examino cuidadosamente, ávidamente. Soy una estudiante universitaria. Una alumna de UCLA. He conseguido escapar de habitaciones amuebladas en el Bronx y del este de Los Ángeles, de trabajos de modelo desnuda y el Open Door, de todas las fuerzas que han operado para mantenerme aplastada: el cabrón de mi padre, Fanny, que me dijo lo que una chica pobre jamás sería capaz de conseguir, el señor Mann y Falix y Carlos y Jan... todos ellos. Ya me sentía como alguien que ha alcanzado el éxito.

* * *

Mientras esperamos en la cola ante una de las ventanillas del Bank of America, le digo a mi tía:

—Mark, naturalmente, me envía dinero para la comida. Es sólo que este mes no le alcanza para que pague todo el semestre del alquiler de la habitación.

¿Pero cómo me las arreglaré para poder comer? Ahora, justo antes de que den comienzo las clases, encuentro en la pared de la sala de descanso de Rudi Hall un aviso impreso que dice OFERTAS DE TRABAJO y debajo, escritas a mano, unas tarjetas blancas: se necesita canguro, archivador a tiempo parcial, ayudante de biblioteca.

Durante la primera semana de clases pasé cuatro horas diarias empujando carros llenos de libros, arriba y abajo de las estanterías de la biblioteca de la universidad, buscando los números decimales de Dewey, colocando nuevamente los libros en los estantes, envidiando a los estudiantes que tenían tiempo para sentarse y leer realmente todos esos libros en esa hermosa sala de techos altos y artesonada con maderas antiguas. Al final de la semana esperé en la cola en una oficina situada en las entrañas de la biblioteca para recoger el pequeño sobre marrón con mi paga. Dentro encontré un cheque por 23,25 dólares.

No fue una decisión que me costó mucho tomar. Ser explotada como ayudante de biblioteca no era mucho más agradable que ser explotada como modelo de revistas para hombres y la paga era mucho peor por más horas de trabajo. ¿Por qué no debía aprovechar todos los dones que tenía, cada uno de ellos, para llegar allí adonde necesitaba ir?

—Andy —exclamé en la primera cabina telefónica que encontré—, soy Gigi Frost. ¿Te acuerdas de mí? Me gustaría volver a trabajar.

—Eh, la chica con forma de reloj de arena que no lleva sujetador. —Andy se echó a reír—. ¿Qué te ha pasado? ¿Tu novio se largó y te dejó tirada?

—Algo parecido —dije—. Dime, ¿puedo trabajar los fines de semana en sesiones de grupo?

Cuatro horas los sábados, cuatro horas los domingos y volvería a mi habitación con cuarenta dólares en el bolsillo. Para mí las cosas eran diferentes ahora que hacía dos años: ya no estaba preocupada por los fotógrafos y por dónde pudiesen tentarme a ir. Ahora sabía adónde iba. Ahora estaba segura de que no permitiría que nadie me impidiese llegar allí. Si dejaba el trabajo en la biblioteca y comenzaba a trabajar como modelo los fines de semana, tendría doce horas extra por semana para dedicarlas a estudiar.

Me encantaba mi pequeña habitación: la buena y firme lámpara de lectura, el viejo escritorio lleno de arañazos y el sillón sólido que estudiantes anónimos habían utilizado antes que yo en el pasado. Antes de que pasara mucho tiempo, cada rincón de la habitación estaba lleno de libros que leía por puro placer en mi tiempo libre: Muriel Rukeyser, James Baldwin, Upton Sinclair... Podía prepararme una taza de café bien fuerte en el hornillo que tenía en la habitación (contra las reglas), repanchingarme lujuriosamente con los pies enfundados en calcetines sobre el escritorio, olvidarme de todo lo malo y triste —mis preocupaciones sobre lo que mi madre deseaba de mí, lo que Rae deseaba de mí— y disfrutar de la lectura.

El campus también me encantaba, los verdes prados ondulados y los grandes y vetustos edificios, incluso los opacos anfiteatros que eran las aulas de los alumnos de primer año. Me sentaba en las grandes salas, sin poder dejar de asombrarme por ese milagro: Lilly del este de Los Ángeles en una de las mejores universidades del mundo. Cuando algún estudiante a mi derecha o izquierda se aburría, me sentía desconcertada, incluso ofendida. Para mí, en aquellas primeras semanas, esas aulas eran lugares sagrados, mucho más sagradas que cualquier sinagoga.

Sin embargo, mi veneración se veía a menudo teñida de otra cosa, algo en lo que me deleitaba perversamente, una airada determinación. Se suponía que alguien como yo no podía ser la beneficiaria del conocimiento que se impartía aquí... ¡pero tenían que transmitírmelo a mí! No podían negármelo.

Los sábados y domingos pasaba cuatro horas en el estudio de Andy y me iba de allí con suficiente dinero en el bolsillo para las comidas de la semana. Y antes de eso, los viernes por la tarde, cogía dos autobuses para atravesar la ciudad y llegar tiempo para contemplar a mi madre, con la cabeza cubierta con un pañuelo, cuando encendía las velas del Sabat y rezaba las plegarias hebreas que jamás había pronunciado cuando vivíamos con Fanny porque ella no era la señora de la casa. Luego compartía la cena del Sabat con ella y Albert antes de coger otro autobús para visitar a Rae y beber té y dejar que me llenase con *rugelach* con canela.

—Una chica joven no debe viajar de noche sola en autobús —gruñía mi tía ante mis protestas rutinarias cuando me levantaba para marcharme a las nueve de la noche, y el señor Bergman la ayudaba a convertir el sofá tapizado con una tela floreada y cubierto con un plástico en una confortable cama para mí hasta el sábado por la mañana. Era muy agradable estar cerca de mi madre y Rae, saber que aunque ellas no tenían ni la menor idea de lo que significaba ser estudiante de UCLA y no podían compartir mi nuevo mundo, las dos me amaban y siempre me amarían sin importar lo que hiciera. Y era una tranquilidad saber también que antes de que transcurriesen demasiadas horas las dejaría para regresar a ese mundo del que no sabían nada, donde estaba aprendiendo para encontrar mi camino. De modo que tenía todo lo que necesitaba para seguir adelante.

Pero a veces me sentía sola. No tenía a nadie cerca de mí excepto mi madre y Rae. Nunca volví a saber nada de Mark. Simplemente, desapareció en la ciudad de México y ahora tenía la sensación de que los meses que habíamos pasado juntos habían sucedido en otra vida. ¿Qué habíamos sido el uno para el otro?

* * *

Cuando vertí el cóctel de champán en la copa de cuello largo que la camarera colocó delante de mí, el viejo temor hizo que me temblase la mano. ¿Me expulsarían de UCLA si la policía allanaba el local y me detenían? Pero Beverly Shaw se apoyó en el piano con su traje blanco y sus zapatos de tacón alto y me guiñó un ojo. ¡Se acordaba de mí después de tanto tiempo! Cada nervio de mi cuerpo se concentró en una voluptuosa atención.

Fue al acabar el número cuando ella susurró «no os vayáis» en el micrófono y desapareció detrás del escenario, entonces reparé en la mujer con un suéter negro de cuello vuelto que estaba sentada junto a la larga barra. Sus ojos eran grandes —grises, según pude comprobar más tarde— y su pelo oscuro se ondulaba suavemente alrededor de la frente y las orejas. Estaba sola. Estuve observándola durante largo rato. No exhibía en absoluto la majestad intimidatoria de Beverly Shaw. Había algo vulnerable en la postura de los hombros delgados, en su piel pálida, muy pálida. Tenía, aproximadamente, la edad de Mark, quizá un par de años más joven. ¿A quién me recordaba? Recorrí la galería de estrellas de la pantalla que aún conservaba en la memoria: Sylvia Sidney, la actriz judía de belleza frágil y conmovedora, a quien mi madre había querido tanto.

No dudaría. ¿Pero cómo hacerlo? No como Jan, no. Como William Holden, tal vez.

—Me gustaría invitar a un cóctel de champán a la mujer que está en el extremo de la barra —le dije a la camarera con toda la suavidad que pude reunir, dejando en su bandeja dos dólares del dinero de Andy. Luego me quedé mirando sus rizos negros hasta que se volvió hacia mí y me devolvió la mirada, pero sólo un momento antes de que bajase tímidamente la vista... y eso me infundió valor. La miré fijamente, sin pestañear.

La camarera colocó una botella de champán delante de ella, haciendo un gesto en mi dirección y susurrando algo. La mujer volvió a alzar la vista hacia mí y yo sostuve mi copa en alto, sonriendo abiertamente, sensualmente, esperaba, a pesar del estruendo que golpeaba mis oídos. Estaba a punto de hacer algo que jamás había hecho antes. Vi sus bonitos pechos que se movían debajo del suéter cuando giró el cuerpo para quedar de frente a la barra. Bebió un pequeño trago con los ojos nuevamente bajos, luego levantó la vista. Nuestros ojos se encontraron.

—Me llamo Lillian —dije con voz sensual de artista cuando me acerqué a ella junto a la barra. Su perfume despedía una ligera fragancia, nada parecido al aroma denso y almizclado que había amado en otro tiempo.

—Door —creí que había dicho—. Me llamo Door.

—¿Perdona?

—D, apóstrofe, OR. Es francés. Significa 'de oro'. Mi nombre es Sabina, pero me gusta más D'Or.

Mientras hablaba advertí sus orejas pequeñas y bien formadas, la delicada barbilla. Y Beverly Shaw desapareció para siempre de mi cabeza. Ya no era más a Beverly Shaw a quien deseaba... tenía que ser ella. ¿Cómo conquistaría Beverly Shaw a Sabina D'Or? ¿Qué le diría? ¿Cómo le haría ella el amor a una mujer?

—La forma en que me miraste... —dijo Sabina D'Or más tarde cuando estábamos en su coche. Se había ofrecido a llevarme a casa cuando le dije que había cogido un taxi para ir al Club Laurel. Eso fue después de que apoyase mi mano en la parte inferior de su espalda y acercara mi cabeza a la suya mientras ambas nos reíamos de una mujer muy grande que llevaba un abrigo de armiño y que le había preguntado al tío de la barra, con voz de barítono, dónde estaba el lavabo de hombres. Luego pedí otra ronda de cócteles y mi mano se deslizó sobre la rodilla de D'Or. Ella me miró sorprendida con sus grandes ojos grises, pero no intentó apartar mis dedos de su pierna.

—¿Y qué me dices de la forma en que te miré?

Mantenía mi voz en un tono muy bajo, seductor. Tenía que sonar segura, aunque en ese momento no estaba segura de absolutamente nada.

—Tan descarada —sonrió tímidamente. Parecía menos frágil de lo que había aparentado a distancia.

¿Cómo haría esto? Sentía que un océano rugía en mis oídos. Le pediría que entrase. Nos deslizaríamos subrepticiamente en mi habitación; probablemente, todas las chicas estarían fuera un sábado por la noche y nadie se enteraría siquiera de que Sabina estaba conmigo. Y luego... le haría lo que Jan me había hecho a mí. ¿Podría hacerle creer que sabía lo que estaba haciendo cuando mis dedos estaban helados? Los puse entre los muslos para calentarlos.

Cuando desperté aquella mañana seguía apretada junto a mí, respirando suavemente, allí en la estrecha cama de mi habitación, una intrusión perturbadora en mi vida de monja. Qué espléndida me había sentido la noche anterior, aún me sentía. Reviví aquel momento, en silencio, con D'Or dormida a mi lado: cómo me había llenado la boca con sus pechos, chupando sus pezones, que eran de un marrón pálido, pronunciados, diferentes de los míos... como los de mi madre, tal como los recordaba de cuando era una niña. Cómo la había saboreado en todas partes: el cuello, el vientre, su pelo suave y ondulado. Y, finalmente, sus jugos en mi lengua. La extraña sensación y el olor, como a algas marinas, habían sido sorprendentes al principio, luego rápidamente deliciosos. Me había sumergido en su mar; la había hecho gemir. Realmente lo había hecho, ¡había conseguido que otra mujer sintiera placer! Ahora la abracé tiernamente. Era lo que deseaba. La besé con suavidad para no despertarla. Sí, esto... durante toda mi vida. ¿Cómo no me había dado cuenta antes?

Más tarde recorrimos Gayley Avenue en dirección a Westwood Village para desayunar, nuestros brazos y dedos rozándose apenas. Mientras caminábamos a plena luz del día estaba nuevamente en la cama con ella, en la noche oscura y misteriosa, saboreando todas las partes de su cuerpo.

—Cuántas cosas decimos en silencio. —D'Or rompió mi ensoñación—. Soy muy consciente de ti, lo que significa que tú también lo eres, sé que es así, o no lo sentiría con tanta intensidad.

—Oh, sí —susurré fervorosamente. Nunca había conocido a una mujer tan adorable, tan elegante en sus movimientos, con una voz tan musical. Y había permitido que le hiciera el amor, ¡y volveríamos a hacerlo! El simple hecho de pensarlo enviaba sensaciones muy dulces a mi entrepierna.

Sabina vivía en San Francisco, me dijo mientras desayunábamos café y tostadas en un reservado del Colby's Diner. Había regresado a Los Ángeles durante un par de semanas para visitar a sus padres, luego su padre se había puesto enfermo. Eso había ocurrido hacía varios meses; ahora él estaba en el hospital.

—Es horrible. —Sus ojos grises se empañaron y su hermosa boca tembló ligeramente—. Mi madre dice que les provoqué tantos disgustos que por eso mi padre enfermó de cáncer. ¿Te lo imaginas? ¡Mi padre tiene cáncer y me culpan a mí!

Cubrí su mano con la mía, no para seducirla sino para consolarla y nuestras rodillas se encontraron debajo de la mesa.

—Tú eres una isla de racionalidad porque me *escuchas* —exclamó D'Or—. Ellos no escuchan, jamás lo han hecho.

Cuando nos levantamos para marcharnos, ella miró debajo de la mesa, detrás de los asientos del reservado, debajo de la mesa otra vez.

—¿Qué has perdido, D'Or? —pregunté, mirando debajo de la mesa con ella.

—Señorita, ¿puedo ayudarla a encontrar alguna cosa? —preguntó la camarera.

—No, nada, está bien —dijo ella rápidamente, pero siguió buscando.

* * *

D'Or es una artista, me dice, una escritora, aunque no ha escrito mucho. Cuando le digo que estoy especializada en psicología, se limita a asentir, y siento que ella piensa que la psicología es una búsqueda menor, que está un tanto decepcionada. Deseo impresionarla. «Los tipos artísticos son naturalmente diferentes —dice de sí misma—. Tú también lo eres. Pude sentirlo por la forma en que me miraste la primera noche... la maravillosa incorrección de ese gesto. Significa el espíritu creativo.»

A D'Or le encantan las palabras como disidente, iconoclasta, genio loco, original autodefinido. ¿Cómo puedo ser todas esas cosas para ella?

Después de hacerle el amor, yace desnuda sobre la cama de mi habitación. «La nuestra es una conexión mística, purificada, nebulosa —murmura—, más allá de lo sexual, mucho más allá de la camaradería buena e interesante.»

«Sí.» Caigo de rodillas junto a la cama y le devoro las manos con mis besos. «Oh, sí.»

«Paje, mi paje.» Se sienta para ungir mi cabeza con su mano amada. Sus pechos brillan en la penumbra de la habitación, los pezones marrones marcados, erectos. Me arrodillo a sus pies. Soy un paje de librea, un muchacho al servicio de mi reina. «Mi *Rosenkavalier*», me llama a veces.

* * *

Mi habitación estaba en la planta baja, con una ventana sin persianas que daba a un callejón. Durante la semana, D'Or golpeaba suavemente el cristal de la ventana a las diez de la noche.

Entonces, dejaba el libro y el lápiz y abría la ventana para que pudiese meterse en la habitación y arrojarse a mis brazos sin decir nada. Momentos más tarde, sin aflojar en ningún momento nuestro abrazo, caíamos sobre la cama y nos despegábamos sólo lo suficiente para que le quitase la ropa y la lanzara al suelo.

A la mañana siguiente la dejaba en la cama —aunque el hecho de separarme de ella, aunque sólo fuese brevemente, era tan doloroso como si me arrancasen un brazo— y me marchaba a mis clases, siempre corriendo para no llegar tarde; esperaba hasta el último minuto antes de irme. Cuando el sonido de las voces ya no se oían en la casa, habitualmente a media mañana, D'Or también abandonaba la habitación y se marchaba hacia el hospital para acompañar a su padre.

Los sábados y domingos, para explicar mis ausencias, le decía que era modelo de trajes de baño. Ella nunca me pedía detalles de mi trabajo.

Entonces, a su padre le colocaron en un respirador artificial en la unidad de cuidados intensivos del hospital Cedars of Lebanon.

—El médico dijo que no cree que dure más de unas semanas —suspiró D'Or, tendiéndose en la cama como un espectro dulce y delicado. Me acosté junto a ella, la besé, acuné su cabeza en mi pecho, la abracé tiernamente.

Ambas dimos un brinco cuando sonó el teléfono.

—Podría ser para mí —dijo D'Or mientras yo atendía la llamada.

—Necesito hablar con Shirley Ann Goldstein.

Era una mujer con acento de Nueva York.

—Creo que se ha equivocado de número —dije, dispuesta a colgar.

—¿Es para mí? —D'Or me arrebató el auricular negro de la mano—. ¿Cuándo? —chilló. Su rostro se arrugó como el de una niña pequeña antes de volver a derrumbarse sobre la cama y volví a cogerla entre mis brazos.

Para estar junto a ella asistí al funeral, un funeral judío en el Mount Sinai Memorial Park. No me presentó a su madre, que sollozaba y tenía la nariz muy roja, y tampoco a ninguno de los otros parientes, vestidos de negro y de aspecto adinerado. En la fría capilla de mármol me confundí con la multitud, pero no dejé de mirarla en ningún momento. Estaba sentada en la primera fila, encerrada entre su hermano, tieso y con expresión severa, y otro hombre. El rabino habló sobre Isaac Goldstein, un buen judío, un generoso contribuyente de la sinagoga de Etz Jacob, fundador de la cadena de tiendas de ropa Goldenrod de Beverly Hills, Brentwood y Palm Springs. D'Or mantenía la cabeza gacha y sus hombros se estremecían. Luego todos salimos en fila al viento de abril y ascendimos una pequeña colina de hierba, su madre y su hermano y el resto de los parientes, luego los amigos y los conocidos del mundo de los negocios. Pero d'Or caminaba sola, detrás de todos ellos, y yo detrás de ella. Llevaba pantalones negros, su suéter negro de cuello vuelto, una chaqueta de cuero negro que se agitaba ruidosamente por el viento. Cuán absolutamente sola parecía estar. La amé con mayor ternura que nunca y permanecí lo más cerca de ella que pude mientras contemplábamos cómo introducían al señor Goldstein en la tierra.

* * *

Durante varias semanas D'Or vive escondida en mi habitación y yo traigo suficiente comida para las dos. Cuando estoy en clase o en la biblioteca, no puedo dejar de preocuparme por ella. Su voz lastimera resuena en mis oídos por encima de las palabras del profesor. Su piel pálida, satinada, se desliza incesantemente entre mis ojos y las páginas que leo. Es casi un milagro que consiga acabar el semestre de primavera con tres sobresalientes y dos notables.

—Desorden compulsivo.

D'Or empleó esas palabras por primera vez el día en que se suponía que debíamos reunirnos para almorzar en el Colby's Diner y ella no apareció. Aquella tarde estuve a punto de perderme mi examen final de Psicología Experimental porque la esperé durante más de una hora y luego corrí a mi habitación a buscarla.

—No puedo evitarlo. —Se encogió de hombros con indiferencia, pero pude ver la expresión atormentada de su rostro.

—¿Qué ocurre? —pregunté, el miedo mezclándose con la determinación. «¡Ella es como solía ser mi madre! Pero esta vez yo no fracasaría.»

—Cuento cosas, lápices, libros, zapatos... —Me contó la extensión de su problema en frases inseguras. Ella conservaba recuerdos, como periódicos y revistas. No podía deshacerse de ellas hasta que no hubiese leídos todas y cada una de las palabras. Y tenía que lavarse las manos a menudo, muy a menudo. Y tenía un miedo pavoroso a perder cosas, no podía irse de un lugar sin haber realizado antes una búsqueda exhaustiva para asegurarse de que no se había dejado nada.

«¡La amaría lo suficiente como para curarla! Me amará lo suficiente como para ser curada», pensé.

—Ven conmigo a San Francisco —susurró D'Or aquella noche cuando la abracé en mi cama—. Conservé mi apartamento allí.

—¿Tu trabajo también? —murmuré con los labios en su pelo ondulado. Si dejarla durante unas horas era como si me arrancasen un brazo, ¿cómo podía separarme de ella para siempre?

—Mi padre... solía enviarme... —cuando pronunció la palabra *padre* pude sentir que sus hombros delgados se estremecían con los sollozos—... ciento cincuenta dólares todos los meses.

«Ciento cincuenta dólares al mes. ¿Podría ganar ese dinero en San Francisco mientras asistía a la universidad, en Berkeley?»

—Mark y yo viviremos en San Francisco —les dije a mi madre y a Rae—. Ha conseguido un trabajo para dentro de unos meses en un gran hospital. Me quedaré con una amiga hasta que él pueda reunirse conmigo.

Acabé el cuento con una nota de irrevocabilidad. ¿Qué podían decirme de todos modos? Tenía diecinueve años y era una mujer casada.

—Vuelve a vivir a Fountain Avenue —imploró mi madre—. Ya estás en la universidad. Conseguirás un buen trabajo.

—Qué clase de esposo... un *schicker* sin corazón, un borracho, que te deja sola —dijo Rae—. Ojalá lo parta un rayo. ¡Debería quemarse en un incendio!

En la sala de estar del apartamento de D'Or en Washington Street en San Francisco había innumerables bolsas de papel marrón, abultadas a los lados pero dobladas cuidadosamente por la parte superior y apoyadas en las paredes. La cama también estaba allí. En el comedor había una mesa roja cubierta de plástico con dos sillas y una nevera. La cocina estaba vacía excepto por una vieja cocina de gas que hacía tiempo que no se usaba y bolas de polvo que se habían juntado en los rincones. D'Or me pidió que no entrase en los dos dormitorios, aunque mucho más tarde les eché un vistazo. En esas habitaciones sólo había más bolsas de papel marrón y periódicos amarillentos apilados contra las paredes.

Pero el apartamento estaba lleno de la maravillosa música que ella hacía sonar en su fonógrafo: *Der Rosenkavalier, La flauta mágica, La bohème, Tristán e Isolda.* Desde la ventana del comedor se podía ver la resplandeciente ciudad blanca y el Bay Bridge y una extensión de agua que cambiaba del gris acorazado al zafiro con el paso de las horas. Durante todo el verano la luz del sol inundaba las habitaciones del frente. En este lugar mágico, con una mujer hermosa que me necesitaba y me pertenecía, ¿cómo no podía sentirme llena de esperanza?

Aquella noche, sentadas en el suelo del comedor, ella me dejó leer lo que había escrito. La primera historia que me mostró hablaba de una muchacha excéntrica con una sonrisa misteriosa que se disfraza de chico con calzones de terciopelo rojo y un gorro dorado y recorre Londres en la década de 1890 en compañía de Oscar Wilde y Aubrey Beardsley. La prosa de D'Or era rica, oscura, delicadamente ornamentada con imágenes cambiantes. Yo no podía dejar de leer, hechizada. «Brillante —pensé con un estremecimiento—. Esta mujer maravillosa es absolutamente brillante». Cuando acabé, volví a colocar las páginas escrupulosamente escritas a máquina en una pequeña pila en el suelo, todavía maravillada, impaciente por comenzar la siguiente historia.

—¡No! —gritó D'Or, recogiendo las páginas profanadas del gastado suelo de madera y apretándolas contra el pecho.

—¡Oh, Dios, lo siento! —dije, mortificada por mi terrible falta de delicadeza. Me aseguré de mantener las páginas de la siguiente historia sobre mi regazo. Una madre sádica que se alía con su hijo frío y ambicioso para atormentar a la hija de la familia, una muchacha sensible, delicada, imaginativa, y es abandonada incluso por el padre a quien ama y que siempre está fuera por motivos de negocio. La madre y el hermano eran caricaturas de crueldad y el argumento era endeble, pero en esta historia también se percibía una notable maestría en el estilo.

—Déjame leer más —le supliqué.

—Esto es todo lo que he escrito. Escribir exige cierta predisposición, un estado de ánimo especial que raramente tengo el lujo de disfrutar. ¿Acaso no ves por qué después de haber leído *La madre* —gritó, cogiéndome por los hombros, mirándome a los ojos como si tuviese que estar completamente segura de que entendía lo que me estaba diciendo y le creía— puedes imaginar a una niña sensible que siempre es el chivo expiatorio, viviendo con gente a la que sólo le importa ganar dinero y las tiendas de ropa Goldenrod? —Sus encantadores labios se curvaron en una mueca despectiva al pronunciar el nombre de la empresa, y yo asentí compasivamente.

—Existe una resonancia especial entre nosotras —murmuró D'Or una luminosa mañana de aquella primera semana, después de que hubiésemos hecho el amor en el suelo del comedor. Podíamos oír los tranvías que bajaban la colina cada pocos minutos—. ¿La sientes?

—Sí, oh, sí —dije—. Es tan... inexpresable... tan sutil.

—¡Exacto! —D'Or se echó a reír, encantada, lo sabía, de que sus palabras estuviesen ahora en mi boca.

Con la muerte de su padre dejó de recibir dinero de su familia. ¿Qué haríamos para comer y pagar el alquiler, setenta y cinco dólares al mes? ¿Qué clase de trabajo podía conseguir? Pasé la segunda semana en San Francisco visitando todos los clubes nocturnos de North Beach, preguntando por el gerente, diciendo que tenía experiencia al haber trabajado en Los Ángeles, como camarera, atendiendo el guardarropa o vendiendo cigarrillos a los clientes. ¿Llamarían a todos los lugares donde dije que había trabajado para pedir referencias?

Los labios de D'Or se curvaron como si se hubiese tragado algo repugnante cuando le conté que el dueño del Big Al's Hotsy Totsy Club me había dicho que me contrataría como camarera pero sólo si también era la Chica del Baño de Burbujas.

—¡Es tan cutre! —Se estremeció.

—Creo que las dos podríamos conseguir pequeños trabajos —dije con cierta reticencia, recordando los 1,25 dólares la hora que ganaba en la biblioteca—. ¿En qué has trabajado antes? —le pregunté.

D'Or pestañeó con sus grandes ojos claros durante un incómodo minuto.

—He trabajado en lugares donde se iban a celebrar elecciones —dijo finalmente—. Ya sabes —añadió cuando puse cara de no entender lo que me estaba diciendo—, comprobando que la gente esté registrada y luego dándoles una papeleta para que voten. —Pero no habría elecciones hasta dentro de un año, calculé—. Mi padre estuvo enviándome dinero durante mucho tiempo —dijo, y sus ojos se llenaron de lágrimas.

«Está claro que no puede mantener un trabajo estable con su desorden compulsivo. Tengo que cuidar de ella. ¡Quiero hacerlo!»

—D'Or, si acepto ese trabajo en el Hotsy Totsy Club será una fuente de ingresos —argumenté—. No hay nada sexual en esa clase de trabajos.

Finalmente, acordamos que trabajaría en ese club hasta que comenzaran las clases en septiembre. Podríamos ahorrar algo de dinero.

—Pero... no harás que parezca algo terriblemente vulgar, ¿verdad? —dijo en el Buena Vista mientras bebíamos whisky irlandés que habíamos pagado con el último billete de veinte dólares que había ganado trabajando con Andy—. Tiene que ser algo estéticamente agradable —me aleccionó—. Busca la delicadeza... y la gracia. —Su entusiasmo por el proyecto crecía—. Puedes hacerlo con insinuaciones de ballet, con refinamiento.

—Sí —dije, asintiendo ante cada cosa que decía—. Sí, lo haré.

—Debes ser sutil —dijo—, ¡elegante!

Las paredes del Big Al's Hotsy Totsy Club estaban cubiertas de pinturas murales: gángsters de la época de la prohibición con ametralladoras en una mano y muñecas rubias con abrigos de armiño en la otra y, en el fondo, Keystone Kops con ojos saltones y gigantescas porras fálicas. Todos los gángsters tenían la cara del propietario del club, Big Al, como se suponía que las camareras debíamos llamarle. Vestíamos atuendos rojos de la era del jazz hasta la rodilla con flecos negros que brillaban cuando nos movíamos. Cuando el club estaba lleno de clientes sonaba una sirena como si la policía de la prohibición estuviese a punto de irrumpir en el local, pero sólo era mi señal para que dejase la bandeja, le pasara mi último pedido a otra camarera y corriese escaleras arriba y me cambiase el uniforme por un salto de cama transparente color rosa con cuello y puños negros de imitación a piel. Debajo sólo llevaba unos brillantes cubre pezones plateados y un trozo de tela rosa, con una campanilla, alrededor del pubis. Abajo, las burbujas de colores ya estaban saliendo de una máquina y ascendían por una luminosa bañera blanca en forma de garra de león situada en el centro de un pequeño escenario. Cuando bajaba la escalera hacía verdaderos esfuerzos por imaginar formas refinadas de quitarme un salto de cama transparente en el escenario y meterme desnuda en una bañera sin agua. Se suponía que debía pasearme al son de *Night Train*, comprobar la temperatura del agua inexistente con un pie provocativamente desnudo, quitarme la ropa, luego deslizarme dentro de las burbujas y retozar durante cinco minutos hasta que la sirena de la policía volvía a sonar y todo el local quedaba lo suficientemente a oscuras como para que pudiese salir de la bañera y desaparecer. Habitualmente me acompañaba un tardío y escaso aplauso. Por este número me pagaban cinco dólares extra cada noche, lo que significaba que, trabajando de miércoles a sábado, podía llevar a Washington Street unos cien dólares por semana, que no era una suma pequeña en 1959.

Después de mi último baño salgo disparada del Big Al's y corro para coger el autobús. Luego, si tengo suerte, consigo hacer la conexión con el último tranvía nocturno; si no es así, tengo que gastar dinero en un taxi que me lleva colina arriba. Me encanta cuando consigo coger el último tranvía: bajo en Washington con Jones y alzo la vista hacia nuestra ventana en el tercer piso. Ella está en la cama, lo sé, dormida y abrigada, y en dos minutos mis brazos la rodearán, y su boca sabrá a pan fresco recién sacado del horno. Si aquella noche me había sentido estúpida o explotada o me dolían los pies o la cabeza, para entonces ya lo había olvidado. Subía de dos en dos los peldaños de la escalera celestial.

Al acabar el verano, sin embargo, odiaba cuando llegaba la noche, cuando tenía que ponerme rímel y colorete en la cara, cambiar los vaqueros por el vestido y los tacones altos y prepararme para el largo viaje hasta North Beach y la vaciedad de los ruidosos clientes a quien les llevaba sus bebidas, gente que podía excitarse con los falsos gángsters en una falsa taberna clandestina con una chica que tomaba un falso baño de burbujas.

Sin el Hotsy Totsy Club, ¿hubiese amado la universidad tan intensamente, me hubiera sentido tan agradecida? Estudiaba el catálogo, deseando apuntarme en todos los cursos que se ofrecían: Antropología Cultural, Literatura Hebrea, Taller de Cerámica, Derecho Penal. Una vez comenzado el semestre, me sentí engañada porque no podía formar parte de la vida estudiantil fuera de clase. Los estudiantes de Berkeley rodeaban el edificio del Ayuntamiento en San Francisco, agitando los puños ante unos ancianos de pelo blanco que citaban a los profesores de las escuelas públicas y presidían las audiencias del Comité de Actividades Antiamericanas del Congreso, arruinando carreras y vidas. Recordé a los manifestantes de la ciudad de México, cuyo compromiso con la causa de impedir un aumento de dos centavos en el billete de autobús yo había envidiado, y anhelaba unirme a los estudiantes en San Francisco. Pero estaba cursando Zoología y Sociología y Psicología Diferencial y Francés 3 y simulaba baños de burbujas cuatro noches por semana, cogiendo al menos ocho vehículos de transporte público diferentes la mayoría de los días, y vivía con D'Or. ¿Cuándo tenía tiempo para luchar contra el Comité de Actividades Antiamericanas del Congreso y la policía de San Francisco, que expulsaba a los estudiantes de las escalinatas del Ayuntamiento con los chorros de agua de las mangueras para incendios?

Tenía que reconocer, sin embargo, que había algo más que impedía que me uniese a los Estudiantes por las Libertades Civiles, los organizadores de las protestas, aun cuando hubiese tenido tiempo de hacerlo: ¿no se sentirían horrorizados si realmente me conocieran? Yo no podía hablarles a todos esos hijos e hijas de las clases alta y media de Gigi Frost, la Chica del Baño de Burbujas. Ellos jamás podrían entender mi vida con D'Or en nuestro apartamento lleno de bolsas y periódicos, cómo anhelaba rescatarla de su enfermedad, mi tristeza por no haber conseguido prácticamente nada hasta ahora. Ella seguía pasando diez minutos mirando debajo de las mesas de los restaurantes y buscando objetos invisibles mientras esperaba, avergonzada, junto a la puerta; sus manos aún seguían lastimadas y ampolladas como consecuencia de los cincuenta lavados diarios con jabón basto y agua caliente a las que las sometía cada día; las bolsas con su contenido misterioso y las pilas de periódicos se duplicaban, cuadruplicaban, sextuplicaban. ¿Quién de todos esos chicos radicales sería capaz de entender mi vida?

¿Y quién podría entender la forma en que amaba a D'Or y cómo amaba hacerle el amor? No veía a ninguna otra lesbiana en el campus de Berkeley, ni siquiera a un solo tío gay. Era la única homosexual allí —estaba segura de ello—, aunque uno de los tests de personalidad que todos los estudiantes que ingresaban en la universidad tuvimos que hacer la semana anterior al inicio de las clases incluía las preguntas: «¿Has besado alguna vez a una persona de tu mismo sexo?» y «¿te sientes atraído/a por las personas de tu mismo sexo?». Respondí que no a ambas preguntas. Qué ingenuos que eran al suponer que caería en esa trampa tan burda. Me expulsarían de Berkeley si conocieran mi vida, eso estaba claro para mí. De modo que seguí mi propio consejo y sólo hablaba en clase.

Querida Lili sabes que eres más querida para mí que los ojos en mi cabeza. por qué nos dejaste de este modo para marcharte a san francisco. cómo vives. cómo te ganas la vida. tu esposo malo no vino. lo sé. por favor vuelve a los ángeles. puedes divorciarte y casarte con un buen hombre. yo te ayudaré. vuelve inmediatamente. tu amante tía que te quiere más que la luna en el cielo.

Era la primera carta de Rae que recibía en mi vida. Cuán duro debió de ser para ella pronunciar las palabras y luego escribirlas en un alfabeto que apenas conocía. Me eché a reír por lo graciosa que era la carta, pero sostuve el papel junto a mis labios y los ojos se me llenaron de lágrimas.

No, no podía hacer lo que ella me pedía. ¿Cómo podía abandonar a D'Or? Y si regresaba a Los Ángeles, mi madre me obligaría a vivir nuevamente con ella y Albert; no sería capaz de resistir sus súplicas. Todos mis elaborados planes se convertirían en papel mojado. No, era imposible que regresara a casa ahora.

Querida Rae:
Ya he comenzado mis clases en Berkeley y no puedo marcharme de San Francisco. Por favor, no te preocupes por mí. Estoy viviendo con una buena amiga y tengo un trabajo en la biblioteca de la universidad. Este invierno iré a visitaros a ti y a mi madre, cuando acabe el semestre.

Querida Lili no trabajes en una biblioteca y vayas a la universidad al mismo tiempo. Te pondrás enferma. Tu salud es muy importante. Te enviaré dinero todos los meses hasta que acabe el año. Luego vuelves. Te ayudaré en el divorcio. Te enviaré 150 dólares. Para qué trabajo. Tu amante tía. Tu madre también te quiere.

Dos veces al mes llegaba a Washington Street un giro postal por setenta y cinco dólares junto con una nota fonética advirtiéndome de que debía cuidar mi salud, regresar a casa pronto y conseguir el divorcio. Ahora podía dedicar las cuatro noches semanales que pasaba en el Hotsy Totsy Club a mis trabajos para la universidad y a D'Or. Ciento cincuenta dólares por mes pagaban el alquiler, nuestras facturas de la comida y mi transporte de un lado a otro de la bahía. Si me saltaba un par de almuerzos, un domingo podíamos incluso coger un autobús para atravesar el puente Golden Gate e ir a Sausalito, donde fumábamos cigarrillos turcos y contemplábamos la ciudad a través de la bahía cubierta de palomillas.

«Criatura —era el apodo de D'Or para mí ahora—, mi ceñuda criatura de ojos marrones». Ambas usábamos suéteres negros de cuello vuelto; y yo tenía una chaqueta de cuero negro como la de ella, que había comprado cuando trabajaba en el Hotsy Totsy.

—Somos gemelas Géminis —dijo D'Or, resplandeciente—. ¿Pero por qué parece que siempre estás tan triste?

¿Parecía triste? Cuando estaba con ella no me sentía triste.

—Aprovecha el momento —me dijo con una expresión de placer encima de sendas copas de aguamiel en el Glad Hand Bar, que estaba en el extremo de un muelle que se asomaba a la bahía en Sausalito. Y yo lo hacía, pensaba, aprovechaba el momento.

—Pero sigues teniendo el aspecto de alguien que lleva el mundo sobre los hombros —se quejó mientras daba cuenta de su pastel—. Disfruta de este exquisito vino, de esta estupenda comida, de esta vista fantástica. Seamos sibaritas —dijo—. ¿Qué es lo que tanto te preocupa?

«Hacerlo bien en la universidad para que un día pueda ganarme la vida sin depender de las curvas de mi cuerpo. Si los

150 dólares de Rae durarán hasta final de mes. Si las bolsas y las pilas de periódicos acabarán por expulsarnos del apartamento. Cómo puedo impedir que mi tía trate de volver a casarme una vez que me haya divorciado. Cómo dejé que mi madre soportase sola su vida miserable y solitaria.»

—Nada —le dije a D'Or—. No hay nada que me preocupe. —Sonreí como un payaso—. Pidamos otra ronda de aguamiel.

14

CÓMO ME CONVERTÍ EN UNA REINA
DE LAS VARIEDADES

Hacia el final de mi segundo año en la universidad, cuando les escribí a mi madre y a mi tía que mi intención era permanecer en San Francisco hasta mi graduación, Rae me contestó:

No puedo seguir enviándote dinero hasta que no vuelvas a Los Ángeles como dijiste. Por qué no te divorcias como dijiste. Por qué quieres arruinarnos la vida. Cuida tu salud. Tu salud es muy importante.

Si mi tía dejaba de enviarme dinero todos los meses, ¿cómo viviríamos? Tal vez pudiese encontrar un trabajo como camarera o vendedora durante los meses de verano, ¿pero qué haría cuando comenzaran nuevamente las clases?

—¡He conseguido un trabajo! —anunció D'Or cuando regresó al apartamento una tarde mientras estudiaba para mis exámenes finales—. Comienzo mañana. Iré casa por casa para censar a la gente. Durante un mes.

Yo no podía volver a trabajar al Hotsy Totsy Club de Big Al porque me había marchado sin decir nada. De todos modos, cuando comenzaran las clases, odiaría tener que renunciar a todas esas horas cada semana para servir copas y tomar falsos baños de burbujas cuando necesitaba ese tiempo para estudiar.

Estaba cambiando mi especialización a Lengua Inglesa y tenía que compensar las clases de literatura que me había perdido en la especialidad de psicología. Había decidido que realmente quería ser escritora, y como sabía que los escritores no siempre se podían ganar la vida con su profesión, haría un doctorado y también sería profesora de inglés. De ese modo me aseguraría un salario y enseñaría las obras de otros escritores a los que amaba.

Pero en ese momento no podía pensar demasiado en planes a largo plazo; tenía que pensar en cómo nos las arreglaríamos D'Or y yo cuando acabase el censo en San Francisco.

«Se necesitan chicas de 21-28 años para coros en espectáculos de variedades. Algo de baile. 55$/semana». El anuncio apareció en la sección de OFERTAS DE TRABAJO-MUJERES del *San Francisco Examiner*. ¿Por qué no intentarlo? Aquí, en San Francisco, lejos de mi madre y Rae, ¿por qué no utilizar todos los medios posibles si eso podía llevarme donde yo necesitaba llegar? ¿Por qué no podía convertir en dinero cualesquiera dones que pudiese tener para compensar el patrimonio que jamás tendría?

Antes de presentarme a ese trabajo vería qué era exactamente lo que hacía un coro de espectáculo de variedades. El President Follies era una vieja sala teatral en McAllister Street, con grandes letras negras en una agrietada marquesina que anunciaba: DOS ÚNICAS SEMANAS LA FANTÁSTICA MISS BRANDY DEVINE. La mujer pelirroja que estaba en la taquilla me miró con expresión suspicaz.

—¿Sólo para ti? —preguntó, frunciendo sus labios anaranjados. Dudó un momento, luego cogió mi dinero y me dio una entrada.

En el coro había alrededor de una docena de chicas y cada vez que salían al escenario llevaban un atuendo diferente: pantalones de harén color rosa chillón con sujetadores transparentes; faldas plisadas de colegiala tan cortas que las bragas blancas quedaban al descubierto al más leve movimiento; y, para el número final, vestidos de muselina color pastel, estilo debutante,* que se quitaban con un movimiento brusco. No importaba lo que llevasen, la cuestión era quitarse una prenda tras otra. Desde mi butaca en la parte posterior de la gran sala que olía a moho, podía observar al escaso público asistente: la mayoría, hombres de mediana edad solos; un par de grupos de muchachos que parecían pertenecer a alguna fraternidad; un par de parejas.

En el momento en que las colegialas se quitaban sus blusas marineras con rápidos contoneos, un hombre de hombros encorvados, con un sombrero que no se quitó en ningún momento, se dejó caer pesadamente en una butaca al otro lado del pasillo donde me encontraba y abrió un periódico sobre su regazo. Las colegialas sacudían sus traseros delante del público en un ejercicio burlón hasta que las pequeñas faldas plisadas caían al suelo. Podía oír cómo crujía el periódico del hombre del sombrero siguiendo un ritmo regular y tuve que hacer un esfuerzo para contener las náuseas y no salir corriendo de la sala. No, no dejaría que me asustara. Ahora las colegialas levantaron las piernas al compás de un redoble de tambor, tiraron de sus bragas blancas, que quedaron entre sus dedos, y, finalmente, miraron al público, como Lolitas retozonas y provocadoras, agitando las bragas por encima de sus cabezas, vestidas solamente con pampanillas y cubrezones que centelleaban bajo las luces.

—¡Ahhh! —exclamó quedamente el hombre del sombrero.

Pero desde el escenario, con las candilejas deslumbrándote, probablemente no podías ver más allá de la tercera fila. Solamente hacías tu número y no tenías que pensar en quién estaba entre el público. Estabas sobre el escenario un total de veinte o veinticinco minutos durante todo el espectáculo, y el resto del tiempo podías quedarte sentada en el camerino, hacer tus deberes, leer a Shelley y George Eliot y Theodore Dreiser.

En el President Follies había también otras actuaciones. Había un cómico, Buddy LaRue, con una nariz roja, bulbosa y bri-

---

* Se refiere a las chicas que son presentadas en sociedad. (*N. del T.*)

llante, que hacía sonar una pequeña corneta que llevaba en el bolsillo de sus anchos pantalones de payaso después del remate de cada chiste sexual. Y había tres o cuatro «atracciones regulares», como Miss Bathsheba, la Bomba Rubia de Boston, la Sexy Voluptuosa Satana y la Electrificante Electra (quien, con un hábil dedo del pie, ponía en funcionamiento un motor en el tambor sobre el que realizaba sus movimientos giratorios, haciendo que una ráfaga de viento hiciera ondear en el aire su larga cabellera negra). Todos estos números eran el preámbulo de la actuación de la estrella de las dos semanas, «la fantástica Miss Brandy Devine», que lucía un peinado rubio platino estilo Verónica Lake y bailaba por el escenario llevando un enorme abanico. Cada vez que lo abría, una nueva prenda caía al suelo, luego volvía a cerrarlo para que el público pudiese ver lo que ahora dejaba al descubierto. Brandy Devine tenía unas piernas largas y unas nalgas muy bien formadas, pero tanto los pechos como las caderas eran planos como los de un muchacho. ¿Cuánto podía ganar?, me pregunté. Más de cincuenta y cinco dólares a la semana, de eso estaba segura. Y sólo tenía que salir al escenario una vez. Yo sabía que no podía bailar como ella —de hecho, no podía bailar de ninguna manera—, ¿pero acaso mi cuerpo no era mejor que el de ella? ¿Y no era ése el punto principal?

—Entras, preguntas por el gerente y le dices que eres mi agente. —Lo tenía todo pensado—. Le dices que he trabajado en todas partes, Nueva York, Los Ángeles, Chicago. ¿Cómo podría saber que no es verdad? Dile que puedes traerme a la ciudad durante tres semanas a, digamos, 500 dólares por semana. Mira, le enseñas las fotografías que me hicieron para aquellas revistas. En la portada de *King* parece que estuviese haciendo la danza de la espada. Conseguiremos una espada y puedo bailar alrededor de ella. Y hay una en la que parezco una bailarina de la danza del vientre.

—Es sórdido.

D'Or hizo una mueca de disgusto por encima de una caja de *chop suey* que yo había comprado para la cena.

—¿Cómo viviremos entonces? —pregunté, haciendo un enorme esfuerzo para no perder la paciencia. Su trabajo en el censo acabaría ese fin de semana. D'Or hizo equilibrio con un brote de soja entre los palillos de madera y no contestó—. ¿Eh, qué coño ha pasado con la tía original iconoclasta, desclasada e independiente?

—¿Qué? —preguntó D'Or.

Ahora me sentía demasiado alterada para comer. Dejé mi recipiente de cartón sobre la mesa roja y fui hasta la ventana para contemplar la ciudad que se extendía debajo de nosotras. ¿Acaso no le importaba lo que nos pasara? Yo prefería morir antes que dejarla y regresar a Los Ángeles, ¿pero cómo podía ser una estudiante de Berkeley y ganar el dinero suficiente para quedarme con ella? ¿Por qué diablos no podía conseguir un trabajo como cualquier hijo de vecino y cuidar de nosotras hasta que yo me graduase? «No, D'Or no puede hacer lo que no puede hacer —me amonesté a mí misma—. Es una crueldad pedirle algo semejante.»

Aquella noche, mientras ella sostenía las manos debajo del chorro de agua de la bañera, frotándoselas con Lava hasta que pequeñas gotas de sangre brotaron de sus palmas, le dije:

—Ya sé lo que haremos. Escucha. Cuando haya acabado mis actuaciones como la atracción principal a 500 dólares semanales, tú vas y les dices que quiero quedarme en San Francisco y que estoy dispuesta a rebajar mi tarifa a la mitad para ser una de sus atracciones regulares. Si ellos me contratan de forma permanente por 250 dólares semanales, sacaremos casi cinco veces más de lo que ganan las coristas, y tendré un montón de tiempo para estudiar entre una actuación y otra. No hay otra solución. Trabajemos en esto juntas —le rogué.

—De acuerdo... de acuerdo —dijo finalmente, aunque sus labios volvieron a curvarse en una mueca de disgusto.

Pero, a la mañana siguiente, estaba muy animada.

—Lo haremos bien —declaró D'Or. Ni nombre sería Mink Frost, decidimos juntas mientras desayunábamos, y mi estilo sería tranquilo y sofisticado. «El Cuerpo Más Hermoso en el Espectáculo de Variedades», así me presentaría. Usaría el collar de diamantes de imitación y los pendientes que conservaba de los días de Simone, y encontraríamos alguna piel falsa que pasara por visón auténtico. Mi número sería bajo la luz de una farola. Con mi primer sueldo conseguiríamos a una modista que me confeccionase un bikini de visón falso que llevaría debajo del vestido. Nos echamos a reír. Inventando a Mink Frost. Era toda una aventura. «Nada sórdido», repetimos al unísono. Recordé las imágenes de Marlene Dietrich: seductoramente fría y dominante, sofisticada, misteriosa. Para mí no sería un papel más difícil que interpretar a Blanche Dubois o a Anna Christie. Fuimos a una tienda Thrifty a seis manzanas de distancia y compramos algunos botes de aerosol dorado y plateado. Luego, en el suelo del comedor, extendimos un ceñido vestido blanco sin espalda que me había comprado hacía tiempo con el dinero ganado como modelo y —artesanas, mujeres de negocios— lo cubrimos con el brillo enlatado. Mi primer vestido para actuar. Cuando terminamos nuestra tarea, el vestido tenía un aspecto muy bonito.

Al día siguiente nos dedicamos a vestir a D'Or: mis tacones altos, una boina francesa que solía usar cuando posaba, su gabardina negra. Estudiamos el efecto juntas delante del espejo del baño, encantadas al comprobar cuánto se parecía a una auténtica agente de artistas. En mi maletín de la universidad, ella llevaba mis fotografías más provocativas.

Regresó una hora más tarde, atravesando la puerta como una exhalación, resplandeciente de satisfacción.

—He conseguido dos semanas a 250 dólares semanales. —Se echó a reír—. Pensé que 500 dólares sería demasiado para empezar, de modo que ni siquiera lo mencioné, pero aceptó los 250 dólares sin problemas. Ahora lo haremos con clase —volvió a sermonearme—. Alcancé a ver a una rubia oxigenada en el escenario, meneando la pelvis contra el telón como si estuviese follando con él. Repugnante.

* * *

Sucede tal como lo esperaba. Después de mis dos semanas como atracción principal, D'Or vuelve a ver al señor Chelton, el gerente, y le dice que me quedaré por la mitad de la paga, 125 dólares semanales. Él piensa que es una ganga. «Debes ser una vampiresa, no una ramera», me instruye D'Or por milésima vez.

Trabajo siete días a la semana. El teatro presenta dos funciones todas las noches de lunes a viernes, cuatro el sábado y tres el domingo, o sea diecisiete funciones en total. Yo realizo mi actuación una vez en cada función y también aparezco en un número de coristas en la parte media y al final. El resto del tiempo puedo quedarme sentada en el camerino y leer novelas y poesía. No hablo mucho con el resto de las chicas y ellas, seguramente, piensan que soy un bicho raro. «¿Por qué estás leyendo todo el tiempo?», me pregunta Electra.

«No lo sé. Me gusta leer, eso es todo», digo. ¿Cómo puedo decirles que soy una estudiante universitaria? Es mejor no decir nada.

Un día Bathsheba nos presenta un problema. Puede comprar este fantástico Chevy descapotable, tapizado de cuero blanco, pocos kilómetros, prácticamente salido de fábrica. El tío que vive en el apartamento de al lado se lo deja por quinientos pavos. «Una verdadera ganga», suspira y se mordisquea con expresión ausente el esmalte rojo brillante de las uñas.

«Pues cómpratelo», dice la nueva atracción, Gilda la *Diosa Dorada,* deslizándose dentro de su ceñido vestido cubierto de lentejuelas doradas.

«No tengo quinientos pavos», dice Bathsheba, cavilando amargamente, mientras se menea para quitarse la ropa de calle. «Pero está ese tío que ha estado viniendo a la entrada de artistas durante toda la semana. Probablemente le habréis visto, lleva un traje muy bonito y corbata y todo lo demás. Dice que me dará el dinero si voy con él una sola vez.»

«Bueno, ¿cuál es el problema entonces?», pregunta Satana, subiendo la cremallera de su vestido de satén negro, que se bajará nuevamente dentro de pocos minutos en el escenario.

¿Acaso no tienen miedo de quedarse embarazadas? ¿Cómo se hace siquiera para encontrar a alguien que te practique un aborto? Mi madre tuvo dos abortos. Y miren cómo acabó.

«Nunca he hecho algo así», *dice Bathsheba con la mirada fija en el suelo.*

Dejo el libro que estoy leyendo sobre el tocador y miro a Bathsheba. No lo hagas, eso es lo que quiero decirle, pero ella ya nos ha contado que con los ochenta y cinco dólares que gana a la semana jamás podrá comprarse un descapotable y se muere por tener uno.

Tres días más tarde, Bathsheba dice que «*she got the pink slip on the car*».

* * *

Una noche encuentro sobre la mesa de mi camerino un florero con una docena de rosas amarillas. «Querida Mink —dice la nota que acompaña las flores—, si aceptas cenar conmigo en el Mark Hopkins, te prometo que no lo lamentarás. Tu admirador, John D.» En la tarjeta hay un número de teléfono. ¿Acaso los espectadores no comprenden que Mink Frost es sólo una fantasía, que soy una actriz y no la vampiresa callejera que ellos ven en el escenario? Me siento asqueada. Cojo la nota con dos dedos y la dejo caer en la papelera. Le regalo las rosas amarillas a Greta, una antigua *stripper* que ahora se encarga de las coreografías de los números de las coristas y a la que le encantan las flores. Otra noche me estoy poniendo mi ropa de calle después de la última función y Greta entra en el camerino y me dice que hay un hombre esperándome en la entrada de artistas. Pero a estas alturas ya soy una verdadera maestra del disfraz. Me quito el maquillaje, el pañuelo que uso alrededor del cuello me sirve para cubrirme la cabeza, froto un poco de polvo de tocador en mi abrigo negro para que parezca sucio. Mink Frost ha desaparecido. Soy la mujer de la limpieza. Desde esa noche abandono el teatro de esa guisa después de la última función.

Pero nada de todo esto resulta realmente inquietante, no del modo en que lo era cuatro años antes, cuando trabajaba como modelo, porque ahora estoy a punto de graduarme. Sé que mi vida en el President Follies es algo temporal... que, realmente, estoy a salvo.

El lavado-búsqueda-recuento-colección de D'Or empeoró en lugar de mejorar.

—Si me amases más dejarías toda esa mierda —le grité un día de primavera de mi penúltimo año en la universidad—. ¡Me mato a trabajar, quince créditos por semestre en Berkeley, siete días a la semana en el President Follies, y no te pido ni una sola jodida cosa salvo que intentes superar tu enfermedad!

A veces imaginaba a una D'Or que estaba perfectamente bien. «Me rescataste de los dragones y los demonios —exclamaría ella en esa fantasía en la que yo había vuelto a convertirme en Mary Marvel—. Me has hecho tan feliz que ya no necesito hacer estas cosas.» Entonces oía el chorro de agua en la bañera, donde ella siempre se lavaba las manos porque el agua era mucho más abundante que la que salía del grifo del fregadero.

Ya casi no hacíamos el amor. En cambio, discutíamos mucho y por cualquier cosa.

Un domingo, antes de la función de las tres de la tarde en el President, fuimos a comer algo a un lugar en Powell Street. Después, a pesar de la persistente llovizna que caía sobre San Francisco, dimos un paseo cogidas del brazo y aplastamos nuestras narices contra los escaparates de las tiendas en Union Square, y yo me sentía alegre y despreocupada, lejos durante unas horas de los grilletes del camerino. En el escaparate de una juguetería había un oso de peluche que D'Or arrulló con voz infantil:

—¡Oh, oh, ese oso es exactamente igual al que quería cuando era pequeña! Nunca me lo compraron.

El lunes, después de clase, me salté el habitual almuerzo rápido que tomaba en la cafetería de Berkeley antes de coger los autobuses que me llevarían al President a tiempo para la función de las siete de la tarde. Fui directamente a Union Square. Pero el pequeño oso de peluche había desaparecido del escaparate.

—Están pedidos —me dijo la vendedora—. Vuelva dentro de diez días.

Me dediqué a patear las calles como un caballero que buscaba un tesoro para su amada, hasta que, por fin, treinta minutos antes de que no tuviese otra alternativa más que meterme en mi disfraz del teatro, lo encontré. No era un pequeño oso de peluche como el que habíamos visto en aquel escaparate, sino un oso enorme, un oso bellísimo, con la piel marrón y una cinta de satén verde con dos pequeñas campanillas de plata alrededor del cuello, un oso que a mí también me hubiese encantado cuando era pequeña. La cajera lo metió dentro de una gran caja rosada con un lazo blanco. Luego cogí la caja con una mano, el maletín lleno de libros y deberes en la otra, y eché a correr por Geary hacia el President. Me sentía ridícula pero también feliz, y mientras Mink Frost se contoneaba debajo de la luz de la farola quitándose una prenda tras otra, me veía a mí misma entregándole a D'Or el regalo que la curaría.

Cuando acabó la segunda función volví a coger mi carga y recorrí rápidamente las calles oscuras para subir al autobús que me llevó por Market y luego al tranvía que subía por Powell. Al llegar a Jones me bajé y alcé la vista hacia nuestra ventana como solía hacerlo cuando llegué a San Francisco para vivir con D'Or. Aquellas viejas sensaciones que casi había olvidado regresaron con una enorme intensidad. «Ella está allí arriba, mi amada —me dije ahora—, y pronto la estrecharé entre mis brazos y la besaré. "¡Te has acordado!", exclamaría ella con los ojos rebosantes de amor.»

«He sido demasiado dura con ella —pensé, avergonzada ahora por mi mezquindad—. Si no soy capaz de mostrarme compasiva con sus problemas, ¿quién lo hará?»

Mientras subía los tres tramos de escalera me sentía un tanto ridícula. Llevaba debajo del brazo un enorme oso de peluche para una mujer de treinta y cinco años. Y, sin embargo, ¿por qué no podíamos hacer esta clase de cosas la una por la otra? ¿Qué significaban los años entre los amantes? Los amantes podían hacer cualquier cosa, podían aventar las heridas de la niñez. «Aquí tienes, pequeña», le susurraría mientras le entregaba el regalo.

Ella dijo, efectivamente: «¡Te has acordado!», cuando abrió la caja rosa, y luego dejó el regalo y me abrazó. Pero yo había alcanzado a ver algo fugaz en sus ojos cuando quitó el papel y echó un vistazo a la piel del oso. ¿Qué?

—Bueno. —Me eché a reír—. ¿Realmente te gusta?

—Sí —exclamó d'Or, luego sus labios se fruncieron analíti-camente—. Me encanta, porque viene de ti… pero… no es exacta-mente… ¿De verdad quieres que lo diga? —Su voz era la de una niña.

—Sí. ¿Qué? —Ella permaneció en silencio unos minutos, como si estuviese decidiendo si finalmente me decía lo que pen-saba—. ¿Qué? —insistí ahora con impaciencia.

—No es… Oh —dijo—, no es como el oso que yo quería tan-to cuando era pequeña. El que yo siempre quise era un peque-ño oso panda, son blancos y negros, como el que estaba en el escaparate de aquella juguetería en Union Square. Son peque-ños y puedes mimarlos —dijo con nostalgia.

Le arranqué esa cosa marrón de los brazos.

—¡Olvídalo! —¿Qué iba a hacer yo ahora con ese objeto ab-surdo?—. Fue una estupidez de mi parte —dije con furia conte-nida. Oculté mi tristeza infantil detrás de la ira, luego esa ira se volvió más real que la tristeza, y mis dedos deseaban arrancar la cabeza del oso, hacer pedazos la piel falsa. ¡Lo odiaba!

—No, no. Amo este oso, de verdad —exclamó D'Or.

¡Y yo odiaba esa voz chillona de niña pequeña! Trató de qui-tarme el animal relleno de los brazos y yo se lo impedí.

—Ahora no quiero que lo tengas —grité, abriendo de par en par la ventana que daba al callejón. Y también la odiaba a ella—. ¡Nos has reducido a las dos a niñas pequeñas!

Aparté sus manos, apreté esa cosa ridícula contra el pecho y luego la lancé a través de la ventana con toda la fuerza que pude concentrar en el brazo. El oso rebotó contra el edificio vecino y luego dio un salto mortal en absoluto silencio.

—¡No! —gritó ella, como si se tratase de una persona. Am-bas miramos hacia abajo horrorizadas. La luz que se filtraba a través de una ventana en el primer piso nos permitió verlo, ten-dido en un charco de agua sucia, un niño muerto, un objeto roto y patético.

—¿Por qué lo has hecho? —sollozó D'Or.

Aquella noche dormí en el suelo del comedor, mi abrigo negro a modo de manta. A la mañana siguiente me marché más temprano para coger el tranvía y los tres autobuses que me llevaban al campus de Berkeley.

* * *

Pero no siempre nos peleábamos. San Francisco estaba gloriosamente soleado y cálido el verano en que acabé mi penúltimo año en Berkeley. Seguía trabajando en el President Follies pero, como las clases habían terminado, de lunes a viernes tenía las tardes libres. Nuestro programa favorito consistía en ir a Tiburon y sentarnos en algún lugar aislado cerca del agua, contemplando la bahía azul, hablando y soñando sobre cómo un día viajaríamos y conoceríamos la bahía de Nápoles y la bahía de Río de Janeiro y todas las otras maravillosas bahías del mundo, cómo escribiríamos libros juntas y nos mantendríamos como autoras. Aquel verano nos encantaba beber *mai tais* en Tiburon Tommy's y pasear por las verdes colinas de Marin, con las manos entrelazadas hasta que aparecía alguien. Nos separábamos y, una vez que habían pasado, nos echábamos a reír y volvíamos a cogernos de las manos. En aquella época volvíamos a estar enamoradas. Yo me olvidaba de nuestras peleas y cuántas veces, después de un ataque de furia, me sentía descompuesta, arrepentida, atrapada; cómo miraba por la ventana hacia el callejón para ver en el suelo, no al oso marrón, sino a una D'Or muerta o a una Lillian muerta; cuántas veces estaba completamente segura de que nuestra vida en común acabaría en homicidio o en suicidio.

* * *

Nuestra postergada y terrible pelea se produjo cerca del final del semestre de otoño.

—Hoy he leído un artículo realmente fascinante en el *Examiner* —dijo D'Or mientras me estaba preparando para meterme en la cama después de la función de medianoche en el President—. ¿Estás demasiado cansada para escucharlo? Es bastante largo.

—Sí, estoy realmente agotada.

Pero estaba claro que ella quería compartirlo conmigo.

—De acuerdo. Te haré un resumen. Escucha esto: el Dr. Steven Donnelly, un profesor de la Universidad de Cornell, realizó un estudio con cien mujeres que trabajaban como bailarinas exóticas, igual que tú. Estudió a sus familias, su situación económica, todo.

Estaba excitada, como si finalmente hubiese descubierto la clave de un rompecabezas gigante.

—Hu-hmmmm.

Me tumbé en la cama deshecha.

—¿Sabes cuál era el elemento principal que tenían en común? —preguntó D'Or, una maestra de noveno grado haciendo un examen a sus alumnos.

—Ni idea.

Sentí que se me tensaba el estómago. Tenía tan poco en común con las chicas con las que trabajaba. Me gustaban porque trabajaban duramente por un puñado de dólares y siempre eran cariñosas conmigo, aunque no hablábamos demasiado porque mi «nariz siempre estaba metida dentro de un libro», como había señalado Celeste el otro día. Pero era tan diferente de ellas como podía serlo un cuervo de un salmón.

—Este profesor de Cornell descubrió que todas las mujeres de su estudio procedían de las clases socioeconómicas más bajas y habían sido rechazadas por sus padres —enunció D'Or, de pie junto a mi cuerpo tendido en la cama—. *Todas* tenían esas cosas en común —chilló.

Me senté en la cama, tirando violentamente de las sábanas para cubrirme.

—Mira, yo estoy trabajando en el President no porque mi jodido padre me rechazó, sino porque aquí alguien tiene que pagar el alquiler y comprar la jodida comida. —Sentí que se me contraía la cara. Qué horrible me sentía, qué horrible me hacía sentir ella—. Y mientras vaya a la universidad, no hay ningún otro trabajo que pueda conseguir que me permita hacerlo y me deje tiempo libre para estudiar —grité.

D'Or seguía dando vueltas alrededor de la cama.

—La cuestión es —dijo con la voz serena de una observadora indiferente— que tú no habrías sido capaz de imaginar un trabajo semejante si hubieses tenido una relación normal con un padre y si...

—¿Qué mierda quieres decir con eso? —Me estaba diciendo que era una víctima. Había luchado tanto para no serlo, para poder controlar mi vida. Salté fuera de la cama, la cogí por los hombros y la sacudí—. ¿Acaso tú tuviste una relación normal con tu padre? ¡Estás inválida, maldita seas! —Le gritaba en sus narices—. Al menos yo funciono en el mundo. Puedo ser una bastarda y una chica de la clase baja, ¿pero quién está manteniendo a la hija Goldenrod, jodida puta? ¿Quién?

—Sólo te estoy explicando por qué te muestras tan dispuesta a quitarte la ropa delante de hombres desconocidos. —Le quitó importancia al asunto con una calma que me volvía loca—. Nunca hay nada de malo en la verdad, Lillian.

—¡Puedes irte a la mierda con tu verdad! —Salté nuevamente sobre ella, con las uñas extendidas, dispuesta a estrangularla. D'Or esquivó mi acometida y yo perdí el equilibrio, golpeándome la cabeza contra la pared—. Vete a la mierda —repetí en voz baja, avergonzada, hastiada, rodeando mi cuerpo con los brazos como si fuese una camisa de fuerza. D'Or me llevaría a la locura, a la violencia mortal. Me acerqué a la ventana y miré hacia la ciudad. «Saltaré o la tiraré a ella —volví a pensar—. ¡Qué felicidad sería, qué satisfacción!» El gran oso marrón seguía en el mismo lugar donde había caído. Podía verlo perfectamente, nada más que un montón de harapos resecos después de tantos meses. Si no me largaba pronto de aquí, eso que se veía en el suelo del sucio callejón sería una de nosotras.

* * *

Pero entonces, antes de que pasara demasiado tiempo, yo observaría cómo un rayo de sol jugaba con su pelo mientras ella permanecía sentada a la mesa roja. O recordaría cómo se había agitado su chaqueta de cuero negro a causa de las fuertes ráfagas de viento el día de los funerales de su padre. O algún poema o fragmento en prosa me emocionaría hasta las lágrimas y ella me dejaría que se lo leyese. «¡Sí, me encanta, sí!», exclamaría D'Or.

Sus grandes ojos grises volverían a ser hermosos para mí otra vez, y olvidaría, durante algún tiempo, cómo conseguía que me sintiese horrible y vulgar, cómo conseguía que me sintiese como si la estuviera mutilando.

Así pasaron tres años en Washington Street.

* * *

A finales del invierno Mara Karrara llegó al President Follies. Jamás había oído hablar de ella, pero la gente que se movía en el mundo de las variedades conocía su nombre. El señor Chelton alquiló dos enormes reflectores que colocó delante del teatro y enviaban al cielo grandes haces de luz que podían verse desde varios kilómetros de distancia. Por primera vez desde que estaba en el President Follies, el teatro estaba lleno hasta la bandera en cada función. Bathsheba, que había visto entrar a la primera de las multitudes de espectadores, nos informó:

—Hoy todo el mundo está muy elegante, no hay ningún tío con periódicos sobre el regazo.

«La Reina de las Variedades Sudamericanas» era el apelativo de Mara Karrara. Era un rubia preciosa, con brillantes tonos color miel en la piel y un porte que resultaba regio a pesar de su pequeña estatura y los voluptuosos pechos en forma de pera. Mara era una auténtica bailarina, exhibiendo toda la habilidad y la clase de las bailarinas de ballet que D'Or había pretendido que yo incluyera en mis pobres números. Su vestuario también era extraordinario: enormes tocados elaborados con exóticas plumas verdes y doradas, capas de lamé enjoyado, extravagantes vestidos de pesado satén. Hacia el final de su actuación, cuando ya se había despojado de la capa, el vestido y el tocado y agitado su cabellera color miel, hacía una breve pausa ante el público sólo con su piel dorada y la breve pampanilla rosada; luego buscaba algo dentro de una gigantesca cesta de coloridos frutos de cera que había a la izquierda del escenario. De la cesta salía una serpiente verde, larga y gorda y fálica, con la que bailaba un ballet amoroso de intrincada coreografía. Corría el rumor de que Chelton le pagaba dos mil dólares por semana y que se había ganado todo su sueldo durante el primer fin de semana.

—¿Sabéis lo que hace cuando acaba esa actuación? —preguntó Satana despectivamente—. Saca una fotografía. Por eso les gusta tanto.

Yo sabía lo que se suponía que significaba *sacar una fotografía*, pero nunca lo había visto: la bailarina aparta la pampanilla, se abre los labios vaginales y muestra el clítoris al público.

—Mi chico vio el espectáculo y me lo contó —insistió Satana cuando yo pregunté: «¿Por qué habría de hacer algo así alguien que tiene un número tan bueno?». Yo había observado a Mara desde bastidores siempre que podía —era realmente una artista— aunque, por supuesto, no podía ver el final de su acto desde ese lugar. Pero decidí que la historia de *sacar una fotografía* era producto de los celos, porque Satana también se había quejado la noche anterior.

—¿Qué es lo que tiene esa Mara Karrara para que le paguen dos mil pavos a la semana y a nosotras nos arreglen con cacahuetes?

—Eres muy agradable —me dijo Mara cuando la felicité nerviosamente por su número—. Muy agradable.

Sus labios, pintados de un rojo intenso, sonrieron vivamente y luego movió las manos para sugerir pechos y cintura y caderas. Nuestros ojos se encontraron y ella me hizo un prolongado guiño. Mara viajaba en compañía de un hombre, «mi representante», le llamó cuando me atreví a preguntarle si Sergio, un tío de vientre prominente con el pelo fino y canoso que parecía un vendedor de seguros, era su esposo.

—Hace mis vestidos, me enseña los bailes, todo —dijo, arreglando con dedos competentes un tirante girado de mi nuevo vestido rojo, palmeando luego mi hombro desnudo.

—Esa Mara Karrara gana dos mil por semana, ¿te lo imaginas? —le dije a D'Or. Sólo quería escucharme a mí misma pronunciando el nombre de Mara en voz alta. Su brillante sonrisa seguía bailando en mi cabeza. Y aún era capaz de sentir el roce de sus largos dedos mientras arreglaba el tirante del vestido.

—Nunca había oído de ninguna mujer que ganase tanto dinero. —D'Or abrió sus ojos grises como platos ante la enorme suma—. ¿Esa mujer realmente tiene algo que tú no tengas?

—No. —Me eché a reír—. Sólo que es hermosa, sabe bailar, tiene un vestuario increíble, realiza una actuación fantástica y tiene un representante que sabe lo que se hace.

—¿Y ese hombre no podría encargarse de ti también? —preguntó D'Or.

—¿Por qué habría de hacer algo así?

Me encogí de hombros.

¿Pero por qué no? No se me había ocurrido pensarlo. Quizá aceptara llevarme también a mí. Si iba a ser una *stripper*, aunque fuera por poco tiempo, ¿por qué no podía intentar ser una estrella? ¿Qué era lo que no podríamos hacer D'Or y yo con todo ese dinero?

—Hmmm, tal vez no se pierde nada con intentarlo —dije.

Las dos casi nos mareamos al imaginar el futuro. Con Mara y Sergio entraría en el auténtico espectáculo de variedades, recorrería el circuito de lujo: Las Vegas, Río de Janeiro, París, lugares así. Pasaría un año o dos haciendo ese trabajo, ahorraría un montón de pasta para las dos. Aún no había cumplido los veintidós. Tenía mucho tiempo para asistir a la escuela de posgrado.

—Podrías ir a Harvard o a Yale —dijo D'Or, ahora seria—. Me trasladaría contigo a la costa este si quieres asistir a una universidad importante —me prometió.

Cuanto más pensaba en la idea, mejor me parecía. Al día siguiente, en el seminario de Milton, me dediqué a imaginar todos los detalles mientras uno de los estudiantes leía su ensayo sobre *Eve's Impaired Judgement*. Si ahora ganaba mucho dinero, no tendría necesidad de trabajar mientras estuviese en la escuela de posgrado y tal vez, si me sentía menos presionada, D'Or y yo no tendríamos tantas peleas y discusiones. Yo la amaba. Cuando creía estar segura de que todo había terminado, de que ya no había nada entre nosotras, veía un gesto de su mano, un ángulo de su cabeza, o ella decía algo como: «Oh, criatura, ¿qué haría yo sin ti?», y sentía que el amor volvía a envolverme. No podía dejarla, pero tampoco asistir a la escuela de posgrado y seguir viviendo con ella y peleando con ella y trabajando tanto como lo había hecho.

—De acuerdo —le dije a D'Or aquella noche—, éste es el plan. Irás a preguntarles. Les dirás que eres mi representante. Ve y diles que soy estudiante universitaria y que puedo unirme a ellos en junio, cuando haya acabado la universidad.

¿Y qué pasaba si sólo quería hacerlo durante un año? Digamos que sacaba la mitad de lo que ganaba Mara; eso significaba que podría acabar con, aproximadamente, cincuenta mil dólares en el bolsillo. Esa suma nos alcanzaría para mantenernos mientras yo asistía a la escuela de posgrado y durante varios años más si éramos un poco cuidadosas.

Sergio observó mi actuación desde bastidores después de que D'Or hablase con él. Podía sentir cómo sus ojos serios me enfocaban, siguiendo todos mis movimientos, como alguien que está evaluando una proposición de negocios, pero cuando giré la cabeza y le vi entre las sombras tenía una pequeña sonrisa en los labios. A la mañana siguiente, antes de que me marchase a mis clases, llamó a D'Or para decirle que a Mara y a él les gustaría que me uniese a ellos. En junio estaría en Toledo, Ohio, y podría reunirme allí con ellos.

Aquella noche, Mara me invitó a su camerino y la observé en el espejo mientras se colocaba en la cabeza el enorme tocado de plumas. Viajaría con ellos, me dijo. Sergio se encargaría de confeccionar mi vestuario, me enseñaría bailes como los de ella y pasaríamos un tiempo muy maravilloso juntos. Nos sonreímos a través del espejo.

—Muy maravilloso —repitió.

Luego se volvió para abrazarme, sus plumas verdes y doradas acariciándome las mejillas, y luego se marchó rápidamente para ocupar su lugar entre bastidores antes de que comenzara a sonar la música de su número.

Ahora, cuando me deslizaba hacia el sueño, veía la piel dorada de Mara; también la veía en mis sueños, y cuando me despertaba por las mañanas. Me sentía desconcertada por mis fantasías y, de pronto, peligrosamente confusa. ¿Trabajaría con ellos para ganar dinero y asistir a la escuela de posgrado y para D'Or y para mí, o era a causa de Mara? Mi cabeza descansaba sobre la almohada a escasos milímetros de la cabeza D'Or. ¿Qué impedía que mis infieles pensamientos se deslizaran de mi cráneo al de ella?, me preguntaba, presa de la culpa.

Entonces las dos semanas de Mara en el President Follies acabaron.

—¡En Toledo!

Sergio tenía la misma sonrisa que yo había advertido en él cuando me observaba entre bastidores, y cuando extendí la mano para que la estrechase, me la apretó con una garra húmeda. Nos encontraríamos en Toledo el 22 de junio, una semana después de mi graduación. Sergio mantuvo la puerta abierta para que Mara saliese del teatro. Ella hizo que permaneciera allí, junto a la puerta, mientras me rodeaba con sus brazos y nos abrazamos largamente, más de lo que hubiesen hecho dos amigas circunstanciales. Cuando giré los labios hacia sus suaves mejillas rozaron sin querer el borde de su boca, y sentí que sus dedos se tensaban en mi espalda. La mirada que me lanzó cuando finalmente nos separamos era apasionada, sexual. No podría haber sido de otra manera. Pero Sergio debió de verla. De hecho, sentí como si ella hubiese querido que él lo viese. Cuando le miré, tenía nuevamente en los labios esa leve y misteriosa sonrisa.

¿Eran amantes? Ahora no dejaba de preguntármelo.

¿Y qué esperaban ambos de mí? Esa pregunta seguía martillándome la cabeza varios días más tarde y no podía desprenderme de ella. Ella me había mirado de aquella manera y sabía que Sergio nos estaba observando. ¿Qué clase de acuerdo tendrían entre ellos? ¿Y si él también me deseaba? ¿Qué pasaría si ése era el acuerdo que tenían? Estaba segura de que algo iba a suceder entre Mara y yo, ¿pero y si él también quería formar parte de ello... y si ella quería que él formase parte de ello? Estaría sola con ellos en una ciudad desconocida. Podía pasar cualquier cosa. Cualquier cosa. ¿Mara realmente *sacaba una fotografía* en el escenario?

* * *

Las preguntas pendían sobre mí como la amenaza del hombre del saco. Creo que fue el Dr. Jackson quien impidió que obtuviese las respuestas. El Dr. Jackson era un hombre mayor con una gran mata de pelo blanco que caía sobre su frente, vestido siempre con los *tweeds* conservadores que constituían prácticamente un requisito para los profesores de Berkeley a principios de los años sesenta. Durante todo el semestre se encargó de revivir para mí el inglés victoriano, y me hizo entender que la literatura no era simplemente personajes que te atrapan o imágenes sorprendentes o un lenguaje musical.

—Dickens, Kingsley, Disraeli... eran escritores que entretenían, pero también inducían a sus relamidos lectores de clase media a que se preocupasen por los problemas sociales que tenían delante mismo de sus narices, aunque eran incapaces de verlos sin la ayuda del arte. —Ésa fue la conferencia que dio el Dr. Jackson una semana después de que Mara y Sergio se hubiesen marchado de San Francisco—. No debemos despreciar otras clases de metas artísticas; pero la de ellos —aliviar la injusticia social a través del arte— es la empresa más noble de un artista.

Toda la clase prorrumpió en aplausos, aunque las conferencias nunca se aplaudían en Berkeley, excepto al final del semestre. Quizá porque las palabras del Dr. Jackson hicieron que recordase cómo me había sentido en aquella calle de la ciudad de México, contemplando la manifestación multitudinaria de estudiantes, y cómo me sentí cuando las protestas contra el HUAC, y cómo amaba las cosas que Maury solía decir acerca de la justicia; o tal vez fue porque me encontraba en una especie de dilema emocional con relación a Sergio y Mara; cualquiera que fuese la razón permanecí sentada allí, profundamente emocionada, no aplaudiendo sino llorando. Las lágrimas bañaban mis mejillas, y aunque me sentía ridícula no podía dejar de llorar. Me sequé las mejillas con el dorso de la mano. Estaba renunciando a la posibilidad de hacer cosas importantes... ¿por qué? ¿Para ir a Toledo y ser una *stripper*... y quién sabe qué más? No podía hacerlo... ni siquiera por un año, ni por dinero, ni por amor a D'Or, ni por la fascinación que Mara despertaba en mí. ¡No podía hacerlo! Sentada allí, con la nariz húmeda, en el anfiteatro de la facultad, sentí como si me hubiesen rescatado de un incendio justo a tiempo. Había estado a punto de alcanzarme... eso que siempre me había estado esperando... justo cuando pensaba que ya estaba completamente a salvo. Pero el Dr. Jackson me salvó en el último instante.

—Iré a la escuela de posgrado —le dije a D'Or aquella misma noche—. No puedo salir de gira. Si trabajo como *stripper* no seré capaz de dejarlo después del primer año.

—¿Pero... qué haremos entonces?

—Ya se me ocurrirá algo —dije, aunque no tenía ni la más remota idea de lo que podíamos hacer.

Había escrito a mi madre y a Rae para decirles que no podría viajar a Los Ángeles durante las vacaciones de Pascua, porque cuando le pedí a Chelton unos días libres me había contestado con un gruñido.

—Si te estás largando todo el tiempo, ¿para qué te necesito?

Una semana más tarde, llegué temprano a mi clase sobre Chaucer y me senté en la clase vacía con un libro abierto delante de mí.

—«Me han ordenado que detenga a este niño, y sin pronunciar otra palabra, se llevó al niño vengativamente» —leí, y el inglés del siglo XIV se mezcló de pronto en mi cabeza con palabras con acento yídish —el mismo acento de mi madre y Rae— y era tan real como si ambas estuviesen en el pasillo.

—La señora dijo el Edificio Wheel, en el piso de arriba, treinta y tres.

No había duda de que ésa era la voz de mi tía.

—Tal vez no estemos en el Edificio Wheel. Aquí no hay ningún treinta y tres.

La voz de mi madre.

—Disculpe, estamos buscando a Lilly Faderman, en el Edificio Wheeler —resonó la voz ronca de Rae.

—Bueno, esto es Wheeler *Hall*. No hay ningún treinta y tres en el primer piso, pero el aula dos treinta y tres está aquí mismo —dijo amablemente la voz de una chica.

Cerré el libro. «Esto es consecuencia de estar siempre trabajando, sin descanso, peleando todo el tiempo con D'Or. Tienes alucinaciones, como cuando veías a *Genghis* y a *Khan* vagando por la sala de estar de Mark cuando, en realidad, ambos estaban durmiendo en la cocina.» Salí al pasillo como si estuviese en medio de un sueño.

Pero allí estaban las dos. ¡En carne y hueso! Mi madre llevaba un vestido nuevo de lanilla y zapatos de charol de tacón alto y era evidente que había estado en la peluquería, porque ahora tenía el pelo completamente marrón y suavemente ondulado. Su boca brillaba con el color del lápiz de labios. Mi tía tenía puesto un abrigo morado y un sombrero verde con un velo, como nadie había usado desde hacía diez o quince años, y calzaba sus zapatos ortopédicos con un orificio recortado en el izquierdo a causa del juanete. Ambas me parecieron tan hermosas, incluso cuando Rae gritó con toda sus fuerzas:

—¡Lilly! ¡Mary, mira, está aquí!

Y mi madre se abalanzó sobre mí y comenzó a llorar.

—¡Lilly! ¡Hace tanto tiempo que no te vemos! ¿Cuándo piensas volver a casa?

Todo el mundo que pasaba por el pasillo las miraba a ellas y a mí y murmuraban.

Hice un esfuerzo para contener el sollozo que hubiese traicionado mi pretendida compostura.

—Shhhh —susurré—, aquí están dando clases. Tenemos que guardar silencio. Pronto —le prometí a mi madre, con un dedo apoyado en los labios, mi corazón rebosante ante el milagro que representaba para mí que estas dos viejas damas, mi tesoro, estuviesen allí en Wheeler Hall—. Me graduaré en junio y luego regresaré para siempre. Pronto.

Las besé a ambas en las mejillas con los mismos besos ruidosos de mi madre. Al cuerno con los estudiantes que murmuraban.

—No trabajes más. Caerás enferma con tanto trabajo y estudio. Eso hemos venido a decirte —dijo mi tía, ignorando mi *shhhh*—. Te enviaré dinero hasta que te hayas graduado. Sólo deja de trabajar —rugió en el pasillo del segundo piso del Wheeler.

Finalmente, pude enterarme de toda la historia: D'Or había asistido a Berkeley desde 1949 hasta 1953. Al término de los cuatro años asistió a la ceremonia de graduación y se sentó entre el público.

—Pensé que era mi derecho estar allí —dijo.

—¿Pero no te graduaste?

Yo trataba de entender lo que me decía.

—No lo sé. Asistí a clase durante cuatro años y conseguí casi todos sobresalientes, pero no creo haber acabado toda la carrera.

—Vamos a ordenar tus copias y veremos —dije.

D'Or tenía tres cursos incompletos en Lengua Inglesa y le faltaba un curso para completar el requisito de lengua extranjera.

Me matriculé en la escuela de posgrado de UCLA justo antes de que se acabara el plazo. Aunque no había conseguido cambiar la vida de D'Or, tenía que cambiar la mía.

—Si me aceptan en UCLA, me iré a Los Ángeles —le dije la semana siguiente mientras mordisqueaba uno de los bocadillos de carne que había comprado en David's, evitando esos grandes ojos grises que me habían hecho olvidar decisiones firmes cientos de veces.

—Sabes muy bien que no pienso regresar a Los Ángeles —gimoteó D'Or—. Sabes que no puedo vivir cerca de mi madre y mi hermano.

—Ya nos preocuparemos por ello más tarde —dije rápidamente. Tenía un plan—. Por ahora nos concentraremos en tu licenciatura.

—¿Por qué? ¡Hace diez años que no hago un trabajo para la facultad!

D'Or estaba desechando la idea de acabar su carrera. No podía permitir que lo hiciera.

—Mira, D'Or, te ayudaré a hacer los trabajos que necesitas para completar tus cursos de Lengua Inglesa.

Estaba dispuesta a hacer cualquier cosa. Tenía que hacerlo.

—No sabría siquiera por dónde empezar —dijo, sacudiendo la cabeza.

—De acuerdo, de acuerdo, escucha... *yo* haré esos trabajos. Tú sólo tienes que convencerles de que te permitan matricularte en las clases de Francés, aunque ya haya comenzado el semestre. —Le ofrecí mi sonrisa más alentadora—. Eres una estupenda vendedora, D'Or, conseguiste convencer a Shelton y a Sergio acerca de mí.

Al día siguiente la esperé fuera del despacho del decano. Salió con una sonrisa de triunfo en los labios. El decano dejaría que se matriculase en una clase de lectura de Francés aunque el plazo estuviese cerrado.

—Pero las clases son cuatro veces por semana —se lamentó un segundo más tarde, una montaña de imposibilidad sobre sus frágiles hombros—. ¿Cómo voy a poder venir a clase cuatro días por semana?

—Presente —contestaba yo cada día cuando la ayudante de la profesora pasaba lista y, al llegar al final, decía: «Shirley Ann Goldstein». La señorita Goldstein sacó un notable en Francés.

—D'Or, tenemos que hablar. —La noche anterior a mi examen final entré en el baño y me quedé detrás de ella mientras el chorro de agua caliente caía sobre sus manos—. D'Or, tengo que encontrar mi camino porque, si no lo hago, no soy nada. Y no puedo encontrar mi camino si me marcho a trabajar como *stripper* con Mara.

Se volvió para mirarme, sosteniendo las manos que chorreaban en el aire como si fuese un cirujano después de habérselas lavado antes de entrar en el quirófano.

—¡Pero fue idea tuya! —chilló—. ¡No es justo que sugieras que fui yo quien quería que fueses *stripper*!

—Tienes razón, D'Or, tienes razón, por supuesto. —No podía culparla por ello. Pero ahora, finalmente, quería acabar con esa vida. Tenía que marcharme—. Fue idea mía, pero no puedo seguir haciendo esa clase de trabajo. Quiero que mi vida sea diferente, pero he estado tan exhausta estos últimos años, con el trabajo y la facultad y todo lo demás, que no he sido capaz de pensar con claridad.

—De modo que me *culpas* a mí. —Me miró fijamente mientras se frotaba las manos brutalmente con una toalla blanca limpia, que no tardó en mancharse con pequeñas gotas de sangre—. ¡Me estás convirtiendo en tu chivo expiatorio, como lo hacen siempre mi madre y mi hermano!

Estallaría. Tendríamos otra terrible pelea, yo me sentiría culpable por mi ataque de ira y le pediría disculpas, y volveríamos a estar como al principio. No podía permitir que volviese a suceder. Tenía que conseguir que lo entendiese, de una vez y para siempre.

—D'Or, mírame. —No quería mirarme, aunque yo la seguía pegada a sus talones—. D'Or, necesito descubrir qué es lo que puedo hacer en el mundo y, como tú me dijiste una vez acerca de la escritura, esa clase de descubrimiento requiere cierto estado anímico que yo aún no tengo. Ahora necesito continuar el viaje sola.

Finalmente, alzó la vista y me miró. Su sonrisa era amarga.

—Después de todo lo que prometiste —dijo con desprecio.

—Lo sé. He fracasado —dije—. D'Or, lo siento. Realmente siento no ser Mary Marvel.

Me aceptaron en el programa de posgrado en Lengua Inglesa en UCLA, y D'Or y yo nos graduamos en Berkeley al mismo tiempo. El día en que su diploma llegó por correo, yo subí a un autobús Greyhound y regresé a Los Ángeles, con mi madre y mi tía.

15

HOMBRES II

Recité las lecciones de los últimos tres años mientras el autobús se dirigía hacia el sur en mitad de la noche, a través de Tracy, Stockton, Merced, Bakersfield, y la adolescente que estaba sentada a mi lado con una gorra de béisbol hacía estallar los globos de su chicle y fumaba cigarrillos mentolados y miraba el espacio oscuro al otro lado de la ventanilla. «Esto es lo que sé y que no sabía antes de marcharme a San Francisco: (1) no puedo rescatar a mujeres como D'Or (no más de lo que pude rescatar a mi madre), y tengo que renunciar a esa fantasía de Mary Marvel. Cuestión a considerar: si el amor con una mujer está tan lleno de extremos violentos, ¿realmente quiero ser lesbiana? ¿Tengo alternativa? (2) Allí fuera hay un hombre del saco esperando por mí (había podido oler su aliento en Mara y Sergio), y si no dejaba de exponer mi ser desnudo ante todo el mundo, uno de estos días él, seguramente, se abalanzará sobre mí y me arrastrará hacia el destino preparado para las chicas como yo. Cuestión a considerar: ¿cómo conseguiré el dinero para pagar la escuela de posgrado si no trabajo como modelo o *stripper*? ¿Cómo podré mantenerme siquiera durante el verano? (3) Estoy enamorada de la poesía y la novela. Cuestión a considerar: ¿qué tienen que ver la poesía y la novela con las causas nobles que me estimulan, con lo que Maury llamó alguna vez justicia? ¿Debería vivir en una torre de cristal? ¿Puedo hacerlo?»

El punto número 2 era el que debía abordar sin perder tiempo. Una vez de regreso en mi antigua habitación en Fountain Avenue, extendí *Los Angeles Herald* sobre la cama y estudié la sección de ofertas de trabajo para mujeres. En el verano de 1962 las sobras eran escasas para una mujer joven con una licenciatura en Lengua Inglesa por Berkeley. Podía ser telefonista; podía vender revistas de puerta en puerta (como había hecho Nicky, sin tener siquiera un diploma del instituto); podía coger anuncios clasificados; podía ser recepcionista en el hotel Ambassador o camarera en el restaurante Googie. Pero tenía que hacer algo y deprisa. Tenía que conseguir mi propio apartamento antes de que mi madre se acostumbrase a que viviera con ella otra vez y me sintiese atrapada. Comencé a trabajar para el *Hollywood Advertiser*, un folleto con una docena de páginas de anuncios de «apartamento en alquiler» y «lavadora usada en venta».

Con el sueldo de mis dos primeras semanas, me mudé de Fountain Avenue a un pequeño apartamento en el 420 de North Curson, pero antes de que me diese cuenta, mi madre y Albert se mudaron al 401 de North Curson y Rae y el señor Bergman ocuparon el 404 de North Curson. Mi proyecto de vivir sola acabó mucho antes de que comenzara.

* * *

He renunciado para siempre al negocio del sexo. Ahora soy una miembro más de la auténtica mano de obra, de ocho a cinco, con media hora libre para un almuerzo engullido en un sofá en el lavabo de mujeres y dos descansos de quince minutos cada uno para fumar un cigarrillo en el mismo sofá. Ocupamos unos estrechos cubículos fabricados con delgados paneles de madera gris y con la altura suficiente para no ver al que está en el cubículo de al lado. Llevamos auriculares de alambre que se ajustan a una oreja y dan la vuelta hasta quedar delante de los labios. Cada pocos minutos una operadora, desde el conmutador principal, llama a una de nosotras y atendemos la llamada, preparadas para apuntar el anuncio dictado por una nueva voz incorpórea. Nuestros bolígrafos siempre están perdiendo tinta y, al cabo del día, tenemos los dedos tiesos y teñidos de tinta roja, los rostros salpicados con ella, nuestras faldas manchadas con ella. «¡Sin hablar!» La supervisora de dedos limpios y falda limpia aparece junto a mi codo, sacudiendo la cabeza como si se dirigiese a una alumna de párvulos, cuando me asomo al otro lado del tabique que separa nuestros cubículos para preguntarle a Judy, quien durante nuestro descanso para fumar un cigarrillo se había quejado de estar sangrando a través de su compresa, cómo se sentía. A las cinco nos arrastramos hasta nuestras respectivas paradas de autobús para viajar como sardinas a nuestras casas en la hora punta. A las siete de la mañana siguiente estamos nuevamente en nuestras paradas de autobús.

Pero supongo que es un buen trabajo. No tengo que estar de pie todo el santo día. Hay aire acondicionado. No tengo que soportar nada parecido a los asfixiantes lugares donde trabajaba mi madre y gano el doble de lo que ella ganaba. Y, sin embargo, qué deprimente, qué alienante. Así es como experimentan el trabajo la mayoría de las mujeres jóvenes de Estados Unidos... si son afortunadas. La alternativa a semejante monotonía es encontrar a un hombre que asuma toda la responsabilidad de ganar un salario.

Tengo que hacerlo bien en la escuela de posgrado. Necesito hacerlo.

* * *

Llegar al campus de UCLA después de haber pasado tres meses manchada de tinta en el *Hollywood Advertiser* fue como llenarte hasta los ojos de agua fresca después de una agotadora caminata por el desierto, sentir que tu mejilla se ha enfriado después de una fiebre ardiente, retozar en un prado cubierto de amapolas doradas después de haber estado en un oscuro calabozo. Había regresado al refugio verde. Podía pasar los días contemplando el ingenio de Donne y las palabras musicales de Swinburne. La felicidad.

Pero estaba aterrada. Aquel primer día miré a mis compañeros con el rabillo del ojo y sentí que ellos también me observaban. ¿Acaso todos pensábamos que *ellos* habían cometido un error al permitir que accediésemos a este lugar sagrado y que pronto nos descubrirían para enviarnos de regreso a lugares como el *Hollywood Advertiser*, a donde realmente pertenecíamos? Todas las tardes, al acabar las clases, cogía el autobús para volver directamente a casa, me encerraba en mi apartamento y leía y leía y leía. Estaba completamente segura de que antes jamás habían aceptado en la escuela de posgrado a alguien tan estúpido, ignorante y duro de mollera. ¿Sería realmente capaz de hacerlo? Devoraba todo lo que constaba en la lista de lecturas recomendadas, todas las fuentes críticas que podía encontrar en la biblioteca. ¿Cuántas horas de sueño necesitaba? ¿Podía conseguirlo con seis horas por noche? ¿Cinco?

—¿Para qué quieres seguir estudiando? La cabeza usa la sangre que necesitas para tener hijos —decía Rae.

Pero compraba metros de seda azul y lana marrón claro y algodón beis brillante. Ahora trabajaba en Roth LeCover, la fábrica que surtía a *I. Magnin's,* y le pagaba a la cortadora para que cortase esas telas preciosas en patrones «como los que compran los millonarios». Me ordenaba que me quedase inmóvil como una estatua mientras trazaba el ruedo debajo de mis rodillas con una tiza azul o que girase una y otra vez dando pequeños pasos en su sala de estar mientras cogía alfileres de entre sus labios y los clavaba aquí y allá en la tela con la que me había cubierto. Durante las semanas siguientes, siempre que subía las escaleras que llevaban a su apartamento, podía oír el zumbido característico de su máquina de coser, igual que cuando vivía con nosotros en el Bronx. Mi tía confeccionaba prendas de millonarios para que llevase en UCLA. Con su ayuda conseguí engañarles en eso también: ellos jamás sabrían que, además de tonta, era pobre.

Mi tía también se encargó de pagar el alquiler de mi apartamento hasta que conseguí una ayudantía en la facultad. Al llegar noviembre casi había agotado todo el dinero que había conseguido ahorrar de mi trabajo en el *Hollywood Advertiser*. Todo mi capital eran sesenta y tres dólares, y la casera pasaría a recoger sus setenta dólares en un par de semanas. Pensé en llamar a Andy. («Gigi Frost. ¿Te acuerdas de mí?», le diría. «Tu novio ha vuelto a dejarte tirada, ¿eh?», me contestaría él. «Y el hombre del saco me miraría lascivamente desde detrás de su hombro.») En cambio, me presenté para un trabajo de fin de semana como cajera en el *Schwab's*.

—No, no —protestó Rae cuando se lo dije—. Te enfermarás con tanto estudio y trabajo juntos.

Aunque ella no quería que yo consiguiera un doctorado (ni siquiera sabía lo que era un doctorado), el primero de cada mes deslizaba en mi mano un sobre usado con un sello caducado, que ahora contenía varios billetes verdes y crujientes: tres de veinte y uno de diez.

—¿Cuándo conseguirás el divorcio?, entonces podremos ir a visitar al *shadchen*, el casamentero —me preguntó Rae.

—Está bien, está bien, conseguiré un divorcio judío —le dije. Tenía la obligación por amor. El domingo siguiente, el señor Bergman nos llevó en su coche a un dúplex estucado de blanco en Pico Boulevard; Rae llamó a un timbre en la puerta.

—Te sentirás mucho mejor, Lilly, ya lo verás —dijo el señor Bergman mientras esperábamos ante la puerta. Me palmeó levemente la espalda para darme ánimos, como si me estuviese acompañando a que me hicieran un examen médico. Yo le di unas palmadas a él.

La puerta se abrió unos centímetros, luego un poco más. Podía oler las tostadas quemadas. El rabino tenía los ojos pequeños y acuosos y una barba amarillenta.

—Entrad, entrad —dijo con un fuerte acento, y nos condujo lentamente escaleras arriba hacia una habitación donde las ventanas estaban cubiertas con persianas oscuras. Una bombilla desnuda que pendía del techo arrojaba una luz intensa y desagradable—. Vosotros, aquí —hizo un gesto para que Rae y el señor Bergman se colocasen junto a la pared. Luego me cogió del brazo y me llevó al centro de la habitación, justo debajo de la bombilla. Encima de la cabeza me colocó un pañuelo de encaje arrugado que había sacado, como si fuese un mago, del bolsillo de su abrigo de alpaca negra. Luego se sentó a una mesa de formica y garabateó unas palabras en una gran hoja de papel con una estilográfica—. ¿Abandonada? —preguntó con la voz temblorosa de los ancianos, luego asintió con su cabeza en respuesta a su propia pregunta y escribió *sí*—. ¿Nombre?

—Liebe. —Rae se acercó al rabino, le dijo mi nombre en yídish y observó cuando lo escribía en el papel.

—¿Esposo? —preguntó el rabino.

—Mark. No sé su nombre en judío —musitó mi tía con desagrado—. Lesson —pronunció mal a continuación el apellido de mi esposo. Cuando hubo terminado su intervención regresó al lado del señor Bergman junto a la pared. Ambos observaban la escena, murmuraban, con los rostros tensos, preparados para presenciar una operación de salvamento.

El rabino me entregó la hoja de papel donde había estado escribiendo, doblada ahora en un cuadrado. Luego, con sus dedos huesudos, me cogió las manos y las juntó con fuerza, con el papel entre ambas, respirando a través de la boca como si le costara un gran esfuerzo. Parecía tener los ojos llenos de lágrimas. Me sentía extraña, confusa y también furiosa. Me habían secuestrado para llevarme a un gueto casi medieval, a mí, una estudiante graduada de UCLA. Aparté esos sentimientos. Puesto que había aceptado venir, lo haría bien; seguiría el ritual como el rabino ordenase. Con la cabeza gacha, caminé lentamente hacia la puerta, llevando el papel aún entre mis manos. («Tú, Liebe Faderman —entonó el anciano—, tienes el *gett*, el divorcio, en tus propias manos y eres libre para salir de la vida de tu esposo.») Luego tuve que desandar mis pasos y devolverle el papel. Lo cogió como si nunca lo hubiese visto antes, lo leyó en voz alta en hebreo, luego masculló un conjuro que me ordenó que repitiese.

—¡Es una mujer libre! —les dijo a mi tía y al señor Bergman con aire triunfal.

—*A dank Gott!* —exclamó Rae. Yo ya estaba a medio camino de las escaleras porque sabía lo que diría a continuación.

* * *

Ceno con mi madre y Albert al otro lado de la calle. «Me hace tan feliz poder prepararte algo agradable», dice mi madre casi todas las noches durante aquellos primeros meses, revoloteando solícita a mi alrededor. Soy la hija pródiga, en casa finalmente, sentada a la mesa de la cocina cubierta con un hule que cruje bajo el peso de la comida. A veces, por las tardes, estoy en mi apartamento, escribiendo algún ensayo o leyendo las tareas de la semana, y oigo el chirrido de las ruedas de madera de los carritos que ella empuja por la acera. Regresa de las tiendas que están en la Fairfax Avenue, adonde acude a proveerse de comida para mí. Ahora se pasará las próximas horas cocinando para mí. Me acerco a la ventana y observo su cuerpo inclinado, los hombros gruesos, cuando cruza la calle. Recuerdo cuando era pequeña y me aferraba del hermoso brazo de mi madre. «Madre e hija», decía entonces. Quiero bajar corriendo a la calle y volver a cogerme de su brazo.

Pero la euforia entre nosotras no dura demasiado. Después de unos cuantos meses de cenas, ya he dejado de ser la hija perdida que ha regresado al hogar. Sin embargo, mi madre me necesita allí. Ella saca de su baúl de las miserias todas las quejas viejas y gastadas y se viste con ellas para que yo lo vea. De mi baúl de las miserias yo saco las viejas y usadas culpa y compasión. Excepto que, a veces, me niego a vestirme con ellas. En lugar de eso, exploto. Cada palabra que dice me resulta irritante ahora, como las palabras de D'Or al final.

* * *

—¿Sabes lo que me dijo la mujer de al lado? —No espera a que le pregunte qué le dijo y habla—. Que no debería permitir que fueses a la universidad, porque pronto pensarás que eres mejor que yo y no querrás saber nada más de mí.

Y todo esto me lo dice mientras estoy sentada a la mesa y deposita un plato lleno a rebosar de hígado picado con huevos y cebollas delante de mis narices.

Aparto el plato con un gesto brusco (con más fuerza de la que pretendía) y se hace pedazos contra el suelo, un estropicio de trozos de loza y salsa pringosa. «¿Permitir que vaya a la universidad? ¿Qué ha hecho nunca para permitir que yo fuese a la universidad?»

—¿Qué es lo que me has dado alguna vez en mi vida? —Me levanté y la miré con los ojos brillantes de furia—. ¿Qué clase de horrible infancia me diste? —Las palabras salen a borbotones de mi boca.

Ella mira los trozos de plato y comida esparcidos en el suelo, luego a mí, desconcertada.

—¿Qué te faltó en tu infancia? —grita—. ¿Qué tenían los otros chicos que tú no tenías?

Hablaba en serio, mi madre desquiciada, ¡realmente no lo sabía! ¿Cómo podía comenzar a vomitarlo todo? El baile de los dos pollos sin cabeza, la inmunda habitación amueblada de Fanny, mi inmundo pelo enmarañado, el inmundo Falix. Abrí la boca y luego la cerré con fuerza. No tenía sentido. Me agaché y recogí los trozos de loza y luego limpié el suelo con un trapo mojado. En ese momento entró Albert, apestando al cigarrillo que acababa de fumarse en el porche, y acercó su silla a la mesa, esperando a que mi madre le sirviese la comida.

Todos los días mi madre reúne toda su energía y trata de entregar todo lo que tiene en la comida que prepara, y todas las noches debo comer cada bocado, la lechuga con pepinos y zanahorias y tomates y escalonia saturados de agua, las pesadas albóndigas de *matzoh* suspendidas entre grumos de grasa, un pollo medio hervido con judías verdes que se han vuelto grises de tanto cocerse, y puré de patatas que flota en una espesa salsa de carne, luego un gran trozo de pastel de manzana que sobresale por los bordes del plato cuarteado en el que me lo sirve. Albert mastica ruidosamente, chasquea los labios, no dice nada y mi madre me mira ávidamente, su cuchillo y su tenedor descansan en su plato. ¿Qué es lo que quiere de mí? Es a mí a quien come en lugar de a su comida. Me devora. Cada centímetro de mí.

«No puedo comer el postre —digo—. He comido mucho.»
Mi madre está haciendo que gane peso. ¿Y si suspendo en la escuela de posgrado y tengo que volver a trabajar como modelo de desnudos para poder ganarme la vida?

«Intento hacer cosas buenas para ti y eres incapaz de apreciarlas —se lamenta mi madre en voz alta—. Llegas y te comes la cena y luego desapareces».

«¡Tengo que estudiar, maldita sea! Déjame vivir mi vida», grito, y lanzo la servilleta de papel sobre la mesa.

«Cerrad la boca, las dos, y dejadme cenar en paz», dice Albert, escupiendo comida en todas direcciones con la boca llena.

«¿Adónde vas?», me grita mi madre.

«¡A mi casa!»

Doy un portazo y regreso a mi apartamento, mis tacones resonando furiosamente sobre el cemento. Todo lo que sabe hacer es atiborrarme de comida, quejarse, atiborrarme, quejarse. Jamás me pregunta cómo me va en la universidad, cuáles son mis ambiciones, si tengo alguien en mi vida, si estoy sola. Nada. Ahora estoy demasiado enfadada para regresar al apartamento a estudiar. Mis pies se dirigen hacia Fairfax Avenue. Una vez allí, puedo ir al Canter's y beber una taza de café decente y tranquilizarme.

* * *

Tengo una amiga en el Departamento de Inglés, Paula Huffermann, una mujer corpulenta de alrededor de treinta años con una rica voz de contralto que revela su inteligencia, el pelo despeinado y un vestido arrugado que le confiere un aspecto tan desaliñado como el de la Reina Blanca en *Alicia*. Paula me invitó a la madriguera repleta de libros que pasaba por su apartamento en Santa Mónica para que estudiásemos juntas para nuestro examen de Historia de la Lengua Inglesa. Vivía con *Tsatska*, un chucho melancólico cuyo largo pelo blanco se había tornado rosa a causa de alguna enfermedad. «Mi mejor compañero», así llamó Paula al perro, que apoyó la gran cabeza lanuda sobre su regazo cuando nos sentamos con las piernas cruzadas en el suelo, bebiendo té de viejos frascos de mermelada antes de ponernos a estudiar.

Lo que Paula quería realmente, me confió mientras sus dedos acariciaban con aire distraído el pelaje descolorido de *Tsatska*, era un hombre que fuese un buen amante, un esposo con medios adecuados que le diese cuatro hijos y una casa grande en un rancho en Wyoming.

—Pero como parece que no puedo conseguir esas cosas —dijo—, voy a hacer un doctorado para poder enseñar.

—Yo elegiría un doctorado y un trabajo de profesora antes que un esposo y una granja —dije.

—Oh, conseguiremos ese doctorado, indudablemente; no podrán impedirlo. Pero no dejarán que lleguemos a ser auténticas profesoras —añadió. La miré sin entender muy bien a qué se refería—. Bien, ¿a cuántas mujeres ves en la facultad de UCLA? —preguntó.

Realmente no había pensado en ello. Había reparado en que al menos la mitad de los estudiantes del departamento eran mujeres, de modo que di por sentado que habría trabajos para todas nosotras cuando nos graduásemos. Pero Paula tenía razón, ahora me daba cuenta. ¿Cómo podía haber pasado por alto algo tan obvio? En el cuerpo docente de Inglés en UCLA había sesenta profesores, de los que sólo dos eran mujeres, Florence Ridley y Ada Nesbitt. En Berkeley no había tenido una sola profesora. ¿Quién me contrataría una vez que consiguiese mi rango académico?

—Claro que, naturalmente, quizá tengas suerte como Ridley o Nesbitt. —Paula encogió sus voluminosos hombros y extendió sus apuntes de Historia de la Lengua Inglesa sobre su generoso regazo—. Pero ninguna de las dos está casada —añadió—. ¿Es eso una vida?

La situación laboral no podía ser tan mala como ella la estaba describiendo. Ridley y Nesbitt eran la prueba de que las mujeres también podían alcanzar puestos importantes, yo sólo necesitaba averiguar cómo se hacía.

—Harvard, algo por el estilo —dijo Paula cuando le pregunté si sabía dónde habían conseguido sus doctorados Ridley y Nesbitt—. Papás episcopales ricos —dijo alzándose nuevamente de hombros—, que nosotras no tenemos. Espero que si no aparece el hombre con el azadón, pueda conseguir trabajo en una escuela universitaria. Contratan mujeres para esos puestos, o tal vez una buena escuela privada para chicas. No pongas esa cara, querida —dijo—. Así son las cosas.

Estudiamos hasta muy tarde, pedimos pizza a eso de las diez, sin pensar en nuestros opacos futuros, y aturdidas como chicas de secundaria a medianoche.

—¿Por qué no te quedas a dormir? —me preguntó Paula a las dos de la mañana, y preparó una cama empotrada que se bajaba de la pared. A las cuatro de la mañana, *Tsatska* saltó sobre mí, aterrizando sobre mi vientre y jadeando en mi cara. De todos modos, no estaba dormida porque seguía pensando en lo que Paula había dicho: «Conseguiremos ese doctorado, pero no nos dejarán hacer mucho con él».

A la mañana siguiente volvimos a estudiar y luego me llevó en su coche hasta mi apartamento. Estaba a punto de desplomarme sobre el sofá para repasar mis notas otra vez cuando, a través de la ventana, oí a mi madre y a Rae.

—Si todavía no ha llegado, algo terrible ha pasado —dijo Rae, y recordé con un sobresalto que no les había dicho que pasaría la noche en casa de Paula.

—*Oy, Gott*, ¿qué debemos hacer? —gimoteó mi madre.

Corrí hasta la ventana, pero no antes de que mi tía dijese:

—Si ha pasado algo, nos mataremos, las dos juntas. ¿De acuerdo?

—¡Sí, de acuerdo! —convino mi madre.

En mitad de mi segundo año en UCLA, el señor Bergman, esa alma buena, falleció. Tenía ochenta y tres años.

—¡Mendel! —chilló mi tía sobre su ataúd abierto, y el resto de los presentes suspiraron mostrando su compasión por la pena de la viuda. Rae se aferró al borde negro del gran cajón lacado donde yacía el señor Bergman, como si la aflicción la hubiese debilitado tanto que era incapaz de mantenerse de pie, y sus ojos azules eran grandes lagos de lágrimas. Era la primera vez que le oía llamarle por su nombre yídish—. No te vayas, Mendel —sollozó.

Después del funeral, la hija mayor del señor Bergman, Rosalie, invitó a todos los miembros de la comitiva fúnebre a su casa, donde les esperaban un amplio surtido de fiambres y botellas de vino dulce en la mesa del comedor.

—Papá nos dijo que no debíamos abandonarte cuando él no estuviese —le dijo Rosalie a mi tía, apoyando una mano enjoyada sobre su hombro—, y no lo haremos.

Mi tía asintió educadamente.

Yo estaba a su lado.

—Ha sido muy amable —le dije, cuando Rosalie se alejó para hablar con otra persona.

Pero, al día siguiente, cuando Rosalie llamó para invitar a Rae a almorzar el domingo y le dijo que los hijos y los nietos del señor Bergman también estarían allí y que el esposo de Rosalie se sentiría feliz de venir a recogerla en su coche desde Brentwood, mi tía se negó a ir. Yo había llevado una pila de libros al apartamento de Rae para poder hacerle compañía mientras estudiaba, y estaba sentada al otro lado de la mesa de la cocina mientras ella hablaba por teléfono con Rosalie. Cuando conseguí deducir de qué iba la conversación, le hice señas de que le dijese a Rosalie que *sí*, pero ella sacudió la cabeza con vehemencia indicando que *no*.

—¿Qué tengo que hacer con ellos? —masculló cuando hubo cortado la comunicación—. Dejemos que vivan y estén bien, pero no les necesito.

—Pero también son tu familia —protesté.

—No necesito fingir que les tengo como familia —declaró, haciendo un gesto con la mano que les despachaba para siempre. Aún llevaba luto por la muerte del señor Bergman, pero la fragilidad del día del funeral se había evaporado. Buscó la aspiradora que estaba en el pequeño armario del vestíbulo y se dedicó a limpiar y ordenar el apartamento—. Ahora sólo tengo dos personas en mi familia. Y un día, si Dios quiere, tendré más

—gritó por encima del hombro en dirección a la mesa a la que yo estaba sentada.

Aquella noche, cuando recogía mis libros para marcharme, mi tía dijo:

—Quédate. Te prepararé el sofá de la sala de estar, como lo hacíamos en otra época. Para que me hagas compañía —añadió. Alcé la vista, sorprendida. Rae me había implorado cientos de veces a lo largo de los años, pero siempre por algo que ella consideraba que era por mi propio bien. Esto era diferente: me estaba pidiendo algo para ella.

—Claro —dije. Qué solitario debía de parecerle ahora ese pequeño apartamento. Había vivido quince años con el señor Bergman.

Trajo sábanas y mantas de un armario y las pusimos en el sofá. Luego se sentó en el sillón verde y la observé con ternura, esperando a que me abriese su corazón.

—Si necesitas seguir estudiando, adelante. Yo no te lo impediré —dijo—. Puedes acostarte y estudiar. De ese modo podrás descansar más.

—Podemos hablar si quieres. Lo prefiero.

Ella frunció los labios y no dijo nada.

—¿Recuerdas cómo el señor Bergman solía dejarle a mi madre cinco dólares para mí cuando veníais a visitarnos a la casa de Dundas Street? —dije, sonriendo.

—Estudia, estudia. Sé que tienes que estudiar.

Acto seguido, se levantó del sillón y fue la cocina, evitándome. Ella quería mi presencia, pero era evidente que no iba a permitir que los sentimientos la volviesen vulnerable. Me senté en el sillón que acababa de dejar y dejé el libro cerrado a mi lado. No quería estudiar ahora. Me sentía timada por lo que había esperado que fuese una oportunidad de demostrar mi amor por ella.

Rae regresó unos minutos más tarde portando una bandeja.

—Lo que es, es, y lo que no es, no es. Sólo debemos pedirle a Dios aquello que es posible —dijo, colocando un plato de macarrones sobre mis rodillas y un vaso de leche caliente en la mesa pequeña que había junto al sillón—. Ahora es el presente y mañana es el futuro —añadió. Suspiré, resignada. No conseguiría nada de mi tía excepto galletas, leche, y *bon mots* que eran ingenuas o no significaban nada o bien superaban con mucho mi capacidad de descifrarlas—. El pasado es el pasado y debemos olvidarlo —concluyó.

Aunque yo había ganado un salario bastante decente como ayudante de cátedra desde el comienzo del año lectivo y podía permitirme pagar el alquiler de mi apartamento, lo dejé al acabar ese mes y me mudé a vivir con mi tía.

—Está muy sola —le dije a mi ceñuda madre. («Yo también estoy sola —se lamentó, como sabía que lo haría—. ¿Por qué no puedes venir a vivir conmigo?») Yo dormía en la vieja cama del señor Bergman, a un metro de Rae. Las primeras noches, mientras ella respiraba sonoramente en su sueño, yo permanecía de costado largo rato, contemplando en la oscuridad la pequeña giba de su figura debajo de las mantas, pensando cómo había disfrutado de esta proximidad con Rae cuando era pequeña; cómo había representado mi único modelo de cordura, un ancla firme contra el terrible oleaje de la locura de mi madre.

* * *

Mi consejero, el profesor Bradford Booth, es un auténtico señor Samuel Pickwick, con la cabeza calva, las gafas redondas sin montura y la barriga de la mediana edad; al igual que Pickwick, también, es un hombre elocuente, caballeroso, decente. «No tiene ningún sentido esperar —me alienta mientras conversamos delante de Rolfe Hall—. Creo que tienes motivos para sentirte segura». Las gafas redondas titilan bajo el sol del sur de California. Estoy preparada para hacer los exámenes que me darán la licenciatura y eso supone un paso más hacia la candidatura para hacer el doctorado.

Ahora, excepto las tres horas que dedico las tardes de los miércoles al seminario que él imparte sobre Literatura Victoriana y la hora que paso de nueve a diez de la mañana los lunes, miércoles y viernes impartiendo mi clase de Inglés a los estudiantes del primer año, estoy prisionera en el sillón verde, detrás de una barricada de grandes volúmenes con páginas de papel biblia y letra pequeña. Los he leído todos, prácticamente he memorizado cada una de sus páginas, he pensado una y otra vez en las posibles preguntas que podrían formularme: «¿Por qué se llamó al siglo XVIII la Edad de la Razón?» «¿Por qué se podría considerar a Thomas Grey un precursor del romanticismo?» (¿Qué pasa si fallo?) «¿Qué es lo que explica la aparición de la escuela naturalista dentro de la literatura a finales del siglo XIX?» (Las *strippers* no consiguen un doctorado, las chicas que frecuentan el Open Door no consiguen un doctorado, Fanny dijo que las chicas que viven en habitaciones amuebladas no consiguen doctorados. Las hijas bastardas, sin duda, no consiguen doctorados.) «Hable de las influencias que tuvo Walter Pater en los decadentes de fin de siglo.»

Estudio día y noche. No me levanto del sillón verde. «¿Qué pasa si fallo?», le pregunto a nadie en particular. Rae me trae café con leche y azúcar, pan de centeno ruso generosamente untado con mantequilla dulce. «Para que tengas energía», dice.

«Más café, por favor», le pido una hora más tarde mientras Rae está en la cocina y, al cabo de unos minutos, oigo la tetera que silba e inmediatamente después aparece con una taza de café en una mano, un plato con una rebanada de pan de centeno untada con mantequilla en la otra. «¿Qué pasa si fallo?», me lamento otra vez.

«No fallarás. No fallarás», dice ella aunque no tiene ni la más remota idea de lo que significa que no debo fallar.

Se convierte en una broma entre nosotras. «¿Qué pasa si fallo?», canturreo ahora el lamento burlesco. «No fallarás, no fallarás», canturrea Rae a su vez, colocando la taza en mi mano, balanceando el plato con el pan de centeno en el brazo del sillón. Bebo un trago de café y mordisqueo el pan y luego a formular mi explicación sobre la utilización de Homero que hace Joyce en su obra.

* * *

Me enviaron al pasillo a esperar su veredicto: los profesores Booth, Durham, Longeuil y Jorgensen. Caminé arriba y abajo, bebí agua ávidamente del surtidor que hay en el pasillo, caminé un poco más. La canción de «¿qué pasa si fallo?» volvió a sonar en mi cabeza, pero fue ahogada por el recitado hermosamente grave de Rae. Luego Bradford Booth, con una mesurada sonrisa pickwickiana en los labios, salió de la sala donde yo había estado contestando a sus preguntas durante dos horas.

—Phil Durham dijo que ha sido el mejor examen oral que había oído en su vida —dijo, estrechando mi húmeda mano.

—¡Soy la maestra Lilly! —Llamé primero a mi madre y luego a Rae para anunciar la buena noticia.

—«Maestro» es para los chicos —recordó mi madre de sus días de cine.

—*Mazel tov* —dijo mi tía, y luego, sin esperar a respirar, añadió—: Dentro de dos meses tendrás veinticuatro años. Ya está bien de tanto estudio.

Paula y yo nos llamamos casi todas las tardes. Quiero oír lo que piensa de mis ideas para el tema de una tesina: «¿Qué te parece "El problema del antisemitismo en la novela victoriana"?». El profesor Booth quiere que hable sobre Benjamin Farjeon, un autor menor que forma parte de la Colección Sadleir, que él ayudó a que UCLA adquiriese. «No tengo que quedarme en la época victoriana. ¿Qué me dices de Langston Hughes?»

«¿Sabes sobre qué trataba la tesina de Ridley? Chaucer. ¿Nesbitt? Dickens.» Paula es partidaria de la utilidad práctica. Luego pasa a temas que a ella le interesan más: a qué creo que se refería Bill Dowdy cuando dijo que no había necesidad de que ella le llevase el libro de Coventry Patmore que quería que le prestase porque él vivía a sólo un par de manzanas. «¿Crees que quiere venir a mi apartamento? ¿O quiere que le lleve el libro a su apartamento? ¿Crees que tiene novia? ¿No crees que un tío como él las tiene haciendo cola?»

«No lo sé», le digo.

«Un tío como él, probablemente, no pasa un solo día sin que alguna mujer le haga una proposición. ¿No crees?»

«Probablemente tienes razón», contesto.

«¿Sabes cuánto hace que no me acuesto con un tío?»

Paula suspira.

A veces, cuando oscurece, vamos a Mario's a tomar una pizza y una botella de vino tinto de la casa para las dos. Luego Paula me hace reír a carcajadas contando divertidas historias escatológicas con su voz musical acerca de los miles de millones de hombres que se escaparon. Un viernes por la noche salimos de Mario's cogidas de la cintura, riéndonos todavía de la historia que ha contado acerca de su último novio, Solomon Schlong. «Lo juro, así se llama», dice con un chillido, y volvemos a partirnos de risa.

«Oh, Paula, te amo», dije con un suspiro entre hipos. (No me refiero en absoluto a la forma en que se lo decía a D'Or, de quien Paula no sabe absolutamente nada.)

Ella se aparta con un salto tan exagerado que creo que está bromeando.

«Ése es un lugar extraño en el que nunca he estado, —declara—. Preferiría estar muerta que tan desesperada.»

Paula me organizó una cita a ciegas con un tío a quien había conocido en Westwood Village y con quien había tomado café algunas veces.

—Lo cogería para mí en un santiamén, pero ya me ha dicho que le gusto como una hermana. Su especialidad es la filosofía —dijo—. Jerry Proben. Un adonis.

Una tarde luminosa de verano Jerry pasó a recogerme por el apartamento de mi tía y me llevó en su coche a Malibú. Se arrolló los bajos de los pantalones blancos, nos quitamos los zapatos y paseamos junto a la orilla. Era realmente un tío muy guapo, pensé: piel bronceada, hombros y brazos musculosos y caderas estrechas. Podía ver los vellos negros de las piernas, impregnados de pequeñas gotas de agua salada y granos de arena.

Luego nos sentamos en unas grandes rocas mientras el sol se

ocultaba en el océano. Para entonces yo ya había decidido que seguiría adelante con el programa. Los labios de Jerry rozaron los míos con cierta vacilación y yo le besé con fuerza. Durante un instante pareció sorprendido, pero luego me cogió por los hombros y aplastó su boca contra la mía.

—¿No tendría que haberte besado con tanta intensidad? —me atreví a bromear más tarde mientras recorríamos la oscura autopista del Pacífico buscando un restaurante.

—Oh... Bueno, supongo que habitualmente no esperas que una mujer sea tan... así.

—¿Prefieres que sea más tímida? —pregunté, echándome a reír, pero realmente estaba un tanto desconcertada. ¿Cómo se suponía que debían comportarse las mujeres con los hombres? Yo no lo sabía.

—No, no, tímida no —contestó Jerry.

¿Y si me quedaba embarazada? Eso me preocupaba. ¿Qué podía ser peor para mi madre y mi tía: si nunca tenía un hijo o si lo tenía fuera del matrimonio? No estaba segura pero, de todos modos, no podía correr riesgos con mi carrera académica. Llamé a Paula porque no sabía a quién más llamar.

—¿Conoces a algún médico que me pueda dar un diafragma? —le pregunté.

Hubo una pausa prolongada y elocuente al otro lado de la línea.

—¿Tienes idea de lo afortunada que eres?

Paula suspiró y luego dejó el auricular para buscar el número de teléfono de su médico.

* * *

Jerry tiene casi treinta años pero aún vive con sus padres porque su padre sufrió una embolia hace un par de años y Jerry debe ayudarle a desvestirse, ducharse y vestirse. Por este servicio, su madre le paga cien dólares al mes. Todos los sábados por la noche pasa a recogerme por el apartamento de Rae y vamos a cenar a un restaurante chino o mexicano. Yo le cuento mis problemas con la tesina que estoy preparando y él me habla de Heráclito y Gorgias y las paradojas presocráticas, sobre las que versará la tesina de su doctorado. Cuando el camarero trae la cuenta, Jerry coge la nota, añade un diez por ciento para la propina, luego calcula una división al cincuenta por ciento. «Justo por la mitad» o «yo pagaré los cincuenta centavos extra», anuncia. Si pasan una película de Ingmar Bergman o Antonioni o Buñuel o Fellini, primero vamos al cine. Habitualmente vamos directamente a un motel, ya sea el Cozy Cottage o el Alpine Villageo o el Ocean Breeze. La habitación en todos ellos cuesta seis dólares. Yo saco tres billetes de un dólar de mi bolso y Jerry los recibe en su mano abierta. Las habitaciones siempre tienen puertas que crujen y bastidores de muelles que chirrían y huelen a tabaco rancio.

Cuando la puerta se cierra detrás de nosotros Jerry siempre parece inquieto, como distanciado del momento, casi como si esperase a que una voz remota hiciera una declaración; sin embargo, pocos minutos después está todo allí: directo, potente, ágil. No me importa hacer el amor con él. En realidad, me gusta. El sexo es el sexo, me doy cuenta. Los mamíferos están programados para responder a la estimulación de ciertas terminaciones nerviosas. Es algo natural. Y Jerry es un buen amante: conoce el cuerpo de una mujer como si lo hubiese estudiado igual que un problema de lógica y no se detiene hasta no haber provocado la respuesta deseada. No puedes encontrar ningún defecto en Jerry en cuanto a técnica.

Pero cuando ha acabado, se separa de mí, se sienta en la cama, respira profundamente y exhala una gran bocanada de aire, como si estuviese recuperándose de una gesta atlética. Ha volcado en el juego toda su potencia y destreza y ahora necesita descansar. Al cabo de unos minutos me doy la vuelta y me concentro en mí misma.

Jerry me da un montón de tiempo para pensar durante nuestro año y medio juntos en camas poscoitales. Pienso en todo. Jan. D'Or. Si conseguiré un trabajo después de haber conseguido mi doctorado. El amor (Jerry jamás me dice esa palabra y yo tampoco lo hago). Pienso en la historia de la lengua inglesa, dedico mucho tiempo a pensar en ese tema: el inglés antiguo deriva de los dialectos de los habitantes germánicos de Gran Bretaña entre los siglos V y XI, explicó el Dr. Matthews. Jerry permanece mudo, tal vez dormido, inmóvil como si estuviese muerto. Pienso en el vocabulario alemán que estoy aprendiendo porque debo aprobar otro examen de lengua antes de comenzar mi tesina: *fugen* (verbo transitivo): unir, conectar. Jerry duerme profundamente en la cama, abrazado a la almohada, hecho un ovillo lejos de mí. Jerry y yo follamos de maravilla, pero no conectamos. Falta algo... algo... inefable. Me río de mí misma por utilizar una palabra de D'Or. Pero es verdad que falta algo. Sus ritmos masculinos no son los míos: folla, luego se aparta, luego desaparece dentro de su cabeza. Yo pienso en el tap, tap, tap de los zapatos del hombre que se parecía a Charles Boyer cuando me dejó en aquella acera con mi madre. No soy tu padre, dijo mientras se alejaba de mí y desaparecía. No sé adónde se va cuando desaparece.

* * *

Me mudé del apartamento de Rae, lejos de Curson Avenue, a un apartamento cerca del campus. Me habían ascendido a adjunta de cátedra y, en verano, estaría trabajando para el Upward Bound Project como preceptora de chicos de instituto de bajo rendimiento del este de Los Ángeles para prepararles para el acceso a la universidad. Podía pagar el alquiler del apartamento; y si Jerry y yo no teníamos que ir a moteles todo el tiempo, si yo podía tratar de preparar cenas para él y luego podíamos pasar toda la noche juntos y despertarnos por la mañana, ¿no podíamos aprender a conectar? No tendríamos esos encuentros que siempre acababan en actos sexuales atléticos y previsibles y luego adiós.

Mi madre se mostró sorprendentemente tranquila ante mi mudanza.

—De todos modos, no te veo mucho. Siempre estás comiendo con ella o saliendo con él.

—No es bueno que una chica joven viva sola —protestó Rae cuando le hablé del apartamento cerca del campus.

—Bueno, tal vez no esté sola mucho tiempo. Quizá Jerry y yo nos casemos pronto.

Vi que una sonrisa jugaba en sus labios, como si Rae ya pudiese ver la cuna con el bebé dentro de su sala de estar.

—Sé que estás muy ocupada con tu adonis —dijo Paula la semana que me mudé a mi nuevo apartamento—, pero puedes dedicarle un sábado a una amiga. Recuerda, fui yo quien lo encontró para ti. Quiero que vengas a mi pequeña cena, sólo tú, mi hermana que viene de Filadelfia y una antigua compañera de cuarto.

Pero, a la mañana siguiente, me llamó para decirme que el hijo de nueve años de su hermana había amanecido con amigdalitis y 39° de fiebre y había cancelado su viaje a California.

—Pero ven a cenar de todos modos. Mi antigua compañera de cuarto estará aquí y, honestamente, no sé qué hacer con ella si estamos solas. Es una mujer muy agradable pero su entusiasmo puede llegar a ser agotador. Y, para colmo, una maestra solterona crónica. —Paula lo dijo con evidente aversión—. Hazle un favor a una amiga.

Binky era una mujer grande con el aspecto de una joven Gertrude Stein, excepto que sus ojos eran azules y el pelo castaño estaba salpicado de reflejos dorados y era grueso y brillante. «Un pelo Kennedy» fue lo primero que pensé. No sentamos en las sillas plegables junto a la mesa de la cocina mientras Paula amontonaba libros y papeles sobre la silla que hubiese ocupado su hermana. Luego, mientras *Tsatska* se frotaba contra sus piernas, Paula sirvió los espaguetis excesivamente hervidos y la ensalada de lechuga que había aliñado con salsa francesa.

Mi primera impresión de Binky fue de agresividad, aunque también percibí timidez.

—¡Supercerebro! —llamó a Paula con una voz atronadora cuando ésta comentó que el profesor Cohen le había dicho que enviase su trabajo de seminario sobre el concepto bergsoniano del tiempo en *Tristram Shandy* al *PMLA*. Yo la observaba mientras ambas hablaban de los viejos tiempos y, de vez en cuando, la sorprendía mirándome tímidamente. Pensé que era guapa.

—¿A qué te dedicas? —le pregunté cuando Paula fue a buscar el helado que había comprado para el postre.

—Doy clases en el instituto Marshall. La única escuela pública en la ciudad que es una prueba de que la integración puede funcionar. —Se entusiasmó inmediatamente con ese tema—. Cada día veo en mis clases a ciento cincuenta chicos —blancos, negros, amarillos, marrones, rojos—, lo que se te ocurra. Y todos se aman. No hay peleas de pandillas. No se producen disturbios como en Watts. No hay fuga de alumnos blancos, gracias a Dios. —Su amplia sonrisa dejó al descubierto un montón de dientes Kennedy fuertes y derechos—. Enseño escritura creativa y realizan trabajos realmente fabulosos. ¡Fabulosos! Al diablo con toda esa gente que dice que los chicos mexicanos no saben escribir, que los chicos negros son unos pésimos estudiantes. Yo veo cada día lo maravilloso que puede ser.

Paula se inclinó sobre Binky para depositar un plato de helado de chocolate medio derretido en mi mantel individual de plástico y me lanzó una mirada afligida que decía: «¿Qué te había dicho?».

—También enseño literatura norteamericana y no tengo que pelearme con ellos para que lean. —Ahora Binky se había olvidado de su anfitriona. Agitaba sus manos largas y delgadas con inesperada gracia mientras hablaba. En el dedo donde la mayoría de las mujeres de su edad muestran una alianza de matrimonio, ella llevaba una bella piedra de jade engarzada en oro—. Les encanta porque les doy libros que tienen algo que ver con sus vidas, Richard Wright, Langston Hughes, James Baldwin. ¡Al diablo con el programa de estudios! Necesitamos más voces, voces diferentes, en la clase. ¡Todos los profesores podrían hacerlo si no fuesen un hatajo de hijos de puta! —Luego, como si se sintiese avergonzada por haber hablado demasiado, posó la vista en sus manos, que ahora estaban extendidas y quietas sobre la mesa—. Son mis chicos y los amo —añadió suavemente.

Yo también miré sus manos. No podía apartar la vista de ellas. Eran unas manos realmente hermosas.

—A mí también me gustan esos escritores —dije—. ¿Conoces a Countee Cullen? «No siempre debemos sembrar mientras otros recogen la dorada cosecha de frutos en flor.»

—¡Countee Cullen! ¡Adoro a Countee Cullen! «No siempre compostura, abyecta y muda, que los hombres inferiores deben guardar para sus hermanos.»

—¿Ralph Ellison? —Me eché a reír, encantada.

—¡Ellison! Ese hombre es mi Dios. Ese hombre ha escrito una de las novelas norteamericanas más importantes del siglo.

—Sí, oh, sí —convine mientras Paula se levantaba en silencio para llevar los platos al fregadero.

—¿Puedo llevarte a tu casa? —preguntó Binky al término de la velada cuando yo estaba en la puerta esperando a que Paula encontrase dónde había dejado mi bolso y mi suéter.

Más tarde, en el coche de Binky, nos quedamos delante de mi nuevo apartamento recitando de memoria fragmentos de Gwendolyn Brooks, Claude McKay, Jean Toomer, corrigiéndonos mutuamente con febril entusiasmo o recitando en perfecta armonía.

—Será mejor que me vaya —dije, finalmente, cuando vi que las manecillas luminosas del reloj del coche marcaban la una de la mañana.

—Esta noche ha sido un regalo para mí. Un auténtico regalo —dijo Binky. Su voz era tan apasionada como cuando había recitado los poemas que las dos amábamos.

—Para mí también —dije, y era verdad. Me atreví a apoyar la mano sobre su brazo antes de abrir la puerta del coche—. Eh, ¿por qué no te vienes a cenar? Mañana. Serás la primera invitada a mi nuevo apartamento.

—¡Oh, me encantaría!

Sentí el roce fugaz de sus dedos en mi hombro cuando bajaba del coche.

—Adiós.

Me volví para saludarla con la mano y Binky me estaba mirando, agitando la suya.

No nos tocamos más de lo que lo habíamos hecho la noche anterior, aquel domingo por la noche sobre la tortilla francesa con tomate que serví acompañada de una botella de chablis color paja. Hablamos sobre todo de los libros que las dos amábamos. Ella contó una divertida anécdota de un colega enfadado que la había denunciado al director del instituto: «Ella se niega a enseñar los clásicos patrióticos que han convertido a Estados Unidos en la potencia que es actualmente», Binky imitaba la voz pomposa del profesor. Hablamos muy poco de cuestiones personales. Ella sólo dijo que vivía sola: yo no hablé en ningún momento de las mujeres con las que había estado y tampoco acerca de Jerry.

Pero cuando Binky se estaba preparando para marcharse permanecimos un momento juntas en el descansillo, sin hablar, y yo podía oír mi corazón en los oídos, latiendo con fuerza como no lo había hecho desde que posé mis ojos sobre D'Or. «¿Estaba sucediendo todo otra vez?» Tuve que hacer un gran esfuerzo para tragar antes de poder decir:

—¿Puedo llamarte mañana?

—Por favor, *por favor* hazlo —contestó ella, y nos quedamos en el descansillo, mirándonos, sin decir nada más durante un largo minuto antes de que ella apartase la mirada y bajara la escalera hacia la puerta.

Entré rápidamente en el apartamento y me incliné sobre el ventanal, con una rodilla apoyada en el alféizar bajo, observando a la luz de la farola cómo subía a su coche, observando cómo se quedaba sentada sin moverse durante largo rato, los brazos enlazados alrededor del volante.

Intenté poner la mente en blanco, pero me sentí como si estuviese saltando fuera de mi piel toda la noche. «Por favor, *por favor* hazlo.» Ella había pronunciado el segundo *por favor* casi sin aliento. Podía ver sus labios bien formados cuando lo dijo: *por favooor*.

16

LA PROFESORA UNIVERSITARIA FADERMAN

Binky tiene su propio apartamento, pero la mayoría de las tardes viene directamente a casa cuando ha acabado sus clases en el instituto Marshall. Oigo sus pasos en la escalera y mi corazón comienza su delirante baile. Llama a la puerta y dejo mis notas sobre Benjamin Farjeon y mi pluma y respiro profundamente ante de abrir de golpe. Nos abrazamos y besamos y jadeamos y nos sofocamos como si hubiésemos sufrido la tortura de una separación de meses.

La mayoría de las noches, después de una cena frugal y largas horas de amor, nos quedamos dormidas abrazadas, y a las 6.45 nos despierta una canción de amor que suena en el pequeño radio-reloj que me ha regalado y que está en la mesilla de noche junto a la cama. Binky se aparta lentamente, milímetro a milímetro. «Es tan doloroso como si te cortasen un brazo, una pierna», gemimos las dos todas las mañanas al tener que separarnos.

La cama queda huérfana de su piel cálida y su carne dulce, pero yo me quedo allí, con los ojos cerrados, absorta en las imágenes amorosas de la noche anterior, imaginando que aún está acostada a mi lado. Luego, para mi soñoliento deleite, vuelve a aparecer, como en un sueño, elegante ahora en su uniforme de profesora: vestido de corte sobrio, zapatos de tacón alto, medias de nailon sin costura, el pelo Kennedy salpicado de oro perfectamente peinado. En las manos lleva dos tazas de café humeantes. Se sienta en el borde de la cama mientras bebemos a pequeños sorbos y entrelazamos nuestros dedos y nos llenamos con últimas miradas que nos ayudarán a pasar el largo día que tenemos por delante. Siempre, antes de marcharse, el pinchadiscos de la radio anuncia: «Y ahora mi canción favorita para empezar bien la mañana —y el cantante entona con voz suave y melodiosa—: *Sunny, yesterday mi life was filled with rain. Sunny, you smile and really eased the pain*».* Dejo la taza de café en el suelo y apoyo la cabeza en el regazo de Binky. La canción habla de Binky, quien, sin duda, como dice la letra, es mi rayo de sol, mi roca, mi dulce y completo deseo. Ella me dice que yo también soy todas esas cosas para ella. «No recuerdo haber vivido antes de conocerte», dice.

Luego se marcha durante todo el día y ocupo mi lugar ante el escritorio, donde construyo con renovado vigor una frase tras otra acerca de los cambios estilísticos de Farjeon. Estoy decidida a acabar pronto este ejercicio académico para poder continuar con un trabajo más gratificante.

* * *

Sólo tengo una vaga idea de cuál podría ser ese trabajo, pero Binky también estaba en el centro del mismo. Me pidió que pasara el día en su instituto, «para ver lo que hago y que los profesores de inglés y educación de UCLA desprecian». Me sentí tremendamente impresionada por su trabajo, por la forma en que los chicos la querían, confiaban en ella. «Mi pequeña Naciones Unidas», les llamaba. Cuatro chicos de su clase de literatura norteamericana del primer período —uno negro, uno oriental, uno mexicano, uno judío— se presentaron en su clase durante

---

* «Sunny, ayer mi vida estaba llena de lluvia. Sunny, tú sonríes y alivias el dolor.» (*N. del T.*)

la pausa de la mañana, la pausa para almorzar, la pausa de la tarde.

—Sólo estamos dándonos una vuelta —dijo uno de ellos encogiéndose de hombros cuando les pregunté, con curiosidad, si tenían otra clase con ella ese día.

—Nos gusta hablar con la señorita B. —confesó otro.

Los alumnos la miraban —todos ellos— como si estuviesen enamorados. Se sentaban encima de los pupitres o en el suelo cerca de ella, comiendo bocadillos o manzanas, y ella les prestaba atención, les entregaba su escaso tiempo libre, su sabiduría. La conversación trataba principalmente de literatura porque Binky había conseguido que los libros cobrasen vida para ellos, había abierto un universo de ideas, les había dicho que reflexionasen sobre cuestiones que los demás profesores les habían dicho que diesen por sentadas, y ellos se encendían con todo lo que aprendían de ella. Mucho antes de que los eruditos de las famosas universidades de la costa este pensaran en ello, Binky les enseñaba a sus alumnos a cuestionar el canon que era sagrado en todas las escuelas norteamericanas.

—¿Por qué todo el mundo tiene que leer *La autobiografía de Benjamin Franklin* pero es imposible que leas *Black Boy* a menos que asistas a las clases de la señorita B.? —preguntó Arthay.

—Wright le da mil vueltas a Franklin —dijo Ian.

—Los japoneses y los chinos han estado en Norteamérica desde hace más de cien años. ¿Por qué nadie nos habla de los escritores orientales? —preguntó Lloyd.

—¿Por qué no hay escritores mexicanos como James Baldwin? —quería saber Rafael.

Yo también me entusiasmé con esas ideas originales.

—Tienen razón —dije, mientras Binky y yo compartíamos una pizza en Westwood Village—. En ocho años de cursos en la universidad sólo he leído a autores blancos, como si ellos fuesen los únicos que alguna vez dijeron algo importante sobre la experiencia humana.

—Daría lo que fuera por encontrar buenos escritores orientales y mexicanos y permitir que hablasen con sus propias voces en mis clases de literatura norteamericana —dijo Binky.

—¿No crees que ésa sería una idea fantástica para un libro? Podrían ser poemas y cuentos de escritores de todos los colores. —No existía ningún libro así, ¿pero por qué no podíamos hacerlo?—. Binky, ¿por qué no podemos hacerlo... juntas? ¿En cuanto haya terminado el trabajo para mi tesina?

—¡Dios! —gritó Binky. El tío que preparaba la masa de pizza detrás del mostrador, lanzándola al aire, desvió la mirada y no pudo cogerla—. Hagámoslo —dijo.

—Por supuesto, tengo absoluta confianza en ti —me dijo el profesor Booth en el otoño de 1966 cuando le pregunté si creía que tenía suficientemente avanzada mi tesina como para iniciar mi búsqueda de trabajo—. Absoluta confianza —repitió, con su cordial sonrisa pickwickiana. Buscó en una pequeña pila de papeles que tenía encima del escritorio y sacó varios volantes de propaganda: anuncios de trabajo, vi con una mirada aprensiva, para el año académico 1967-68—. Te pasaré el material que llegue y que considere que puede resultarte útil —dijo amablemente, manteniendo la puerta de su despacho abierta e inclinándose ligeramente cuando me marché. ¿Realmente alguien me daría un trabajo como profesora universitaria?

Me quedé a la puerta de su despacho y les eché un vistazo a los anuncios. Había cuatro: Wilberforce College, Michigan State University, un pequeño campus regional en Perdue y el Fresno State College. Tendría que marcharme a Xenia, Ohio, o a East Lansing, o a Westville, Indiana, o alguna ciudad remota en el Valle de San Joaquín, en California, si quería ser profesora. Las mejillas me ardían como si alguien me hubiera abofeteado. Un doctorado me abriría muchas puertas, eso me había prometido Maury. ¿Acaso había atravesado un bosque sólo para coger un palo torcido? Me vería obligada a vivir en algún lugar extraño y lejano donde hubiese una universidad que quisiera contratar mis servicios. ¿Cómo iba a dejar a Binky cuando acababa de encontrarla, y a mi madre y a Rae?

Paula era la última persona que deseaba ver en aquel momento, pero me divisó junto a la puerta del despacho del profesor Booth y me siguió cuando bajaba la escalera de Rolfe Hall.

—Y bien, ¿te ha recomendado Booth para el trabajo de Berkeley? También hay uno en Columbia. El Dr. Nix ha recomendado a Ron Hommes para ambos —dijo con una sonrisa presuntuosa.

—La tesina de Ron es sobre Henry James, de modo que el puesto tiene que ser para un especialista en literatura norteamericana. —Me detuve un momento a beber un poco de agua en el dispensador que había en el pasillo; bebí lentamente, me incorporé, volví a inclinarme para beber un poco más, pero Paula no parecía tener ninguna intención de marcharse—. Yo me dedico a la literatura victoriana —masculló con los labios junto a la espita. Su risita tonta me desanimó profundamente.

—¿Conoces a Lois Damer? Ella también es alumna de Nix. —Paula me siguió fuera del edificio, rodeando velozmente a un grupo de estudiantes para no perder el paso—. Su tesina es sobre Edith Warthon. ¿Sabes para qué trabajo la ha recomendado? —preguntó con una mueca de desdén—. Long Beach State. —Finalmente, se marchó para volver a sus pilas de libros y dedicar el resto del día y buena parte de la noche a la tesina que estaba preparando sobre George Eliot.

Me dediqué a vagar por el campus de la universidad. Pronto sería expulsada de este paraíso de sol brillante y brillantes eruditos... pero ¿adónde?

—El paraíso de la marihuana de la nación —dijo afablemente el profesor Booth cuando le dije un mes más tarde que tendría una entrevista en la Convención de la Asociación de Lenguas Modernas para un trabajo en la Escuela Universitaria de Fresno. Yo apenas había oído hablar de Fresno antes de ver el anuncio de trabajo. Era una zona de granjas situada aproximadamente a 350 kilómetros de Los Ángeles y la costa. ¿Cómo podía la gente respirar lejos de los océanos? Yo siempre había vivido en la costa.

—¿De modo que usted piensa que ni siquiera debería preocuparme por la entrevista? —le pregunté con optimismo.

—Oh, no he dicho tal cosa.

La sonrisa del profesor Booth era plácida.

Entre mis escasas posibilidades, sólo Wilberforce, una universidad a la que asistían mayoritariamente estudiantes negros, parecía interesante, aunque se encontraba en Xenia, Ohio.

—Estamos vagamente conectados con el Antioch College —dijo el profesor negro y cortés que me entrevistó en la Convención MLA—. Doce kilómetros al norte y otros mil quinientos kilómetros «por debajo». —Sonrió apesadumbrado. Me imaginé en Wilberforce, una agitadora política luchando por una buena causa contra presidentes, decanos, quienquiera que fuese, para ayudar a rescatar a la universidad de su estatus de segunda categoría.

¿Pero cómo haría para enseñar, para escribir, si todo mi tiempo lo dedicaba a las batallas políticas? Tenía que resolver lo que quería hacer realmente con el doctorado que tanto esfuerzo me había costado conseguir.

* * *

Voy a su despacho con un contrato entre manos. «Bueno, creo que me voy a la Escuela Universitaria de Fresno», le digo a un jovial señor Pickwick.

«Fresno State —dice riendo entre dientes—. ¿Una chica que hizo el mejor examen oral de estudios avanzados en la historia del Departamento de Inglés de UCLA? Una chica así no acaba en la Escuela Universitaria de Fresno. Tú vas a Berkeley: ellos te contratarán, sin necesidad de verte, basándose en mi fervorosa recomendación.»

Me quedo sin habla. ¡Seré profesora en la Universidad de Berkeley! Me dejé caer en el suelo en un delirio de servil homenaje. El profesor Booth me ayuda a levantarme con manos amables y paternales. «Vamos, vamos —canturrea—, no tienes que agradecerme nada. Es sólo lo que te mereces.» Desde su escritorio coge una botella de Veuve Cliquot: «Disfruta con Binky, tu amante mujer». Está rebosante de alegría y luego, con un guiño paternal, me coloca una gran medalla de oro en la solapa de la chaqueta.

* * *

Fui al despacho de mi consejero con el contrato entre manos.

—Me han ofrecido un puesto como profesora adjunta en la Escuela Universitaria de Fresno —le dije. El contrato había estado durmiendo en mi escritorio durante dos semanas y cada vez que abría el cajón y me topaba con él sin darme cuenta me sumergía en un agujero oscuro. Fresno.

—¡Maravilloso! —Sonríe con benevolencia—. ¿Es un puesto con posibilidad de hacerte fija por méritos académicos?

Nadie me había dicho nunca qué significaba «contrato con posibilidad de hacerme fija por méritos académicos» y no estaba muy segura, pero el contrato contenía esas palabras.

—Sí —contesté.

—Eso es magnífico —dijo el profesor Booth, palmeando mi mano en una felicitación efusiva.

—¿De modo que piensa que debería aceptarlo? —pregunté, aún desesperada por que me rescatase, mientras me acompañaba hacia la puerta.

—Oh, por supuesto, por supuesto —declaró el profesor Booth, inclinándose ligeramente cuando atravesé la puerta de su despacho.

De modo que Paula tenía razón después de todo. Aquel año y el siguiente se produjo un auténtico *boom* en la contratación universitaria. Los hombres que habían hecho su doctorado en el Departamento de Inglés recibieron ofertas de empleo en lugares como la Universidad de Cambridge, la Universidad de Pensilvania, Tulane, la Universidad de Massachusetts, la Universidad de Tejas en Austin. Allí impartirían una o dos clases por semestre y tendrían ayudantes de investigación y estudiantes de doctorado trabajando con ellos. Las mujeres, si eran lo bastante afortunadas como para conseguir algún empleo, fueron contratadas en lugares como el California State College en Northridge y el California State College en Hayward, donde darían cuatro clases por semestre a estudiantes universitarios y a un puñado de estudiantes de doctorado, y harían su trabajo de investigación durante los meses de verano, si conseguían reunir la energía y la motivación necesarias para hacerlo.

A comienzos de marzo redacté la conclusión de mi tesina y la defendí con éxito dos semanas más tarde. Era la Dra. Faderman; había acabado mis estudios en UCLA. Pero el contrato de trabajo con la Escuela Universitaria de Fresno seguía esperando en uno de los cajones de mi escritorio, un horrible monstruo al acecho, fuera de mi vista, pero nunca fuera de mi pensamiento. «Deberías estar agradecida por que te hayan ofrecido un puesto como profesora adjunta», no cesaba de repetirme. «Profesora Faderman», ¿acaso no era eso por lo que había estado trabajando durante todos estos años? Pero una tarde, antes de que Binky llegase a casa, me miré en el espejo de cuerpo entero que había detrás de la puerta del baño y me desnudé. La mujer joven que me devolvía el cristal era cinco años mayor que Mink Frost, pero la cintura seguía siendo estrecha, los pechos aún eran firmes. ¿No había clubes nocturnos a lo largo y ancho de Sunset Strip que contrataban bailarinas exóticas? ¿Era realmente mejor dejar atrás todo lo que amaba y marcharme al desierto de Fresno para iniciar una carrera académica mediocre? ¿En nombre de qué estúpida vanidad necesitaba ser profesora cuando conocía otras formas de ganarme la vida?

Fui hasta el escritorio, todavía desnuda, busqué frenéticamente, arrojé al suelo todo lo que había encima de él. ¿Dónde estaba? ¿Lo habría tirado sin darme cuenta? Se me heló la sangre. Allí, estaba debajo de mi ensayo sobre *Bleak House,* en cuya primera página Booth había escrito dos años antes: «Percepciones espléndidas y agudas». Lo saqué de entre la pila de papeles y escribí mi nombre y la fecha por triplicado, luego cerré el sobre junto con mi destino.

Había puesto un mantel de lino blanco en la mesa y encendido velas también blancas.

—¡Qué hermoso! —dijo Binky, y ambas nos sonreímos débilmente, luego hicimos a un lado la comida en nuestros platos en un silencio fúnebre. Dejé mi tenedor, bebí un poco de agua, contemplé la titilante luz de las velas y la sombra que arrojaba sobre la pared la cabeza gacha de Binky. Por la mañana quizá llamaría al Departamento de Inglés de la Escuela Universitaria de Fresno. «Les he enviado algo por error —podría decirles—. ¿Podrían devolverme el sobre sin abrirlo, por favor?» ¿A quién le importaba si creían que estaba loca? Nunca tendría que verles.

—¿Realmente puedes soportar renunciar a todo esto? —Binky se mordió el labio y se sopló la nariz.

Aparté mi plato. Dentro de dos meses se cumpliría nuestro primer aniversario. Yo había sido feliz, más feliz de lo que jamás lo había sido en toda mi vida. ¿Cómo podía marcharme para ir a Fresno?

—Voy contigo —dijo de pronto. Su fuerte barbilla estaba levantada, una amazona preparada para realizar un esfuerzo sobrehumano—. ¡Estoy decidida!

—Fresno está a trescientos kilómetros de la rosca de pan, la película de Bergman o la biblioteca más cercanas —esbocé una sonrisa triste—. En Fresno la temperatura alcanza los cuarenta y tres grados en verano. Paula se encargó de darme el informe completo. Y en invierno la niebla empapa la ciudad durante meses.

—Iré contigo. No hay nada más que hablar. Escribiremos el libro allí, tal como lo habíamos planeado y su publicación te servirá para regresar a Los Ángeles. En Fresno deben de tener calefacción y aire acondicionado. Sigue siendo la civilización. Me voy contigo.

Esperé hasta el último momento para decírselo a mi madre y a Rae porque no podía soportar su llanto además del mío.

—Podría ser mucho peor —dije desde el mismo sillón verde en el que había estudiado para mis exámenes orales, que me habían ido tan espectacularmente bien gracias a los millones de tazas de café y rebanadas de pan de centeno con mantequilla con los que mi tía me había abastecido—. Podría haber sido Michigan u Ohio en lugar de Fresno, que se encuentra a menos de cuatro horas de coche. Vendré a visitaros cada pocas semanas —prometí, por encima de las recomendaciones de mi tía acerca del mundo plagado de monstruos, la tragedia del reloj célibe e imparable que llevaba en el vientre.

—Sarah, como tu abuela —me recordó sin que viniese a cuento—. Avrom, como tu abuelo. ¡Ya tienes casi veintisiete años!

Luego besé a mi madre en la mejilla y me deshice de su abrazo.

Mientras viajábamos hacia el norte por la autopista el panorama ya comenzaba a ser peor de lo que habíamos imaginado; la tierra llana y amarillenta se extendía monótonamente hasta donde alcanzaba la vista; el olor intenso y asfixiante del estiércol y la orina de las vacas cada pocos kilómetros; el calor que te envolvía como si fuese una manta áspera y ceñida y hacía que te picase la piel y te costara respirar. El coche volaba hacia Fresno, implacable, inexorable. Binky y yo nos cogimos de las manos, dos prisioneras conducidas a la horca. No teníamos nada que decirnos.

* * *

Observo los pequeños mares de cabezas rubias, interrumpidos por sólo unas pocas cabezas oscuras, los ocasionales estudiantes mexicanos o armenios. Enseño literatura victoriana pero —mucho más excitante para mí— imparto un seminario en el que utilizo el material que Binky y yo estamos reuniendo para nuestro libro.

«¿Quién ganó el concurso de belleza armenio?», pregunta una voz joven y estridente en el pasillo.

«No lo sé», le contesta su compañero.

«¡Nadie!»

Carcajadas, carcajadas, carcajadas.

Salgo disparada de mi despacho, dispuesta a poner a ese imbécil en su sitio con una mirada fulminante, pero sólo encuentro a un grupo de chicos rubios de rostro aniñado.

«Realmente me necesitan aquí», pienso.

En todas mis clases escuchan en silencio, obedientemente, acostumbrados a escuchar clases magistrales desde el estrado, pero pronunciadas por hombres. Soy la única mujer en el departamento.

*　*　*

—¿Por qué? —le pregunté a uno de mis colegas, los labios curvados en una sonrisa amable que pretendía decir «no estoy cuestionando nada, es sólo curiosidad», cuando me encontré con él en la sala de profesores al acabar mi primera semana.

—Oh, había un montón de mujeres en el departamento cuando llegué aquí en 1959, porque estaban contratadas desde la época de la guerra, pero nos desembarazamos de ellas. —Mi expresión debió de ser de profundo asombro—. Oh, porque no habían hecho el doctorado —explicó—. Mejoramos la calidad.

«¿Cómo podré ser la profesora Faderman si "profesor" es un hombre de mediana edad que viste traje oscuro y lleva el cuello de la camisa almidonado?»

«Pero soy una actriz. Así como en un tiempo hice el papel de *stripper*, ahora puedo representar el de profesora.»

*　*　*

El 4 de abril de 1968, el día en que asesinaron al Dr. Martin Luther King, Binky y yo firmamos un contrato con Scott, Foresman para la publicación de nuestro libro. Durante el resto de aquella semana nos movimos entre el resplandor de nuestro objetivo logrado y las múltiples conmociones de los acontecimientos externos. Primero fue la tragedia de la muerte del Dr. King y, a continuación, los violentos disturbios producidos en las calles de Los Ángeles, Washington D.C., Nueva York, Chicago... en todas las ciudades de todos los tamaños. El cielo se llenó de llamas y densas columnas de humo, como si todo el país, todo el mundo, se hubiera incendiado. Estados Unidos se estaba desmoronando. ¡Qué insignificante resultaba que nosotras estuviésemos apasionadas con nuestro trabajo y fuésemos a publicar un texto universitario pionero sobre la literatura norteamericana multiétnica!

—Esto es lo que podemos hacer —nos dijimos—. No podemos detener los disturbios o traer la justicia racial a Estados Unidos, pero sí podemos hacer que aquello que se enseña en las clases de literatura sea un paso hacia la integración racial.

—La razón por la que estoy metida en este asunto resulta obvia, ¿pero y tú? —le pregunté a Binky una tarde mientras estábamos sentadas, una junto a la otra, escribiendo las introducciones a nuestras respectivas secciones.

—No puedo recordar cuándo no lo he estado —dijo ella—. Tal vez sea porque crecí en South Pasadena. Allí solían tener una especie de convenio por el cual no le vendían nada a quien no fuese blanco y cristiano. Incluso cuando era una niña eso me parecía repugnante. Tal vez es el hecho de ser lesbiana y verlo con otros ojos. No lo sé. Todo parece estar relacionado de alguna manera.

* * *

El jueves, mis clases acaban a las cuatro de la tarde y nos marchamos a Los Ángeles a pasar un largo fin de semana de investigación. Por la noche dormiremos en una cama que se baja de la pared en la sala de estar atestada y polvorienta del apartamento de mi madre. Como siempre, ella ha estado esperando que nuestro coche doblara en la esquina desde varias horas antes de que tal hecho fuera lógicamente posible, paseándose arriba y abajo por la acera, con una expresión de honda preocupación, como si ya hubiese comenzado a lamentar la muerte de su única hija en un terrible accidente de circulación. Cuando bajo del coche se abalanza sobre mí y llora porque he regresado de la muerte. Nada cambia. Es como si el tiempo no hubiese pasado.

Binky contempla el espectáculo con ecuanimidad, como si todo el mundo tuviera una madre chiflada y un padrastro con agujeros en la cabeza que se levanta de su silla para hablar del fabuloso poder de su jefe, el Dr. Nathan Friedman. «Cuando recorre los pasillos del hospital Cedars of Lebanon, los internos tiemblan como hojas», declara Albert mientras agita los brazos. Incluye a Binky en su público, aunque a veces la llama Bessy, que es mejor que lo que hace mi madre, quien no la llama de ninguna manera excepto, a mí y por teléfono, «la *shiksa* con la que vives». «Binky, Binky, Binky», le recuerdo. Binky, mi amor bueno y generoso, actúa como si ni siquiera se diese cuenta. «Mi familia es peor», dice cuando le pregunto si no preferiría quedarse con su madre, ahora viuda, que sigue viviendo en la gran casa rosada en South Pasadena que Binky me señala cuando pasamos por delante con el coche. «Ella odiaba que diese clases en el Marshall, odiaba a los chicos negros porque sabía cuánto los amaba yo.»

En el momento en que Binky se excusa para ir al baño, mi madre se acerca a mí para decirme «la hija de la señora Sokolov vino a visitarla ayer con su nuevo bebé. El tercer nieto». Suspira profundamente con un suspiro que significa ¿*nu*? «Un bebé tan guapo», comenta más tarde cuando Binky se marcha a buscar nuestra maleta. «Algunas personas tienen toda la suerte del mundo.» Ella no ha sido una de esas personas afortunadas, quiere que lo sepa.

No pasa mucho tiempo antes de que llegue mi tía, llevando un viejo vestido azul y un suéter verde y cargando una pesada bolsa de papel que le llega hasta los ojos. «Sé que estás demasiado ocupada para visitarme, y tienes buena salud. Pero quiero que te lleves esto a Fresno.»

«Rae, no me iré hasta dentro de tres días», protesto.

«Tengo miedo de que se me olvide.»

La bolsa huele y está desgarrada en un lugar donde hay una mancha húmeda. Está rebosante de fruta: ciruelas, melocotones, melones dulces, albaricoques, cerezas, todo blando y húmedo, demasiado maduro, goteando. Sé que en el momento en que mi tía se enteró de que yo venía a Los Ángeles, corrió a comprar a la Fairfax Avenue y las frutas han estado en su cocina desde entonces, durante al menos una semana, madurando y echándose a perder. «Rae, Fresno es la capital frutal del mundo.» Hago un esfuerzo para no alzar la voz, pero estoy perdiendo la batalla. «Allí puedo comprar toda la fruta que quiero.»

«Pero no lo haces», protesta. Se vuelve hacia Binky para decirle: «Haz que se la lleve». Luego exclama: «He olvidado algo, y sale corriendo por la puerta. Regresa unos minutos más tarde con una caja de cartón rosa con manchas de grasa grises. Sobre ella se puede leer PANADERÍA CANTER, y le quita la tapa para que pueda mirar lo que hay en su interior, aunque ya sé perfectamente lo que hay en la caja: galletas de mantequilla, al menos dos docenas, deleznables y rancias y salpicadas de cerezas que brillan y tienen aspecto de haber sido inyectadas con tintura roja, compradas también cuando mi tía supo que yo viajaba a Los Ángeles. «Pon la caja en el coche ahora para no olvidarte», le dice a Binky, quien coge la caja. El encanto de su maravillosa sonrisa Kennedy pasa inadvertida para mi tía.

El viernes y el sábado cerramos las bibliotecas, luego nos vamos a Malibú, al océano, donde la brisa es suave, donde esperamos como mujeres condenadas poder admirar una vez más el espectáculo agridulce del disco dorado del sol que besa el agua antes de fundirse con ella y dejar detrás unas gloriosas vetas plateadas en el cielo. «Regresaremos a Los Ángeles, ¿verdad?», dice Binky con añoranza.

«¿Tan desdichada te sientes en Fresno?», le pregunto.

«No.» Se encoge de hombros pero yo sé que sí.

(Y también sé, aunque no quiero pensar en ello, que a pesar de cuanto nos amamos, su desdicha a veces le absorbe la energía. «Quedémonos abrazadas», dice a menudo cuando trato de hacerle el amor.)

El domingo debemos regresar a Fresno, como mi tía ya sabe, y ella vigila desde la ventana de su sala de estar, probablemente desde el amanecer. Cuando ve que salimos del edificio de mi madre, baja rápidamente las escaleras. Antes de que hayamos abierto la puerta del coche, está parada delante de nosotras. «Vigilar al conducir, con todos esos locos que hay en la carretera...», dice, haciéndole a Binky la advertencia ritual.

«Oh, lo haré, no tiene que preocuparse por nada», le asegura Binky pacientemente a Rae.

«*Bayg arup dos kepele*, inclina tu pequeña cabeza», me ordena ahora a mí, y lo hago (aunque mi cabeza no ha sido pequeña desde hace veinte años). Extiende sus dedos sobre mi coronilla y murmura unas palabras en hebreo que no entiendo mientras me bendice. Siento la presión de su mano sobre mi cabeza durante todo el viaje por la autopista 99.

Éstas son las formas que tienen mi madre y mi tía de recordarme que, aunque viva a trescientos kilómetros de distancia, ellas no han olvidado.

* * *

—¿Cuántos estudiantes universitarios dirías que hay en el país? Millones, ¿verdad? —Binky estaba sentada a la mesa de la cocina y apuntaba cifras con una pluma verde—. Digamos que se venden sólo cincuenta mil ejemplares del libro, y tal vez una cuarta parte de los estudiantes que lo lean acaben dando clases de inglés en el instituto.

—Sí... y supongamos, modestamente, que sólo la mitad de ellos utilice material que han sacado de nuestro libro en sus clases. —Eché un vistazo por encima de su hombro y la ayudé a dividir y multiplicar—. Digamos que ellos lo usan durante cinco años solamente, y cada profesor tiene trescientos alumnos por año. Eso significa que nuestra investigación habrá alcanzado a...

—Examinamos los números juntas. ¿Sería posible?

—¡Nueve millones de chicos! —gritamos, abrazándonos en nuestra doble pasión. «Tal vez esto sirva para compensar cuánto echa de menos a sus alumnos del Marshall.»

Mis días estaban completos; con el libro, por supuesto, y con enseñar doce unidades de literatura victoriana y literatura étnica norteamericana, con reuniones de departamento y reuniones de comité, con asesorar a los estudiantes, corregir trabajos, tratar de mantener conversaciones amistosas y amables con los hombres en mi departamento para que no descubriesen mi «anomalía». Pero una vez que terminamos el libro y le enviamos el manuscrito al editor, los días de Binky estaban vacíos. Cuando llegaba a casa, nunca antes de las cinco o las seis de la tarde, la encontraba sentada en la penumbra de la sala de estar, aún con su bata de tartán, las piernas desnudas apoyadas en la mesilla baja, con la mirada fija en el vacío o bien pasando sin mayor interés las páginas del *Time* o el *Atlantic*. En la mesilla había una taza llena hasta la mitad de café frío veteado de leche rancia y restos de un bocadillo.

—¿Depresión posparto? —traté de bromear un día.

—No parecía tener ningún sentido que me vistiese —contestó a modo de disculpa (pero con una pizca de algo más, algo nuevo, como matiz de fondo)—. Aquí no hay muchos lugares adonde ir, ¿no crees?

—El libro saldrá pronto. —Me arrodillo junto a ella y apoyo la cabeza en su regazo—. Y cuando eso suceda, conseguiré un trabajo en Los Ángeles. Volveremos allí, te lo prometo.

—Lo sé —dijo, acariciándome el pelo distraídamente.

¿Pero qué pasaría si no podía conseguir un trabajo en Los Ángeles y teníamos que quedarnos varadas en Fresno para siempre? ¿Acaso la mayoría de los hombres de mi departamento no tenían esposas? ¿Qué hacían esas mujeres todo el día?

—¿No hay nadie interesante en el vecindario con quien se pueda hablar? —pregunté.

Binky se levantó.

—Son amas de casa. Amas de casa de Fresno, y tengo la sensación de que yo también me estoy convirtiendo en una de ellas. Tengo una profesión, ¿recuerdas?

Me puse de pie de un salto, dispuesta a montar un número como hacía con D'Or. Pero era Binky. ¿Qué nota amarga comenzaba a crecer entre nosotras?

—Binky, yo también quiero largarme de Fresno —le dije con calma—. Escucha, escribiré a Long Beach State... también a Los Ángeles State. —A Paula la habían contratado en una nueva universidad estatal que acababa de inaugurarse en el sudoeste de Los Ángeles, Domínguez Hills; tal vez ella pudiera echarme una mano—. También escribiré allí. Tan pronto como haya salido el libro, escribiré a todas esas universidades.

—¡Sí, por favor, por favor! —*Por favoooor*, así lo dijo. Cuán desdichada parecía.

El semestre siguiente consiguió un trabajo para impartir un curso de composición a estudiantes de primer año en la Escuela Universitaria de Fresno, pero eso no hizo más que empeorar lo todo. No podía arriesgarme a que mis colegas descubriesen que era lesbiana, de modo que cuando Binky y yo nos encontrábamos en la sala del departamento nos convertíamos en agentes secretas, ladeando las cabezas y moviendo los ojos para indicar quién de las dos debía marcharse para que nadie siquiera intuyese que éramos amantes. Para colmo, los profesores a tiempo parcial recibían la generosa suma de doscientos dólares al mes por clase.

—Trabajo de peón —lo llamó Binky cuando, después de impuestos, su cheque se redujo a 183 dólares.

Peor aún, los profesores a tiempo parcial eran virtualmente invisibles para el profesorado.

—Escucha esto: abro mi buzón para recoger los trabajos de mis alumnos y aparece este gilipollas presumido. —Por encima de la ensalada que he preparado, Binky frunce los labios y parpadea imitándole—. Y me dice, como si yo estuviese *infringiendo la ley*, por el amor de Dios: «¿Puedo ayudarla?» —Golpea la mesa con tanta violencia que los cubiertos saltan por el aire—. Tú eres una profesora aquí. ¡Tienes la oportunidad de ser alguien importante! ¿Pero qué posibilidad tengo yo?

Al año siguiente consiguió trabajo para dar clases en un instituto católico. El sueldo era aproximadamente dos terceras partes de lo que hubiese ganado en Los Ángeles, y los estudiantes no estaban por la labor. Se aburrían soberanamente con lo mismo que Arthay y Rafael y el resto de ellos habían amado.

Pero lo que contribuyó a levantar un poco el ánimo de Binky fue que había sido descubierta por los chicos del vecindario: una pareja de mellizos pelirrubios a los que les faltaban los dientes delanteros y que vivían en una casa al otro lado de la calle y dos niñas chinas de la casa de al lado, que a menudo llevaban vestidos rojos iguales que llegaban justo encima de sus rodillas huesudas iguales. Los mellizos aparecían siempre que lo hacían las hermanas chinas, aunque nunca hablaban entre ellos. Era como si los niños y las niñas no se conocieran fuera de nuestra casa. Fue Binky quien los reunió, la flautista de Hamelín del vecindario.

—Binky —la llamaban los cuatro, como si ella también fuese una niña—. Binky, ¿podemos entrar y jugar? —gritaban junto a la puerta, y subían corriendo la escalera, los mellizos pelirrubios desgreñados a un lado y las cabezas negras y lacias al otro, y pronto estaban todos dando vueltas y riendo por toda la casa, participando en algún divertido juego del escondite o del monstruo de Frankestein que Binky había inventado, o les llevaba a la cocina y ellos abrían el cajón donde guardaba las chocolatinas y las golosinas y todos se ponían a chillar —Binky incluida— con las bocas llenas de dulces. Ella ponía una enorme energía en los chicos y ellos la amaban. La rodeaban con sus pequeños brazos y frotaban sus cabezas contra su pecho como si fuesen cachorros cuando oían que sus madres les llamaban a casa; dejaban en la puerta pequeños ramos de margaritas o dientes de león o dibujos de colores que habían hecho en la escuela y firmados «te amo».

—Serías una madre genial —le dije una noche, y los ojos se me llenaron de lágrimas brotadas de ninguna parte. No, de ninguna parte no. La envidia que sentía mi madre de la señora Sokolov, las quejas insistentes de mi tía por mi vientre maduro. Resonaban en mi cabeza y me agobiaban como jamás lo habían hecho antes. Tenía casi veintinueve años.

—¿Estás loca? —Binky se echó a reír—. Mira, me robaron la mayor parte de mi niñez porque tuve que cuidar de mi hermano y mi hermana mientras mis padres hacían negocios por todo el país. —Se estremeció como si la maternidad fuese *su* hombre del saco—. A los quince años ya había hecho tanto el papel de madre como para que me durase toda la vida.

La nota del editor que acompañaba a nuestros ejemplares de autor decía: «Muchos pedidos anticipados. ¡Felicitaciones!». La cubierta del libro era perfecta: distintos tonos de marrón y gris en el fondo y, en primer plano, un mexicano o un indio norteamericano mayor y de expresión airada, el índice levantado como si estuviese reafirmando el mensaje: «Cerrad la boca y escuchad. Ahora estoy hablando yo.» Repartimos ejemplares por toda la casa para poder toparnos con ellos inesperadamente, y nuestro placer —¡habíamos publicado un libro juntas!— se renovaba una y otra vez. Binky estaba exultante.

—¿Es así como se sienten un hombre y una mujer cuando miran al niño que han hecho juntos? —Se echó a reír.

Pero el libro no me ayudó a conseguir otro trabajo.

—Mal momento —me dijo Paula compasivamente cuando la llamé para preguntarle si podía recomendarme para un puesto en la flamante Universidad de Domínguez Hills—. Cuando me incorporé a la universidad el pasado septiembre, contrataron a cuatro personas en el departamento, pero este año no contrataremos a nadie.

«Estamos reduciendo gastos», me escribió el decano del Long Beach State College en respuesta a mi carta, y en Los Ángeles State College me dijeron que el departamento contaba con exceso de personal y que los días de la gran expansión eran cosa del pasado.

Podía sentirme afortunada de tener un trabajo como profesora universitaria en alguna parte. Al cabo de uno o dos años, la mayoría de los nuevos doctores en Inglés eran contratados sólo para trabajos a tiempo parcial o como conferenciantes temporales, o regresaban a la universidad para hacer un doctorado en Empresariales o estaban conduciendo taxis.

Para aquellos de nosotros que sí teníamos trabajos en la docencia, era, como escribió Dickens, el mejor y el peor de los tiempos, una era de la sabiduría y una era de la estupidez. Era una época en la que los campus universitarios en Estados Unidos estallaban con furia —contra el reclutamiento obligatorio, el racismo institucional, el paternalismo organizado— y la Escuela Universitaria de Fresno sólo se demoró un poco en prender fuego. Hacia finales del semestre de otoño de 1969, grandes segmentos del cuerpo de estudiantes y del cuerpo docente ardían lentamente. Después de que nuestro presidente, Frederick Ness, abandonase su cargo bajo una fuerte presión, casi todos los negros que habían sido contratados para dar clases dentro de un recién creado Programa de Estudios Étnicos fueron despedidos por «carecer de las adecuadas credenciales académicas», y a muchos de los profesores temporales con tendencias izquierdistas no se les renovaron sus contratos. Tal vez continué a salvo de esta purga porque mi propia rama de activismo era demasiado académica para resultar peligrosa para nuestro presidente interino, Karl Falk, que había sido el director de un banco local antes de que le presionasen para que aceptase el cargo de director ejecutivo de la Escuela Universitaria de Fresno. O tal vez estaba a salvo porque los que estaban en el poder pensaban que yo era la secretaria del departamento.

En cualquier caso, fueron los dramas que se desarrollaron en el campus lo que me enseñó de una vez y para siempre qué clase de activista era. No era precisamente la clase que había imaginado doce años antes en la ciudad de México. Los estudiantes de la Escuela Universitaria de Fresno declararon en febrero un boicot a las clases después de que el presidente interino eliminase el nuevo Programa de Oportunidades Económicas para los estudiantes pobres, despidiese a más miembros de las minorías del cuerpo docente y comenzara a desmantelar la Facultad de Artes y Ciencias, a la que consideraba un vivero de izquierdistas. La enorme multitud de estudiantes y profesores destilaba furia y testosterona durante una manifestación organizada una mañana en el campus. Creo que era la única mujer del cuerpo docente que estaba presente aquel día. (La mayoría de las mujeres daban clases en áreas como enfermería, economía doméstica y educación física femenina, todas ellas disciplinas que no se caracterizaban precisamente por su radicalismo.) Por todas partes se veían pancartas que decían: «*¿PENSÁIS QUEDAROS CON LOS BRAZOS CRUZADOS Y QUE OS JODAN?*».* En el extenso prado que había delante del edificio de la dirección, los estudiantes chicanos habían

---

* En este caso hay un juego de palabras entre *fuck*, 'joder', y *falk*, que es una variación de la misma expresión en *slang* o jerga de la calle, y que también es el apellido del presidente de la Universidad. (*N. del T.*)

acampado declarándose en huelga de hambre porque el nuevo programa La Raza había sido totalmente destrozado por la nueva administración de la universidad.

Los organizadores de la manifestación habían insistido en su carácter no violento, pero eso no podía durar mucho. Los estudiantes de Agricultura, luciendo sombreros de vaqueros, increparon a los chicanos en huelga de hambre y comenzaron las peleas, con puñetazos y gritos de ánimo y las chicas amontonadas a un lado. El derramamiento de sangre alteró notablemente los ánimos. Un hombre joven que estaba junto a mí, con barba y una camisa estampada de vivos colores, hizo bocina con las manos y gritó: «¡Que se joda Falk!», y un grupo de estudiantes recogió el lema y comenzó a repetirlo. Los oradores que estaban en el estrado afirmaban sus encendidas palabras agitando los puños en el aire, y los vítores se alzaban por todas partes en un bramido ensordecedor, como si los puños estuviesen machacando la cabeza del enemigo. La multitud se convirtió en un monstruo rugiente de múltiples cabezas. Para mí era como una histeria de masas, como la muchedumbre de un partido de fútbol, como los nazis. Estaba rodeada de voces masculinas que vociferaban: «¡Que se joda Falk!», y vitoreaban estúpidamente. Lo sentía en las tripas. Ellos eran los radicales que quería y no los reaccionarios que odiaba, pero daba igual. Esa locura disparó en mí una angustia primitiva, como una especie de memoria racial: la violencia que habían empleado contra aquellos que me pertenecían. Volví corriendo a mi despacho como si me persiguiese una jauría y eché la llave a la puerta contra aquella parte de la naturaleza humana que me llenaba de terror y aversión.

Había aprendido algo acerca de mí misma que era sorprendente e incluso desalentador, pero inmutable. Las manifestaciones me asustaban. Me aterrorizaba su semejanza con las hectáreas de espíritus hipnotizados que habían alzado sus brazos en éxtasis *sieg heil*. No pasa nada, me dije más tarde. Mi activismo sería mi docencia. Escribiría más libros. Trabajaría por aquellas causas que me conmovían profundamente a través de mi enseñanza y mi escritura.

* * *

En casa, un sordo descontento se asentó sobre nuestras vidas igual que el polvo sobre los muebles. Nada era capaz de aventar su monotonía, excepto los ocasionales estallidos de ira, diferentes sólo en contenido de aquellos que había tenido cuando vivía con D'Or; una vez que pasaban, nos quedábamos conmocionadas e inseguras. La primera gran tormenta se produjo a causa de mi alumno Omar Salinas, un hombre frágil y de rostro agradable de veintinueve años, un poeta que escribía textos de realismo mágico mucho antes de que García Márquez se hiciera popular en Estados Unidos. Se llamaba a sí mismo Omar *el Gitano Loco* y pasaba muchas horas en mi despacho lamentándose por que las revistas rechazaban sus escritos.

—Conozco a grandes escritores chicanos en todo Estados Unidos —me dijo un día—, y nadie publica sus obras.

En nuestro libro habíamos incluido sus poemas, pero no había resultado fácil encontrar a otros buenos escritores chicanos. Si Omar tenía razón, qué tesoro sería un libro de texto sobre la literatura chicana para las clases de Estudios Chicanos que se estaban creando ahora en muchas universidades. Aún no había ningún libro sobre ese tema.

—¡Podríamos hacer una recopilación de sus obras! —exclamé, más excitada de lo que me había entido en mucho tiempo—. Escribamos ese libro. ¿Qué me dices?

Se echó a reír.

—Que en esta habitación hay dos gitanas locas si piensas que podemos conseguir que lo publiquen.

Pero accedió a hacer el libro conmigo.

Dos o tres semanas más tarde, mientras nos vestíamos para ir a trabajar, le hablé de ello a Binky. Temía decírselo antes.

—Tengo una idea para otro libro. —Traté de que sonase espontáneo—. Será una antología de la literatura chicana. Lo titularemos *From the Barrio*.

Me entretuve acomodándome las medias de nailon y ajustándome el portaligas.

—Creo que es importante que lo haga con alguien... con un chicano... con Omar Salinas.

Las palabras salieron atropelladamente de mi boca pero tenía que decirlo. No me atreví a mirarla; no tuve necesidad de hacerlo. Pude sentir su sorpresa y luego su indignación.

—¿Y mientras tú te dedicas a eso, yo qué haré? —preguntó por fin, con la voz baja y fría. Aún medio desnuda, me apresuré a ponerme la falda, la blusa y la chaqueta—. ¿Qué se supone que debo hacer en este lugar repugnante al que vine por ti... por nosotras? —gritó ahora.

—No lo sé —dije con la cabeza inclinada sobre los botones de la chaqueta. Pero sí sabía que no podía hacer *From the Barrio* con ella; necesitaba hacerlo con Omar, quien podía enseñarme lo que necesitaba saber acerca de su cultura. Pero había otras cosas que yo no quería decir: necesitaba ser libre para poder desarrollar mi trabajo de todas las formas posibles. ¿Cómo podía hacerlo si siempre teníamos que trabajar juntas?

—¿No lo sabes? Pues bien, yo tampoco lo sé —contestó inexpresivamente.

—¿Por qué no puedes escribir tu propio libro? —le dije mientras cogía mi maletín.

—¿Qué demonios estoy haciendo aquí —se quedó parada en el umbral y me replicó con irritación—, enseñando en una universidad que detesto? Dejé el instituto Marshall para venir aquí. —Luego dio un portazo tan violento que pude sentir las vibraciones en los escalones de madera cuando bajaba.

Conduje un par de manzanas y luego tuve que frenar junto al bordillo porque había estado a punto de arrollar a un crío que iba en bicicleta. Me quedé sentada en el coche junto a un parque, la frente apoyada en el volante. Una vez había dicho que ella era mi sol; ella había dicho que no había vivido antes de conocerme.

Aquella tarde Binky me estaba esperando en la puerta, vestida como solía hacerlo cuando daba clases en Marshall. No podía recordar cuándo había sido la última vez que la había visto tan encantadora.

—Si quieres escribir libros, muy bien, puedes hacerlo en Los Ángeles. Mira, lo he estado pensando. —Estaba casi alegre—. Recuperaré mi trabajo en Marshall y tú puedes trabajar en tus proyectos. Dijiste que querías escribir un libro sobre el Renacimiento de Harlem. Hazlo. Y también escribe ese libro con Omar. Pero yo quiero regresar a Los Ángeles.

Y así fue. Por supuesto. Aunque me gustaba enseñar, me encantaba que los jóvenes se abriesen a nuevas ideas, odiaba ser la única mujer en un departamento de treinta y un hombres vestidos con trajes oscuros. Odiaba tener que ocultar a la mujer que amaba. Odiaba tener que vivir en una ciudad tan ajena a mi naturaleza judía urbana.

—¿Pero qué dices del dinero?

—Ahora me toca a mí encargarme de mantenernos. Te estoy ofreciendo el tiempo libre para que puedas escribir. —Ahora tenía un aspecto suave y adorable—. Escribe por la dos —dijo. Hacía tanto tiempo que no me miraba de esa manera—. No perdamos todo lo maravilloso que tenemos. Hace tres años vine aquí contigo, ahora ven tú conmigo.

* * *

Viajamos a Los Ángeles durante las vacaciones de Pascua para buscar una casa. Tal vez porque era primavera, el valle de San Joaquín, que siempre me había parecido tan mortalmente aburrido, se mostraba súbitamente vibrante con fértiles campos de un verde intenso, los árboles exhibían lujuriosos follajes con flores blancas y rosadas, y el cielo era enorme y abierto con nubes onduladas. («Qué hermoso —pensé, con una punzada de pesadumbre por la que sería mi última primavera en el valle—. ¿Cómo no había reparado antes en ello?») Habíamos decidido que compraríamos una casa en Los Ángeles en lugar de alquilarla, porque la propiedad de una casa sería un símbolo de la permanencia de nuestro amor. Habíamos hecho un cálculo de nuestras finanzas y estábamos en condiciones de comprarla: había conseguido ahorrar cerca de cinco mil dólares de mi sueldo, una suma que alcanzaría como entrega inicial, y pagaríamos la hipoteca con el sueldo de Binky.

—Buscaremos un lugar con un estudio. Cuando me marche a trabajar cada mañana, tú puedes encerrarte allí a escribir, como si fuese un empleo regular. —Binky aferraba el volante y mantenía la vista fija en la carretera mientras recitaba los planes.

¿Pero qué pasaría si no era capaz de hacerlo? ¿Qué pasaría si renunciaba a mi puesto en la universidad y luego no podía escribir? No tendría nada.

De pronto, la imagen de lo que yo necesitaba planeó sobre mi cabeza como la viñeta de diálogo en un dibujo animado.

—De acuerdo, viviremos en Los Ángeles y me dedicaré a escribir. Pero también quiero tener un hijo ahora —dije. Binky se echó a reír como si hubiese hecho un chiste—. Hablo en serio. Escribiré, pero también quiero quedarme embarazada. Este verano cumpliré treinta años. Si no lo hago ahora, ¿cuándo lo haré?

Ella me miró y vio que hablaba en serio.

—¿De qué estás hablando? —exclamó—. Nunca habías dicho que querías tener un hijo.

Antes nunca había estado segura, pero ahora la lógica y el imperativo del proyecto estaban absolutamente claros para mí. Por supuesto que tenía que tener un hijo. Yo era un vestigio, todo lo que quedaba de la familia de mi madre. Recordé una imagen de una novela de Steinbeck, acerca de una tortuga que lucha con los peligros del campo y la autopista para llegar al otro lado. En un momento de su viaje, una semilla de avena se aloja sobre su caparazón y, ya en el otro lado de la autopista, la semilla cae a la tierra. «Mi madre es la tortuga y yo soy la semilla, y tengo que germinar. Este regalo de tiempo libre que Binky desea hacerme llega en el momento justo. Debo tener un hijo.»

—Tú serás una maravillosa segunda madre —dije, absolutamente segura de todo—. Los chicos te aman y tú les amas. Un hijo es lo que realmente necesitamos en nuestras vidas —imploré.

—Los chicos que yo amo se marchan a sus casas después de un par de horas. —Binky apartó la vista de la carretera para mirarme como si sospechase que había perdido el juicio—. ¿Cómo piensas quedarte embarazada? —Se echó a reír sin estridencia.

Mi plan no había llegado tan lejos.

—Hay opciones —dije—. Podríamos encontrar a un tío gay... o podría ir a ver a un médico para que me practicase una inseminación artificial.

Binky pareció pensarlo durante varios minutos. La observé mientras conducía. Su expresión era tensa.

—No —dijo finalmente—. Esto es una locura. Una de las razones por las que soy lesbiana es que nunca quise tener hijos.

—Pero seré yo quien lo tenga. Binky, por favor —volví a implorarle—. De ese modo seremos una familia... para siempre.

Ella condujo durante media hora más antes de menear la cabeza y suspirar, y luego dijo en un susurro que apenas si pude oír:

—Dame un par de días para pensarlo.

17

CÓMO ME CONVERTÍ EN UNA ADMINISTRATIVA DE LA UNIVERSIDAD

Encontramos la casa y el movimiento feminista el mismo día.

En el Mercedes rojo de Dotty Dorey, la agente inmobiliaria, recorrimos las colinas de Laurel Canyon, un enclave original habitado por artistas y actores que luchaban por abrirse camino en sus carreras. Antes de que hubiese aviones supersónicos que llevaban a los ricos a Río de Janeiro o la Riviera a pasar la semana, Laurel Canyon era el lugar elegido por las estrellas del cine mudo para construir sus cabañas de vacaciones de veinte habitaciones, dijo Dottie Dorey, señalando las ruinas de mansiones color rosa sucio o gris mohoso que aún podían verse a través de los árboles y los terrenos cubiertos de hierbas. En medio de esos retazos de la historia de Los Ángeles, nos habló de su novia de Nueva York, una escenógrafa, que se trasladaba a Los Ángeles para vivir con ella.

—Eso debe hacerte feliz —le dije.

—Oh, totalmente alegre.* —Sonrió y, con la palabra secreta expresada en voz alta, nos relajamos y comenzamos a intimar—.

---

* La expresión utilizada en este caso es *gay*, que significa 'alegre', pero también 'homosexual'. (*N. del T.*)

Os invitaremos a cenar tan pronto como Betty se haya instalado. Os gustará nuestra pandilla —dijo Dottie, y giró ligeramente la cabeza para guiñarme un ojo en el asiento trasero. Qué bueno era estar nuevamente en la civilización. En Fresno habíamos estado tan contenidas, habíamos permanecido escondidas... las únicas lesbianas en la ciudad. Pero aquí, en Los Ángeles, podíamos respirar. Binky y yo tendríamos amigas juntas. Llevaríamos una vida real.

La casa que Dottie nos enseñó en Lookout Mountain Drive tenía cuatro habitaciones en lugar de veinte, y una de ellas parecía bohemia y provisional, sobresaliendo en un ángulo extraño como si hubiese crecido, igual que Topsy. Desde su amplio ventanal se veía el patio trasero, que parecía un escenario con su profusión de árboles florecidos, pero eran reales... fragantes flores cítricas, descubrí cuando salí al patio. Y, más allá de los árboles, había una pequeña cabaña asimétrica, de una sola habitación, que sería mía, una habitación para mí sola donde podría ir todos los días a escribir mis libros. Era sólo la tercera casa que visitábamos, pero después de una inspección de diez minutos Binky y yo nos reunimos durante unos segundos en un rincón del dormitorio. Salimos de allí dispuestas a hacer nuestra oferta: 37.000 dólares.

—¡Vuelvo a vivir a Los Ángeles! —le dije aquella misma noche a mi encantada madre cuando llegamos a su apartamento para pasar la noche.

Como si la casa no fuese suficiente para ponernos a Binky y a mí en marcha, después de que mi madre fuera a acostarse y Binky a ducharse, me instalé en la cama Murphy que se bajaba de la pared y comencé a hojear las revistas que habíamos comprado en Fresno. El título del artículo de portada era «El movimiento de liberación de la mujer: la guerra del sexismo». Yo había oído palabras como «liberación de las mujeres» y «sexismo» durante los últimos dos años, pero no les había prestado demasiada atención... hasta que las vi en ese número de *Newsweek* de marzo de 1970. Y ahora me sentía fascinada. Aquí estaba mi historia, no con los detalles exactos pero sí la esencia de ella: lo que a mí me había puesto furiosa de los hombres, del lugar que ocupaba la mujer en el mundo, también había puesto furiosas a otras mujeres, las había vuelto desdichadas con su suerte y les había hecho sospechar que la culpa no era de ellas sino de las fuerzas que estaban más allá de su control. De modo que no se trataba de mi peculiar historia personal, comprendí. Miles de otras mujeres estaban sintiendo lo mismo, millones quizá. Volví a leer el extenso artículo, totalmente atrapada por la encendida retórica de las feministas a las que había entrevistado el periodista. Me sentí transportada, como la noche en que atravesé por primera vez las puertas del Open Door.

—¡Binky, tienes que leer esto! Deprisa —dije, riendo y golpeando la puerta del baño—. Nos estamos perdiendo la revolución.

Mientras conducía nuevamente hacia el norte por la autopista 99, una vez acabadas las vacaciones de Pascua, tenía muy claro cuáles eran mis planes: acabaría el semestre y nos mudaríamos a Los Ángeles y yo instalaría mi estudio en la cabaña que había en la parte trasera de nuestra nueva casa. Primero terminaría mi trabajo sobre *From the Barrio* y luego escribiría acerca de mujeres escritoras, tipos de mujeres... todo acerca de las mujeres. ¿Lo había hecho alguien antes? Dedicaría mi vida a eso... a eso y a la familia que Binky y yo crearíamos. Ella aún no había vuelto a hablar del tema del hijo, pero yo le expliqué, después de que hubiésemos firmado los papeles que Dottie nos había dado, cómo mi madre era la tortuga y yo era la semilla de avena que se las había arreglado para sembrarse en este lado del camino. Binky asintió lentamente, como si realmente me estuviese escuchando. Escribiría mientras estuviese embarazada y también mientras el niño creciera. ¿Qué mejor trabajo para una madre que ser capaz de quedarse en casa y seguir siendo productiva?

Estaba ansiosa por comunicarle mi marcha a Gene, el director del departamento. «Me marcho», le diría, simplemente eso. ¿Acaso alguien había reparado en mí aparte de mis alumnos? ¿Acaso los miembros del cuerpo docente se habían molestado siquiera en echar un vistazo a mis grandes evaluaciones académicas? Reuní sólo agravios, ni una sola palabra de felicitación del departamento cuando se publicó nuestro libro. «Y en caso de que no lo hayáis notado —les diría—, el setenta por ciento de nuestros estudiantes son mujeres y cuando me marche no quedará una sola profesora en el departamento.»

No obstante, mis sentimientos no eran tan simples. Pensé en el rostro severo de Gene, que mostraba los golpes morales que había recibido a manos de Falk y sus secuaces: tres profesores radicales despedidos, un intento de contratar a otro profesor joven, que fue rechazado porque era un activista político. Los otros hombres del departamento habían estado incitando a Gene, como si lo que estuviera en juego no fuese solamente la libertad académica, como si se estuviese librando una monumental batalla entre las fuerzas del bien y del mal, y sabía que él, un veterano de la segunda guerra mundial, seguiría luchando hasta la muerte. «Nuestro guerrero», así había llamado Earl Lyon, un profesor desagradable de alrededor de setenta años, a Gene en una reunión del departamento, y el resto había asentido con solemnidad o expresado su aprobación con leves gruñidos. Había una tribu de guerreros, jóvenes y viejos. Y Gene estaba allí, atractivo y de caderas estrechas, mirando en ese instante, allí en la sala de reuniones con la pizarra veteada a su espalda, como si se viese a sí mismo saliendo de las páginas del texto de *Beowulf*,* que aporreaba a los monstruos de Grendel con sus propios puños. Me sentía mal por los profesores que habían sido despedidos y también me sentía mal por Gene. Y, sin embargo, ¿qué tenían que ver conmigo las ampulosas tácticas guerreras del Departamento de Inglés? Si yo estuviese en su lugar, intentaría encontrar una manera más sutil, pensé. ¿Cómo lo haría una mujer?

---

* Poema escrito en inglés antiguo poco antes del siglo X y que describe las aventuras de un famoso guerrero escandinavo del siglo VI. Es el texto épico más antiguo de la literatura británica y sólo existe un manuscrito, que consiguió salvarse del incendio que destruyó la biblioteca de sir Robert Bruce Cotton y que actualmente se conserva en la Biblioteca Británica de Londres. (*N. del T.*)

El día que regresé de las breves vacaciones de Pascua encontré un mensaje de Gene en mi buzón del departamento, en el que me pedía que me reuniese con él a las once. ¿Cómo había sabido que yo quería verle? Bajo el tibio sol de comienzos de la primavera, mientras me dirigía a su despacho después de haber acabado mi clase de seminario sobre literatura victoriana, miré alrededor del campus como si estuviese viendo por última vez los techos españoles de tejas rojas y los árboles de hojas nuevas que los cubrían de sombras. Sólo me quedaban seis semanas antes de que me retirase a mi pequeña cabaña de una vez y para siempre. Eso era lo que quería, pero ahora que sabía lo que iba a suceder, la idea me parecía agridulce. Ya no sería profesora universitaria.

—Éste es mi último semestre aquí —dije cuando Gene cerró la puerta de su despacho.

—¿Qué? No puedes marcharte ahora. —Me miró con expresión sombría—. Nos acaban de notificar que has sido ascendida a profesora asociada. —Abrí la boca para hablar pero ningún sonido salió de mis labios—. La tuya es una de las escasas promociones que se produjeron este año. No te puedes ir ahora. Al menos piénsatelo —dijo. «Profesora asociada. ¿Cuántas mujeres de veintinueve años había —en todo el país— que fuesen profesoras asociadas?»—. Por cierto, ya no serás la única mujer en el departamento —añadió—. Permiten que contratemos gente porque hemos perdido a varios profesores, de modo que vendrá alguien que acaba de terminar su doctorado en Stanford y dos mujeres darán escritura creativa.

Cuando regresé a mi despacho me desplomé en un sillón. Era como si me hubiera preparado a conciencia para llevar a cabo una exigente prueba física —cada fibra estaba preparada— y luego no hubiese pasado nada. Me sentía agotada. Tenía que volver a plantearme todo otra vez. ¿Y si me quedaba? Sólo durante un año. Podría enseñar el material sobre el que iba a escribir. Podría titular mi curso «La liberación de la mujer en la literatura».

Pero Binky y yo habíamos entregado nuestro depósito para esa maravillosa casa. ¿Y si escogía un horario de clases de martes a jueves? Podría volar a Los Ángeles después de mi última clase de los jueves y regresar los martes. Cinco noches por semana estaría con Binky en nuestra casa. ¿Por qué no? Como profesora asociada, mi sueldo se incrementaría en un veinticinco por ciento, lo que sería más que suficiente para los billetes de avión semanales y el alquiler de un pequeño apartamento cerca del campus.

¿Y el niño?

Sólo trabajaría durante un año; luego volvería al plan original.

¿Pero qué pasaría si no me permitiesen dar un curso sobre la liberación de las mujeres en la literatura? Iría ahora mismo al despacho de Gene y le diría: «Me quedaré si puedo dar una clase feminista». Sería como lanzar los dados: si él decía «sí», me quedaría; «no», y me marcharía a Los Ángeles. De cualquiera de las dos maneras estaría bien.

—¿Por qué no? —Se encogió de hombros—. Nunca hemos tenido una clase de esas características. —Qué rápido lo había resuelto—. Aquí hay algo que podría interesarte —añadió, entregándome un memorando que sacó de una carpeta. Era una invitación para dar clases semestrales que la comunidad de Fresno podría seguir por televisión—. ¿Por qué no hacerlo también como una clase televisada?

—Pero acabamos de comprar una casa —exclamó Binky. Ahora me miró como si realmente me hubiese vuelto loca—. Pensé que eso era lo que querías.

—Y es lo que quiero. Pero sólo será un año. Amor, escúchame, estaremos juntas cinco noches por semana. —Recité todo el plan otra vez. El ascenso. «La liberación de la mujer en la literatura». El programa de televisión. Todo, excepto lo que no quería decir en voz alta porque tenía miedo de admitirlo ante mí misma, que si nuestros planes en Los Ángeles no salían bien, habría dejado de ser una profesora universitaria, ¿y quién sería entonces?—. Es sólo un año —volví a prometerle.

* * *

Los martes, a las siete y veinte de la mañana, Binky me deja en el aeropuerto de Los Ángeles de camino al instituto Marshall, y corro para coger el avión de las siete cuarenta a Fresno; cincuenta minutos en el cielo (donde no dejo de comprobar la hora mientras acabo de corregir los trabajos de los estudiantes o de repasar las notas que he tomado durante el fin de semana; si el avión aterriza tarde estoy perdida), luego otra carrera fuera del avión y a través de la terminal hasta el viejo cacharro Plymouth que dejo en el aparcamiento del aeropuerto de Fresno (súplicas silenciosas al dios de los coches destartalados para que el motor arranque), y salgo disparada por Clinton Avenue, pasando los semáforos en ámbar durante todo el recorrido hasta la universidad, donde esquivo a los estudiantes que se amontonan en el patio, subo de dos en dos los peldaños de San Ramón, y me lanzo por el pasillo para llegar, con las piernas temblorosas, a la puerta de mi despacho, no más de un minuto tarde para mi clase de las 9.00, si tengo suerte.

Cada hora está cronometrada: enseño Escritura Étnica Norteamericana, Literatura Victoriana, La liberación de la mujer en la literatura. Los martes por la noche acudo a una de los canales de televisión de Fresno y grabo la clase de La liberación de la mujer en la literatura delante de una cámara, modulando la voz de la forma en que Irene me enseñó hace veinte años, usando el lenguaje corporal como una actriz, las palabras como una erudita, el fervor como un sacerdote. Cuando no estoy dando clase o cumpliendo con las horas de despacho o asistiendo a reuniones del departamento o trabajando con Omar en *From the Barrio* (ahora tenemos un contrato con Harper & Row), regreso a mi apartamento, que está frente al campus, y paseo por las habitaciones mal ventiladas como un pequeño guijarro que rueda dentro de una caja grande y oscura. ¿Por qué estoy en Fresno cuando quiero estar en mi casa, holgazaneando en la habitación Topsy o escribiendo en la cabaña del jardín? Estoy exhausta pero no puedo descansar. Echo de menos a Binky.

Pero cuando me bajo del avión en el aeropuerto de Los Ángeles a las once de la noche del jueves, nos abrazamos y nos quedamos en silencio. Es como si la semana que hemos estado separadas nos hubiera vuelto tímidas, como si tuviéramos que volver a conocernos otra vez. Pero hace años que nos conocemos, de modo que el dulce zumbido de las cosas que comienzan ya no está allí, y la mayoría de las semanas parecemos olvidarnos de hacer el amor o simplemente pasamos de ello. La amo, ¿pero seguimos siendo amantes? ¿Tal vez eso no importe demasiado porque no somos familia entre nosotras? La familia que aún deseo construir.

* * *

Ahora había cuatro mujeres y veintiocho hombres en el departamento. Ingrid era una joven poetisa que inspiraba entre el cuerpo docente masculino la rivalidad que ya había aprendido a sospechar porque ellos veían a la mujer antes de ver a la colega. Todos se dirigían a ella con voces amables, prácticamente le hacían una reverencia cuando le abrían la puerta para que pasara... y no le renovaron el contrato. Pero aquel año impartió un seminario sobre poetisas. Aquí estábamos, en el otoño de 1970, en un pequeño campus universitario en medio de la capital mundial de los negocios agropecuarios, y dos profesoras impartían cursos feministas en el Departamento de Inglés. En el Departamento de Arte había una profesora visitante, Judy Gerowitz (quien se convirtió en Judy Chicago antes de que acabase el año), que daba cursos de arte feminista. Tres de nosotras en la Escuela Universitaria de Fresno... qué feliz ironía, convinimos. Eso no podía suceder en un lugar como UCLA o Berkeley, donde el cuerpo docente era más intolerante. Sin duda, *no* estaba sucediendo allí.

La excitación se podía palpar en mi curso sobre la liberación de la mujer en la literatura.

—¿Sabe cómo se quejan los alumnos de que los cursos que siguen no tienen ninguna relación con sus vidas? —me dijo una mujer joven, vestida con vaqueros, entrando en mi despacho—. Pero el curso que usted da tiene tanto que ver con mi vida que lo tengo metido en la cabeza día y noche.

Otra estudiante, una mujer mayor con gafas, se detuvo ante mi mesa en la cafetería y me dijo:

—Esta clase está haciendo que me cuestione todo lo que solía hacerme decir: «Así es la vida y no puedes hacer nada para cambiarla».

Éramos conspiradoras, nos decíamos Ingrid y yo, enseñando ideas peligrosas, revolucionarias. «¿Nos estamos saliendo con la nuestra porque ellos no reparan en nosotras? —nos maravillábamos—, o quizá los tíos, simplemente, no entienden lo que significa *feminista*». Lo que nosotras hacíamos era realmente peligroso y revolucionario; era imposible enseñar Mujeres en la Literatura o Mujeres en el Arte en 1970 y no ser furiosamente políticas. En años posteriores nuestra pasión llegó a parecer excesiva, pero en 1970 parecía exactamente correcta. Para mí se trataba de ayudar a mis alumnos a que viesen el odio apenas enmascarado, los estereotipos y la estúpida pobreza de espíritu, en las imágenes de mujeres que habían fabricado algunos de los escritores masculinos más admirados, y se trataba de descubrir por qué mis alumnos desatendían el genio femenino. Para ellos y para mí todo ello era algo que fomentaba la ira. ¿Qué indicaba si no una llamada a una subversión sísmica en el pensamiento acerca de la literatura? Y, por una extensión que la clase no podía ignorar, ¿cómo podía eso no conducir a una sublevación en la forma en que pensabas sobre las relaciones hombre-mujer en tu propia vida? Si la clase tenía éxito, el estudiante que acababa el curso en diciembre ya no sería el mismo que lo había comenzado en septiembre. Las clases de Ingrid y Judy eran, cuando menos, políticas. Pero para los peces gordos de la administración, los revolucionarios eran gente con nuez de Adán y barba. Nosotras estábamos felizmente a salvo.

Pero mi departamento no lo estaba. Aquel invierno, en presencia de reporteros de la prensa y la televisión, nuestro presidente acusó a la administración de colocar estudiantes espías en las clases de los profesores radicales. El decano de la facultad no dejaría que le robasen la escena. Ordenó a la policía del campus que pusiese bajo llave los archivos del departamento, echase el cerrojo a la puerta de la oficina de Inglés e impidiese la entrada a Gene. En la azotea de San Ramón se apostó un guardia de seguridad uniformado con un fusil. La Escuela Universitaria de Fresno se convirtió en noticia de primera plana en todo el país.

—Este lugar se ha convertido en el hazmerreír de todo el mundo. Están todos locos —le dije a Binky por teléfono—. Excepto por mis estudiantes, estar aquí es una verdadera tortura.

—Bueno, sólo tendrás que dar clases un semestre y luego ya no tendrás que regresar más a ese lugar —dijo ella.

Dottie nos invitaba a menudo a las fiestas que organizaba en Manhattan Beach, donde ella y Betty tenían un círculo de amigas que no se parecían en nada a las mujeres que yo había conocido en otra época en el Open Door. Algunas eran montadoras de cine o escenógrafas; la mayoría eran profesoras, trabajadoras sociales, enfermeras, agentes inmobiliarias, miembros formales de las pocas profesiones que se habían abierto a las mujeres hacía diez o veinte años, cuando estas mujeres decidieron buscarse una vida independiente. En el círculo también había algunos hombres homosexuales, «lesbianas honorarias», como les llamaba Dottie. Roger, mi preferido, era japonés, con un rostro largo y delgado y un elástico cuerpo de bailarín, como las figuras ataviadas con kimonos que aparecen en los grabados antiguos. Le encantaba montar números afeminados, colocarse un pequeño tapete de encaje sobre la cabeza, cogerme del brazo y pavonearse a través de los geniales corrillos que conversaban y bebían cerveza de jarras escarchadas en el patio cubierto de buganvillas de la casa de Dottie.

—Nos casamos —anunciaba con labios melindrosos.

—No. Ya he estado allí —decía yo echándome a reír.

Roger ignoraba mis objeciones.

—Adivinad quién es la novia. —Agitaba la cabeza y se acicalaba para su público.

«Él nunca será mi novia... pero ha tocado un punto sensible», me daba cuenta de ello. ¿Por qué no lo había pensado antes? Si me quedo embarazada sin estar casada, ¿cómo podrá soportarlo mi madre? Pensará que algún hombre ha destruido mi vida del mismo modo en que Moishe había destruido la de ella. Enfermará de vergüenza y preocupación, y también mi tía.

¿Pero qué pasaría si les decía que me casaba... con alguien en Fresno... que estaba a punto de marcharse a trabajar al este... a Pittsburgh, Pensilvania, digamos... y que yo tenía que quedarme en California por mi trabajo en la universidad? Luego, cuando Binky y yo viajásemos en verano con nuestro hijo, podría decirles que me iba al este, a visitar a mi esposo en Pittsburgh.

—Ven, Roger, sácate una foto conmigo. —El plan no funcionaría con una familia que conociera el mundo, que fuese capaz de subirse a un avión para atravesar el país y presentarse a sí misma al novio ausente, pero mi madre y mi tía probablemente nunca habían oído hablar de Pittsburgh—. Nunca tendrás que conocerlas —le dije a Roger—. Sólo préstame tu imagen para que pueda mostrársela.

—¿No te has dado cuenta de que soy japonés? —Roger frunció el ceño.

«Tiene razón. ¿Por qué añadir la complicación de la raza?»

—¿Puedes ponerte éstas? —saqué un par de gafas de sol de mi bolso. Alrededor de mi dedo anular envolvimos el anillo de un habano que fumaba Thomas, su novio, que era extra de cine. Arranqué una de las margaritas de Dottie y, cuando Roger y yo nos sentamos en el césped, la sostuve en mi mano izquierda para que la cámara no pudiese dejar de enfocar el anillo de bodas. Roger me rodeó con su brazo y Dottie se encargó de sacar la foto.

Es la fotografía que encuentro después de que Rae haya muerto, catorce años más tarde, en un pequeño álbum que se cae a pedazos y que ella guardaba en el cajón superior de su cómoda lleno de fotos mías, desde mi nacimiento hasta su muerte.

Después de que despidiesen a Gene como director, el Departamento de Inglés se convirtió en un protectorado, irritándose bajo la jurisdicción inquietante del mismo odiado decano que había colocado a un guardia de seguridad en la azotea de San Ramón. Tres meses más tarde, nos convocó a la sala de reuniones del departamento, ciudadanos ceñudos de un pequeño país derrotado. Su cabeza giraba sobre un cuello Ichabod Crane mientras nos miraba de izquierda a derecha y de derecha a izquierda.

—Tenéis dos opciones —ladró—. Podéis nombrar a un director de departamento que sea aceptable para mí y para nuestro nuevo presidente, el Dr. Baxter, o podemos buscar a un director de fuera y traerle aquí.

Los puños de los hombres que me rodeaban tenían los nudillos blancos, pero se mantuvieron en silencio. Yo tampoco dije nada. De todos modos, pensaba presentar la renuncia después de las vacaciones de primavera, y luego continuaría con mi vida, con el bebé, con los libros que pensaba escribir. A veces, cuando esperaba a que Binky sacase el coche de nuestro garaje los martes por la mañana, miraba con nostalgia la cabaña del jardín trasero. Pondría una cuna allí para poder llevar a mi hijo conmigo cuando fuese a trabajar todas las mañanas. La mecería con una mano y escribiría con la otra.

—Muy bien, anunciaré mi renuncia tan pronto como haya llegado —le anuncié a Binky cuando me dejó en el aeropuerto de Los Ángeles el martes posterior a la Pascua de 1971. Subí velozmente la escalera de San Ramón como siempre, pero en lugar de ir a mi despacho fui a ver al profesor de pelo cano y más antigüedad que actuaba como enlace entre el decano y el departamento.

—Russ, éste es mi último semestre —le dije cuando él estaba buscando su correo en el buzón.

Russ se volvió y parpadeó varias veces.

—Debes de estar de broma —me dijo—. Acabo de hablar con otros miembros del departamento. Todos pensamos que serías nuestra mejor candidata para directora.

Me apoyé en la pared fría que había detrás de mí para no perder el equilibrio. «Binky me miraba fijamente con sus ojos azules helados. "Lo prometiste", siseó. "¡No, *gonif*! No, embustera", exclamaron mi madre y Rae.» Pero en toda la universidad había una sola mujer en el puesto de directora de un departamento académico. Me había quejado de este hecho en mis clases, y aquí tenía la oportunidad de contribuir para que comenzara a cambiar. ¿Cuántas mujeres había en todo el país que pudieran gozar de esa oportunidad?

Después de las tres y media comencé a llamar a Binky, marcando el número de Los Ángeles cada quince minutos. Podía ver el teléfono negro en el escritorio de la habitación Topsy. Podía oír el timbre en mi cabeza, cómo rebotaba el sonido contra las paredes de nuestra casa vacía. Le contaría cómo me había enterado ese día de que Judy Chicago se marchaba y de que a Ingrid no le habían renovado el contrato. Si me elegían directora del departamento, haría que reemplazaran a Ingrid por otra mujer que pudiese dar clases feministas. ¿Dónde diablos estaba Binky? Siempre decía que, después de acabar sus clases en el Marshall, regresaba a una casa solitaria.

Finalmente, contestó al teléfono cerca de las diez de la noche.

—Dijiste que sería sólo un año. Lo prometiste —dijo cuando se lo conté. Sonaba tan fría como lo había hecho en mi imaginación aquella mañana en la sala de la correspondencia.

—Binky, escúchame. ¿Quién dará los cursos sobre mujeres? —Recité todas las razones que tenía para quedarme—. La duración es de sólo tres años y me marcharé al acabar el segundo. Para entonces el departamento ya no me necesitará más.

—Te necesito —contestó, impasible—. Necesito que vivas conmigo. Aquí. Siete días por semana. Donde dijiste que querías estar.

Pero como directora del Departamento de Inglés podría disipar las terribles tensiones; basta de tácticas de guerrero, basta de conferencias de prensa sobre estudiantes que se dedicaban a espiar a los profesores radicales en las clases de Inglés. Ahora el departamento necesitaba un estilo de dirección tranquilo, y no había muchos hombres que pudiesen hacerlo. Yo sería sosegadamente revolucionaria sirviendo a la causa de las mujeres. Me aseguraría de que fuesen mujeres quienes ocupasen los puestos vacantes; promovería un nuevo plan de estudios que incluiría a las autoras ignoradas o descuidadas; a través del prestigio que confería mi posición lucharía por los derechos de las mujeres en todo el campus. Nadie más sería capaz de hacer lo que yo haría.

Llamaría nuevamente a Binky cuando se hubiese calmado, por la mañana, y le diría que si el departamento me elegía tendría que quedarme, pero sólo dos años, nada más.

La elección se celebró al día siguiente. Alguien propuso a un hombre joven para que se opusiese a mi candidatura. El decano y Russ fueron los encargados de contar los votos; Russ vino a mi despacho a decirme cuál había sido el resultado: gané por 28 a 4.

A pesar de las fotografías aparecidas en las noticias nacionales que hacían que la Escuela Universitaria de Fresno pareciera un satélite de la Europa del Este, aquella primavera el departamento se vio inundado de solicitudes de empleo porque había un montón de nuevos doctores en el mercado. En el departamento sólo había una vacante disponible y tenía que hacer que contase. Ensayé mi discurso delante del espejo del lavabo de mujeres hasta que pude expresarlo con una voz que era a la vez tranquila y enérgica.

—Hemos perdido a Ingrid, de modo que pienso que es lógico que la reemplacemos por otra persona que pueda dar clases sobre las mujeres en la literatura —les dije a los miembros del departamento—. Judith Rosenthal. —Saqué un currículo de encima de la pila—. Parece perfecta para el cargo. —Le alcancé la carpeta a Russ para que lo pasara alrededor de la mesa, luego crucé las manos sobre el regazo para que nadie pudiese ver que estaban temblando.

El voto para contratar a Judith Rosenthal fue unánime. Me retiré a mi despacho y me senté detrás del escritorio, asombrada. Qué fácil había sido, tal vez porque el momento era el adecuado, tal vez porque la liberación de las mujeres ya había invadido sus hogares a través de sus esposas y sus hijas. La razón no importaba. Estaba claro que iban a darme una oportunidad... de darles una oportunidad a las mujeres.

Antes de que concluyese el semestre parecía que todo el campus quería darles una oportunidad a las mujeres, a través de mí, ya que mi elección como directora del departamento me había convertido en la mujer académica dominante. Me eligieron vicepresidenta del sindicato docente —Profesores Unidos de California— y luego representante de la universidad en el Senado Académico estatal, que estaba formado por los líderes de los cuerpos docentes de los dieciocho campus que conformaban el sistema universitario del estado de California. «Esos tres puestos juntos la convierten en la profesora más poderosa en el campus», alcancé a oír que decía un profesor como un hecho consumado a un colega mientras caminaba por uno de los pasillos. Me encantó; de pronto, estos tíos empezaban a pensar que una mujer era la profesora más poderosa del campus.

* * *

Todos los sábados por la tarde vuelvo a Curson Avenue a visitar a mi madre y luego a mi tía. A veces, cuando me acerco a su calle oigo el sonido distante de una sirena, quizá una ambulancia, o un camión de bombero o un coche de la policía. Los Ángeles es una ciudad con millones de habitantes. Pero estoy segura de que la sirena se dirige a toda velocidad hacia ellas. Mi madre ha sufrido un infarto, Rae ha sido asesinada por un atracador, Curson Avenue ha sido reducida a escombros como un *shtetl* en un pogromo. Están muertas y han muerto antes de que pudiera presentarles a Sarah o a Avrom, antes de que pudiese asegurarles que Hitler no había conseguido completar su trabajo, que ellas no habían vivido en vano, que alcanzaríamos otra generación.

A veces, cuando estoy sentada con Rae en su sala de estar y llevamos algunos minutos sin hablar, veo que le pesan los párpados, su cabeza se balancea y luego se queda muy quieta en un sueño sentado. ¿Pero y si no está dormida? ¿Y si hemos esperado demasiado? «Rae —me paro delante de ella, inclino la cabeza hacia su cara, la sacudo tan suavemente como me lo permite mi alarma—. Despierta, My Rae.»

* * *

—Sólo dos años, lo juro —le prometí a Binky mientras me llevaba al aeropuerto el primer día del semestre de otoño, cuando me convertí oficialmente en la directora del Departamento de Inglés.

—De acuerdo —dijo ella con un suspiro—, dos años.

En el campus descubrí que aún quedaban recuerdos del pasado, como el desbaratado programa de Estudios Étnicos, pero las grandes tormentas habían amainado. Un nuevo decano y un nuevo vicepresidente de Asuntos Académicos ocupaban ya sus cargos y trabajaban para reparar los daños. El ambiente del campus también había cambiado. El radicalismo feroz y barbado de los últimos años había cambiado el perímetro de lo que era radical. Me di cuenta de que la retórica de los radicales haría que mi mensaje suave y afable pareciese sumiso. Para lo que necesitaba hacer, los tiempos no podían ser mejores. «La universidad necesita una política de acción positiva —podía decir en un tono de voz razonable—. Necesitamos un programa de estudios de mujeres interdisciplinario.» Podía hacer que esas cosas sonasen como si no representaran demasiado, como si lo que estaba pidiendo no provocara revueltas en la academia pensando que era incluso más revolucionario que las demandas de los boicoteadores y manifestantes de los últimos años.

Phyllis Irwin tenía alrededor de cuarenta años, el pelo prematuramente canoso y unos ojos azules que me resultaban familiares, aunque sabía que nunca nos habíamos visto antes. «Soy una criadora de caballos», había dicho, y me contó que tenía un rancho. Tal vez por eso me llevó tanto tiempo darme cuenta de que sus ojos azules me recordaban a los de Rae. La idea me hizo reír a carcajadas: Rae como vaquera.

Su altura era aproximadamente la de Rae también, o quizá un par de centímetros más, y mucho más delgada; y era profesora de música y pianista, y ahora vicepresidenta adjunta de Asuntos Académicos. Decía que era de ascendencia escocesa e irlandesa y vivía con *Muffy*, un *schnauzer* plateado. No, Phyllis y My Rae no se parecían en nada, por supuesto que no. Pero cuanto más la conocía, más *sentía* como si se parecieran. Quizá me recordase a Rae porque ambas eran pequeñas e impulsivas.

Phyllis me había llamado a principios del semestre de otoño para invitarme a cenar.

—Tengo que agradecerte mi nuevo cargo —dijo por teléfono, arrastrando las palabras con su acento nasal de Tejas—. Nunca hubiese solicitado el puesto, pero cuando me enteré de que te habían elegido directora del Departamento de Inglés pensé: «Sí, tal vez las cosas finalmente empiezan a cambiar por aquí».

—Tenemos que luchar para conseguir más mujeres y miembros de las minorías en el cuerpo docente —convinimos antes de cortar la comunicación.

—¡Exacto! Al menos el cincuenta por ciento de los nuevos contratados tienen que ser mujeres y miembros de las minorías.

—¡Sí! Debemos conseguir que la universidad se fije objetivos en esa dirección.

Qué fantástico, tener a alguien con quien podía hablar de todo, una aliada: dos mujeres administrativas en una universidad, colaborando en nombre de las mujeres. ¿Había sucedido antes algo semejante en la historia del mundo? «Llamaré a Binky esta misma noche, le contaré que nuestro sacrificio comienza a dar sus frutos.»

—Y tenemos que incluir más cursos acerca de las mujeres en el plan de estudios —convinimos Phyllis y yo antes de colgar.

Cuando compartíamos el almuerzo en la atestada cafetería de la facultad parecía que no tuviéramos tanto de qué hablar.

—La primera vez que te vi fue hace unos cuatro años —dijo finalmente—. De hecho, fue aquí. En esta misma mesa. Incluso recuerdo lo que llevabas puesto. —Se echó a reír y fijó la vista en su taza de café mientras añadía—: Una falda azul acampanada y una blusa de seda blanca. Estabas con alguien... una mujer alta de pelo rubio.

Binky.

—Sí, mi compañera de cuarto.

No conocía a esta mujer. Quería trabajar con ella, pero debería tener cuidado con lo que le decía.

Volvió a llamarme una semana más tarde.

—El vicepresidente dijo que deberíamos escribir juntas un texto acerca de la política de acción afirmativa de la facultad y presentarlo ante el Senado Académico.

Ambas expresamos nuestro júbilo. Cambiaríamos el campus.

Cenábamos juntas, habitualmente en su casa, todas las noches que yo no estaba en Los Ángeles. Y hablábamos sobre todo de lo que haríamos por las mujeres en el campus.

—Me siento tan feliz de que estés aquí. Detesto tener que comer sola —me dijo una noche. Estaba cerca del fregadero, envolviendo los gruesos filetes con lonchas de beicon. Alzó la vista y me miró, luego volvió a concentrarse rápidamente en los filetes.

—Yo también —empecé a decir, pero luego me interrumpí y no dije nada más. No me quedé mucho tiempo después de cenar. Me deslicé a través de la puerta, hacia la noche cerrada, y conduje de regreso a mi apartamento a ochenta kilómetros por hora, aunque el límite de velocidad era de cincuenta. Las habitaciones estaban oscuras y reinaba en ellas un silencio de mausoleo. Encendí la luz de la cocina; luego, ansiosa por oír el sonido de una voz, levanté el auricular del teléfono mural y empecé a marcar mi número en Los Ángeles. Pero colgué antes de acabar. A continuación marqué el número de Phyllis, pero colgué después de que sonara una vez. Me senté a la mesa y me quedé mirando al vacío.

Una noche, en Los Ángeles, en la cama que comparto con Binky, sueño con Phyllis. Ella me ha invitado a cenar en su rancho y yo estoy apoyada en la encimera de la cocina, observando mientras desbulla ostras. A través de la ventana se ven dos caballos blancos que brillan bajo la luz del sol, una yegua y su potrillo. El potrillo frota la nariz contra el cuerpo de su madre y se amamanta mientras su madre lame la piel con voluptuosa alegría. Ahora Phyllis está cortando manzanas y desde donde me encuentro puedo oler su frescura y dulzura. Sé que si lo hago, se producirá un gran cambio —no habrá vuelta atrás— pero no puedo evitarlo: la rodeo con mis brazos y la atraigo hacia mí. Su boca sabe a manzanas frescas.

Me desperté de un salto como si me hubieran abofeteado. En la oscuridad alcancé a ver la cabeza de Binky, a escasos centímetros de la mía, y me di la vuelta sintiéndome culpable y cerré los ojos, pero el sueño había acabado.

—El vicepresidente dijo que deberíamos elaborar juntas un programa de estudios sobre mujeres —me dijo Phyllis a comienzos de la semana siguiente en mi despacho—. Lo ha incluido como parte de mi trabajo.

En ese momento, con una oleada de calor en el rostro, recordé cómo estaba en mi sueño, inclinada sobre las manzanas.

Sheila, mi secretaria, me llamó por el intercomunicador y dijo:

—Uhh, línea dos.

Parecía desconcertada.

—¿Quién es? —le pregunté.

—No quiso darme su nombre y tampoco dijo qué quería...

La voz en la línea dos me resultaba desconocida, juvenil, pero estaba segura de que pertenecía a una mujer.

—¿Lil? —dijo.

Hacía diez años que nadie me llamaba *Lil*. *Lil* no tenía absolutamente ninguna relación con *Lillian*.

—¿Quién es? —pregunté.

—¿Te acuerdas de Nicky? —Se echó a reír.

—Espera un minuto —dije rápidamente. Fui a cerrar la puerta del despacho. Sheila no necesitaba escuchar mi conversación con alguien de otra vida.

—Eres fácil de encontrar —dijo la voz cuando volví a ponerme al teléfono—. Ésta es sólo la cuarta llamada que tuve que hacer.

—¿Y qué, has escrito tu novela? —pregunté en voz alta y amistosa, en caso de que Sheila estuviese escuchando al otro lado de la puerta.

—He estado ocupada haciendo otras cosas. ¿Recuerdas lo que me dijiste una vez acerca de Jan? —Volví a levantarme de un salto y me aseguré de que la puerta estuviese cerrada—. Así es como ha sido mi vida. —Quiso contármelo todo, las mujeres de las que había vivido, la ropa y las joyas que le habían comprado, el opio que había probado, su adicción a la cocaína. Sonaba alegre, petulante. Yo la escuchaba, nerviosa, pero también morbosamente fascinada. «Tengo que colgar», no dejaba de pensar—. Ahora soy una madam. —Se echó a reír y me contó otra historia sobre la casa que dirigía en San Francisco.

¿Por qué me había llamado para contarme todo esto? ¿Y qué podía decirle yo ahora a esta criatura de otro universo?

—Tú no eres lo que crees ser, Nicky —le dije. Me sentí como una imbécil apenas las palabras salieron de mi boca.

—Será mejor que sea lo que creo que soy. De otro modo, ¿de qué sirve todo? Además, lo he pasado de maravilla, Lil.

—¿Por qué me llamas entonces? —Hice un esfuerzo por echarme a reír.

—Sólo quería oír tu voz. Lil, ¿puedo llamarte de vez en cuando? —preguntó suavemente.

De pronto la vi como si hubiesen pasado sólo quince días en lugar de quince años y Nicky siguiera siendo aquella chica brillante e ingenua y desdichada. Y si no hubiese habido ningún búho, ningún tigre, ninguna criatura aferrada a mí llorando en mi soledad muchos años atrás, ¿acaso el hombre del saco no se habría abalanzado sobre mí para llevarme como lo había hecho con ella?

—¿Lil? —repitió Nicky cuando no le respondí inmediatamente.

Fui al Senado Académico con las uñas clavadas en las palmas, pero no hubo prácticamente ninguna resistencia a la propuesta que Phyllis y yo habíamos preparado para establecer un programa de estudios en la Escuela Universitaria de Fresno. Cuando el presidente del Senado llamó a la votación, la propuesta fue aceptada por una amplia mayoría. Se crearían dos puestos para los instructores, quienes se encargarían de impartir los cursos introductorios. El resto del programa sería interdisciplinario.

Phyllis y yo continuábamos conspirando. Haríamos que la facultad permitiese que la clase de Introducción a los Estudios de las Mujeres cumpliese con un requisito del programa de Educación General, junto con Introducción a los Estudios Étnicos. Nos escondimos en el despacho del vicepresidente adjunto y nos dedicamos a planear más estrategias. Seguimos haciendo planes a última hora de la tarde, mientras yo miraba cómo alimentaba a sus caballos, y cuando nos sentábamos con *Muffy* junto a la acequia y contemplábamos la puesta del sol y cuando la ayudaba a preparar la cena para las dos.

—Piensa en todos los años que perdimos cuando ambas estábamos en el campus y no nos conocíamos —dijo Phyllis cuando me acompañaba hasta el coche al acabar otra tarde de primavera elaborando estrategias. Todo estaba en silencio en la cálida noche primaveral excepto por el canto de los grillos en la hierba y las ranas en la acequia y los latidos de mi corazón.

Tuve que hacer un esfuerzo para no rodearla con mis brazos como había hecho en el sueño. En cambio, le hablé de Binky.

—No viajo a Los Ángeles cada fin de semana porque echo de menos las roscas de pan en Fresno —comencé a decir.

—Bueno, lo había imaginado —dijo ella—, hace años, cuando os vi juntas. Yo también vine aquí con alguien. Ella se marchó hace un par de años para hacer el doctorado en la Universidad de Arizona.

—¿Entonces regresará dentro de uno o dos años?

—Nunca nos bañamos dos veces en el mismo río —dijo Phyllis.

El instituto Marshall tampoco era lo que había sido para Binky hacía cinco años, cuando la había visto compartir sus pasiones literarias con un arco iris de chicos que la adoraban. «Se acabaron las Naciones Unidas», me dijo con un suspiro una tarde cuando hablábamos por teléfono. «Hoy uno de los chicos me llamó *zorra blanca*», se lamentó otro día.

—Oh, Binky, oh, Dios, lo siento. —Sabía cuánto debían de haberle afectado esas palabras—. Me gustaría estar en casa para abrazarte.

—Bien, pero no lo estás —dijo de forma cortante—. Estás a trescientos kilómetros de aquí.

«Y tú aún no me has dicho nada acerca del niño, a pesar de que ya han pasado dos años desde que me pediste tiempo para pensarlo», quise replicarle. (Pero eso no era justo, lo sabía. Además, no podía tener un hijo ahora.)

—Amor, el semestre prácticamente ha acabado. Pasemos un verano maravilloso juntas —dije en cambio—. Iremos a algún lugar romántico... el lugar más romántico que se nos pueda ocurrir. —Teníamos que aprender a estar juntas otra vez, a tocarnos otra vez. Ocupábamos la misma casa todos los fines de semana y dormíamos en la misma cama, pero las dos estábamos exhaustas por nuestras semanas separadas y preocupadas con tensiones que no compartíamos—. Te amo —dije ahora por teléfono.

Creo que fue en Montego Bay donde comprendí realmente que siempre te llevas contigo a todas partes, no importa a donde vayas. Si las cosas no funcionan entre dos personas en casa, tampoco funcionarán mientras bebes piña colada en una hermosa playa. Nos habíamos marchado de Kingston porque hacía demasiado calor. O era demasiado ruidoso. O había demasiada gente. Porque no lo estábamos pasando bien. Ahora recorríamos Jamaica en un coche alquilado, discutiendo absurdamente durante todo el camino si la ventanilla debía estar bajada o el aire acondicionado encendido, si debíamos hacer nuestra comida principal en el almuerzo o la cena, si debíamos pasar cuatro días o una semana en Montego Bay. Cuando reñíamos, allí, en Jamaica, adonde habíamos ido para aprender cómo volver a estar enamoradas, me sentía derrotada. Hasta Fresno podía ser mejor que esto, pensé, recordando la cocina de Phyllis, donde podías mirar por la ventana y ver caballos árabes pastando en la hierba alta.

Cuando llegamos a Montego Bay ya era de noche, y el cielo negro azulado que contemplé desde nuestro balcón parecía como si alguien hubiese subido con un punzón para romper hielo y practicado miles de pequeños orificios plateados. Podía oír el suave chapoteo de las aguas cálidas y también podía oír a Binky, que deshacía el equipaje en nuestra habitación, colgaba la ropa, abría y cerraba los cajones. Una intensa fragancia a gardenias llegaba en dulces vaharadas desde algún arbusto secreto. Finalmente, Binky vino al balcón y alzó la vista hacia las estrellas. Me acerqué a ella y pasé el brazo por encima de sus hombros y ella me dejó, aunque en su postura no había nada complaciente.

—Ha sido un viaje muy largo —dijo un minuto después—. Creo que me iré a la cama.

—De acuerdo.

Aparté mi brazo. «Dejemos que se vaya a la cama. Doce días en Jamaica y no habíamos hecho el amor ni una sola vez.» Me quedé en el balcón, envuelta en el aire húmedo que resultaba tan sensual como una caricia. Entre las breves pausas del suave oleaje alcancé a oír a alguien que tocaba el tambor en una playa lejana, un insistente ritmo de calipso. Entonces, en la oscuridad, las lágrimas corrieron por mis mejillas y mi barbilla. «Quieres demasiado de la vida —me castigué a mí misma—. Quieres más de lo que cualquiera puede conseguir: un trabajo importante, un hogar, un hijo, una amante. No has cambiado nada de la persona que eras cuando tenías siete años, la primavera del 48, el tren a Los Ángeles, una maleta llena de gigantescos deseos.» Ahora apreté con fuerza la barandilla bañada por la fría luz de la luna, me incliné hacia delante todo lo que pude para descubrir la fuente del intenso aroma a gardenia, deseé, como una adolescente soñadora, tener a una amante que compartiese ese momento conmigo. Tal vez tanto deseo no fuese saludable, pero no podía impedirlo por más que lo intentase.

Abandonamos Montego Bay cuatro días más tarde. Tal vez todo fuese mejor en Ocho Ríos. Pero el viaje pareció interminable y casi no teníamos nada que decirnos. Es mejor que pelearse, pensé con tristeza. Desde la carretera, justo a la salida del pueblo, Binky divisó un hotel pequeño e indefinido y decidió entrar en el aparcamiento vacío.

—Estoy demasiado cansada para seguir buscando —dijo, anulando mi protesta mecánica. «Realmente no tiene importancia —pensé—. De todos modos, un hotel romántico sería una parodia.»

La habitación era tan anónima y deprimente como si hubiese sido la de un típico motel de carretera. Colgué mi ropa en las perchas de alambre, preguntándome si sería posible cambiar nuestros billetes de avión para regresar antes. Cuando sonó el teléfono pensé que debía de tratarse de un número equivocado.

—¡Eureka! —Era la voz de Phyllis, como si el hecho de haber pensado en ella cuando estaba en Montego Bay hubiese invocado su presencia ahora en el teléfono. «Igual que mi madre y Rae en Wheeler Hall.»

—¿Cómo supiste que estábamos aquí? —exclamé mientras lanzaba una mirada culpable a Binky.

—En Jamaica no hay tantos hoteles. —Sonaba aniñada, como si le faltase el aliento—. Estaba dispuesta a llamar a todos ellos. La tenacidad de un *terrier*. La heredé de *Muffy*.

Binky me miraba fijamente. ¿Qué estaría pensando de esta extraña llamada?

—Eh, estoy llamando por un asunto oficial —Phyllis se echó a reír—. Desde el despacho del vicepresidente. ¿Estás sentada? —Hizo una breve pausa—. Tu decano ha renunciado hoy.

—¿Jim Light?

¿Por qué necesitaba tener esa información en medio de Jamaica?

—Así es. Le ofrecieron un puesto administrativo en una universidad de Nueva York. Y... el vicepresidente me dijo que te buscara. —Hizo otra pausa y yo intenté encontrarle algún sentido a lo que me estaba diciendo—. Que te buscase y te pidiese que aceptaras el puesto de decana interina de la Escuela de Humanidades para el próximo año.

—¿Qué ha pasado? —Binky advirtió la expresión de pánico en mi rostro—. ¿Algo malo?

—¿Puedo tomarme un día para pensarlo? —conseguí decir en el auricular. Pero tan pronto como lo hice supe que no había nada que pensar. Era imposible rechazar ese ofrecimiento. En la universidad no había habido jamás una decana.

—Oh, y hoy también nos enteramos de que nuestro cambio de nombre ha sido aprobado. Ahora somos la Universidad del Estado de California, Fresno. Serás una decana *universitaria*. Oh, y he estado comprobando tu correo como me pediste. Harper y Row enviaron las galeradas de *From the Barrio*. ¡Son geniales!

—Tienes que ser una persona importante, ¿verdad? —dijo Binky cuando le conté lo del decanato—. Haz lo que quieras. De todos modos, lo que yo pueda decirte no supondrá ninguna diferencia. —Cogió el bañador del cajón donde lo había guardado un momento antes—. Me voy a la playa —dijo por encima del hombro.

«Deberíamos separarnos. Ahora», pensé mientras regresábamos a California a través de un denso banco de nubes. Pero nos habíamos amado, ¿verdad? Binky tenía la cabeza apoyada contra la ventanilla del avión con los ojos cerrados y una expresión de infinita tristeza en la boca. Contemplé el rostro que me había parecido tan hermoso, la nariz firme, los pómulos delicados. Yo también estaba triste, por ella, por nosotras... por aquellos tiempos cuando ella decía que no recordaba haber vivido antes de conocerme, la forma en que la cogía entre mis brazos en la puerta cuando regresaba del instituto, qué excitadas e ilusionadas estábamos cuando contrataron nuestro primer libro...

Dos veces al mes, los nueve decanos académicos se sentaban alrededor de una larga mesa en una sala formal y discutían cuestiones administrativas con el vicepresidente de Asuntos Académicos y la adjunta a la vicepresidencia, Phyllis. La secretaria del vicepresidente se sentaba a su lado y mantenía la cabeza inclinada sobre el cuaderno donde tomaba sus notas taquigráficas. Todos los decanos parecían cortados por el mismo patrón, con trajes oscuros y corbatas lúgubres, cabezas calvas o con calvicies incipientes, y un aire que anunciaba: «Estoy debatiendo cuestiones muy importantes».

—¿Qué *aspecto* se supone que debes tener si eres una mujer y tienes treinta y dos años y acaban de nombrarte decana? —le pregunté a Phyllis jovialmente, aunque la cuestión realmente me preocupaba. Parecía importante no llamar la atención, incluso antes de abrir la boca, sobre cuán diferente era de casi todos los demás que estaban en la sala. No había ningún modelo de decana que pudiese emular, ninguna imagen real que me mostrase cómo asegurarme de que la apariencia del mensajero no distraería al público del mensaje que portaba. ¿Adónde podía mirar?

Sólo a las películas de mi infancia. ¿Cómo se vestirían Joan Crawford o Barbara Stanwyck para hacer el papel de una ejecutiva? Traje serio, falda abotonada, peinado sin adornos superfluos. Ése sería mi disfraz. El efecto que buscaba no era exactamente masculino, pero tampoco era femenino, ya que en 1972 *decana* era un oxímoron.[*]

Pero ningún disfraz era capaz de ocultar a los demás decanos el hecho de que habían colado a una mujer entre ellos. Eran siempre muy caballerosos, pero cada vez que yo hablaba parecían encogerse, como si hubiesen recibido una pequeña descarga eléctrica.

—Si sólo hubiese otra decana —me lamentaba con Phyllis.

Mi trabajo al frente de la Escuela de Humanidades, sin embargo, me resultaba muy fácil. Yo sabía lo que había que hacer y me gustaba hacerlo. Cerraría viejas heridas y crearía confianza entre los distintos departamentos y la oficina de la decana. Sería la abogada del cuerpo docente ante la administración. Si mi estilo en las reuniones de decanos era neutro en cuanto a género, el estilo que procuraba cuando actuaba en nombre de la escuela era decididamente femenino, maternal, un poco como una madre tigresa. Nunca sabré si mi escuela consiguió finalmente ascensos largamente postergados y cubrir puestos muy necesarios gracias a mi enfoque o porque los tiempos habían cambiado y la postura radical de la escuela ya no parecía amenazadora para una jerarquía administrativa punitiva; pero sé que el cuerpo docente se mostraba más feliz de lo que había sido en mucho tiempo.

* * *

---

[*] Figura de la retórica compuesta por términos contradictorios; por ejemplo, silencio ensordecedor. (*N. del T.*)

Binky me deja en el aeropuerto de Los Ángeles los lunes por la mañana en lugar de los martes y me recoge los viernes por la tarde porque, como administrativa, tengo que estar en el campus cinco días por semana. «Dottie dijo que no se metería en el tráfico enloquecido del aeropuerto de Los Ángeles para recoger a alguien ni por un millón de dólares», dice Binky, echándose a reír, un viernes mientras estamos metidas en un atasco de coches y bocinas estridentes en la autopista de Santa Mónica. «A todas sus amigas les dice que cojan un taxi.»

«¿Qué quieres decir?», le pregunto a Binky.

«Nada. —Vuelve a reírse—. Tú no eres sólo una amiga, ¿verdad?»

Pero cada vez me siento más como una extraña en la casa de Laurel Canyon, que ahora sólo me pertenece los fines de semana, y ni siquiera entonces. Vago por las habitaciones, vuelvo a reconocer el espacio. Cuando me despierto en mitad de la noche y voy al baño, me doy de narices contra una pared porque he ido en la dirección de mi baño en Fresno. Aquí ya nada me resulta familiar. Cada viernes por la noche encuentro torres de libros nuevos apilados sobre los viejos y amontonados en el estrecho estante que hay encima de la cama y en el suelo junto al váter: *Introducción al budismo zen; La mente zen, la mente del principiante; Budismo tibetano.* De vez en cuando cojo uno, leo algunas páginas, trato en vano de continuar leyendo, vuelvo a cerrarlo. Las palabras están tan lejos del mundo que me interesa en este momento.

«A veces la gente crece en direcciones diferentes», me dice Binky después de una de nuestras pequeñas disputas.

* * *

No comprendí hasta que estaba esperando la decisión del presidente cuánto deseaba el decanato permanente. El Comité de Selección del Decano había examinado cientos de solicitudes y elegido cinco finalistas.

—Eres nuestra primera opción —me dijo de forma extraoficial uno de los miembros del comité. Si yo conseguía alcanzar el puesto de decana a los treinta y dos años, ¿no podría ser presidenta a los cuarenta? ¿Cuántas mujeres presidentas de una universidad había en el mundo? Cogería la manzana de oro, decidí, no sólo por mí, sino por otras mujeres también. Para ellas sería el modelo que yo había anhelado para mí. Aquella semana en Fresno fui incapaz de pensar en otra cosa.

Aquel fin de semana llovió en Los Ángeles y me pasé la mayor parte del tiempo sentada en la habitación Topsy, contemplando las cortinas de lluvia que arrancaban las flores de los árboles cítricos y parecían lo bastante fuertes como para perforar el techo de madera barata revestida de asfalto ligero de la cabaña del jardín. Ahora parecía frágil y abandonado.

La última tarde, Binky vino a sentarse junto a mí en la penumbra de la habitación Topsy. Apenas si habíamos cruzado unas palabras en todo el fin de semana, pero ahora nos abrazamos.

—¿Qué vamos a hacer con nosotras? —dijo con un hilo de voz.

—Estamos jodidas —dije, y las dos sonreímos tristemente. «Debería dejar que siguiera con su vida, y yo debería seguir con la mía.»

—Sabes que quiero que seas feliz —dijo Binky ahora—. Quiero que tengas un hijo si eso es lo que necesitas. —La lluvia golpeaba con fuerza sobre el techo de nuestra casa, luego un relámpago iluminó el cielo—. Te amo —dijo por encima del furioso estampido del trueno.

Mientras estaba sentada en el aeropuerto, esperando mi vuelo de la mañana del lunes, me sentía como una hormiga sobre uno de aquellos discos de $33^{1/3}$ rpm que Eddy solía poner a 45 rpm. ¿Cómo podría llegar alguna vez a tener las ideas claras? Volví a hacer todos los planes de nuevo mientras el pequeño avión se agitaba a través de las nubes. Si no conseguía el decanato, sería una señal de que había seguido la dirección equivocada. Muy bien. Renunciaría y Binky y yo viviríamos juntas y yo escribiría y tendría a mi hijo. Pero incluso cuando me decía a mí misma cómo sería todo, no podía creer que fuese a suceder. Ella había dicho que sería una tía para mi hijo. No podía imaginar a Binky siendo lo que Rae había sido para mí. Yo sabía que ella no se refería a esa clase de tía.

Y... Phyllis. La echaría de menos. Me invadió una oleada de pérdida y tristeza antiguas. Rae bajando la escalera del porche de Fanny y subiendo al coche del señor Bergman. Un desgarro en mi corazón.

Aquel día, más tarde, el vicepresidente se presentó en mi despacho y se sentó frente a mí en el sillón giratorio con una sonrisa amable. Sentí que iba a decirme algo. «El presidente Baxter ha decidido —dijo el vicepresidente— que, considerando la historia difícil de esta escuela, necesitaba nombrar como decano a una persona mayor. De modo que ha elegido a un hombre de una universidad de Tejas que lleva veinte años en puestos de administración.»

Sólo por un instante sentí que me habían arrancado la manzana de oro de la mano. «Renunciaré y regresaré a Los Ángeles», pensé, aliviada ahora que el camino que cogería estaba claramente marcado. Un minuto después de que el vicepresidente abandonara mi despacho, llamaría a Binky al instituto Marshall. «Vuelvo a casa», le diría cuando respondiese la llamada.

—Pero ahora las buenas noticias —continuó el vicepresidente—. En primer lugar, el Dr. Baxter ha aprobado un ascenso rápido a profesora titular para ti por el gran trabajo que hiciste como decana interina. Y, en segundo lugar —sonrió—, me gustaría ofrecerte el puesto de vicepresidenta académica adjunta. Estarías a cargo de los programas innovadores y la Facultad Experimental y cualquier otra cosa que consideres interesante y útil.

—¿Pero... y Phyllis?

—Oh, ella se quedará, por supuesto. Tendré dos vicepresidentas adjuntas.

¿Qué extraño sino era ése que me arrastraba hacia atrás cada vez que comenzaba a liberarme de un lugar donde creía que no quería estar? Y ahora aparecía esta nueva polea. Si yo fuese la directora de una Facultad Experimental podría incluir en el programa de estudios aquellos cursos que resultarían impensables en la mayoría de las universidades, y como profesora titular no tendría nada que perder. Una nueva área de estudio comenzaba a surgir de un movimiento incipiente por los derechos de los homosexuales. Y yo me encontraría en una posición inmejorable en el país para contribuir a hacer de la cultura y la identidad homosexuales —algo que había sido despreciado por mucha gente y que había sido fundamental en mi vida— una parte del discurso académico. Las prestigiosas universidades de la costa este, Berkeley, UCLA... pasarían décadas antes de que pudiesen hacerlo, pero como directora de la Facultad Experimental podría traer clases de estudios homosexuales a la Universidad del Estado de California, Fresno.

Me moría por llamar a Binky. Aplacé la llamada hasta que no regresé a mi apartamento después de haber cenado con Phyllis en el rancho. ¿Me cortaría?

—Bien por ti. Felicitaciones —dijo cuando le conté las noticias. No parecía enfadada ni molesta—. En el Monte Shasta hay un monasterio budista que quiero visitar —dijo sin hacer una pausa—. ¿Crees que te gustaría acompañarme durante un par de semanas este verano?

18

GRANOS DE AVENA

Para mí, ver a todos esos monjes cubiertos con túnicas naranjas y escuchar sus cánticos interminables fue como visitar una cultura remota. Interesante; pero si yo era incapaz de encontrar en mí misma aquello que Charlotte Brontë llamó «un órgano de veneración» que me permitiese practicar la religión de mi madre y mi tía y mi familia asesinada, ciertamente, en esos mantras repetidos hasta la saciedad y que no podía entender no había nada que tuviese el poder de conmoverme. Binky, sin embargo, estaba extasiada... con el monasterio del Monte Shasta, con el budismo, con los cambios que sentía en su interior. Había encontrado una nueva pasión. «El hombre sabio piensa. Aquí está el sufrimiento. Aquí está la causa del sufrimiento. Aquí está el camino que conduce al fin del sufrimiento.» Citaba a los monjes con la misma convicción que debieron de exhibir mis ancestros cuando citaban las Tablas de la Ley. Durante las semanas que restaban de verano viajamos en coche hacia el norte a través del verdor húmedo y fresco de Oregón y Washington hasta Victoria, y mientras ella hablaba sin parar, yo pensaba en todo lo que haría cuando fuera vicepresidenta adjunta de Asuntos Académicos a cargo de Educación Innovadora. A veces pensaba que Binky y yo nos encontrábamos en un callejón sin salida, que no había ningún lugar adonde ir juntas, que yo no podía culparla por su nueva pasión. Y, en ocasiones, pensaba en las manos de Phyllis sobre *Zahita*, el caballo árabe que era su favorito para cabalgar, o el aspecto de sus manos cuando interpretaban el Concierto en Re menor de Mozart.

Aquel otoño, cuando regresé al campus, el vicepresidente se había marchado. El rumor decía que había tenido serias diferencias con el presidente acerca de temas relacionados con los cargos académicos, de modo que, cuando le ofrecieron un trabajo como director en el campus de Denver de la Universidad de Colorado, no dudó en aceptarlo. El presidente le reemplazó por un profesor de comercio que había estado a punto de jubilarse, un parlanchín que usaba zapatos blancos brillantes en todas las estaciones y no tenía ni la menor idea de lo que significaba ser vicepresidente, excepto cumplir las órdenes del presidente. Estaba claro que él jamás sería mi mentor, como había esperado que lo fuese su antecesor, pero era un hombre muy afable, aunque no parecía tener noticias de la existencia de la Facultad Experimental. Esto me dejaba las manos libres para ser tan experimental como quisiera: organizar cursos grupales en nuevas áreas —como resolución de conflictos—, cursos que ignorasen los límites de la asignatura, y cursos relacionados con mi interés principal, estudios homosexuales.

Repasé la breve lista de profesores gays y lesbianas que conocía, pero aunque los disturbios de Stonewall se habían producido hacía cuatro años en Nueva York, sus ecos no habían llegado aún a Fresno. «¿Considerarías la posibilidad de impartir un curso sobre estudios homosexuales en la Facultad Experimental?», pregunté. «No sabría siquiera por dónde empezar a buscar el material», me dijo uno de ellos. «¿Qué tiene que ver lo homosexual con los estudios?», dijo otro. «¿Estás de broma?», dijo un tercero.

—Por favor, no emplees esa palabra en el campus —susurró una mujer en el auricular antes de colgar.

—¿Por qué no puedes hacerlo? —preguntó Phyllis cuando me quejé de la situación en la cafetería y mi voz apenas se elevó lo suficiente como para que ella me oyese cuando pronuncié la palabra que empezaba por *G*.

Miré a esta mujer menuda, metódica y discretamente majestuosa.

—Todo el mundo sabe que somos muy buenas amigas. —Me eché a reír—. Si revelo mi inclinación sexual, también sospecharán de ti. ¿Eso no te preocupa?

—No —dijo llanamente.

—Bueno... —estaba a punto de decir: «No sabría siquiera por dónde empezar a buscar el material», pero no era verdad. Yo sabía cómo hacer esa investigación. ¿Qué podía impedirme aprender cómo enseñar estudios gays?

Aquel otoño, Nicky volvió a llamarme. Me había seguido la pista hasta la oficina de la vicepresidencia adjunta, pero esta vez no me molesté en cerrar la puerta, ni siquiera cuando dijo: «He estado en la cárcel, Lil». Escuché su voz varonil que me explicaba el último capítulo de la mala novela que era su vida.

—Allanaron la casa —dijo entre risas—, y nos detuvieron a todos. Me metieron en un furgón de la policía junto con las prostitutas. No fue nada importante. De verdad. Excepto la asquerosa comida y los colchones apelmazados donde tenías que dormir. Los tíos que llevan el negocio nos sacaron en un par de días. Ahora quieren establecerse en los bajos fondos y mantenerme como encargada. ¿Qué piensas?

¿Por qué había vuelto a llamarme?

—Ya te he dicho lo que pienso, Nicky. Que no eres lo que crees que eres. Que tienes que parar. —¿Pero qué sabía yo realmente de ella ahora? Los ojos rojos de ogro daban vueltas en mi cabeza. Ella ya no era la dieciochoañera con pies de cachorro a quien había enseñado a besar, a quien le gustaba leer *Ésta es mi amada* porque el nombre de la amada era Lillian. Pero si me llamaba debía de ser porque quería que yo le dijese algo—. Nicky, tienes que parar —repetí.

—¿De hacer qué?

Volvió a reírse, aunque sentí que realmente estaba escuchando lo que yo le decía.

—Nicky, no estarías hablando conmigo en este momento si lo que has estado haciendo no hubiese comenzado a complicarse. ¿Estoy en lo cierto? Deja que te ayude a entrar en la facultad. Puedes hacer muchas cosas si tienes un diploma.

La solución Maury otra vez. Pero era todo lo que yo sabía... ¿y por qué no podía dar resultado con ella si había funcionado conmigo?

—Estoy metida en un río de mierda, Lil. Solíamos estar en el mismo bote. —Se echó a reír otra vez.

—Bueno, yo encontré los remos. Deja que te saque a ti también.

Los ojos rojos de ogro volvieron a girar en mi cabeza, pero los apagué. ¿De qué otro modo podría escapar de su melodrama actual?

En noviembre, la niebla de Fresno se asienta para iniciar un largo sueño gris, y todo el valle de San Joaquín parece soñoliento y silencioso. A veces, durante días, no puedes ver los semáforos de la ciudad hasta que estás prácticamente encima de ellos. La mayoría de las tardes, una vez que he acabado mi trabajo, cojo el coche y conduzco a paso de tortuga hasta el rancho de Phyllis y luego, a las nueve o nueve y media de la noche, regreso a mi apartamento en la ciudad. Pero una noche, después de que nos hubiésemos despedido, abrí la puerta y vi que la luz del porche tenía su propio halo de neblina y no iluminaba nada. Ni siquiera pude bajar los tres escalones que llevaban del porche al camino pavimentado.

—¿Cómo puedes conducir con esa niebla? —preguntó Phyllis por encima de mi hombro. El denso manto blanco de la niebla era palpable incluso en la puerta de la casa. ¿Cómo haría para evitar caer en la acequia que rodeaba el rancho?—. Escucha, en la casa hay cuatro dormitorios —dijo Phyllis—. Quédate a pasar la noche.

Regresé a la luz brillante de la sala de estar, helada después de haber estado treinta segundos fuera.

—Tengo aguardiente de manzana, Calvados —dijo Phyllis, y fue a buscar la botella.

Nuestros dedos se rozaron cuando cogí la copa de boca estrecha. Nos miramos sin decir nada, aunque mi mente daba vueltas como un volante. «Si hago esto, ¿qué le pasará a Binky? Si hago esto, nada volverá a ser igual.» Entonces el remolino cesó, dejé la copa en la mesilla de café, cuidadosamente, deliberadamente. La atraje hacia mis brazos.

—Ohhhhh —suspiramos juntas, como si ambas hubiésemos encontrado algo vital que habíamos extraviado años antes.

Y aquella noche —como escribió Radclyffe Hall— no estuvimos separadas.

—¿Qué quieres para desayunar? —preguntó Phyllis la primera mañana mientras yo era arrastrada hacia la vigilia y la preocupación, y luego el placer. Qué amorosa, qué generosa había sido Phyllis.

Estaba vestida con su uniforme del rancho, vaqueros y la sudadera azul que hacía juego con el color de sus ojos, y ya había dado de comer a los caballos. Se sentó en la cama junto a mí y apoyó los dedos sobre mi hombro desnudo.

—¿Qué quieres para desayunar? —volvió a preguntarme.

Me arrodillé en la cama y le quité la sudadera por encima de la cabeza.

—Esta mañana no hay desayuno —dije.

* * *

El viernes, Phyllis me lleva al aeropuerto, aparca el coche lo más lejos posible de las altas farolas de aluminio y nos abrazamos durante varios y frenéticos minutos antes de que yo deba separarme de su abrazo y correr para coger el pequeño avión que me llevaré de regreso a Los Ángeles y a Binky, quien me está esperando en el otro extremo. Una vez allí, Binky y yo nos abrazamos y me maravilla que Phyllis no se me note en la cara. ¿Debería contárselo? Pero hemos estado juntas durante siete años. ¿Cómo puedo encontrar las palabras para decírselo?

Los lunes por la mañana Phyllis me está esperando otra vez, para llevarme a mi despacho, para llevarme más tarde a su rancho, para cenar y desayunar conmigo, para hacer el amor conmigo. ¿Cómo puedo dejarla el viernes por la tarde? Soy una malabarista con la máscara de un payaso, y las bolas no tardarán en caer sobre mi cabeza. Soy Lilly a los ocho años, rebotando de mamá a My Rae a mamá a My Rae.

* * *

Un lunes de febrero se cancelaron todos los vuelos a Fresno.

—La niebla es muy espesa —dijo el empleado en el mostrador de United Airlines—. El aeropuerto de Fresno está cerrado desde el sábado. No creo que pueda aterrizar ningún avión allí hoy.

—Oh, no, hoy tengo unas reuniones muy importantes —exclamé.

—Bueno, puedo conseguirle una plaza en el vuelo de las nueve cuarenta y cinco a Merced —me ofreció el empleado—. Eso la dejará bastante cerca. —Pero Merced estaba a una hora de Fresno y, si la niebla era tan espesa, probablemente no conseguiría ningún taxi que me llevase.

Phyllis acababa de entrar en su despacho cuando llamé, y cuando el avión tocó tierra en Merced, ella me estaba esperando en la puerta de salida. ¿Cuántas veces había visto esa forma menuda y ese pelo gris esperándome en la puerta de un aeropuerto o mirándome cuando me marchaba? La abracé con fuerza y permanecimos así varios minutos como si yo acabase de regresar de Mesopotamia.

A unos cuarenta kilómetros de Merced comenzaron a verse jirones azules en el cielo y un perímetro plateado se extendió alrededor de una gran nube cúmulo. «No tendría que haberla molestado para que hiciera este largo viaje —pensé, avergonzada ahora de mi acción—. Es probable que el avión de Los Ángeles aterrice en Fresno antes de que nosotras lleguemos a la ciudad.»

—Voy a hacerte una propuesta que no puedes rechazar —me dijo Phyllis rompiendo el silencio—. Lo he estado pensando durante mucho tiempo y, durante este viaje matutino, aunque no podía ver el camino con claridad, vi todo lo que estoy a punto de decirte como si lo hiciera a través de un cristal.

Phyllis recitó su parte como si la hubiese estado ensayando durante todo el trayecto a Merced. Observé que aferraba con fuerza el volante y me preparé. Sería un ultimátum. ¿Cómo respondería yo a él?

—Durante casi tres años te he oído decir cuánto quieres tener un hijo y cómo te preocupa que luego sea demasiado tarde si sigues postergando esa decisión. —Redujo la velocidad del coche, me miró fijamente y cogió mi mano antes de volver a mirar la carretera—. Te estoy ofreciendo matrimonio. Sé que seré una buena madre también. Vive conmigo y ten el niño y lo criaremos juntas.

Me quedé sin aliento, como si me hubiesen propinado un puñetazo en el diafragma.

Cuando llegamos al campus, el cielo estaba limpio y azul como sólo lo había visto en Fresno en los días de finales de primavera.

* * *

Abro mi bolso y dentro hay un pequeño saco de semillas, aunque no recuerdo haberlas comprado. El dibujo del sobre muestra elegantes haces de alguna clase de grano. Soy una chica de ciudad incapaz de distinguir un grano de otro, pero los haces son dorados. Deliciosos. Tan deseables. Mucho más preciosos que las manzanas de oro. «Debemos plantar estas semillas inmediatamente», corro a decirle a Binky.

Ella está leyendo un libro grande y me esfuerzo por leer el título. *La influencia del zen en la literatura norteamericana,* consigo descifrar las palabras en la portada. ¿O acaso dice *El zen y el arte de la arquería?* ¿O *Zen y el arte del mantenimiento de las motocicletas?* No tiene importancia. Apenas si puedo ver la coronilla de la cabeza de Binky, que ahora levanta de modo que puedo verle los ojos. «Pues ve a plantarlas», me dice suavemente, y mueve la mano señalando la parte trasera de la casa, hacia el pequeño cuadrado de tierra que hay delante de la cabaña de escritura vacía. «Hay mucho espacio para que plantes cualquier cosa que quieras allí.» Gesticula expresivamente con ambas manos. Luego las manos desaparecen y baja la mirada y luego la cabeza, y sólo puedo ver *Los Upanishad*. Binky ha desaparecido.

«¿Pero quién me ayudará a recogerlas?», grito hacia el libro.

«Son haces de avena», susurra Phyllis en el viento.

* * *

Quise decirlo en el aeropuerto de Los Ángeles, pero las palabras se negaron a salir de mi boca. Y tampoco pude decirlo cuando íbamos a cenar a casa de Dottie, donde esparcí la comida en el plato y simulé escuchar atentamente las divertidas historias de Hollywood que contaba Betty, y sentía que las mejillas se me ponían tensas por la sonrisa falsa que mantenía pegada en mi rostro. Mientras Binky dormía me quedé con la mirada fija en la oscuridad durante cien solitarios años y luego vi cómo la luz gris del amanecer invadía lentamente nuestro dormitorio. Pude ver sus manos largas y elegantes, apoyadas sobre su cabeza, las palmas hacia arriba, en una pacífica rendición ante el sueño. Se revolvió; me deslicé fuera de la cama sin hacer ruido, como una ladrona. Primero me ducharía.

Binky seguía en la cama cuando regresé al dormitorio, ahora con la cara vuelta hacia la pared. Yo ya me había vestido. Aunque no se movía y su respiración era regular, sabía que no estaba dormida.

—Binky —me incliné para susurrarle al oído y ella se giró y me miró fijamente—. Tenemos que hablar.

Se incorporó hasta quedar sentada en la cama.

—No me lo digas. ¡Te han nombrado presidenta! ¿Verdad? —Se echó a reír sin alegría.

—Estoy teniendo una aventura con Phyllis Irwin.

Abrió los ojos y luego los entrecerró. Por un instante deseé poder desdecirme de mis palabras. Pero no lo hice.

—Vete —dijo. Se levantó de la cama y se plantó delante de mí—. ¡De todos modos, nunca viviste aquí realmente —gritó—, así que ahora vete!

Desde la habitación Topsy llamé a un taxi. Binky cerró con violencia la puerta del dormitorio cuando oyó que hablaba por teléfono. Mientras esperaba, sola, miré a través de la ventana el patio trasero, la cabaña abandonada y destartalada donde nunca había escrito una sola palabra.

* * *

El taxi me llevó hasta la estación de autobuses Greyhound en Hollywood, donde, por tercera vez en mi vida, compré un billete sólo de ida. Luego me apoyé contra una pared, mirando al vacío durante un par de horas, hasta que una voz enlatada anunció por los altavoces: «El autobús Bakersfield-Fresno saldrá en quince minutos».

La mujer rubia muy embarazada que viaja en el asiento de al lado trata de apartarse cuando me siento y las dos sonreímos al ver qué poco espacio puede dejar. Luego cierra los ojos y los mantiene cerrados durante la mayor parte del viaje, lo que agradecí porque necesitaba tiempo para pensar.

«¿Cómo pudieron llegar a apartarse tanto dos personas que habían comenzado de una manera tan fácil y natural? Una vez que acabamos nuestro libro, nada había ido bien entre nosotras, pero lo que compartimos durante los dos primeros años había parecido tan maravilloso que nos mantuvo cojeando juntas durante los cinco o seis siguientes, incluso cuando sabíamos que la relación no funcionaba, que sería mejor si nos marchábamos en direcciones opuestas. Finalmente, nos convertimos en convictos unidos por una bola y una cadena, resentidas y hurañas, pero sin poder separarnos. Y ahora me sentía enferma por todo ello. La aburrida discordia que nos habíamos obligado a vivir. Tal vez no estaba hecha para las relaciones amorosas.»

El autobús atravesó las montañas y aceleró hacia el valle, y la mujer embarazada dormía plácidamente, los dedos entrelazados sobre sus pantalones elásticos de poliéster color aguamarina, protegiendo su vientre. No llevaba ningún anillo en la mano izquierda y lo que estaba soñando le dibujaba una pequeña sonrisa alrededor de los labios. Su rostro tenía un aspecto juvenil y relajado mientras dormía. Todo lo que en 1940 había sido tan escandaloso y brutalmente duro para una mujer parecía mucho más simple en la década de 1970.

Cuando el autobús dejó atrás Bakersfield ya tenía un plan. Buscaría a un médico que practicase el método de la inseminación artificial. Luego le enviaría a mi madre la fotografía que Roger y yo nos habíamos hecho en la fiesta de Dotty hacía tres años. Y haría una copia para Rae. «Le han ofrecido un puesto de profesor de sociología en Pittsburgh, pero estamos enamorados, de modo que nos casamos», les diría, porque aunque el mundo había cambiado, ellas no lo habían hecho. Luego compraría una casa, un nido para mí y mi hijo, y contrataría a una chica para que cuidase de él mientras yo estuviese trabajando. Si la mujer que viajaba a mi lado podía emprender un viaje de seis horas en autobús aunque pareciera que fuese a dar a luz en cualquier momento, ¿por qué no podía sentarme yo detrás de un escritorio hasta el último minuto? No podían despedirme. Yo era una profesora titular con contrato. Y, de todos modos, en estos tiempos se sentirían avergonzados de despedir a una mujer embarazada.

* * *

El especialista en fertilidad con quien me puse en contacto era un hombre serio y de labios finos. En la pared de su consulta había un gran retrato de una esposa sonriente y tres hijas adolescentes, todas con el pelo rubio, liso y brillante.

—Si quiere tener un hijo, ¿por qué no se casa? —me preguntó cuando me senté frente a él en su consulta, pero su actitud parecía más de curiosidad que de censura.

Yo había ensayado la respuesta correcta la semana anterior cuando el autobús entraba en Fresno. Ahora miré al Dr. Rich directamente a los ojos —una mujer profesional sin tacha que no tenía la menor idea de los hombres, que ahuyentaba de forma inconsciente a los potenciales pretendientes— y respondí con franqueza.

—Si tienes treinta y tres años y un doctorado y eres vicepresidenta adjunta en una universidad, no resulta sencillo encontrar un marido.

El Dr. Rich entendía perfectamente lo que les gustaba y les desagradaba a los hombres en 1974.

—Sí, entiendo lo que quiere decir —dijo, asintiendo brevemente, y luego me acompañó a la habitación contigua para examinarme. Con los pies colocados en los estribos, nerviosa y vulnerable, clavé la mirada en el techo mientras el médico sondeaba mi cuerpo. «¿Y si había esperado demasiado tiempo? Estaría al cabo de la calle.» Era una prisionera, indefensa en una cuestión que ahora era para mí de vida o muerte, esperando el veredicto del juez. «¿Sería la muerte el veredicto?»

—Todo está bien —dijo finalmente el Dr. Rich, colocado entre mis pies—, pero como ya tiene treinta y tres años, creo que haremos una biopsia de endometrio para asegurarnos de que está ovulando regularmente. Y si no fuese así, le echaremos una mano a la naturaleza administrándole un medicamento para la fertilidad, Clomida.

Su promesa me dejó sin aire los pulmones. Lo estaba haciendo. ¡Sucedería!

—Tendremos que controlar su temperatura —dijo después de que me hubiese vestido en un estado de alivio extasiado. «¡No había esperado demasiado!»—. Y cuando lo tengamos todo controlado realizaremos la inseminación tres veces, al inicio de su ciclo, luego en la mitad del mismo y luego al final. —«Vivirían, en la siguiente generación.»

Phyllis me regaló dos termómetros que eran los mejores que se podían conseguir en el mercado, «por si uno se rompe», dijo. Todas las mañanas, antes de levantarme, ella me traía el termómetro, esperaba junto a mí, inspeccionaba los números, me lo pasaba para que yo los examinara a mi vez, y apuntábamos en la tabla las mínimas variaciones de 36,8° a 37°, ese código secreto para el tan anhelado tesoro.

—Comparo el perfil de donante de esperma con el de la paciente —explicó el Dr. Rich al inicio de mi ciclo el mes siguiente—. Para usted tengo un donante del este graduado en medicina, de tipo mesomórfico, de tez clara, judío —dijo, leyendo de un archivo después de haber comparado su número con el que figuraba en un pequeño tubo de ensayo que sacó de una nevera—. Sostenga esto mientras preparo el instrumental —dijo, y sus labios finos dibujaron su única sonrisa de nuestra breve asociación.

Dentro del tubo que me había entregado había un líquido blanco y viscoso. Sostuve el cristal frío en la palma de la mano con sumo cuidado, amorosamente, abrumada de gratitud ante lo que ese médico judío del este, mesomórfico y de tez clara, me estaba dando.

Con los pies apoyados nuevamente en los estribos, di un brinco cuando sentí que el Dr. Rich insertaba algo frío y metálico dentro de mí. Miré el techo y contuve la respiración.

—Es mejor que permanezca unos minutos sin moverse —me aconsejó antes de dejarme sola en la habitación.

Semanas más tarde estuve segura de que el embarazo había tenido éxito cuando me encontraba en una reunión de los decanos y el vicepresidente y un intenso rayo de calor surgió de mi pezón y se extendió por todo mi pecho, como si fuese una estrella blanca y luminosa. Miré a Phyllis, que me había estado observando desde el otro extremo de la sala. Mi rostro debió de revelar que algo acababa de suceder, porque ahora pude verlo en su cara, como si ella también lo hubiese sentido en su pecho.

—Ven a vivir conmigo en el rancho —dijo cuando abandonamos la consulta del Dr. Rich. Las pruebas confirmaron lo que ya sabía. ¡El milagro!—. Por favor, ven —volvió a decir, apartándome de mi euforia. Vivir con ella. ¿Cómo podía vivir con ella? En tres ocasiones había intentado vivir con alguien, y todas esas veces había acabado cogiendo un Greyhound sola—. Seremos una familia —dijo.

—No puedo hacerlo —le contesté suavemente. No podía invertir la energía que necesitaba para mi hijo en otra aventura amorosa que duraría unos cuantos años y luego fracasaría—. Si no funciona, no sólo nos afectará a ti y a mí sino también al niño. —Phyllis era cariñosa y amable y ardiente, pero también lo había sido Mark al principio de nuestra relación. Y D'Or y Binky. Lo que ahora sentía por Phyllis también lo había sentido una vez por ellas. «Oh, ¿adónde se van los amores perdidos y las pasiones perdidas? ¿En qué tumba desolada acaban por hundirse?»—. No puedo hacerlo —repetí.

—Me siento profundamente agradecida por todo lo que has hecho —le dije cuando me dejó en mi apartamento y la besé en la mejilla—. Espero que lo sepas.

—No pienso desistir —dijo con una sonrisa.

Cerré la puerta del apartamento y entrelacé los dedos alrededor de mi vientre, protegiendo lo que latía en su interior. ¡Iba a tener un hijo! Lo había hecho. Por mí misma y por ellos. Sería como la mujer del autobús de Los Ángeles, sola, con el niño en su interior, fuerte.

—Estoy buscando una casa de tres habitaciones en un distrito con buenas escuelas —le dije por teléfono a un agente inmobiliario. Phyllis y yo podíamos vernos de vez en cuando, pero yo sería sobre todo una madre y una vicepresidenta adjunta de Asuntos Académicos.

Compré una casa en una zona cuidada de Fresno, con un bonito patio trasero que daba directamente a un parque diseñado por un arquitecto paisajista japonés. Detrás de una discreta valla se extendía un pequeño huerto de gigantescas naranjas y brillantes pomelos amarillos. Dentro de la casa se podían meter diez de las habitaciones amuebladas de Fanny. Tal vez veinte. La propiedad en Fresno costaba una fracción de lo que costaba en Los Ángeles.

—¡Lilly, esto es un palacio! —exclamó mi madre al ver la casa, digna del duque Boyer en su mente.

—Dra. Lelee, ¿de dónde has sacado tanto dinero para comprar una casa así? —preguntó Albert con sus grandes ojos ingenuos y viejos detrás de las gafas.

—Sola y con un niño en camino, en tantas habitaciones —se quejó Rae, recorriendo el laberinto de mi mansión—. ¿No tienes miedo?

—¡Un niño! ¡Un niño! —dijo mi madre por centésima vez—. Albert, ¿has oído? ¡Lilly va a tener un hijo!

—*Mazel tov!* —volvió a gritar Albert.

—*Mazel tov!* —gritó Rae también—. ¿Cuándo regresa tu esposo?

Llevé a los tres a cenar al rancho de Phyllis para que viesen qué amigos tan agradables tenía en Fresno, para que supiesen que el niño y yo no estaríamos completamente solos, aun cuando «Roger» no regresara nunca del este. Justo cuando enfilaba el coche por el largo camino de grava que llevaba a la casa, Phyllis salía del granero con sus pantalones de montar. Rae, que iba sentada a mi lado en el asiento delantero, atisbó por encima del gran bolso de plástico malva que llevaba en el regazo.

—*Oy!* —Se ajustó las gafas—. Se parece a esa Binky. ¿De dónde las sacas?

—¿Se parece a Binky? —Me eché a reír. Phyllis era quince centímetros más baja y veinte kilos más ligera que Binky. Entonces lo comprendí. Para mi tía todos los gentiles se parecían—. No, Rae, querida. Ella se parece a ti —dije.

Mi tía me dio una palmada en los dedos.

—No seas ridícula —dijo con una sonrisa de anciana—. No me parezco a una *shiksa*.

Pero Phyllis les dijo algunas frases vienesas que sonaban a yídish. Cocinó un salmón para que Albert no tuviese que comer nada *trayf*, que no fuese *kosher*. Se levantó cada vez que se vaciaban las copas de agua y las tazas de café. Fue encantadora y cariñosa.

—Oh, he olvidado algo —dije después de haber instalado a Rae, mi madre y Albert nuevamente en el coche al caer la tarde. Corrí hacia la casa para darles las gracias a Phyllis en privado, besarla y decirle que aquella noche la echaría terriblemente de menos.

—Qué mujer tan agradable —dijo mi madre durante el viaje de regreso a mi casa.

—¿A esa *shiksa* no le preocupa vivir completamente sola en una casa tan grande? —preguntó mi tía.

Nicky volvió a llamar cuando mi embarazo ya iba por el quinto mes.

—¿Hablabas en serio? —dijo, como si hubiéramos estado hablando el día anterior.

—¿Sobre qué?

—Sobre la facultad. Sobre lo que soy.

—Hablaba en serio. —No me llamaría a mí si tuviese a otra persona a quien llamar, lo sabía—. Pasarás el examen de acceso a la universidad —le expliqué—. Luego te matricularemos en la Universidad de Fresno. Ven a verme, Nicky. Ahora puedo ayudarte.

—Ya he enviado mis cajas —dijo.

—Muy bien —le dije—. No pienso ir a ninguna parte.

Vino a Fresno, con vaqueros y una camiseta y un peinado asexuado como el que llevaban un montón de estudiantes en los años 70. Era casi una generación mayor que la mayoría de ellos, pero también lo eran muchos otros. En su rostro de mujer dura y arisca se veían las huellas que habían dejado las drogas, la cárcel y todo lo demás que había vivido. No era, evidentemente, la alumna de un plantel coeducacional que yo había visto en las películas universitarias de los años 50 o cuando llegué a Fresno en 1967, pero, de todos modos, ese aspecto insulso casi había pasado a la historia. Nuestros estudiantes pertenecían cada vez más a la clase trabajadora y los tiempos duros se reflejaban en sus rostros. Incluso aquellas chicas que habían tenido una vida sin sobresaltos evitaban ahora el aspecto de la típica estudiante universitaria.

—Parece que esa mujer necesita mucho asesoramiento —le dijo a Phyllis el vicepresidente ejecutivo asociado cuando vio a Nicky todos los días en mi despacho—. Espero que esté recibiendo buenos consejos.

Debió de recibirlos; se licenció cum laude en dos años y medio. También escribió, relatos al estilo de John Rechy acerca de una lesbiana peripatética que vive en la zona más vulnerable de la vida lesbiana, historias que continuaban allí donde había terminado *Camina con el viento*.

—¿Está el mundo preparado realmente para esta clase de género escrito por una mujer? —nos preguntábamos.

Aún tendrían que pasar veinte años, pero *Camina con el viento* ocuparía su lugar en los escaparates de las librerías como *A Crystal Diary*. Nicky me sigue llamando Lil.

En octubre mi vientre ya era un hermoso y redondo melón de agua, pero no le había dicho nada a nadie en el Thomas Administration Building. ¿Pensarían que había engordado?

En noviembre ya resultaba imposible ignorarlo, ¿pero cómo podían creer lo que sus ojos estaban viendo? No había problemas para conseguir la píldora. Prácticamente, ninguna mujer se quedaba embarazada por accidente. Y, si lo hacían, los abortos eran legales. ¿Resultaba concebible que una vicepresidenta adjunta de Asuntos Académicos soltera llevase realmente un niño dentro de esa enorme prominencia abdominal? Nadie me lo preguntó. Cuando hablábamos mantenían sus ojos fijos en mi rostro, en la pared, en el aire, en cualquier parte menos hacia abajo.

En la cama, Phyllis y yo especulábamos sobre cómo debían de chirriar y hervir las líneas telefónicas, qué circunloquios debía de haber creado Polonio para comunicárselo al presidente, cómo debían de haber susurrado y cotilleado los decanos hasta oír nuestros pasos ante la puerta de la sala de reuniones, para luego volver deprisa a sus asientos como escolares traviesos.

Una noche, Phyllis y yo estábamos durmiendo en su cama cuando sonó el teléfono. Las manecillas luminosas del reloj señalaban la 1.10. Phyllis descolgó el auricular. Era nuestro antiguo vicepresidente, que llamaba desde San Francisco, donde alguna asociación nacional de administrativos universitarios estaba celebrando su reunión anual.

—¿Phyllis? —dijo, arrastrando las palabras. Yo podía oír lo que decía desde mi almohada—. Esta noche me han contado algo increíble sobre Lillian Faderman.

El rumor se había extendido por todo el país.

—Tendrías que haberme pasado el teléfono —murmuré cuando ella volvió a abrazarme y comenzamos a alejarnos en un bote hacia dulces sueños.

«Pero su estúpida curiosidad ni cuenta para nada. Lo único importante es la preciosa criatura que se está formando dentro de mí. Puedo verla con tanta claridad como si hubiera colocado un periscopio en el ombligo que una vez me unió a mi madre. Puedo ver los perfectos dedos de las manos y los pies, su rostro apretado hacia arriba que muy pronto se distenderá y será hermoso, sus mágicos y pequeños clavícula y costillas y codos y rodillas.»

«Espero que sea un niño musical», dice Phyllis una noche mientras soñamos juntas quién será este pequeño ser.

«Si la musicalidad es un rasgo genético, no lo será —confieso—. Soy prácticamente sorda para la música.»

«La formación temprana es la clave», insiste mi profesora de música, y cada noche canta apoyada sobre mi vientre desnudo, envía su fina voz de contralto a través del ombligo hacia los delicados oídos de caracol dentro de mí. Es una deliciosa canción popular británica la que Phyllis canta. Mi niño judío está destinado a adorarla.

Phyllis quería que le acompañase a la casa de sus padres en San Diego para el Día de Acción de Gracias.

—Les he contado todo acerca de ti y el niño —dijo.

Una familia de pelo gris y ojos azules. Su madre era una mujer refinada y de aspecto protector y la casa estaba llena de delicadas reliquias. Su padre era un hombre bondadoso y amable debajo de un exterior de cascarrabias, un teniente coronel retirado que seguía reuniéndose todos los meses con los oficiales con quienes había ayudado a liberar Francia treinta años antes.

—Creo que es maravilloso lo del niño —dijo la madre de Phyllis con su voz dulce y aguda mientras lavábamos juntas los platos del almuerzo—. Maravilloso. —Y me palmeó las manos llenas de jabón con las suyas, que también lo estaban.

El sábado los MacDougall vinieron a jugar al bridge con los Irwin, y Phyllis y yo nos preparamos para ir a ver una película de Woody Allen. El señor MacDougall había estado con Fred Irwin en Francia y conservaba su rígido porte militar. Mientras me pintaba los labios en el baño de los invitados, oí cómo Fred me defendía ante su antiguo camarada de armas.

—Ella no quería un esposo, por Dios; ella quería un hijo y es su derecho.

Cuando pensaba en tener un hijo, durante muchos años había sido en nombre de mi madre y Rae: ansiaba poder darles este pequeño ser que traería esperanza y algo de alegría a sus vidas. Ansiaba rescatarlas de ese destino que Hitler había preparado para su raza —para nuestra raza— dando vida a un Avrom o una Sarah y alimentándolo para que algún día pudiese, a su vez, añadir otros a nuestra pequeña y diezmada tribu. Pero ahora, cuando pensaba en tener a mi hijo, todo mi cuerpo estaba cargado con una poderosa sensación por él y *sólo* por él. No había prácticamente ni un minuto en el que no protegiese con los dedos entrelazados y fuertes como el acero el vientre que lo protegía, este ser pequeño y desconocido dentro de mí a quien amaba ya de un modo feroz e incondicional, como había aprendido a amar de mi madre y My Rae.

* * *

Asisto a clases de parto natural porque quiero estar despierta en ese momento en que mi hijo tome la primera bocanada de aire para llenarse los pulmones. Nos reunimos en una habitación grande y espejada: una maestra Madre Tierra de larga cabellera; once mujeres embarazadas; y once compañeros que nos acompañarán durante el parto: diez esposos y Phyllis. Los compañeros aprenden a respirar con el método Lamaze junto con nosotras, las embarazadas, a empujar como nosotras tendremos que empujar. Ellos se sientan detrás de nosotras en el suelo, las manos rodeando nuestros abdómenes. A través del espejo veo las manos de Phyllis alrededor de mi gran vientre, entrelazadas como solemos entrelazar nuestros dedos, acariciando lo que llevo dentro de mí. Amo lo que veo.

* * *

El último lunes de enero no fuimos al campus porque era un día festivo en la universidad, pero no he dejado de ir un solo día a mi trabajo durante el embarazo. En mis treinta y cuatro años jamás me he sentido tan fuerte, ni un resfriado o catarro en todo el otoño y tampoco durante el invierno. Ni siquiera una diminuta jaqueca. Ni una uña rota. Ahora pasé el día voluptuosamente libre leyendo en el sofá de Phyllis, caminando junto a la acequia y observando cómo construía su casa una rata almizclera, acompañando a Phyllis al granero para darle de comer a un potrillo que tenía un abrigo dorado y patas cómicamente largas. Después de cenar vimos las noticias, y justo cuando Mac-Neil o Lehrer decían su última palabra, una mariposa empezó a batir sus alas diminutas contra las paredes de mi útero, un aleteo tan suave que casi me hacía cosquillas.

—Ha llegado el momento —le dije a Phyllis.

—Hoy es veintisiete de enero —dijo—. El cumpleaños de Mozart.

Veinte minutos más tarde, antes de que llegásemos al Fresno Community Hospital, la mariposa se había convertido en una pantera ardiente que lanzaba mordiscos. Abrí la ventanilla del coche y me llené los pulmones con grandes bocanadas de aire frío de enero. Pero no permitió que sufriese demasiado.

—¡Es un niño! —gritó el médico cuando empujé por última vez, a las 21.59, y supe que Avrom era el niño a quien había querido y necesitado durante todo el tiempo.

Fresno tenía dos sinagogas y, aunque nunca había entrado en ninguna de las dos, cuando estaba embarazada de seis meses fui a la que se encontraba más cerca de mi casa, Beth Jacob, para preguntarle al rabino si conocía a alguna chica que pudiese vivir en mi casa y cuidar de mi hijo mientras estuviese trabajando.

—A mi esposa le gustaría ese trabajo —dijo el rabino Schwartz, un hombre pequeño no más alto que mi tía, con un incongruente acento *cockney*—.* No viviría allí, pero podría quedarse todos los días hasta que usted regresara a casa después del trabajo.

Bea Schwartz tenía el mismo acento *cockney* de su esposo y llevaba un abrigo de piel de leopardo. Tenía el pelo teñido de negro y las uñas rojas sobresalían tres centímetros de las puntas de los dedos. Tenía una expresión perturbada, una mirada como la que tenía a veces mi madre cuando yo era pequeña.

No podía dormir.

—Esas uñas —gritaba.

—Pero han criado dos hijos —me recordó Phyllis—. El rabino dijo que su hijo es médico.

El segundo día después del nacimiento de Avrom, él y yo regresamos a casa. Yo no había pensado en coger todas las dieciséis semanas de baja por maternidad que me correspondían, pero ahora me encantaba esa lujuria animal de no hacer nada más que acunar a mi hijo en mi cama, frotando la nariz contra sus mejillas de pétalo de rosa, vigilando su sueño, adorando la perfección de las diminutas uñas rosadas en los dedos de manos y pies.

Pero al cuarto día llamó el vicepresidente. El Comité de Presupuestos de la Universidad necesitaba ver los planes que había elaborado para el retiro del cuerpo docente en instrucción innovadora. ¿Dónde estaban? Resultaba evidente que una vicepresidenta académica adjunta no podía ausentarse durante varias semanas de la universidad para estar con su hijo.

—Iré esta tarde —le dije, y con todo el dolor de mi corazón llamé a los Schwartz.

—No se preocupe —dijo el rabino—. Iremos ahora mismo.

* * *

---

* Acento vulgar londinense. (*N. del T.*)

Así son nuestros días: me levanto a las siete, amamanto a Avrom y preparo la fórmula para bebés que le darán durante las horas que estaré ausente. Bea Schwartz y el rabino llegan a las siete cuarenta y cinco y yo me marcho a la universidad. Llamo a las nueve, a las diez, a las once. Casi siempre es el rabino Schwartz quien atiende la llamada. (¿No se enfadará la congregación si se entera de que tiene otro trabajo?) «El niño está estupendo —dice el rabino—. Nada de qué preocuparse.»

Al mediodía, Phyllis y yo regresamos rápidamente a Harrison Street para que pueda amamantar a Avrom. Casi siempre el rabino Schwartz está paseando arriba y abajo por la casa con el niño en brazos, cantando nanas británicas desafinadas mientras Bea está sentada en el sofá con una mirada perdida. Avrom mueve sus grandes ojos y le muestra al rabino su sonrisa desdentada.

Phyllis y yo almorzamos un trozo de pan con queso y volvemos a toda prisa al campus, donde paso la tarde organizando el curso de primavera, pensando todo el tiempo en cómo sostiene el rabino a mi hijo en sus brazos.

A las cinco de la tarde regreso a casa y amamanto a Avrom, y Phyllis sale disparada hacia el rancho a dar de comer a los animales. Hacia las seis y media llega a Harrison Street, arrulla a Avrom y lo pasea por la casa mientras preparo la cena. Comemos mientras él dormita en su cuna de mimbre azul junto a la mesa. Luego le amamanto una vez más y le mezo mientras Phyllis le canta. Juntas le colocamos en su cuna otra vez antes de derrumbarnos en mi cama. A las dos de la mañana es él quien nos canta a nosotras, nos despierta con sus poderosos pulmones. A veces me levanto para cogerlo en brazos y le doy el pecho. A veces es Phyllis quien se levanta y va a la cocina a calentar el biberón, luego lo coge en brazos y lo alimenta. El despertador suena a las seis y media y nos separamos una de la otra. Mientras entro y salgo de unos breves momentos más de sueño, oigo que la puerta se cierra y el motor de su coche. Phyllis debe volver al rancho a dar de comer a los animales antes de ir a trabajar.

«Vivamos juntas», le digo a Phyllis al poco tiempo, porque ya somos una familia.

—¿Sabes lo que me acaba de decir mi padre? —Phyllis se echa a reír después de una de sus llamadas telefónicas semanales a San Diego—. Dijo que, puesto que estamos criando a Avrom juntas, por qué no podemos llamarle también Irwin.

Desde el nacimiento de mi hijo yo estaba preocupada: si algo me sucediera, Rae sería demasiado mayor para cuidar de él y mi madre y Albert eran impensables. La indiferencia del Estado le enviaría a un lugar como el orfanato Vista del Mar, adonde habían enviado al pobre Arthur Grossman cuando éramos pequeños. No le importaría que Phyllis le amase. ¿Qué podía exhibir ella para demostrar su vínculo con Avrom?

—Sí, ése será su nombre a partir de ahora —dije—. Avrom Irwin Faderman.

«Hay tanta gente que está feliz de que mi hijo haya venido al mundo.»

Cuando empezó a hablar me llamaba *mami* y a mi compañera *mamá Phyllis*. No podíamos pararnos a pensar en qué imagen daríamos a la gente porque estábamos demasiado ocupadas viviendo nuestras vidas, pero de vez en cuando nos llegaba algún comentario: algunas lesbianas en Visalia le preguntaron a una conocida si esa «extraña historia» que habían oído acerca de «una profesora que se había hecho inseminar de forma artificial» era realmente verdad; alguien en el campus le comentó a un colega que Phyllis y yo estábamos «ocupadas en un experimento social». ¿Cómo podían saber ellos del amor y el cuidado entre nosotros tres? Considerando cómo me había hecho la vida, la familia que *yo* había construido era la única en la que podía vivir. ¿Cómo podían saber que Avrom compensaba lo que Hitler y Moishe se habían llevado, que le amaba con tanta ternura y alegría y curiosidad... como si hubiese sido yo la inventora de la maternidad? ¿Cómo podían saber que Avrom era para mí la consumación de una misión sagrada?

Una mujer que tenía un hijo fuera del matrimonio en 1975 no podía llegar a ser presidenta de una universidad. Cuando decidí quedarme embarazada no ignoraba que ese hecho podía dar al traste con mi carrera como administrativa, pero ahora lo sabía con seguridad. Mis colegas administrativos nunca dijeron una palabra sobre Avrom después de su nacimiento, no más de lo que habían hecho antes de que naciera. En lo que a ellos atañía, era como si la divertida protuberancia que rodeaba mi abdomen se hubiese deshinchado por arte de magia. Naturalmente, todos pensaban que era una tía rara. No importaba las habilidades administrativas que pudiese tener, jamás sería realmente una de ellos.

¿Pero quería serlo, o era la ciega ambición lo que me había hecho soñar con convertirme en presidenta de la universidad, del mismo modo que en otra época había soñado con llegar a ser una estrella de cine? Echaba de menos dar clases. Decidí que el siguiente curso lectivo sería el último para mí como administrativa. Después de que acabaron los biberones de Avrom a las dos de la mañana, mis lecturas comenzaron otra vez. Examiné los libros que un día me prepararían para dar clases de literatura gay y lesbiana. Los libros me absorbían y me reclamaban, como siempre, de una manera que nunca consiguió la organización del siguiente simposio de la facultad. Qué lujo era sentarme en mi guarida una vez que Avrom se había dormido y perderme en la palabra escrita; ahora, especialmente, en las palabras que hablaban del amor entre mujeres, que había cambiado tanto desde los días cuando encontraba los lúgubres *Twilight Lovers* u *Odd Girl Out* en las estanterías de libros en rústica en los *drugstores*. Pero deseaba que algún historiador lo pusiera todo dentro de contexto para mí, que lo investigase desde las primeras imágenes, que averiguara cómo debían de haber sido las cosas para las mujeres que decidieron vivir juntas hacía un siglo, doscientos años, trescientos años, mujeres que se amaban como lo hacíamos Phyllis y yo ahora.

—¿Por qué no lo haces tú? —preguntó Phyllis.

Me eché a reír ante su ingenuidad de música.

—Para eso se necesitan habilidades eruditas que no tengo. No soy una historiadora.

—¿Qué habilidades no tienes? —dijo Phyllis.

«Conviértete en una actriz de cine», había dicho mi madre.

Aquella noche deseché la idea, pero no pude hacerlo de forma permanente. No existía un campo llamado «historia lesbiana». Con las habilidades académicas que pudiese tener, ¿por qué no podía ayudar a crearlo? ¿Quién se encontraba en una posición perfecta como yo en todo el país para llevar adelante esa tarea? El trabajo que había realizado para la elaboración de mi tesina y de los dos libros de texto había sido lo suficientemente exhaustivo como para tener algunas nociones sobre investigación. Yo era una profesora titular con una seguridad laboral total, y cualquier cosa que mis colegas pudiesen pensar en privado, ellos no podían castigarme por ser una historiadora homosexual no más de lo que podían hacerlo por ser una madre soltera. Yo tenía una familia que me esperaba en casa, una compañera que compartía todas las responsabilidades conmigo y, cuando yo no estaba en la facultad, tenía tiempo para trabajar mientras mi hijo dormía. ¿Por qué no debía hacerlo?

—Hazlo —volvió a insistir Phyllis—. Puedes hacerlo.

Mi escritura también era un puñado de semillas de avena.

* * *

Mi madre y Albert y Rae vienen a visitarnos. Albert lleva a Avrom por toda la sala de estar llamándole *yankeleh*. «Tal vez sea mejor que yo lo coja un rato, papá», digo después de que intenta durante media hora enseñarle a decir «buenos días, ¿cómo estás?» en yídish, hebreo, polaco, ruso y español. Pero entonces es mi madre quien quiere cogerlo y se lo acomodo entre sus brazos abiertos. Se sienta con Avrom en su falda, toca sus pequeños dedos con un delicado meñique, le mira con ojos soñadores. ¿Es a mí a quien ve en mi hijo? ¿Es a Hirshel? «Avremeleh», lo llama. Dejamos que duerma un rato en la cuna, luego mi tía va a buscarle, lo levanta y le canta *Pasas y almendras* con su voz ronca. «Debajo de la pequeña cuna de *Avremeleh* —grita en yídish—, hay un cabrito blanco...» Avrom la mira con sus enormes ojos llenos de amor.

Aunque mi tía me ha preguntado muchas veces durante sus visitas por qué Roger no viene a ver a su hijo, antes de subir al asiento trasero del coche de Albert para emprender el viaje de regreso, se vuelve hacia Phyllis para darle instrucciones: «Cuida de Lilly y del bebé».

«Lo haré —promete Phyllis solemnemente—. Cuidaré muy bien de ambos», y sus ojos azules se unen con los de My Rae.

EPÍLOGO

1979

Phyllis también regresó a su departamento. La eligieron presidenta porque pensaron que era la única que podía impedir que los profesores de cuerda se estrangularan unos a otros con cuerdas de tripa de gato y los profesores de viento empapasen sus respectivas cañas en estricnina. Ella consiguió establecer algo parecido a una tregua antes de que nos marchásemos a disfrutar de un año sabático en San Diego, donde estaríamos cerca de los abuelos Irwin. Ella escribiría un libro sobre los fundamentos de la música y yo ampliaría mis artículos sobre lesbianismo en un libro que titularía *Surpassing the Love of Men*.

Si yo hubiese sido una historiadora académica, habría sabido cuán difícil era rastrear el amor entre mujeres desde el Renacimiento hasta el presente, en dos continentes y cinco países. Pero no lo sabía. Tal vez los editores en Random House y William Morrow tampoco lo sabían, porque ambos pujaron por el libro tan pronto como leyeron mi resumen.

—¡Me publicará el libro una editorial de Nueva York! —le grité a mi madre por teléfono—. ¡A dos importantes editores les encantó el libro!

—Oh, Lilly —exclamó mi madre—, estoy tan orgullosa de ti.

Pero luego no dijimos nada más acerca del libro. ¿Qué podía entender mi madre sobre *Amistad romántica y amor entre mujeres desde el Renacimiento hasta el presente* o acerca de las editoriales de Nueva York?

Me reí sola cuando colgué. Mi exclamación eufórica seguía resonando en mis oídos. «¡A dos importantes editores les encantó el libro!» Había sido yo, una cría de diez años gritándole a su madre: «¡La RKO y la MGM quieren hacerme un contrato!».

Al acabar aquel año sabático, mi madre vino a San Diego en autobús, una última visita. Cuando regresábamos a Los Ángeles en coche, nos detuvimos en Knott's Berry Farm, adonde ella y yo habíamos ido con Rae y el señor Bergman algunas veces cuando era pequeña. Knott's Berry Farm había sido una atracción turística vulgar compuesta sobre todo por platós de Hollywood en dos dimensiones o en papel maché: *saloons* con vaqueros y cabañas de buscadores de oro y calabozos en los que podían hacerte una foto como si fueses un preso. *DIVERSIÓN PARA TODA LA FAMILIA* se podía leer en las vallas anunciadoras entre Los Ángeles y San Diego y, en los últimos años, Knott's había instalado elaborados paseos a caballo para niños a fin de competir con Disneylandia, que se encontraba carretera abajo.

Mi madre se sentó en un largo banco de madera junto con otros cuatro o cinco padres agotados, y Phyllis y yo nos quedamos junto a la puerta de malla, observando cómo nuestro hijo daba vueltas dentro de un cisne de plástico en un lago falso. Sin ningún motivo concreto miré hacia donde estaba mi madre. El brillante sol del sur de California parecía iluminarla solamente a ella y a ninguna otra persona de las que se encontraban en el banco; parecía varios centímetros más alta que sus acompañantes. Tenía los ojos entrecerrados. Estaba disfrutando del sol y contemplando a su nieto. Jamás la había visto así, tan tranquila, tan serena y contenta, tan majestuosa. ¿Adónde se había ido el manto de su locura? ¿El viejo velo de su tragedia que casi siempre cubría su rostro? No podía dejar de mirarla. «Esta imagen de ella, sólo ésta, es la que quiero conservar para siempre.»

Mi madre llamó algunos días más tarde, cuando ya estábamos en Fresno, pero la majestuosa figura iluminada por el sol se había desvanecido.

—El médico ha encontrado un gran bulto —la vieja voz histérica chilló a través del teléfono—. ¡Un gran bulto, Lilly! ¿Qué crees que puede ser?

¿Cómo era posible, cuando acababa de verla más feliz de lo que había sido nunca?

—Todo saldrá bien, mamá. No debes preocuparte. —Era la voz de una niña de diez años, una niña que trataba de sonar tranquila y controlada delante de un adulto que no lo estaba—. Iré inmediatamente.

Cuando llegué a Los Ángeles, mi madre estaba caminando arriba y abajo por Curson Avenue, la expresión familiar nuevamente instalada en su rostro, el descuido familiar nuevamente en el pelo y la ropa. Esta vez, sin embargo, no era mi mortalidad lo que le preocupaba sino la de ella.

—¿Qué crees que puede ser, Lilly? —gimió otra vez, aunque yo sabía que ella no quería oír la terrible palabra.

«Mi hijo tiene cuatro años. ¿Es eso todo lo que verá de él? Ese pensamiento llega con desesperación, furia, luego un salto en el tiempo: soy yo quien tiene cuatro años; mi madre me está abandonando.»

—Prepararé café para las dos —le dije jovialmente. Fui a la cocina y metí la cabeza dentro del armario donde guardaba el café instantáneo para que no pudiese ver mi cara alterada por el pánico de una niña de cuatro años.

En el hospital nos sentamos juntas en una consulta y el médico, vestido con un elegante traje claro y una camisa oscura, le entregó a mi madre un formulario para que lo firmase.

—Necesita leerlo primero —dijo bruscamente, y se entretuvo buscando algo en uno de los cajones de su escritorio. Yo leí las palabras en silencio mientras mi madre sostenía el papel.

—¿Qué significa? —me preguntó en yídish, parpadeando, fuera de control, como si las letras de ese documento oficial significasen una sentencia.

Yo no podía pronunciar las palabras porque quería protegerla de ellas.

—Sólo dice que te dormirán durante un rato —contesté en inglés— y te harán unas pruebas.

—Ésa es sólo una parte de lo que dice el papel. —El médico me lanzó una mirada despectiva. Cogió el formulario de manos de mi madre y con un dedo inexorable como la muerte señaló la cláusula que quería que mi madre viese—. Mire, aquí. Dice que si encuentro alguna malignidad mientras realizo la biopsia del tejido, usted me da su consentimiento para practicarle una mastectomía.

—¿Qué está diciendo? —volvió a preguntarme en yídish, y ahora tuve que decírselo.

El Día de Acción de Gracias habíamos ido a cenar con unos amigos a Three Rivers y alcancé a oír que sonaba el teléfono en la oscuridad cuando entrábamos con el coche en nuestro garaje.

—Lee-lee, la ambulancia vino a buscar a tu madre. Está en el hospital muy enferma, muy muy enferma —gritó Albert en el teléfono. Era neumonía, dijo. La habían sometido a quimioterapia durante tres meses.

—Iremos contigo —dijo Phyllis.

—No. Por favor. Necesito estar a solas con ella —dije—. Quédate aquí y cuida de nuestro pequeño.

* * *

Mi madre está unida por todas partes a una complicada red de metros de tubos y cables. Trata de decirme algo, sus manos se agitan transmitiendo mensajes indescifrables, los labios se mueven alrededor del tubo transparente que entra por la boca y llega hasta los pulmones. «¿Qué, mamá, qué?» No entiendo lo que quiere decirme. «Dímelo más tarde, cuando te hayan quitado ese tubo de la boca.» Pero no se detiene. Ahora se señala los labios, acerca mi barbilla a ellos, me acerca a su rostro. Me asusta. ¿Qué es lo que quiere de mí? «No te entiendo», grito, frustrada. Siempre me ha resultado muy difícil entenderla. Pero no descansará hasta que lo haya conseguido. Ahora señala mis labios, acerca mi barbilla hacia ella. «¿Mi cara?» Estoy desesperada. «¿Qué pasa con mi cara?»

Entonces lo entiendo. Es tan simple. «¿Quieres que te bese?» Oigo que mi tía, que está parada detrás de mí, hace un sonido amortiguado. Mi madre asiente y suspira profundamente, y su cuerpo parece relajarse por primera vez. Le beso la cara una y otra vez y la llamo «querida mía». Cuando abandono la habitación durante un momento, Rae sale corriendo tras de mí. «Lávate bien la boca con jabón —susurra en voz alta—. La neumonía es contagiosa.»

Entro en el baño y me froto los labios como Rae me ha dicho, pero luego lamento haberlo hecho, y los labios me duelen por la acción del jabón desinfectante. Durante todo el día beso a mi madre una y otra vez y la llamo «querida mía». No quiero volver a frotarme los labios. Me quedo junto a ella y sostengo su mano. ¿Qué puedo decirle? «Le envié a mi editor la primera parte de mi manuscrito y dice que será un libro muy importante.» «La maestra del parvulario de Avrom dice que lee a nivel de tercer grado.»

Ella me aprieta la mano y sus labios parecen sonreír alrededor del tubo antes de quedarnos en silencio, luego vuelvo a besarla. No hay nada más que decir. Pero tampoco hay necesidad de hacerlo.

Cuando era pequeña había muy pocas cosas que podía decirle a mi madre que ella entendiese, pero tenía millones de besos para ella. Cuando fui mayor, siempre estaba demasiado enfadada como para besarla. Ya no podía seguir soportando ser testigo de su dolor, no podía soportar que ella hubiera sido siempre una víctima. ¿Por qué no había sabido construirse una vida decente para ella? Pero ahora me consuela, y a ella también, puedo verlo, cuando la beso una y otra vez como solía hacerlo cuando era pequeña.

¿Le he dicho realmente todo lo que necesito decirle? «Todo saldrá bien, mamá», digo ahora. No: «tú estarás bien». No puedo mentirle.

«Todo saldrá bien», vuelvo a decir unos minutos más tarde, y ella asiente con la cabeza.